KB054936

新編高麗史全文

세가11책

우 왕

目　次

『高麗史』卷四十五 世家卷四十五[卷百三十三 列傳卷四十六][1]

[輔國崇祿大夫·議政府左贊成·知集賢殿經筵春秋館成均事·世子賓客·臣金宗瑞奉敎撰]

正憲大夫·工曹判書·集賢殿大提學·知經筵春秋館事兼成均大司成·臣鄭麟趾奉敎修

禑王[辛禑] 一

禑王[辛禑],[2] 小字牟尼奴, 旽婢妾般若之出也. [恭愍王十四年乙巳, 七月癸亥生7日:追加].[3] 或云, 初, 般若有身滿月, 旽, 令就友僧能祐母家產, 能祐母養之, 未期年兒死. 能祐恐旽讓, 旁求貌類者, 竊取隣家隊卒兒, 置諸他所. 告旽曰, "兒有疾, 請移養", 旽諾. 居一年, 領都僉議使司事旽取養于家, 以同知密直□□司事金鋐所賂婢金莊爲乳媼.[4] 般若亦未知爲非其兒也. 恭愍王常憂無嗣, 一日微行, 至旽家. 旽指其兒曰, "願殿下, 爲養子以立後". 王睨而笑不答, 然心許之. 旽密令其黨吳一鶚, 爲書, 祈洛山觀音云, "願令弟子分身牟尼奴, 福壽住國". 及旽流水原, 王語近臣曰, "予嘗至旽家, 幸其婢生子, 毋令驚動, 善保護之".

及~~二十年七月前領門下府事辛~~旽旣誅, 王召牟尼奴, 納明德太后殿, 謂守侍中李仁任曰, "元子在, 吾無憂矣". 因言有美婦, 在旽家, 聞其宜子, 遂幸之, 乃有此兒. 後, 王欲以牟尼奴爲嗣, 請就學. 太后不欲曰, "稍長, 就學未晚". 王命知申事權仲和, 往前政堂□□~~文學~~李穡第, 會文臣, 議改牟尼奴名. 乃書八字以進, 王以禑命~~名~~之.[5] 仍

---

1) 이 篇目은 원래 열전46에 編制되어 있던 것을 筆者가 任意로 改變하였고, 이하 同一하게 처리하였다.

2) 禑王은 1388년(우왕14) 6월 8일 侍中 李成桂에 의해 廢位되고, 1389년(창왕1) 12월 16일에서 27일 사이에 江陵에서 被殺되었다. 그래서 廟號가 없이 오랫동안 辛禑로 불리다가 近世에 이르러 禑王으로 敬稱되었다.

3) 禑王의 生年은 즉위 때 10歲임을 통해 알 수 있고(→是年 9월 25일), 誕日은 다음의 資料와 우왕 4년 7월 7일의 記事에 의해 알 수 있다.

· 『목은시고』 권24, 禑王6年. 七月初七日 主上殿下誕日也. 曲城府院君爲首, 諸君進手帕, 穡從其後, 行禮拜, 飮宣賜酒, 趨出. ….

4) 金莊의 姓氏는 張이다(→우왕 2년 8월 某日).

5) 이때의 八字가 牟尼奴의 四柱八字, 곧 생년월일을 지칭한다고 한다(徐今錫 2015년). 또 命은 名으로 고쳐야 더 적절할 것이다.

召侍中慶復興·密直提學廉興邦·政堂文學白文寶，議封禑江寧府院大君，使文寶及田祿生·[大司成]鄭樞等，傅之.

二十三年九月[丁丑[15日]:追加]，王冒稱禑故宮人韓氏出，追贈韓氏三代及其外祖.[6)]

甲申[22日]，[宦者]崔萬生·洪倫等弑王，太后[洪氏]率禑入內，秘不發喪.

丙戌[24日]，殯于寶房，禑與宰樞，發喪擧哀.[7)]

[→王薨翼日，[代言林]樸在殯側，露齒笑. 殯殿都監判官柳爰廷，性鯁直敢言，嘗侍王講讀，大爲器重. 是日見樸笑，責之曰，“先王嘗稱子爲社稷臣，今子忘哀而笑，是非忠臣”. 及樸秉政，惡而不用. 然樸喪玄陵，素帶三年:列傳24林樸轉載].

[○月與歲星犯軒轅. 太白犯大微[~~太微~~]上相:天文3轉載].

翼日[丁亥25日]，太后及[~~侍中~~]復興，欲立宗親，[~~守侍中~~]仁任欲立禑，議□□[~~猶豫~~]未決.[8)] 都堂相視，莫敢發言. 判三司事李壽山曰，“今日之計，當在宗室”. 永寧君瑜及密直王安德等，[9)] 阿仁任意，大言曰，“王以大君爲後，捨此何求?”. 仁任率百官，遂立禑. 年十歲.

[→甲辰[甲申22日]，王見弑，后欲擇立宗室，□□[~~丁亥25日~~] □[守]侍中李仁任，率百官立禑:列傳2忠肅王明德太后洪氏轉載].[10)]

[某日，百官會于市，轘崔萬生·洪倫，斬韓安·權瑨·洪寬·盧瑄及其諸子，並梟首，籍家產，妻妾配爲官婢. 杖安父方信·瑄父稹·瑨父鏞·寬父師普，編配遠州，親叔姪堂兄弟，皆杖流. 以宦者金師幸，媚惑大行王，興土木之役，沒爲益州官奴，籍其家:節要轉載].[11)]

---

6) 이날의 日辰은 공민왕 23년 9월 15일(丁丑)에 의거하였다. 또 禑王의 母后에 대한 검토는 數次에 걸쳐 이루어졌다(李相伯 1947년 ; 윤두수 1990년).

7) 이 기사는 禮志6, 國恤에도 수록되어 있다.

8) ~~添字~~는 『고려사절요』 권29에 의거하였다.

9) 이때 王安德의 관직은 知密直司事 또는 密直司使로 추측된다(→다음의 脚注, 열전39, 王安德).

10) 이 기사에서 甲辰은 甲申의 오자이고, ~~添字~~가 추가되어야 옳게 될 것이다. 또 이때 王位決定에 참여했던 인물들에 대한 기록으로 다음이 있다. 그리고 禑王이 즉위한 이날(丁亥, 25일)은 율리우스曆으로 1374년 10월 30일(그레고리曆 11월 7일)에 해당한다.
- 열전24, 慶復興, “[恭愍]王見弑，復興欲立宗室，仁任乃立辛禑”.
- 열전39, 李仁任, “[恭愍]王見弑，太后及復興欲立宗親，復興宣太后旨於仁任. 仁任貪立幼主，謀竊國柄，欲立辛禑. 議未決. 李壽山曰，‘今日之計，當在宗室’. 密直王安德·永寧君瑜等希仁任意，大言曰，‘王以大君禑爲後，捨此何求’，仁任率百官，遂立禑”.
- 열전39, 王安德, “恭愍薨，安德倡議立辛禑，陞判□□[密直]司事”.

11) 이와 같은 기사가 열전44, 洪倫에도 수록되어 있고, 金師幸에 관한 기사는 열전35, 宦者，金師幸

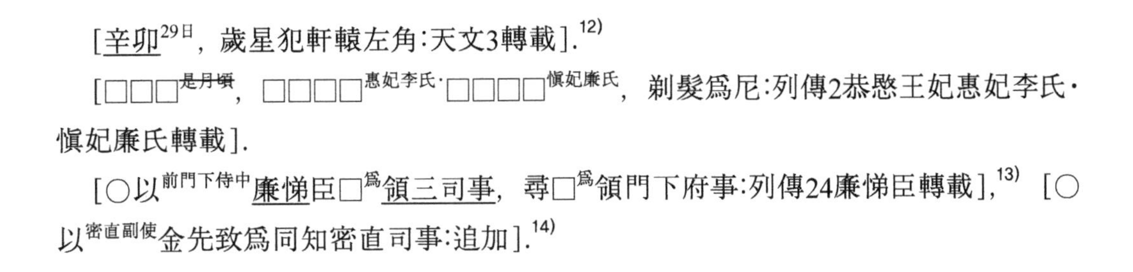

[辛卯29日, 歲星犯軒轅左角:天文3轉載].[12]

[□□□~~是月頃~~, □□□□惠妃李氏·□□□□愼妃廉氏, 剃髮爲尼:列傳2恭愍王妃惠妃李氏·愼妃廉氏轉載].

[○以前門下侍中廉悌臣□爲領三司事, 尋□爲領門下府事:列傳24廉悌臣轉載],[13] [○以密直副使金先致爲同知密直司事:追加].[14]

[冬]十月癸巳朔小盡建乙亥, 告喪于大廟~~太廟~~.

[是日, 都統使崔瑩等諸元帥率軍, 入羅州牧, 翌日甲午2日, 上京:追加].[15]

[某日, 流前代言金興慶于彥陽, 籍其家:節要轉載].

[→及王被弑, 辛禑立, 右司議□□大夫安宗源·門下舍人金濤·補闕林孝先·正言盧嵩·閔由誼等上言, "古人云, 大姦似忠, 大詐似信. 金興慶不更事無知, 惟以年少憸利, 荷先王寵眷, 超擢高官, 得任喉舌. 朝夕昵侍. 怙權陵僭, 蒙蔽聰明, 專擅威福, 縱肆貪婪. 王旨擅傳而不奏, 御膳先己而後進. 刑政自任, 賄賂盛行, 用公府之財爲己物, 取內廐之馬爲己畜, 奪人之妻, 陽令離異, 受人之奴, 陰許扶援. 慢罵宰相, 縛辱郞吏. 以普通佛舍, 作其馬坊. 役七站人馬, 輸其私米. 誘扇群小, 恣行不法. 虧君德, 斂人怨, 遠近莫不痛憤, 畏威莫敢指斥. 使上恩不得下究, 下情不得上達, 馴致堅冰之勢, 釀成前日之禍. 盖起禍者萬生也, 而媒禍者興慶也. 昔趙高專於秦, 而卒成望夷之禍, 朱异專於梁, 而俄有臺城之變. 今在惟新之朝, 宜先正興慶誤國陷君之罪, 以快一國臣民之憤, 迄至今日, 略無譴訶. 興慶曾不自悔, 所在群聚, 謀自安之術, 驚駭視聽, 沸騰物議. 且興慶之縱惡至此者, 亦由王伯·安沼·鄭龍壽, 爲其腹心, 相濟爲之耳. 請令憲司, 明正其罪, 以誡後來". 禑留中不下, 臺省請至再

에도 수록되어 있다.

- "百官會于市, 轘倫·萬生, 斬安·璔·寬·瑄及其諸子, 皆梟首, 籍家產, 妻妾沒爲官婢. 杖方信·稹·鏞·師禹·師普, 編配遠州, 親叔姪堂兄弟, 皆杖流".

12) 禑王과 昌王代의 기사는 대부분이 날짜[日辰]가 없다. 그래서 사실의 進行順序를 溫存시키기 위해 정확한 位置의 判定이 불가능한 轉載記事는 月末에 一括로 添附하였다(→是年 11월 14일의 脚注).

13) 領三司事는 禑王 때에 처음으로 설치되었다고 한다(지30, 백관1, 三司, "辛禑, 始置領三司事").

14) 이는 다음의 자료에 의거하였다.

- 『태조실록』 권13, 7년 3월 己巳22日, 金先致의 卒記, "… 累遷至密直副使, 僞朝甲寅, 同知密直□□司事".

15) 이는 『금성일기』, "濟州入歸爲有如諸元帥行次, 十月初一日出來, 初二日上京"에 의거하였다.

三, 禑乃流興慶于彦陽, 除名籍其家, 餘皆免官:列傳37金興慶轉載].

壬寅[10日], 雷, 雨雹.

丁未[15日], 下書[敎書], 宥境內曰, "不幸天不佑我國家, 先考奄棄群下, 痛不容言. 宦者崔萬生及洪倫·權瑨·洪寬·韓安·盧瑄等, 與近臣金興慶, 妬寵宿怨, 乘釁肆毒. 幸賴祖宗在天之靈, 捕獲萬生等, 已正典刑, 原其致亂, 流興慶于外. 於洪武七年[恭愍王23年]九月二十五日[丁亥], 國之宗親, 暨大小臣僚, 以先考遺命, 承王大母旨, 俾予繼位. 予方幼冲, 在衰絰之中, 固辭, 至再至三, 遂不獲已, 以至於此. 於戱, 凡爾內外大小臣庶, 各盡乃心, 恪守先王成憲, 弼予于理, 以安社稷".

○宥辛旽黨.

[某日, [都統使崔]瑩與諸將班師, 復命于梓宮, 痛哭失聲:列傳26崔瑩轉載].[16]

[辛亥[19日], 日暈有珥:天文1轉載].

[○木稼:五行2轉載].

[癸丑[21日], 辰星·熒惑相犯:天文3轉載].

甲寅[22日], 大霧, 二日.

[丙辰[24日], 大雪. 木稼:五行2轉載].

[丁巳[25日], 月犯角星:天文3轉載].

庚申[28日], 葬□□□□~~大行王于~~玄陵, [謚曰敬孝:節要轉載].[17]

---

16) 原文에는 "十月, 瑩與諸將班師, 王已薨, 復命于梓宮, 痛哭失聲"으로 되어 있다.

17) 이 文章은 ~~添字~~, 곧 '大行王于'를 추가하여야 옳게 될 것이다. 또 恭愍王이라는 謚號는 1385년(우왕11) 9월 17일(丙子) 明으로부터 받았다. 그리고 玄陵은 開城市 開豊郡 解線里(지난날의 麗陵里)에 있으며(국보유적 123호, 張慶姬 2013년), 恭愍王의 御眞은 開城府 華藏寺에 봉안되어 있었던 것 같고, 이를 1819년(순조19) 9월 申緯(1769∼1848)가 謁見하였다고 한다(현재 黑白寫眞版으로 전해진다고 한다, 李源福 2015년). 한편 圖書院에 소장되어 있던 고려시대의 歷代 帝王과 后妃의 肖像畵는 1426년(세종8) 5월 19일(壬子) 王命에 의해 소각되었다(『세종실록』 권32 ; 金蘭玉 2014년).
또 華藏寺는 開城府 長湍縣 寶鳳山(現 開城直轄市 龍興洞)에 있었다고 하며, 이곳에는 1328년(충숙왕15) 指空이 가져온 pattra樹[學名은 Laurus oassia)의 잎사귀[貝多羅葉, 棕櫚樹葉과 類似함]에 기록한 佛經[梵莢] 1葉이 소장되어 있다고 한다. 이 梵莢은 日帝强占期에 日本으로 반출되어 東京博物館에 소장되어 있다고 한다(岡 教邃 1926年). 그리고 1904年에 제작된 華藏寺의 平面圖, 建物의 寫眞도 찾아진다(關野 貞 1904年 195面 第280, 281, 284, 285, 286圖).
· 『警修堂全藁』 권6, 華藏寺, 宿法能房, 早起閱貝葉經, 謁恭愍像作.
· 『玄洲集』 권15상, 遊天磨·聖居兩山記(1605年), "… [花藏]寺, 蓋西域僧指空所創, 而歷兵火, 猶獨巍然, 可謂靈且壯矣. 法殿敞赫宏謫, 丹臒懿濞, 肅若上界, 儼若鬼神, 愯悸不可久立. 東有先王畫像所御容殿, 殿東又有羅漢殿, 西有僧堂, 廣可百餘間, 堂有指空法像. 又有諸寮, 疊置間列, 懸鍾一樓, 高爽特揭. 登臨四望, 眼盡其力, 由樓而下, 槐庭廣衍, 騁睎益曠. 周覽未畢, 有僧跪進一

[→庚申, 葬于玄陵. 百官皆喪服, 秉燭, 導輀車前行, 諸司設奠道次. 禑以喪服, 出演福寺西街, 迎拜, 肩輿前導, 至宣義門外, 拜送. 平笠·白衣, 乘馬而還. 百官至山陵, 葬訖, 以吉服返魂於寶源庫:禮6國恤轉載].

○是日, 虹圍日, 日傍又有大小二日.

[辛酉29日晦, 太白入氐:天文3轉載].

[是月頃, 禑喪畢, 御正殿, 宰相上壽. 領三司事廉悌臣首陳爲君難, 爲臣不易, 親賢遠佞等語, 禑爲之改容, 加賜忠誠守義同德論道輔理功臣號:列傳24廉悌臣轉載].

[○以同知密直司事金先致爲全羅道元帥兼都巡問使:追加].[18]

十一月壬戌朔大盡, 丙子, [戊辰7日, 溫暖如春:五行1恒澳轉載].

己巳8日, 攝事于大廟太廟.

○是日, 大雨, 雷電, 地大震.

○鵩鳴于大室太室.

○追謚諡韓氏, 爲順靜王后.

[庚午9日, 太白犯房:天文3轉載].

[癸酉12日, 霧塞:五行3轉載].

[某日], 遣密直使張子溫·典工判書閔伯萱如京師, 告訃, 請賜謚諡·承襲, 請謚諡

函, 卽開鐀視之, 則有貝葉梵經, 栴檀瑞香, 皆產於西天, 而指空所手而置者, 信乎其奇且玄矣".

- 『眉叟記言』 권27, 山川上, 聖居·天摩古事, "… 五冠東爲鳳嶽, 其下華藏, 華藏, 有恭愍王圖像. 麗之遺民, 廛出布, 共眞殿, 傳且累百年, 氓俗猶有大國遺風. 浮屠傳守貝葉經西竺梵文, 或傳指空書云. …".
- 『農巖集』 권23, 游松京記, "… 踰嶺得華藏寺, 故西域僧指空所創, 甚壯麗, 佛殿火於昔年, 近時重建, 丹碧煥然, 殿左小室, 奉高麗恭愍王影幀, 又其左爲羅漢殿, 有千百羅漢像, 殿右爲寂然堂, 有指空塑像. 又其南爲祖師殿, 有迦葉以下諸祖師, 傳神繪事, 頗精麗. 寺僧出一函以示, 中有貝葉書及栴檀香, 書皆梵字不可識, 香卽楞嚴所謂燃於一株, 四十里內, 同時聞氣者也. 皆指空自西域攜來, 藏之只今云"(1672년 金昌協의 見聞).
- 『息山集』別集권4, "寶鳳□卄有華藏寺, 藏恭愍王圖像, 又有西竺梵文貝葉經·指空等身. 或爲貝葉, 卽指空書云".
- 『淵泉集』 권5, 聞華藏之勝, 四十有九年矣, 願一游而終不能諧, …[注, 寺有高僧堂八十間, 最爲瓌觀, 辛卯純祖31年?之火, 寸椽無遺].
- 『韶濩堂集』詩集권1, 華藏寺(高宗13년 1876年, 作), [注, 高麗恭愍王時, 西域僧指空持貝葉經·牛頭香來, 今本寺, 尙藏有二寶], [注, 本寺有王肖像].

18) 全羅道都巡問使 金先致는 11월 4일 兵營에 赴任하였다고 하는데(『금성일기』), 이 시기에는 元帥가 都巡問使를 兼職하고 있었다.

- 열전27, 金先致, "陞同知密直□□司事, 爲全羅道都巡問使".

表曰, “帝王之道, 雖遠不忘, 人子之心, 惟親是顯. 竊念臣父先臣顓, 早承舊服, 爰處遐方, 幸逢聖人之興, 灼見天命之集. 既委質於事上, 亦盡心而治民, 若稽成規, 宜請殊號. 伏望, 同仁夷夏, 施澤幽明, 察先臣篤於忠貞, 哀孤臣迫於痛悼, 擧易名之典, 副向化之誠, 則臣, 謹當宣孝治於一方, 祝聖壽於萬歲”.

○承襲表曰, “居高惟在聽卑, 承國宜先禀命, 輒陳哀懇, 仰瀆聰聞. 伏念, 臣禑惡運既深, 先臣奄逝, 年齡甚弱, 方居衰絰之廬, 政事惟繁, 難曠蕃宣之職, 玆當呼籲, 深切兢惶. 伏望, 推無外之洪恩, 降由中之明詔, 俾小國得遵舊典, 許孤臣仍守遺基, 則臣, 謹當永堅保釐之心, 上答生成之造”.[19]

[乙亥14日:比定],[20] 設八關會, 以國恤不受賀.

[辛巳20日, 月犯軒轅左角, 又犯歲星:天文3轉載].

[癸未22日, 日珥:天文1轉載].[21]

[丁亥26日, 小寒. 月犯房次將:天文3轉載].

[○霧氣如春:五行1轉載].

[某日], 移安仁德太后恭愍王妃魯國大長公主眞于光巖寺.

[某日], 納哈出遣其子文哈剌不花~~文哈剌不花~~來, 獻駱駝二頭·馬四匹.[22]

[某日, 前代言金興慶伏誅. 初, 吳獻聞洪倫等謀, 以告興慶, 興慶以倫等有寵, 恐王不信, 反爲所害, 猶豫未敢聞. 及亂作, 獻具告判三司事?崔瑩. 瑩遣獻于興慶貶所對辨, 興慶顧獻曰, “汝尙乳臭, 吾薦汝先王, 汝反欲噬我耶?”. 獻曰, “吾以倫等逆謀

---

19) 이와 관련된 기사로 다음이 있으나 내용이 사실에 부합되지 않는다.
- 『明鑑綱目』 권1, 홍무 7년 11월, “[綱], 高麗李仁任, 弑其王顓]. [目], 顓無子, 以寵臣辛旽之子禑爲嗣. 於是, 仁任立禑. [注, 仁任既弑顓, 又殺朝廷使者, 而遣使來告喪, 揚言詔使實盜所殺, 今已誅之. 帝疑其詐, 拘其使, 而遣使弔祭. □于巳, 仁任又爲故主請謚. 帝曰, ‘是欲假朝命, 以鎭撫其民, 且掩其弑逆之事’. 不許, 釋前使還, 自是, 朝貢皆不納].

20) 禑王과 昌王의 시기는 편년체의 『高麗史全文』에서는 廢王 禑·廢王 昌으로서 紀年과 日辰[日付]이 기록되어 있었던 것 같다. 그 후 기전체의 『고려사』로 再編될 때 열전으로 지위가 격하되어 叛逆列傳 다음에 立傳되면서(반역 열전에 수록된 것은 아님), 일진의 대부분이 삭제되었으나 천재지변, 明과의 관계, 그리고 본의가 아니게 李成桂에게 협조하였던 定妃 安氏(恭愍王妃) 등과 관련된 기사는 예외적으로 기록되어 있다. 그래서 이때의 기사는 事實의 展開를 파악할 수 없는 안타까움이 있기에, 이 책에서는 日辰을 추측할 수 있도록 時間像을 念頭에 두어 조금이나마 生動感을 불어 넣으려고 한다.

21) 이 기사는 지1, 천문1, 日薄食·暈·珥及日變에서 1374년(우왕 즉위년) 10월 庚申(28일) 다음에 연결되어 있으나 癸未는 11월 22일이다. 그러므로 癸未 앞에 十一月이 탈락되었음을 알 수 있다.

22) 文哈剌不花[文카라부카]는 공민왕 22년 3월 11일(癸丑)에 의하면 高麗人[我國人]으로 되어 있다. 이 기사에서는 나가추[納哈出]의 아들로 되어 있지만, 假子일 가능성이 있다.

告公, 乃所以報公德也". 興慶無以對:節要轉載].[23]

[某日], 大明使林密·蔡斌等還, 至開州站,[24] 護送官·同知密直司事金義殺斌及其子, 執密, 遂奔北元. 密直使張子溫·典工判書閔伯萱逃還.

[→林密·蔡斌, 所至遲留, 斌酗酒, 每欲殺金義. 至開州站, 義殺斌及其子, 執密, 以甲士三百馬二百匹, 奔于北元. 張子溫·閔伯萱逃還. 義, 本胡人也:節要轉載].[25]

[→或謂守侍中李仁任曰, "自古國君見弑, 爲宰相者, 先受其罪. 帝若聞先王之故, 興師問罪, 公必不免, 莫若與元和親." 仁任然之, 及帝使蔡斌等還, 仁任遣贊成事安師琦, 陽言餞行, 密諭金義, 中路殺斌等, 以滅口. 義遂殺斌, 奔北元, 由是, 人心疑懼, 未敢通使朝廷:列傳39李仁任轉載].

[某日, 諫官~~左司議大夫~~柳珣·~~右司議大夫~~安宗源·~~門下舍人金濤·起居舍人朴尙眞·獻納林孝先·正言盧嵩·閔由誼~~

---

23) 이 기사는 열전37, 金興慶에도 수록되어 있다.

24) 開州站(現 遼寧省 丹東市 鳳城縣)은 鴨綠江 左岸의 義州站에서 渡江→驛昌站(丹東市 振安區 九龍城鎭)→湯站(丹東市 鳳城縣 남쪽 湯山城鎭)→開州站→鳳凰城으로 나아가는 지점이다(森平雅彦 2014년). 또 林密·蔡斌은 開州站 부근의 只孫站(혹은 只縣)에서 貢馬使 金義에게 行悖를 부리다가 蔡斌은 被殺되고, 林密은 잡혀 북쪽으로 갔던 것 같다.

- 『吏文』 권2, 咨奏申呈照會9, 金義叛逆都評議使司申, "… 洪武七年八月二十四日, 蒙差一同宗簿副令趙原寶等, 根同密直副使金義, 將引人夫押領征進馬二百匹, 護送朝廷差來官林主事林密·蔡大使蔡斌. 於十一月二十二日, 過江往定遼衛去. 二十四日到只孫站, 各打窩鋪宿頓. 至二十五日朝未明時分, 有金義帶領梯已伴黨人等叛亂, 將蔡大使幷伴黨殺害. …".
- 『쌍매당협장집』 권2, 觀光錄, a次浩亭公河崙開州站詩, b次浩亭先生過巨之介山詩韻, c山之西麓, 有金義殺使之所, 背國之路, 行人至此, 未嘗不彷徨嘆息而後去, 浩亭公有詩, 奉賡其韻. 이들 자료는 1402년(태종2) 10월 15일(乙丑) 李詹이 河崙·趙璞 등과 함께 南京應天府에 사신으로 파견되어 11월 初旬 遼東半島의 旅順港[旅順口]으로 나아갈 때 지은 시문의 제목이다. 이에 의하면 開州站의 서쪽에 위치한 巨之介山에서 蔡斌이 피살되었다고 한다.
- 『명태조실록』 권98, 홍무 8년 3월, "丁卯7日, 高麗國遣判宗簿事崔原崔源來, 告哀言去年九月國王王顓卒, 已遣使訃聞于朝, 爲盜高鐵頭者, 邀于路因不得達. 又言其國有金義者, 奉使貢馬行至只縣, 遇朝使蔡斌·主事林實週林密, 遂殺斌而執實週密以還, 罪當死已誅義, 而籍其家. 上疑其詐, 命拘崔原崔源, 別遣使往其國, 弔祭".

25) 이와 같은 기사로 다음이 있는데, 이를 통해 金義가 叛逆傳에 編入[立傳]된 事由가 무엇인지를 알 수 없다. 여기에서 金義의 蒙古名인 也列哥는 也列不哥[Ile Buqa]에서 脫字가 발생한 것 같다.

- 열전44, 叛逆55, 金義, "金義, 胡人, 本名也列哥~~也列不哥~~. 恭愍末, 拜密直副使, 陞同知□□密直司事. 朝庭朝廷使臣林密·蔡斌等還, 命義護行, 斌酗酒, 每欲殺義, 義不能堪, 欲害之. 李仁任亦恐朝庭朝廷問恭愍之故, 遣安師琦, 密諭義, 殺斌等以滅口. 至開州站, 義遂殺斌及其子, 執密以甲士三百人·進獻馬二百匹, 奔于納哈出. 辛禑□□元年, 下義母妻于巡軍, 將殺之, 憲司言, '義雖叛逆, 婦女何知. 請勿殺'. 乃沒爲尙州官婢, 籍其貲產. 又繫義兄前判事彥, 彥踰獄逃. 後昌王1年權近入朝, 遇義於儀眞州舟上, 自言, '歸大明爲指揮, 征南蠻, 捷還時'. 義母在問之, 無慼容". 여기에서 儀眞州는 眞州鎭(現 江蘇省 儀征市 南部의 眞州鎭)의 別稱인 것 같다.

等，上書都堂曰，“宦者爲患，趙高而下，班班可見．我忠宣王吐蕃之辱，忠惠王岳陽之禍，皆由[任]伯顔禿古思與[高]龍普之所爲也，至於前日，[崔]萬生大逆極矣．今主上幼冲，當親老成，以養德性，不可復令宦者，朝夕狎昵，壅蔽聰明，以至誤國．至於魂殿，旣有都監員吏，敬供朝夕之奠，亦不可復令宦者，紛然聚會，以基固寵之地．伏惟，諸相爲國深慮，擇其忠謹者十餘人，以備宮內掃除之役，其別賜與祿俸，毋得疊受，以費國用．其餘徒黨，各令從便，毋使復爲國家之患．時禑年幼，政出宰相，故諫官獻書，冀其處置，宰相不以爲慮”:節要轉載]．[26]

十二月[壬辰朔小盡，丁丑]，[某日]，以三司左使李希泌爲西北面上元帥．

[某日，賜金子粹等三十三人及第:節要轉載]．[27]

[某日，稷山君白文寶卒．文寶善屬文，性質直，不感異端:節要轉載]．

[→[恭愍]二十三年卒，謚忠簡．□□[文寶]，性廉潔正直，不惑異端，善屬文．無子:列傳25白文寶轉載]．

[某日]，遣判密直司事金湑如北元，告喪．

[某日]，倭寇密城，焚官廨，虜掠人物．

[丙午[15日]，以護軍豆萬下散員沈龜齡爲別將:追加]．[28]

---

26) 이 기사는 열전22, 安軸, 宗源에도 수록되어 있는데, ~~忝字~~는 이에 의거하였다.

27) 이와 관련된 기사로 다음이 있다.

- 지27, 선거1, 科目1, 選場，“[恭愍]二十三年四月，政堂文學李茂芳知貢擧，密直副使廉興邦同知貢擧，取進士．王親試，取金子粹等三十三人，至十二月，賜及第”．
- 『목은시고』 권24, 至正癸巳四月，… 歲甲寅，李評理[~~茂芳~~]·廉政堂[~~興邦~~]典貢擧，皆不設燕 ….
- 열전33, 金子粹，“恭愍末，擢魁科，授德寧府注簿”．
- 『목은문고』 권10, 可明說，“甲寅科及第李百之，字以可明，求予子說，…”．
- 열전31, 趙浚，“… 母吳氏嘗見新及第綴行呵喝，嘆曰，‘吾子雖多，未有登第者，何用哉?’．浚聞之，跪泣指天誓曰，‘予所不第者，有如天’．自是勤學，遂登第”．
- 『태종실록』 권9, 5년 6월 辛卯[27日]，趙浚의 卒記，“登甲寅科”．
  이때 [生員]金子粹·李百之·石汝明(乙科3人)，[生員]李湞·李元有·安定·金爾音·金翌·趙仲傑·黃安(丙科7人)，[直長同正]崔卜麟·[生員]薛偁·朴仲容·姜思敬·李湊·[生員]李臯·李廷堅·吳天經·趙文拔·崔沼·安垂·鄭以吾·安景良·[成均幼學]宋回·[進士]鄭端·[學生]崔宜汝·[學生]李經·[生員]許乾·[大殿行首]趙浚·[生員]陳義貴·鄭擧·兪邁·閔中立·閔頤(閔安仁의 初名?，閔中立의 6寸，閔安仁墓誌銘)·[進士]朴崇禮(同進士25人) 등이 급제하였다(『등과록』；『전조과거사적』，朴龍雲 1990년；許興植 2005년)．여기에서 閔頤는 오자일 가능성이 있는데, 이해[是年]의 9월 19일(辛巳)에 正郎 閔頤가 찾아지고 있다.

28) 이는 『豊山沈氏世譜』，沈龜齡의 仕宦日記，“洪武七年甲寅十二月十五日判，護軍豆萬下別將”에 의거하였다(南權熙 2002년 449面)．여기에서 沈龜齡은 李芳遠의 幕士(幕客)로 立身하였던 같다.

- 『태종실록』 권25, 13년 6월 丁卯[20日]，沈龜齡의 卒記，“豊山君沈龜齡卒．龜齡善射御，久從上之

[丁未16日, 設行敬孝大王水陸法會, 王師懶翁惠懃對靈說法:追加].29)

[戊申17日, 月犯歲星:天文3轉載].

[某日, 以大匡·韓山君李穡爲重大匡·韓山君·藝文館大提學·知春秋館事兼成均館大司成·知書筵事·功臣號如故, 尹侅爲大匡·坡平君, 典校令朴尙衷兼知王府印, 朝請郎·知通州事兼勸農防禦使李詹爲承奉郎·左正言·知製敎:追加].30)

[冬某月, 以典儀令成石璘爲密直司左副代言:追加].31)

[是年, 以判密直司事邊安烈爲知門下府事:列傳39邊安烈轉載].32)

[○以徐良秀爲延安府使, 尋以權之迪代之, 又以崔允儒代之:追加].33)

[○以蔡元吉爲知寧海府事:追加].34)

[○以知密直司事·商議會議都監事鄭思道爲知門下省事, 尋爲政堂文學:追加].35)

[○以師傅·大司成鄭樞爲左代言:列傳19鄭公權轉載].

[○明使臣仲猷祖闡·無逸克勤, 自日本還國, 帶被擄高麗人及中國人百五十人, 明帝, 詔有司送還鄕里:追加].36)

潛邸, 戊寅·庚辰之變, 與有功焉, 遂爲佐命功臣. 歷官至判恭安府事·同知義興府事. 龜齡起寒微, 及貴顯, 能自謙抑, 折節下士. 卒年六十四, 輟朝三日, 賜賻致祭. 靜妃·世子, 亦皆致奠, 諡靖襄".

29) 이는 다음의 자료에 의거하였다.
· 『나옹화상어록』권, 甲寅臘月十六日,敬孝大王水陸法會,對靈小參.

30) 이는 「李穡行狀」; 「李穡年譜」; 「尹侅墓誌銘」; 『定齋集』 권3, 潘南先生家傳 ; 『쌍매당협장집』연보에 의거하였다.

31) 이는 『獨谷集』行狀에 의거하였다.

32) 邊安烈에 대해서는 다음의 기사a에 의거하였는데, b와 같이 校正하여야 할 것이다.
· a열전39, 邊安烈, "邊安烈, 拜判密直司事, 與崔瑩征濟州還, 改知門下府事, 轉評理. 辛禑初, 賜推忠亮節宣威翊贊功臣號".
· b열전39, 邊安烈, "邊安烈, 拜判密直司事, 與崔瑩征濟州還. 辛禑初, 改知門下府事, 轉評理. □仍賜推忠亮節宣威翊贊功臣號"[校正].
이 시기의 邊安烈의 행적은 이해[是年] 7월 26일 이후 判密直司事로서 崔瑩을 따라 濟州島 討伐에 참여한 후 10월 1일 羅州牧에 귀환하였고, 같은 달 10일 이후 최영과 함께 공민왕의 殯所에 勝戰을 고하였다. 그리고 明年(우왕1) 8월 20일 이후 門下評理로서 北東지역의 警報[邊報]로 인해 東北面副元帥에 임명되었다. 그렇다면 그가 이해의 年末人事[大政]에서 知門下府事에 임명된 것으로 추측되는데, 어떠한 문제도 없을 것이다[校正事由].

33) 이는 『연안부지』에 의거하였다.

34) 이는 『영해선생안』에 의거하였다.

35) 이는 「鄭思道墓誌銘」에 의거하였다.

[增補].[37)]

乙卯[禑王]元年, 明洪武八年 : 北元宣光五年, [西曆1375年]

1375년 2월 1일(Gre2월 9일)에서 1376년 1월 21일(Gre1월 29일)까지, 355일

[春]正月辛酉朔大盡, 建戊寅, [壬戌2日, 歲星犯軒轅:天文3轉載].

[癸亥3日:追加], 禑如普濟寺, 設百齋百日祭, 釋服.

[某日], 禑如普濟寺, 設百齋, 釋服.

[己巳9日, 虎自宣義門入城:五行2轉載].

[乙亥15日, 月犯軒轅:天文3轉載].

[○朝, 沉霧, 咫尺不辨人物:五行3轉載].[38)]

[丁丑17日, 月食:天文3轉載].[39)]

[壬午22日, 月犯心星:天文3轉載].

[某日], 遣判宗簿寺事崔源如京師告喪, 請謚諡及承襲. [自密直副使金義奔元, 國人恟懼, 未敢通使大明. 典校令朴尙衷·成均司藝鄭道傳, 謂宰相曰, "宜速遣使告喪". 守侍中李仁任曰, "人皆畏憚, 誰可行者". 尙衷等謂源曰, "王被弑而不告喪, 帝必疑之. 如有問罪之擧, 一國皆受其禍. 宰相莫以爲意, 卿能爲社稷行乎?". 源曰, "社稷苟安, 何惜一死". 尙衷等以告, 仁任~~不得已~~從之:節要轉載].[40)]

---

36) 이는 『宋學士全集』增補권2, 送無逸勤公出使還鄕省親序 ; 권8, 杭州集慶教寺原璞法師璋公圓塚碑銘에 의거하였다.

37) 『명태조실록』에 의하면 明年(홍무8, 우왕1) 1월에 日辰도 記載되지 않은 채, 高麗·占城(Champa)·暹羅斛(Siam, 現 泰國)·日本·爪哇(南蕃 爪哇國, Java)·三佛齊의 6개국이 사신을 보내 朝貢을 바쳤다고 하는데, 고려는 賀正使가 아닐 것이다.

· 권96, 洪武 8년 1월 是月, "高麗·占城·暹羅斛·日本·爪哇·三佛齊等國, 皆遣使人貢".

38) 이날 일본의 교토[京都]에서 晴陰이 불분명하였다고 한다(『愚管記』제19, 應安 8년 1월, "十四日乙亥, 晴陰不定").

39) 이날(丁丑) 일본에서도 월식이 예측되었다(日本曆은 16일, 應安八年具注曆). 이날은 율리우스력의 1375년 2월 17일이고, 월식 현상이 심했던 때인 16일(丙子)의 世界時[標準時]는 22시 40분, 食分은 0.90이었다(渡邊敏夫 1979年 486面).

[→至是，恭愍被弑，金義殺使，國人恟恟，不敢通使朝廷. 成均大司成鄭夢周又陳大義以謂，邇來變故，當早詳奏，使上國釋然無惑. 豈可先自疑貳，構禍生靈. 於是，始遣使告哀，且辨釋金義事:列傳30鄭夢周轉載].

[某日]，禑始置書筵，以門下評理田祿生·政堂文學李茂方~~李茂芳~~爲師傅.[41]

[→辛禑立，開書筵，以茂方~~李茂芳~~爲師. 恭愍所畜鳩在禁中，禑常愛玩，茂方書旅獒篇進講，仍言，'鳩亦珍禽也，願勿畜'. 禑乃命左右，去之:列傳25李茂方~~李茂芳~~轉載].

[某日]，倭焚掠密城，以萬戶不能禦，遣將軍崔仁哲，往按之.

[某日]，令百官，各陳便民策.

[某日]，納哈出遣使來，問曰，"前王無子，今誰嗣位耶?". 時北元以恭愍□王無嗣，乃封瀋王暠孫脫脫不花爲王，故有是問.

[某日，以尹邦彦爲慶尙道按廉使，華之老爲全羅道按廉使:慶尙道營主題名記·錦城日記].

[某日，五部都摠都監坐興國寺，點各領及坊里軍器:兵1五軍轉載].

[是月頃，以匡靖大夫洪仲宣爲雞林府尹兼管內勸農·防禦使，文世鳳爲羅州牧使，李傅爲永州副使，承奉郎裴元序爲安東大都護府判官，李斯昉~~李斯芳~~爲羅州牧判官:追加].[42]

---

40) 이 기사는 열전39, 李仁任에도 수록되어 있다. 崔源(?∼1375)은 1354년(공민왕3) 6월 이전에 左代言·開城尹·密直副使·龍城君 등을 역임한 崔源(崔安道의 2子, 崔濡의 弟)과 別個의 인물이다. 또 이 기사에서 최원은 3월 7일(丁卯) 明에서 '去年 9月에 공민왕이 薨去하여 사신을 보내 訃音을 전하게 하였으나 盜賊 高鐵頭(古提豆)에 의해 길이 막혀 이행하지 못했음'을 上奏하였다고 한다.
또 이때 최원이 '金義(也列不哥, Ile Buqa)로 하여금 貢馬를 바치게 하였는데, 開州站 隣近의 只縣(혹은 只孫站)에 이르러 明의 사신 蔡斌·主事 林密[林實]을 遭遇하여 蔡斌을 죽이고 林密을 잡아 돌아오므로 金義를 주살하고 그 집을 籍沒하였다'고 보고했다고 한다. 이에 대해 明太祖가 이 사실을 의심하여 崔源(崔原)을 구류한 후, 별도로 사신을 보내 弔祭하게 하였다고 한다(→우왕 즉위년 11월 某日의 脚注).

41) 이 시기에 國王을 위한 經書의 講讀을 書筵[諸王에 대한 御前講義]이라고 하였는데, 經筵[帝王에 대한 講義]으로 표기한 경우도 없지 않다(→우왕 6년 11월 某日). 또 이때의 서연에 관련된 기사로 다음이 있다.

- 百官志1, 寶文閣, "辛禑元年，令五品以下四人爲侍學，分兩番進講，及遞官，陞四品".
- 열전24, 慶復興, "禑始開書筵，翼日，稱疾欲停講，門下侍中慶復興曰，'聖賢書雖不讀，常在手，亦自有益'. 禑乃講".

42) 이는『동도역세제자기』;『안동선생안』;『금성일기』;『영천선생안』에 의거하였다. 또 李斯昉은 李斯芳으로도 표기되었다(→창왕 1년 7월 某日).

二月辛卯朔大盡,建己卯, [癸巳3日, 歲星犯軒轅:天文3轉載].

[某日], 以同知密直□□司事韓邦彥爲楊廣道副元帥兼都巡問使.

[某日], 禑下書敎書曰, "予以幼冲, 承先王之業, 處臣民之上, 罔知所爲. 以致乾道失常, 地灾屢現, 顧惟眇昧, 其何以堪. 豈政刑之失宜, 民不得所, 而致然歟?

[□一. 守令考績之法, 以田野闢·戶口增·賦役均·詞訟簡·盜賊息五事, 爲殿最. 其遞任者, 必待新官交付, 去任朝參:選擧3選用守令轉載].

[□一. 兵興以來, 戰沒軍士, 令都評議□使司, 追錄子孫:選擧3功臣子孫轉載].

[□一. 甲寅年忠肅1年量田以後, 三稅之田, 屢因誅流員將, 沒入倉庫, 不入三稅. 拘該官司, 一據元案徵納, 州郡病之. 仰都評議使司, 移牒各道按廉使, 其有稅之田, 先許納稅, 方收其餘, 以革前弊:食貨1租稅轉載].

[□一. 近年以來, 軍須田戶, 困於重歛重斂遠輸, 多致荒畬, 凡係軍須田入, 量減三分之一:食貨3恩免之制轉載].

[一. 外吏上京, 因各司催納貢物, 及徵拖欠, 稱貸私錢, 倍償其直, 害及於民. 仰都評議司, 置常平濟用庫, 止取其本, 以便借用, 其外方州府, 亦令置之, 除任領內倍償之弊. 各官司, 除都評議司行移外, 毋得擅行徵納:食貨1借貸轉載].

[一. 公私營息錢糧, 止取一本一利, 貸者不在, 毋令徵及族人. 有取利中之利, 徵還貸者, 洪武八年二月十三日以前, 典當子女, 無論久近, 並許放還:食貨1借貸轉載].

[□一. 德泉庫輸納, 元係廣興倉紬布, 一依丙申年恭愍5年宣旨, 還屬廣興倉, 以贍百官之俸:食貨3祿俸轉載].

[□一. 各道州郡, 屢因倭寇, 加以水旱, 民生凋瘁. 仰都評議司, 自癸丑年恭愍22年以前, 祿轉雜貢未收者, 一皆蠲免, 其沿海州郡, 被害尤甚去處, 甲寅年23年雜貢, 亦行蠲免. 已納到官者, 准作下年之數, 延祐甲寅忠肅1年以後, 加定貢物, 量宜蠲除:食貨3災免之制轉載].

[□一. 選軍募軍, 給田賞功, 仰都評議使□司, 詳酌立法, 以廣軍額. 防禦都監月課支用, 量宜加給, 以行勸督:兵1五軍轉載].

[□一. 屯田之法, 役以戍兵·閑民, 擇其曠地, 量宜屯種, 以省漕輓之費. 今戶給種子, 不論豊歉, 收入無法, 民甚苦之. 仰都評議使, 行移各道, 家戶屯田, 一皆禁

止，其餘屯田，亦從優典，量力屯種，以補糧餉:兵2屯田轉載].

[□⼀. 諸倉庫官司，及波吾赤等房，依憑內用，徵斂州縣，又有忽只[忽赤]·忠勇各愛馬，多般求請，作弊爲甚. 仰都評議司，一行禁斷，違者，所在官司，呈報憲司，糾罪:刑法1職制轉載].

[一. 京畿，王化所先，今內乘及造成都監小吏等，因公爲奸，橫行侵擾，深爲未便. 仰都評議□[使]司，定著約束，以革前弊:刑法1職制轉載].

[□⼀. 使民之道，務從優典. 今後，外方各處民戶，一依京中見行之法，分揀大中小三等，其中戶，以二爲一，小戶，以三爲一，凡所差發，同力相助，毋致失所:刑法1戶婚轉載].

[□⼀. 人不知儉，侈用傷財，今後，如燒酒·錦繡叚匹·金玉器皿等物，一皆禁斷. 雖婚姻之家，止用紬紵，務從儉約，以成風俗. 閑散之人，托名各愛馬，稱爲通粮，規避徭役，致使齊民勞逸不均. 今後，司憲府·巡問·按廉·所在官司，盡行推刷，以當差役:刑法2禁令轉載].

[□⼀. 刑法，聖人所恤，三代以上，罪不相及，刑簡而民不犯，秦用峻法，反不勝理. 仰都評議使，申勑司憲府·典法司·都巡問·按廉使，詳究情法，毋用律外之刑. 徒役有年限，其已滿者，放免，禁錮作賤，亦宜根究以聞:刑法2恤刑轉載].

[□⼀. 抑良爲賤，感傷和氣，自王旨後，限一月，悉皆放免，違者痛理:刑法2奴婢轉載].

於戱，凡爾內外大小臣僚，各盡乃心，毋事虛文，務求實效，以底豊平之理".

[某日]，遣判典客寺事羅興儒，聘日本.

[→判典客寺事羅興儒上書，請行成日本. 乃以興儒爲通信使，遣之:節要轉載].

[→[羅興儒,] 辛禑初，判典客寺事，上書請行成日本[請行成于日本]，遂以通信使遣之:列傳27羅興儒轉載].[43]

---

43) 이 기사에서 行成은 和解，和平을 議論하다라는 의미이므로 日本 앞에 於，또는 于를 추가하는 것이 좋을 것 같다.

- 『춘추좌씨전』傳，僖公 28년 4월，"… 釁役之三月，鄭伯[文公]如楚，致其師，爲楚師旣敗而懼，使子人九行成于晉. …". 이에서 子人은 氏이고，九는 名이다.
- 『송사』 권40，본기40，寧宗4，末尾，"贊曰，… 頻歲兵敗，乃函[韓]侂胄之首，行成于金，國體虧矣".

戊申[18日], 日有黑子.

己酉[19日], 亦如之[日有黑子].

[某日], 禑以疾放囚.

三月[辛酉朔小盡,建庚辰], [癸亥[3日], 月犯昴星:天文3轉載].

[甲子[4日], 熒惑·鎭星相犯:天文3轉載].

[乙丑[5日], 月犯五車:天文3轉載].

[辛未[11日], □[月]犯歲星及軒轅:天文3轉載].

[甲戌[14日], 貞順淑儀公主[忠惠王妃德寧公主]薨. 百官玄冠素服, 輟朝市:禮6國恤轉載].[44]

[某日], 遣判事孫天用如京師, 獻貢馬一百匹.

[某日], 禑祭慈明·仁和兩殿.[45]

[某日], 倭寇慶陽縣, 楊廣道都巡問使韓邦彦, 與戰敗績.

[某日], 以年饑, 禁酒.

甲申[24日], 雨雹, 大如彈丸.[46]

[某日, 大司憲宋天逢[~~宋天鳳~~]等上疏曰, "宦者尹忠佐, 曾在先王之前, 發忿拔刀, 手剪其髮, 賓天之後, 佯稱耳聾, 拱手觀變. 其心叵測, 不忠不敬, 罪不容誅, 且擅權受賂, 除授官職. 廣占土田, 誤國害民, 乞收職牒, 籍沒家產, 以戒後來":節要轉載].[47]

[→辛禑初, [宋天鳳,]以大司憲, 與同列上疏曰, "竊見宦者·判崇敬府事尹忠佐, 順州

44) 이 기사는 열전2, 忠惠王妃, 德寧公主에도 수록되어 있다.

45) 慈明殿과 仁和殿은 누구의 神位(혹은 御眞)를 奉安한 殿閣인지는 알 수 없다. 그중에서 仁和殿은 1297년(충렬왕23) 5월 이후 忠烈王妃 齊國大長公主의 御眞을 奉安하였던 장소였다(열전2, 후비2, 忠烈王).

46) 이와 같은 기사가 지7, 五行1, 水, 雨雹에도 수록되어 있다.

47) 이와 관련된 기록으로 다음이 있다.

· 『태종실록』 권25, 13년 6월, "辛未[24日], 前參贊議政府事崔有慶卒. … □□□□[~~僞主元年~~], 宦者尹忠佐, 恃寵驕縱, 多行不法, 憲司欲問之而不能. [版圖佐郞崔]有慶遷掌令, 視事之初, 卽劾之". 添字는 筆者가 추가한 것이다.

그리고 宋天鳳(宋天逢)은 簽書密直司事에 이르러 81歲로 逝去하였다고 한다(열전24, 宋天逢, "天逢, 後拜簽書密直司事, 封金海君. 卒年八十一, 諡文貞").

鄙人，濫荷至恩，秩同宰相，擅權用事，蒙蔽上聽，沮遏下情．曾在先王之前，發忿拔刀，手翦其髮，狼戾悖逆，無君之心已著．又於賓天之後，佯稱耳聾，拱手觀變，其心叵測，徒以姦佞便媚，得見任用．且順州咀呪之鄕，以其鄕人，置之左右，尤爲不可．疏奏，罷遣忠佐就舍”．○天逢等復䟽曰，“自古宦者之禍，昭然可考．在本國，伯顔禿古思，得幸元朝，誣譖忠宣，竄之吐藩，高龍普陰訴忠惠，以致岳陽之禍．前日，萬生敢行大逆，神人所共憤，今忠佐不忠不敬之罪，已具前䟽，固不容誅．且擅權受賂，汲引庸人，除授官職，廣占土田，誤國害民，今止免官，國人觖望．乞收告身，籍沒家產，鞫問決罪，以戒後來．命削官收田”:列傳24宋天逢轉載].

[○諫官又上疏曰，“近者，憲司上言，乞除宦官祿俸，又劾前上護軍李美忠·典工摠郞徐陵俊，盜用內帑，殿下不允，中外缺望．宦官尹忠佐，儉邪凶險，陰弄權柄，與金師幸·尹祥，同惡相濟．師幸·祥，已皆竄逐，而忠佐獨受爵命，又與狡宦黃中吉，結爲父子，昵侍左右，蒙蔽聖聽．宜從憲司之言，以正四人之罪．命削忠佐·中吉·美忠·陵俊官，下美忠·陵俊獄”:節要轉載].[48]

[→諫官亦上䟽曰，“殿下即位之初，固宜舍己從人，容受直言，以收輿意．近者，宋天逢等上言，請除宦官祿俸，又劾前上護軍李美忠·前典工摠郞徐陵俊，盜用內帑之罪，殿下不允．自古人主之失，拒諫爲大．以殿下天資之美，決不如此．而此輩欲圖專橫，甘言諛辭，蠱惑宸衷，陷殿下於拒諫之失．此臣等夙夜拊心疾首，爲殿下深痛者也．宦官尹忠佐，憸邪凶險，善爲逢迎，指嗾黨與，陰弄權柄，與金師幸·尹祥，同惡相濟．師幸·祥已皆竄逐，而忠佐獨蒙再造之恩，至受爵命．又與狡宦黃中吉，結爲父子，蒙蔽聖聽，罪不容誅．宜從天逢天鳳之言，以正忠佐·中吉之罪．且美忠·陵俊，當先王時，諂事逆臣辛旽·金興慶，掌內帑，恣其出納，使倉庫虛耗，其所盜竊，不可勝數．乞依天逢所申，幷正其罪．禑命中吉·美忠·陵俊，除名不敍．臺諫復請，下美忠·陵俊典法獄，美忠行賄權貴，移囚巡軍．國人嘆曰，二賊賂何人，移繫輕獄”:列傳24宋天逢轉載].

[是月頃，以羅州牧判官李斯昉爲知古阜郡事:追加].[49]

48) 宦官 金師幸과 尹祥은 李成桂를 도와 新王朝의 開創에 功이 있었던 것 같다.

· 『태조실록』 권4, 2년 7월, “庚午[27日]，敎曰，紀功行賞，固有令典．矧當創始之初，是宜先擧其功，… 判內侍府事金師幸於踐祚之初，壼則粗立而未備，歷擧前朝盛時之宮儀，損過益不及而飾內助之治，功可錄也．同判內侍府事尹祥·李匡·知內侍府事安居等雖未及此，補助之益，蓋多有之，亦可錄也．… 其褒賞之典，有司擧行”.

[夏]四月庚寅朔大盡, 建辛巳, [某日, 守侍中李仁任率群臣, 詣孝思觀, 盟于太祖曰, "本國無賴之徒, 挾瀋王之孫, 來寓北鄙, 窺覦王位, 凡我同盟, 盡力以毌拒, 翊戴新王. ~~上報先王之德~~, ~~下保父母妻子~~, 有渝此盟, ~~非惟國家明正其罪~~, 天地·宗社·~~山川之神~~, 必降陰誅": 節要轉載].[50)]

[某日, 流宦者尹忠佐于遠地:節要轉載].

[某日, 判事朴思敬還自北元, 白太后曰, "納哈出言, '爾國宰相, 遣金義, 奏王薨無嗣, 願奉瀋王爲主'. 故帝昭宗封瀋王爲爾主, 若前王有子, 朝廷不必遣瀋王也". 太后洪氏召仁任曰,[51)] "宰相遣金義如元, 予聞此言久矣. 卿等, 獨不知乎?". 初, 或謂守侍中李仁任曰, "自古國君見弑, 宰相先受其罪, 明帝, 若聞先王之故, 必興問罪之師, 公必不免, 莫若與元和親". 仁任頗然之, 遣贊成事安師琦, 陽言餞蔡斌等, 密諭金義, 殺斌等以滅口. 及義從者來, 仁任·師琦, 待之厚. 典校令朴尙衷上疏曰, "金義殺使之罪, 在所當問, 宰相待其從者甚厚, 是師琦嗾義殺使, 其跡已見. 今若不正其罪, 社稷之禍, 自此始矣". 疏久不下, 至是, 太后下其疏都堂, 又下師琦獄巡軍府. 師琦, 走入人家, 拔刀自刎. 仍斬之, 梟首于市. 仁任, 以爲遣義如元者, 乃贊成事康舜龍·知密直□□司事趙希古·同知密直□□司事成大庸等所爲, 並流遠地. 蓋□坞舜龍等, 嘗仕元故也:節要轉載].[52)]

[某日], 以判密直□□司事李子松爲西北面都巡問使兼平壤尹, 門下贊成事池奫爲西北面都元帥,[53)] 門下評理柳淵爲東北面都元帥, 徵諸道兵, 以備北元, 尋得邊報

---

49) 이는 『금성일기』에 의거하였다.

50) 이 기사는 열전39, 李仁任에도 수록되어 있는데, ~~添字~~는 이에 의거하였다. 이를 통해 『고려사절요』가 편찬될 때 編纂者의 마음에 들지 않는 句節은 대개 削除되었음을 알 수 있다.

51) 이때 明德太后 洪氏는 禑王에게는 祖母에 해당하므로 太皇太后로, 곧 『고려사』의 呼稱方式에 의하면 太王太后[明德王太后]로 표기되어야 할 것이다. 그런데도 太后로 표기된 것은 史官이 字數를 省略하였던 결과일 것이다.

- 『자치통감』 권33, 漢紀25, 成帝綏和 2년(哀帝卽位年, BC7), "五月丙戌, 立皇后傅氏, … 太皇太后詔大司馬王莽就第, 避帝外家, 莽上疏乞骸骨, 帝遣尙書令詔起莽, 又遣丞相孔光·大司空何武·左將軍師丹·衛尉傅喜白太皇太后曰, '皇帝聞太后詔, 甚悲. 大司馬卽不起, 皇帝卽不聽政'. 太后乃復令莽視事[胡三省注, 太皇太后止稱太后, 史省文]".

52) 이 기사는 열전39, 李仁任에도 수록되어 있는데, 자구에 출입이 있다. 또 이와 관련된 기사로 다음이 있다.

- 열전25, 朴尙衷, "辛禑初, 金義殺朝廷使臣, 奔北元, 及義從者來, 李仁任·安師琦, 待之厚. 尙衷上疏曰, 金義殺使之罪, 在所當問, 宰相待其從者甚厚. 是師琦嗾義殺使, 其迹已見. 今若不正其罪, 社稷之禍, 自此始矣. 太后下其疏都堂, 斬師琦梟首于市".

平安，乃止.

[某日]，以判密直司事李成林爲西北面宣慰使，密直副使趙思敏爲東北面宣慰使.

[某日，[守侍中]李仁任與[宗親·耆老·文武]百官，連名爲書，將呈北元中書省，書曰，“伯顔帖木兒王[恭愍王]，遺命元子禑襲位，遣判密直□□[~~司事~~]金湑，申達訃音，今來，乃知脫脫不花，妄生異心，欲要爭襲，乞賜禁約”. ○左代言林樸·典校令朴尙衷·典儀副令鄭道傳，以先王決策事南，今不當事北，不署名:節要轉載].[54]

[→[守侍中李]仁任與宗親·耆老·文武百官，連名爲書，呈北元中書省曰，“本國，自世祖皇帝龍興之時，我忠敬王[元宗]，首先朝覲，欽蒙聖恩，得比聖朝諸王駙馬世襲之例，授以王爵. 釐降公主，忠烈王爲駙馬，生忠宣王，忠宣王生忠肅王，皆襲王位. 自英宗皇帝時，有江陽君滋子完澤禿瀋王暠，本國支派相別，妄爭王位，蒙朝廷區別，不能爭奪. 先王伯顔帖木兒[恭愍王]，是忠肅王親子，襲位二十四年，遺旨令親男元子禑襲位. 謹遣判密直□□[~~司事~~]金湑，申達訃音，前赴朝廷，今來乃知，完澤禿瀋王孫脫脫不花，實非釐降公主流派，妄生異心，欲要爭襲. 甚違世祖皇帝定制，乞賜禁約”:列傳39李仁任轉載].

[甲辰[15日]，小滿. 葬貞順淑儀公主[忠惠王妃德寧公主]于頃陵.[55] 百官又玄冠素服，送至山陵，公服侍魂輿而返，安於魂殿:禮6國恤轉載].

戊申[19日]，雨雹.[56]

己酉[20日]，祔忠定王于大廟[太廟]，[57] [又配享故政丞·鐵城府院君李嵓，贊成事·興安府院君李仁復:追加].[58]

---

53) 이 시기에 池奫은 門下贊成事·判版圖司事로 재직하면서 蓄財에 노력하였던 것 같다.

- 열전38，池奫，“辛禑時，拜門下贊成事·判版圖司事. 有姜乙成者，納金版圖，未受價，以罪誅. 奫取其妻爲妾，得價布千五百匹. 宰臣辛順誅，奫以其子益謙妻順女，遂出順所沒第宅貲產，與之”.

54) 이 기사는 열전25，朴尙衷에도 축약되어 있는데，이에 대한 朴世采(朴尙衷의 後孫，1631~1695)의 辯論도 찾아진다(『南溪集』 권59，潘南先生不署呈北元書辨).

- “仁任等又與宗親·耆老·百官連名爲書，將呈北元中書省，獨尙衷與林樸·鄭道傳等，以爲先王旣決策事南，今不當事北. 不署名”.

55) 頃陵은 失傳되어 현재 어디에 있는지를 알 수 없다.

56) 이날 일본의 교토에서 비가 조금 내렸다고 한다(『愚管記』제19，永和 1년 4월，“十八日戊申，小雨”).

57) 이 기사는 禮志6，國恤에도 수록되어 있다.

58) 이는 다음의 자료에 의거하였다.

- 열전24，李嵒，“辛禑元年，配享忠定廟庭”.

[壬子[23日], 獐入城:五行2轉載].

[某日], 以密直副使崔公哲爲泥城上元帥.

[甲寅[25日], 以[承奉郞·左正言·知製教]李詹爲奉直郞·右獻納, 依前知製教,[59] [門下注書]劉敬爲宣德郞·通禮門祗候:追加].[60]

[某日], 耽羅獻金帶三腰及銀器.

五月[庚申朔小盡,建壬午], 壬午[某日], 禑有疾, 設消灾道場于書筵廳.

[某日, 倭□[人]藤經光率衆來投. 處之順天·燕岐等處, 官給資粮:節要轉載].

[某日], 以[判安東府事]李寶林爲司憲府大司憲.

[→判安東府事李寶林, 以治最, 擢爲大司憲:節要轉載].[61]

○禑謂書筵官曰, "前日大司憲來, 悔不引見". 遂召寶林, 與之酒曰, "憲府[司憲府]國家耳目, 敬哉".

[某日], 北元遣使來.

[→北元遣使來曰, "伯顔帖木兒王[恭愍王], 背我歸明, 故赦爾國弑王之罪. 時[守侍中]李仁任·[門下贊成事]池奫, 欲迎元使, 三司左尹金九容·典理摠郞李崇仁·典儀副令鄭道傳, [三司判官]·藝文應教權近, 上書都堂曰, "若迎元使, 一國臣民, 皆陷於亂賊之罪矣. 他日何面目, 見玄陵於地下乎?". [侍中]慶復興·[守侍中]李仁任, 却其書不受, 遂令道傳迎元使. 道傳詣復興第曰, "我當斬使首而來, 不爾則縛送于明". 辭頗不遜. 又白太

· 열전25, 李仁復, "辛禑元年, 配享忠定廟庭".

· 「李仁復墓誌銘」, "明年[乙卯禑王1年], 配享忠定王廟".

· 지14, 예2, 太廟, 禘祫功臣配享於庭, "忠定王室. 鐵城府院君·文貞公李嵒, 興安府院君·文忠公李仁復".

59) 이는 『쌍매당협장집』 연보에 의거하였다.

60) 이는 다음의 자료에 의거하였다.

· 「劉敞政案」, "洪武八年四月二十五日, 批[判]宣德郞·通禮祗候". 여기에서 ~~添字~~와 같이 고쳐야 옳게 될 것이다.

· 『세종실록』 권14, 3년 12월 戊戌[9日], 劉敞(劉敬)의 卒記, "玉川府院君劉敞卒. 敞古名敬, … 辛禑元年, 除通禮門祗候, 歷典工佐郞·禮儀·軍簿正郞".

61) 李寶林은 1373년(공민왕22) 10월 奉翊大夫(종2품상)로서 安東府使[判安東府事]로 赴任하여 이해[是年]의 4월에 遞任되었다(『안동선생안』).

· 열전23, 李齊賢, 寶林, "辛禑初, 判安東府事, 以治最, 擢拜大司憲".

后, 以爲不可迎, 復興·仁任怒不視事, 乃流道傳于會津. 禑及太后, 再慰諭之, 仁任·復興乃出:節要轉載].[62)]

[某日, 成均大司成鄭夢周等文臣十數人上書曰, "爲天下國家者, 必先定大計, 大計未定, 則人心疑貳, 人心之疑, 百事之禍也. 念吾東方, 僻在海外, 自我太祖, 起於唐季, 禮事中國, 其事之也, 視天下之義主而已. 頃者, 元氏, 自取播遷, 大明龍興, 奄有四海, 我上昇王恭愍王, 灼知天命, 奉表稱臣. 皇帝嘉之, 封以王爵, 錫貢相望者, 六年于玆矣. 今上卽位之初, 賊臣金義, 因禮送天使, 中路擅殺, 叛入北元, 與元氏遺孼, 謀納瀋王. 旣殺天使, 又背其君, 惡逆甚矣, 誠宜正名其罪, 上告天子, 下告方伯, 請討而殺之, 然後已也. 國家, 不惟不問金義之罪, 反使宰相金湑, 奉貢北方. 吳季南封疆之臣也, 擅殺定遼衛三人. 張子溫等, 金義一行之人也, 不達定遼衛, 公然還國, 又置而不問. 今北使之來, 議遣大臣, 禮接境上, 乃曰, 不欲激怒北方, 以緩師也. ○夫元氏失國, 遠來求食, 冀得一飽, 以延須臾之命, 名爲納君, 實自利也. 絶之則示我之强, 事之則反驕其志, 其欲緩師, 實速之也. 竊聞其詔, 加我以大逆之罪, 因以赦之, 我本無罪, 又何赦焉. 國家, 若禮待其使, 而送之, 則是擧國臣民, 無其實而自蒙大逆之名, 不可使聞於四方. 爲臣子者, 其可忍乎? 又況朝廷, 初聞金義之事, 固已疑我矣, 又聞與元氏相通, 而不問金義之罪, 則必謂我殺使與敵, 無疑也. 若興問罪之師, 水陸並進, 國家, 其將何辭以對之乎? 欲緩小敵之師, 實動天下之兵也. 此理甚明, 人所易曉, 廟堂之上, 若不能言者, 其

---

62) 이 기사는 열전39, 李仁任에도 수록되어 있으나 자구에 출입이 있다. 또 이와 관련된 자료로 다음이 있다.

- 열전17, 金方慶, 九容, "辛禑元年, 拜三司左尹. 時北元遣使來曰, '伯顔帖木兒王恭愍, 背我歸明, 故赦爾國弑王之罪'. 李仁任·池奫, 欲迎之, 九容與李崇仁·鄭道傳·權近等, 上書都堂曰, '若迎此使, 一國臣民, 皆陷亂賊之罪, 他日何面目, 見玄陵於地下乎?' 慶復興·仁任, 却其書不受".
- 열전28, 李崇仁, "辛禑時, 除典理摠郞. 與金九容·鄭道傳等, 請却北元使, 坐流削職. 尋釋之".
- 열전32, 鄭道傳, "辛禑初, 北元使來, 李仁任·池奫欲迎之, 道傳與金九容·李崇仁·權近, 上書都堂, 以爲不可迎. 仁任·慶復興, 却其書不受, 令道傳迎元使, 道傳詣復興第曰, '我當斬使首以來, 不爾縛送于明'. 復興怒曰, '如此則與叛臣金義何異'. 道傳備陳利害, 辭頗不遜. 又白太后, 以爲不可迎, 復興益怒, 與仁任不視事, 乃流道傳會津縣. 臺省侍從官送至東郊, 廉興邦遣裴尙度曰, 吾已言於侍中, 怒稍解, 姑徐待之. 道傳方飮酒, 奮然曰, 道傳之言, '侍中之怒, 各執所見, 皆爲國也. 今王有命, 豈以公言止乎?', 遂上馬去. 宰相聞之, 以爲猶不悛, 欲遣人杖之, 會有釋器之亂乃止".
- 『태조실록』 권14, 7년 8월 己巳26日, 鄭道傳의 卒記, "乙卯, 殘元使者至境上, 道傳曰, '先王決策事明, 今迎元使不可. 且元使欲加我罪名而赦之, 其可迎乎?' 時宰不聽, 道傳强言之, 見怒貶會津".
- 『삼봉집』 권4, 消災洞記, "… 但予以狂疏戇直, 見棄於時, 放謫在遠, 洞人遇我甚厚如此. 豈哀其窮而收之歟? 抑長生遠地, 不聞時議, 不知予之有罪歟? 要皆厚之至也".

故不難知也. ○蓋以前日群小之變, 當時宰執, 恐被朝廷責詰, 實有與金義通謀, 欲以絶上國. 安師琦, 情見自刎是也. 師琦旣死, 宜速定計, 以快衆憤, 而至今未有聞也, 人情洶洶, 恐生他變. 伏惟殿下, 斷自宸衷, 執元使, 收元詔, 縛吳季南·張子溫, 幷金義帶行之人, 送之京師, 則曖昧之罪, 不辨自明. 乃約與定遼衛, 養兵待變, 聲言向北, 則元氏遺種, 歛斂跡遠遁, 而國家之福無窮矣". ○池·李深忌之, 貶流彥陽二年許, 任便居住:節要轉載].[63]

[○判典校寺事朴尙衷亦上書, 言之:節要轉載].

[→朴尙衷, 尋判典校寺事, 北元使來, 尙衷又上䟽請却之曰, "臣備員侍從有年矣, 侍從而得言, 古之制也. 比來事之可言者, 不爲少, 而臣不敢言. 豈職非諫諍, 而侵官爲慮乎. 又豈近名爲嫌而含默者乎. 今者大開言路, 宰相百執事, 無不得言者, 盖欲聞便民之策也. 臣愚以爲便民之策多矣, 而國之大勢有不安, 則雖欲便民, 不可得矣. 當今之勢, 正所謂厝火於積薪之下而寢其上.[64] 火未及然, 謂之安者也, 有識之士, 孰不痛心. 先王初薨未葬, 大明使臣猶在境, 而遽興事北之議, 使人心眩惑者何人. 擅殺定遼衛所遣人者何人. 倡訛言, 使定遼軍人之欲迎使臣者, 遁去而不恤者何人. 先王所命護送使臣者, 不惟金義, 而大臣受先王命, 至安州自還者何人. 欲以西北軍擊定遼衛者何人. 裂金義之書, 以滅口而所謂擅殺人生事者及叛賊母黨, 置而不問者何哉? 義叛逾月, 而不欲達之朝廷何哉. 崔源之奉使, 果皆出於大臣之意乎? 今又聞北方使人與金義同叛者偕來. 叛賊而自回, 其謂已有罪, 而本國不問乎? 然則義之叛, 其必有使之然者. 此乃危急存亡之一大機也. 事勢如此, 雖至愚者, 且知其利害, 是非之所在. 今之言者, 略不及此, 畏禍之甚者也. 以理而言, 則惠迪吉從逆凶, 以勢而言, 則南强北弱, 人之所共知者也. 夫棄信而從逆, 天下之不義也, 背强而向弱, 今日之非計也. 爲臣子而反先王事大之意, 至使殺天子之使而奪其馬, 罪惡孰甚焉. 而一二臣, 心懷不忠, 規賣國以自利, 欲以其罪惡, 嫁禍於國家, 必欲使宗社夷滅, 生民糜爛而後已, 可不痛哉. 事勢至此, 而殿下不與二三大臣之忠直者早辨而處之, 則將如宗社何, 將如生民何. 且夫趨利避害, 好生惡死, 人之同情也, 臣豈病風者哉. 今乃自納於不測之誅而敢言者, 忠憤之至, 不恤其蹈害. 况於近名乎, 况於侵官乎. 儻殿下曲察臣言, 有以處之, 使宗社安, 生民永賴, 則臣之

63) 이 기사는 열전30, 鄭夢周에도 수록되어 있는데, 添字는 이에 의거하였다.

64) 上은 延世大學本에는 土로 되어 있으나 오자일 것이다(東亞大學 2006년 25册 425面).

一身，萬死無恨矣". ○復上疏曰，"小之事大，免於罪責，斯可矣. 今有不免之大罪四，以臣之愚，尙能知之，豈以大臣而不知乎. 然一有恐見詰之心，而不顧義理，則凡可以避患者，無不爲之. 故心有所蔽，雖有過人之知，反不如愚者之見. 臣請數其罪，以陳免之之術，可乎? 委曲從順，服事大明者，先王之志也，先王晏駕之日，遂倡事北之議. 爲臣子而反君父，使殿下得罪於上國，此其罪一也. 吳季南之鎭北也，擅殺定遼人，造言以駭其軍. 乃掩護其罪，黨惡招禍，以危國家，其罪二也. 金義殺使，奪進獻馬以叛，天下之大惡，人人之所願誅者也. 今義之同叛者來，不卽究問，使其罪延及國家，雖至滅宗社殄生民而不恤，其罪三也. 義叛逾月而不肯聞于朝廷，又於崔源之行，敢違王命，使不出境，因循累月，使大國愈疑，其罪四也. 四罪而有其一，足以爲戮，况有此四罪，而不能罪之，欲同受其禍何哉. 殿下誠能與大臣之忠直者，議而辨之，則其罪必有所歸矣. 旣得其罪人，則繫囚之，使大臣奉表，達之天子，以待其察，則聰明之下，安有不辨之理乎? 宗社生民之安危，在此一擧，一失此機，噬臍何及":列傳25朴尙衷轉載].

[某日]，以贊成事黃裳爲西北面都體察使，左副代言成石璘爲體察使，如江界，慰遣之.

[→慰還[元使]:節要轉載].

[某日，大司憲李寶林，阿[守侍中李]仁任意，劾林樸不署呈省書，廢爲庶人，流于吉安縣:節要轉載].[65]

[某日，釋器，匿於安峽民白彥麟家，遣贊成事睦仁吉·密直副使趙仁璧，捕殺之. 以彥麟自首，杖之，以前判事鄭良輔，知而不告，殺之. 乃知死於平壤者，非釋器也:節要轉載].

[→祿生之搜捕也，釋器亡走，匿安峽民白彥麟家. 辛禑元年，[門下侍中]慶復興·[守侍中]李仁任等，聞之，密奏. 以睦仁吉素識釋器貌，與密直副使趙仁璧，率兵同往捕之. 仁吉·仁璧，奄至彥麟家，有英俊者，捕釋器. 仁吉見之慘然，釋器形貌奇偉，言語不凡，觀者皆謂，此眞王子也. 來至兎山，仁吉遣人於朝，請赦之，時太后，老不視事，禑亦年幼，仁任疑有變詭曰，"伏誅平壤者，卽釋器也，今何妄稱耶?". 乃與復

65) 이와 같은 기사로 다음이 있다.

· 열전23, 李齊賢，寶林，"擢拜大司憲. 時林樸不署呈北元書，寶林阿[李]仁任意，劾流之，人譏其無雅操".

興·崔瑩等, 議累遣中使, 督殺之. 然猶未忍殺. 崔仁哲至, 叱之曰, "庸僧妄稱王子, 敢惑亂人心". 令亟斬之. 始知死於平壤者, 乃釋器同行僧之歸俗者也. 禑賜仁吉·仁璧等鞍馬, 以彦麟自首, 杖流之. 又以前判事鄭良輔·前牧使李玖, 知而不告, 下□□[司平]巡衛府, 鞫之. 玖曰, "良輔語予云, 王子釋器, 生在安峽". 予云, "此必僞也. 古亦有此等事, 不可不察, 宜告宰樞". 雖栲訊甚慘, 竟不服, 乃斬良輔, 杖玖一百:列傳4忠惠王王子釋器轉載].

[某日], 遣判典儀寺事全甫如京師, 獻歲貢馬.

[是月, 僧賢護·祖玄·守義等重刊'正本一切如來大佛頂白傘蓋陀羅尼'於智異山無爲菴:追加].[66]

[是月頃, [太后洪氏,] 及聞王殺忠惠王孽子釋器, 佯不知乃曰, "昨夢見死屍, 心不平". 令膳夫, 備素膳以進:列傳2忠肅王明德太后洪氏轉載].

六月[己丑朔大盡,建癸未], [某日], 倭□[大]公昌等十六人來降.

[某日], 大明人張來興等, 被俘于倭, 逃還. 遣孫君祐, 押送京師.

[某日, 以[奉直郞·右獻納·知製敎]李詹爲拜左獻納·知製敎, 賜紫金魚袋:追加].[67]

[丙午[18日], 漢陽府大雨, 三角山國望峯崩:五行2轉載].

[某日, 諫官[左獻納]李詹·[左正言]全伯英上疏曰, "□[守]侍中李仁任陰與[密直副使]金義, 謀殺天使, 幸而獲免, 此國人所以切齒, 而痛心者也. 吳季南擅殺定遼衛之人, 張子溫不以金義之殺使, 告定遼衛, 罪當推鞫, 仁任置而不問, 罪一也. 近[門下]贊成事池奫, 出鎭西北面, 得金義書, 不以上達, 密付仁任, 及殿下累索, 然後乃聞, 托以不惑民聽, 罪二也. 胡書之來也, 池奫寫其書, 削其言之要者, 以獻殿下, 付其書仁任, 仁任不卽上聞, 罪三也. 與百官同盟, 以示專事殿下之意, 與胡通, 欲樹功藩王, 以免他日

---

66) 이는 『正本一切如來大佛頂白傘盖摠持』(一切如來大佛頂白傘蓋陀羅尼)의 題記b에 의거하였다 (朴相國 1990년 ; 南權熙 2002년 98面 ; 2014년).
- 題記, a"皇帝億載,」主上千齡,天下昇平,法輪常轉,助緣檀越,各增」弗祿,法界有情,同成正覺尒.時天曆三年孟」春月日,東韓光明禪寺比丘圓庵空之謹題,」天曆三年庚午[忠肅17年]正月上旬,天摩山寶城寺開板,幹辨露庵亂山達牧書,」同願比丘 行眞刀」.
- b洪武八年乙卯[禑王1年]五月日,智異山無爲菴重刊,」幹化比丘賢護,」同願祖玄·守義·達心,」同願行禪·達山,」同願佛行 正照·戒訥刀,」校正比丘 克超」".

67) 이는 『쌍매당협장집』연보에 의거하였다.

之禍，反覆姦詐，罪四也．二人[仁任·𥠉]，唇齒煽變，將然之禍，不可測，請誅仁任與𥠉，又正季南，子溫罪，以振紀綱．[又遣使聞于天子]”．疏上，貶詹知春州事，伯英知榮州事:節要轉載].[68)]

[是月甲午[6日]，安南國陳煓遣其通議大夫阮若金等來於京師[應天府南京]，請朝貢期，上[洪武帝]令群臣議，皆曰，“古者諸侯之於天子，比年一小聘，三年一大聘，蕃邦遠國，但世見而已．於是，命中書省臣，諭安南·高麗·占城等國，自今，惟三年一來朝貢，若其王立，則世見可也”:追加].[69)]

[是月頃，以鄭修道爲羅州牧判官，[修職郎]金爾音爲雞林府司錄兼參軍事:追加].[70)]

[夏某月，以[贊成事]崔瑩爲判三司事，[前左承宣]韓脩爲密直提學·同知書筵事，[左副代言]成石璘爲左代言·藝文館直提學·知軍簿司事·知製教兼同知書筵事，[司憲掌令]崔有慶爲典法摠郎:追加].[71)]

[秋]七月己未朔[小盡,建甲申]，日食.[72)]

---

68) 이 기사는 열전39, 李仁任에도 수록되어 있는데, 자구에 출입이 있다. 또 이와 관련된 기사로 다음이 있다.
- 열전30, 李詹, “辛禑初，陞獻納，與正言全伯英上疏，請誅李仁任·池𥠉，貶知春州事，伯英□[知]榮州事．尋杖流河東，蒙宥從便”.
- 『쌍매당협장집』 연보, “洪武八年乙卯秋，以言事貶河東，丁巳年[禑王3年]從便”.
- 『쌍매당협장집』 권24, 文類, 祭亡姊文, “… 後四年乙卯，以右獻納坐言事前朝，見謫河東，姊遣人問死生，旣從便之．丁巳冬，往見，則移於彰平矣．甲子春，余佐故相鄭公行幕，又於彰平見之”. 李詹은 左獻納으로 재직하다가 河東에 貶職되었는데, 여기서는 前職인 右獻納으로 되어 있다.
- 『태종실록』 권9, 5년 3월 乙丑[30日], 李詹의 卒記, “乙卯，拜左獻納，與正言全伯英上疏，論守門下侍中李仁任·贊成事池𥠉潛通亡元，交結藩王，禍不可測，請誅二人．坐此流貶者十年”.

69) 이는 『명태조실록』 권100, 홍무 8년 6월 甲午를 전재하였다.
- 『憲章錄』 권4, 홍무 8년 6월, “□□[甲午6日]，命中書省臣，諭安南·高麗·占城等國，自今，惟三年一來朝貢，若其王立，則世見”.

70) 이는 『금성일기』 ; 『동도역세제자기』에 의거하였다.

71) 이는 다음의 자료에 의거하였는데, 그 시기는 4월 25일의 人事와 함께 이루어진 것일 수도 있다.
- 열전26, 崔瑩, “辛禑元年，判三司事”.
- 「韓脩墓誌銘」, “乙卯夏，進密直提學·同知書筵□[事]”.
- 『獨谷集』 行狀, “乙卯夏，陞左代言·藝文館直提學·知軍簿司事，製教·書筵·階如古”.
- 『태종실록』 권25, 13년 6월, “辛未[24日]，前參贊議政府事崔有慶卒．… 乙卯[禑王1年]夏，遷典法摠郎．李思忠家奴，刺殺其主不中，思忠訴之，栲訊累次，不得其情．有慶引情徐問，家奴自服吐實”.

72) 이날 明에서도 일식이 있었고(『명태조실록』 권100 ; 『명사』 권2, 본기2, 太祖2, 洪武 8년 7월 己未), 일본의 교토에서도 일식이 있었다(日本史料6-44册 45面). 이날은 율리우스력의 1375년 7월

[戊辰10日, 月犯箕星:天文3轉載].

[己巳11日, □月又犯斗魁:天文3轉載].

[辛未13日, 禱雨于宗廟:五行2轉載].

[丁丑19日, 雨:五行2轉載].

[庚辰22日, 熒惑犯畢:天文3轉載].

[辛巳23日, 月犯五車:天文3轉載].

[壬午24日, □月又犯畢星:天文3轉載].

[甲申26日, 日暈:天文1轉載].

[某日, 鷹揚軍上護軍禹仁烈·親從護軍韓理, 阿仁任意, 上書以爲, "諫官論宰相, 非細故也, 諫官是, 則宰相有罪, 宰相無罪, 則諫官非矣, 不可不辨". 於是, 下詹·伯英獄, 使判三司事?崔瑩·門下贊成事池奫, 鞫之, 辭連政堂文學田祿生及朴尙衷. 瑩杖鞫祿生·尙衷甚慘, 仁任曰, "不須殺此輩", 乃流之, 祿生·尙衷皆道死. 杖詹·伯英及方旬·閔中行·朴尙眞, 流之. ○又以鄭夢周·金九容·李崇仁·林孝先·廉廷秀·廉興邦·朴形·政堂文學鄭思道·李成林·尹虎·崔乙義·趙文信等, 謀害已, 並流之. 尙衷, 慷慨有大志, 博學善屬文, 兼通星命, 其行已莅官, 必以其道, 不義而富且貴, 視之蔑如也:節要轉載].[73]

29일이고, 開京에서 일식 현상이 심했던 시간은 12시 0분, 食分은 0.14이었다(渡邊敏夫 1979年 312面).

· 『愚管記』제19, 永和 1년 7월, "一日己未, 晴陰不定, 時々小雨, 日蝕正現".

· 『應安八年具注曆』, 7월, "一日己未, 火建, 陽錯復. 月蝕, 十五分之六, 半强, 虧初一刻, 五十五分半, 加時巳五刻, 廿七分, 復末午初刻, 卅四分半".

· 『續史愚抄』27, 永和 1년 7월, "一日己未, 日蝕, 正見".

73) 이와 같은 기사가 열전39, 이인임에도 수록되어 있다. 또 이 기사는 다음의 자료에도 수록되어 있다. 그리고 朴尙衷(李穡의 妹夫)은 靑郊驛에서 44歲로 逝去하였다고 하고, 1682년(숙종8) 1월 文正이라는 시호가 내려졌다고 한다(『錦坡遺稿』 권4, 朴尙衷行狀 ; 『定齋集』 권3, 潘南先生家傳 ; 『南溪集』 권72, 先祖潘南先生褒贈紀事碑[注, 壬戌肅宗8年正月八日] ; 『숙종실록』 권11, 7년 1월 乙亥21日). 그리고 이때 鄭夢周는 현재의 蔚山廣域市 蔚州郡 彦陽邑 彦陽面 大谷里(盤龜臺 隣近)에 유배되었던 것 같다(圃隱臺永慕碑, 鄭永鎬 1962년c).

· 열전17, 金方慶, 九容, "諫官李詹·全伯英等, 疏論仁任罪請誅之. 仁任杖流諫官, 又以九容·崇仁等謀害已, 並流之. 九容竄竹州, 尋移驪興, 放跡江湖, 日以詩酒自娛, 扁其所居曰六友堂".

· 열전25, 田祿生, "辛禑初, 諫官李詹·全伯英, 請誅李仁任·池奫, 禑下詹·伯英獄. 辭連祿生及朴尙衷, 杖流俱道死".

[某日, 諭全羅道元帥兼都巡問使金先致, 誘殺藤經光. 先致大具酒食, 欲因餉殺之, 謀緩而洩, 經光率其衆, 浮海而去, 僅捕三人殺之. 先致懼罪, 詐報斬七十餘級, 事覺, 編配戍卒. 初, 倭寇州郡, 不殺人物, 自是, 激怒, 每入寇, 婦女嬰孩, 屠殺無遺, 全羅·楊廣濱海州郡, 蕭然一空:節要轉載].[74)]

[→金先致, 陞同知密直□□司事, 爲全羅道元帥兼都巡問使. 辛禑初, 倭藤經光率其徒來, 聲言將入寇恐愒之, 因索粮. 朝議分處順天·燕歧等處, 官給資糧, 尋遣密直副使金世祐, 諭先致誘殺. 先致大具酒食, 欲因餉殺之, 謀洩, 經光率其衆, 浮海而去, 僅捕殺三人. 先致懼罪, 詐報斬七十餘人, 事覺, 編配戍卒. 前此, 倭寇州郡, 不殺人畜, 自是, 每入寇, 婦女嬰孩, 屠殺無遺, 全羅·楊廣濱海州郡, 蕭然一空. 由先致, 激怒之也:列傳27金先致轉載].

[某日, 以安翊爲慶尙道按廉使, 金士衡爲全羅道按廉使:慶尙道營主題名記·錦城日記].

[是月頃, 以奉翊大夫李邦翰爲安東大都護府使, 裴麟祐爲羅州牧使, 朝奉郎沈于慶爲雞林府判官兼勸農使:追加].[75)]

八月戊子朔大盡,建乙酉, [己丑2日, 松岳祠, 有哭聲:五行1鼓妖轉載].

[某日], 倭寇樂安·寶城.

[某日], 改定都城五部戶數. [凡屋間架二十以上, 爲一戶, 出軍一丁, 間架小, 則或倂四五家, 爲一戶:節要·兵1五軍轉載].

[某日], 慶尙道副元帥尹承順斬倭二十六級.[76)]

· 열전25, 朴尙衷, "諫官李詹·全伯英, 亦疏論仁任之罪, 下詹等獄鞫之. 尙衷辭連逮獄, 杖流道死, 年四十四. □□尙衷, 性沈默寡言, 慷慨有大志, 博該經史, 善屬文. 燕居但觀書, 言不及產業. 兼通星命, 卜人吉凶多中. 居家孝友, 莅官勤謹. 視人不義富貴, 蔑如也. 嘗寄詩代言林樸云, 忠臣義士世相傳, 宗社生靈五百年. 那料奸人能賣國, 坐令逆黨得安眠. 樸不答, 專事摸稜. 子訔".

· 열전39, 廉興邦, "辛禑時, 忤李仁任, 流于外, 尋封瑞城君".

74) 이와 관련된 기사로 다음이 있다. 또 金先致의 後任者로 추측되는 全羅道元帥兼都巡問使 金世祐는 10월 4일 羅州牧에 들어왔다(『금성일기』).

· 열전27, 金先致, "辛禑初, 倭藤經光率其徒來, 聲言將入寇恐愒之, 因索粮. 朝議分處順天·燕歧等處, 官給資糧, 尋遣密直副使金世祐, 諭全羅道都巡問使先致誘殺. 先致大具酒食, 欲因餉殺之, 謀洩, 經光率其衆, 浮海而去, 僅捕殺三人. 先致懼罪, 詐報斬七十餘人, 事覺, 編配戍卒. 前此, 倭寇州郡, 不殺人畜, 自是, 每入寇, 婦女嬰孩, 屠殺無遺, 全羅·楊廣濱海州郡, 蕭然一空. 由先致, 激怒之也".

75) 이는『안동선생안』;『금성일기』;『동도역세제자기』에 의거하였다.

[丙午[19日], 泥峴人家井, 虹見沸湧:五行1水變轉載].

[某日], 書雲觀言, “近者, 天文示異, 災變屢興, 宜移御避灾”. 禑議遷都, 判三司事崔瑩等議曰, “今無大故, 不可遽弃舊都”. 乃止.[77)]

[某日], 泥城萬戶飛報, “瀋王母子率金義及進奉使金湑, 已到信州”. □□[~~於是~~], 中外洶懼. □[乃]以知門下府事林堅味爲西京上元帥,[78)] 密直副使商議慶補□□□□[爲副元帥]兼都巡問使, 門下評理商議楊伯淵爲安州上元帥, 同知密直□□[司事]李元桂爲元帥, [門下]贊成事池奫爲西北面都體察使, 密直副使[~~密直使~~]羅世爲西海道上元帥兼都巡問使,[79)] 密直副使朴普老爲副元帥兼都體察使, 密直副使趙仁璧爲東北面元帥, 門下評理邊安烈爲副元帥, 又徵諸道兵.[80)]

[甲寅[27日], 月犯軒轅:天文3轉載].

[某日, 以[文忠保節同德贊化功臣·重大匡·韓山君]李穡爲推忠保節同德贊化功臣·三重大匡·韓山君·領藝文春秋館事兼成均館大司成:追加].[81)]

[是月頃, 以奉翊大夫羅光曼爲雞林府尹兼管內勸農·兵馬使:追加].[82)]

九月[戊午朔小盡,建丙戌], [己未[2日], 政坐坊里井, 熱沸, 色黑:五行1黑眚黑祥轉載].

[癸亥[6日], 驟雨大風, 天大震動:五行2轉載].

[甲子[7日], 歲星犯大微[~~太微~~]右執法:天文3轉載].

[甲子[某日], 亦如之[歲星犯太右執法]:天文3轉載].[83)]

---

76) 尹承順은 明年(우왕2) 5월 2일 輸忠亮節輔理功臣·匡靖大夫·雞林府尹兼管內勸農·都兵馬使로 赴任하였다(『동도역세제자기』). 또 二十六及은 『고려사절요』권에는 二十級으로 되어 있지만, 六字가 탈락되었을 것이다(盧明鎬 等編 2016년 746面).

77) 이달에 明의 應天府(南京)에서 크게 가물었다고 한다(『憲章錄』 권4, 홍무 8년 8월, “京師大旱”).

78) ~~添字~~는 『고려사절요』 권30에 의거하였다.

79) 密直副使는 『고려사절요』 권30에는 密直使로 되어 있는데, 後者가 옳을 것이다. 羅世는 공민왕 23년 7월 26일 同知密直司事로서 濟州道의 토벌에 참전하였다.

80) 이때 참전한 인물에 대한 기사로 다음이 있다.

- 열전27, 楊伯淵, “辛禑初, 拜門下評理□□[~~商議~~], 時有邊報, 瀋王率叛賊金義來. 伯淵爲安州上元帥, 與諸將往備之”.

81) 이는 『목은집』年譜에 의거하였다.

82) 이는 『동도역세제자기』에 의거하였는데, 羅光曼은 羅光滿의 다른 표기로 추측된다(공민왕 12년 윤3월 15일).

[辛巳24日, 月犯軒轅:天文3轉載].

[甲申27日, 亦如之月犯軒轅:天文3轉載].

[某日, 下<u>金義</u>母妻于<u>巡軍獄</u>司平巡衛府獄, 將殺之. 憲府言, “義雖叛逆, 婦女何知, 請勿殺”. 乃沒爲尙州<u>官婢</u>:節要轉載].[84]

[某日], 泥城<u>元帥</u>上元帥崔公哲麾下二百餘人叛, 殺軍民, 渡江去.

[某日], 倭船大集德積·紫燕二島. 時將卒悉赴北征, 乃簽□~~軍~~坊里丁及諸陵戶, 爲兵.[85]

○又徵楊廣·全羅·慶尙諸道兵, 以我太祖李成桂及判三司事<u>崔瑩</u>, 領之, 耀兵東·西江, 以備之, 尋放還諸道兵.[86]

[某日], 禑以知仁州事<u>田秀</u>妻,[87] 有乳保恩, <u>與</u>布七百匹·米二十石.[88]

[某日], 西北面都體察使池奫, 請又發兵, 爲後援, 命三司左使李希泌爲都指揮使, 率兵赴之.

[某日, 初慶尙·楊廣·全羅各道募軍, 號翊衛軍, 屯東·西江. 至是, 西北面赴征, 刷五部坊里各戶人及城外諸陵屬雜人, 兩江赴防:兵2鎭戍轉載].

---

83) 두 번째의 甲子는 甲戌(17일) 또는 丙子(19일)의 오자일 것이다.

84) 이와 같은 기사로 다음이 있다. 이 기사는 우왕 2년 7월 記事의 다음에 수록되어 있는데, 이는 『고려사』의 편찬자가 시기정리를 잘못한 것이다[繫年錯誤]. 卽位年稱元法을 사용했던 고려시대의 기록[史草]에는 우왕 2년 9월로 되어 있었을 것이다.

- 지39, 형법2, 恤刑, “~~禑王二年~~九月, 以<u>金義</u>殺使奔元, 下母妻于巡軍, 將殺之, 憲司上言, <u>義</u>雖叛逆, 婦女何知. 請勿殺. 乃沒爲尙州官婢”.

85) ~~添字~~는 『고려사절요』 권30에 의거하였다.

86) 이 기사는 『태조실록』 권1, 總書, 우왕 1년 9월에도 수록되어 있다.

87) 田秀의 妻는 乳母[乳媼] 張氏 金莊으로 추측된다(→우왕 2년 8월 某日).

- 『자치통감』 권147, 梁紀, 武帝天監 9년(510), “三月丙戌, 魏皇子<u>詡</u>生, <u>詡</u>母<u>胡充華</u>, 臨涇人, 父<u>國珍</u>襲武始伯. 充華初選入掖庭, 同列以故事祝之, … 先是, 魏主頻喪皇子, 年漸長, 深加愼護, 擇良家宜子者, 以爲乳保[<u>胡三省</u>注, 乳母, 保母也], 養於別宮, 皇后, <u>充華</u>皆不得近”.
- 『신당서』 권194, 열전119, 卓行, 元德秀, “… 少孤, 事母孝, 擧進士, 不忍去左右, 自負母入京師. 旣擢第, 母亡, 廬墓側, 食不塩酪, 藉無茵席. … <u>德秀</u>不及親在而娶, 不肯婚, 人以爲不可絶嗣, 答曰, ‘兄有子, 先人得祀, 吾何娶爲?’, 初, 兄子襁褓喪親, 無資得乳媼, <u>德秀</u>自乳之, 數日湩流, 能食乃止. …”.

88) 與는 賜與의 與인데, 원래는 賜였을 것이지만(우왕 9년 2월 某日·7월 某日), 『고려사』의 편찬자가 賜를 與로 改書하였을 것이다.

[某日], 徵諸寺住持僧, 戰馬各一匹, 又取諸寺田租, 以充軍須.[89)]

[某日], 以密直副使李琳爲西北面宣慰使, 往察事變.

[某日], 迎桐華寺釋迦佛骨, 置神孝寺, 作佛事.

[某日], 倭寇寧州·木州. [判三司事崔瑩請往擊之, 不許:節要轉載].

[某日], □□倭寇瑞州·結城.[90)]

[是月頃, 以金德邦爲永州副使:追加].[91)]

[秋某月, 以密直提學韓脩爲簽書密直司事, 左代言成石璘爲知申事兼判典儀·典理司事·藝文館直提學·知制誥·同知書筵事:追加].[92)]

[冬]十月丁亥朔大盡,建丁亥, [癸巳7日, 太白犯南斗:天文3轉載].

[戊戌12日, 月犯軒轅:天文3轉載].

[己亥13日, 月犯南斗:天文3轉載].

[壬寅16日, 虹見三日:五行1虹霓轉載].

[某日], 我太祖李成桂射虎以進, 禑賜襦衣一領曰, "惡獸可除, 然亦危事, 後其愼之".[93)]

[某日], 閱諸道所募兵, 放還老弱.

[某日, 遼瀋草賊吳連等百餘人來, 寇安州, 上元帥楊伯淵, 捕斬連等四十餘人. ○時鴨綠江北, 屢有賊變, 國家疑金義引胡兵而來. 至是, 乃知草賊也. 諸軍久留, 轉餉不繼, 取粮於民, 民甚苦之. 安州以北, 尤受其害:節要轉載].

---

89) 이와 관련된 기사로 다음이 있다.
- 지36, 兵2, 馬政, "辛禑元年九月, 徵諸寺住持僧, 戰馬各一匹".
- 지36, 兵2, 屯田, "取諸寺田租, 以充軍費".

90) 添字는 『고려사절요』 권30에 의거하였다.

91) 이는 『영천선생안』에 의거하였다.

92) 이는 「韓脩墓誌銘」; 『獨谷集』行狀에 의거하였는데, 그 시기는 8월 某日 李穡의 人事와 같은 날일 수도 있다.

93) 이 기사는 『태조실록』, 總書, 우왕 1년 10월에도 수록되어 있다("太祖出獵, 射虎以獻. 禑賜衣, 仍諭之曰, 惡獸宜獲. 然亦危事, 後其愼之").

[→遼瀋草賊吳連·李英寶·崔奴介等, 聞我國兵悉赴禦倭北境單虛, 遂率百餘人, 渡江入寇, 伯淵捕斬連等四十餘人, 擒奴介以獻. 時鴨綠江北, 屢有賊變, 國家疑金義引胡兵來, 至是, 始知非瀋王兵, 乃草賊也:列傳27楊伯淵轉載].

[→備北元, 諸軍久屯北界. 北界舊無私田, 官收租以充軍粮, 後勢家爭占爲私田, 以故轉餉不繼, 取粮於民, 民甚苦之, 安州以北, 尤受其害:兵2屯田轉載].

[某日, 八川君鄭珚卒. 珚, 精曉音律, 且以知禮聞, 凡禮官及後進, 皆就學禮:節要轉載]. [謚良獻:列傳21鄭偕轉載].

[某日], 禑欲召書筵官講書, 宦者金玄曰, "每月暇日, 宜停講". 禑曰, "讀書非視事, 何可廢也". 遂出講. [□□[是時], 禑視事, 宦官金玄, 侍側踞傲, 近臣啓事, 禑未及言, 先擅斷決. 玄, 外飾勤恪, 巧爲承迎, 故爲禑及太后信任, 悉管機務, 用事于中, 女謁公行:節要轉載].

[某日, 召還北征諸元帥:節要轉載].

[某日], 憲府[司憲府]劾楊廣道安撫使鄭庇·□[都]巡問使韓邦彥, 不能禦倭, 編配戍卒.

[某日], □[廾]禮儀判書朴仁桂爲楊廣道安撫使.

[癸卯[17日], 雲霧冥暗, 如春令然:五行3轉載].

[某日], 以天變屢見, 釋杖罪以下囚, [又放還兩江諸道兵:節要轉載].

[某日, 憲府[司憲府]請革箚字房, 以文武二選, 分隷吏·兵部, 從之, 不果行:節要·選擧3選法轉載].[94]

[某日], 以河允源爲司憲府大司憲.

[→辛禑初, 擢拜大司憲, 封晋山君, 書知非誤斷, 皇天降罰八字於柱, 每赴臺, 必掛之, 然後視事:列傳25河允源轉載].

[甲寅[28日], 霧塞, 二日:五行3轉載].

[是月癸丑[27日], □[明]以在外各處所設都衛, 並改爲都指揮使司, 燕山都衛爲北平都指揮使司, 定遼都衛爲遼東都指揮使司, 置定遼前衛指揮使司, 以遼東衛爲定遼後衛指揮使司:追加].[95]

---

94) 分隷(분예)는 지29, 選擧3, 選法에는 分肄(분이)로 되어 있는데 오자일 것이다.

95) 이는『명태조실록』권101, 홍무 8년 10월 癸丑의 일부 내용을 전재하였다.

十一月[丁巳朔小盡,建戊子], [庚申[4日], 月犯太白:天文3轉載].

[癸亥[7日], 霧甚:五行3轉載].

[乙丑[9日], 亦如之[霧甚]:五行3轉載].

[甲戌[18日], 日珥日背, 白虹貫日.[96] 書雲觀奏曰, "近者, 日珥日背, 白虹貫日, 以本文考之, 宜釋女樂, 入賢良":天文1轉載].[97]

[某日], 以河乙沚爲全羅道元帥[兼都安撫使:列傳27河乙沚轉載].

[某日], 楊廣道安撫使朴仁桂, 獲倭賊二艘, 殲之.

[某日, 去年十月戊戌[6日]:追加], 濟州人車玄有等, 焚官廨, 殺安撫使林完·牧使朴允淸·馬畜使金桂生等, 以叛. [今年正月辛巳[21日]:追加], 州人文臣輔[王子文忠傑?]·星主高實開·鎭撫林彦·千戶高德羽等, 起兵盡誅. [是日:追加], 禑遣使如京師, 奏之.[98]

[某日, 倭寇金海府, 殺掠民物, 焚官廨. [同知密直司事·慶尙道]都巡問使曹敏修與戰敗績, 又戰於大丘縣敗績, 士卒死者甚衆. 倭賊數十艘, 又自金海, 泝黃山江, 將寇密城, 敏修邀擊, 斬數十級. 禑遣中使, 賜衣酒及馬, 敏修上箋謝. 命左正言金子粹, 製回敎, 子粹, 辭曰, "敏修摠兵一道, 金海·大丘之戰, 怯懦敗沒, 多殺士卒. 密城小捷, 功不掩罪, 衣酒廏馬賞已過矣, 又何回敎. 且回敎, 紀功德, 今敏修無功可紀, 不敢奉命". ○禑怒下子粹[司平]巡衛府, 命[贊成事]池奫·[大司憲]河允源鞫之. 奫等, 欲坐以違旨, 子粹曰, "先王置諫官, 所以補君之失也. 是以自古王言有不可, 諫官諍之, 願諸公, 察國家置諫官之意". 奫大怒, 欲杖流, 議諸都堂, 諸宰相畏之, 無敢出言.

---

96) 여기에서 '日珥日背, 白虹貫日'은 日食 때에 太陽의 주변에 나타나는 火焰現狀[日珥], 日月 주변의 물방울[氷晶]로 인한 光學現狀[白虹]을 가리키는 것 같고, 이런 현상은 人民들에게 어떠한 變亂의 兆朕으로 받아들여진 것 같다. 또 이날 일본의 교토에서 흐렸다고 한다.
· 『愚管記』제19, 永和 1년 11월, "十八日甲戌, 陰".

97) 여기에서 書雲觀 官員이 參朝했던 本文이 어떠한 文獻인지는 알 수 없으나 다음의 자료와 관련이 있는 것 같다(蔡雄錫敎授의 敎示).
· 『개원점경』 권98, 虹蜺占, 虹霓貫日二, "京氏對災異曰, 虹蜺近日, 則姦臣謀, 貫日, 客伐主, 其救也. 釋女樂, 戒非常, 正股肱, 入賢良. …".

98) 濟州人 車玄有 등의 叛亂은 1374년(공민왕23) 8월 28일(辛酉) 都統使 崔瑩이 牧胡의 반란을 진압하고 귀환한 후 10월 6일(戊戌) 再次 일어난 것이다. 이 반란은 1375년(우왕1) 1월 21일(辛巳) 州人 文臣輔·星主 高實開 등에게 다시 진압된 것인데(『吏文』 권2, 咨奏申呈照會11, 濟州行兵都評議使司申 ; 『世宗實錄』 권65, 16년 8월 28일 ; 『東文選』 권101, 星主高氏家傳, 金日宇 2000년 373面), 이것이 위의 기사와 같이 11월에 수록되어 있는 것은, 이날 明에 보고된 것이기 때문일 것이다. 그러므로 위의 기사는 추가된 내용과 같이 改書되어야 할 것이다.

密直副使李寶林曰, “子粹雖小儒, 諫官也. 且所謂違旨者, 蓋如置人于東, 擅移于西者也. 子粹之罪, 恐不得以此論”. 都堂是其言, 只請流之. 禑曰, “□□司平巡衛府已議其罪, 今欲輕之何”, 遂不允.[99] ○□□三司右使金續命入, 白太后曰, “臣等武人, 不識理, 然, 文臣咸曰諫官, 雖忤旨不罪, 所以開言路也. 今子粹罪小, 不宜重論”. 太后乃請禑曰, “予老經事多矣, 未聞杖辱諫官. 若爾, 人皆杜口, 國事將日非矣”. ○於是, 免杖, 流于全羅道突山戍. 奫等, 意子粹, 必與郎舍議, 又流諫議□□大夫鄭寓于慶尙道竹林戍:節要轉載].[100]

[某日, 令宰臣·樞密, 皆持兵宿衛. 先是, 宰臣·樞密各一人, 輪次入直, 至是, 勿論番次, 皆令宿衛:兵2宿衛轉載].

[增補].[101]

---

99) 曹敏修와 金子粹에 관련된 기사로 다음이 있다. 또 이 시기에 李寶林은 權仲和와 함께 宰相들이 濟州에서 바친 山羊[羺]을 나누어 가지려고 하자 반대하였다고 한다.

- 열전39, 曹敏修, “曹敏修. 進同知密直司事, 賜忠勤輔理功臣號. 辛禑初, 爲慶尙道都巡問使, 倭寇金海, 恣殺掠, 焚官廨城門, 敏修與戰敗. 又戰于大丘, 亦敗, 安集盧處中死, 士卒死者甚衆. 倭數十艘, 自金海, 泝黃山江, 將寇密城, 敏修邀擊之, 斬數十級, 禑遣中使, 賜衣酒及馬”.
- 열전33, 金子粹, “辛禑初, 爲正言, 時慶尙道都巡問使曹敏修, 擊倭于密城, 斬數十級. 禑賜衣酒及馬, 敏修上箋謝. 命子粹製回教. 子粹辭曰, ‘敏修摠一道兵, 金海·大丘之戰, 怯懦敗沒, 多殺士卒. 密城小捷, 功不掩罪. 衣酒·廐馬, 賞已過矣, 又何回教? 且回教錄功績, 今敏修無功可紀, 不敢奉命’. 禑怒, 下子粹巡衛府, 命池奫及大司憲河允源鞫之. 奫等欲坐以違旨, 子粹曰, ‘先王置諫官, 所以補君之失也. 自古王言有不可, 諫官諍之, 願諸公察國家置諫官之意’. 奫大怒, 欲杖流, 議于都堂, 諸相畏之, 無敢出言. 密直副使李寶林曰, ‘子粹雖小儒, 諫官也. 且所謂違旨者, 蓋如置人于東, 擅移于西者也. 子粹之罪, 恐不得以此論’. 都堂是其言, 只請流之. 禑曰, ‘巡衛府已議其罪, 今復可輕耶?’. 遂不聽. 右使金續命入, 白太后曰, ‘臣武人, 不曉事, 然文臣皆言, 諫官雖忤旨, 不罪者, 所以開言路也. 今子粹罪小, 不宜重論’. 太后乃謂禑曰, ‘予老, 經事多, 未聞杖辱諫官. 若爾, 人皆杜口, 國事將日非矣’. 於是, 免杖, 流于全羅道突山戍. 奫等意子粹必與郎舍議, 又流諫議大夫鄭寓于慶尙道竹林戍. 踰年, 許從便, 給告身”.
- 열전23, 李齊賢, 寶林, “尋遷密直副使. 濟州進羺, 分畜諸州, 多物故不孳, 令贖其價. 宰相欲分其餘畜之, 寶林與權仲和言, ‘民贖價而吾輩分之, 於義何如?’, 遂止”.

100) 鄭寓(初名은 瑀)는 李穡과 청년시절부터 교유하던 인물인 것 같다.

- 『목은시고』 권4, 次韻送鄭寓員外□郞謁告省親, 送鄭員外□郞失職, 歸侍老親.
- 『목은문고』 권10, 浩然說, 贈鄭甫州別, “… 甫州刺史鄭君謂予曰, 昔予也名瑀, 子嘗以溫叔字我矣, 余今也, 更之以寓, 願子之終惠焉”.

101) 이달에 日本僧 妙賢이 1026년(현종17) 9월 淸河郡 畝北寺의 승려 淡白이 造成한 銅鍾을 勝樂寺에 시납하였다고 한다(佐賀現教育廳 1961年 202面). 이 시기에는 倭賊의 侵入이 심하여 일본 商人의 왕래가 없었으므로 이 鍾의 搬出은 왜적의 소행으로 추측된다(→현종 17년 9월 是月의 脚注).

- 銘文, “奉施入勝樂寺, 追鐘一口, 右意趣者, 爲天長地久, 罔止, 四海淸謐, 殊僧應信, 檀那沙彌

十二月丙戌□朔大盡,建己丑, 大霧.[102)]

[丁亥[2日], 月犯心星. 太白·鎭星同舍:天文3轉載].

[○始令各司胥吏, 着白方笠, 道遇六曹佐郎以上官, 馬前三拜:禮10參上參外人吏掌固謁宰樞及人吏掌固謁參上參外儀轉載].

[→始令各司胥吏, 著白方笠:輿服1冠服通制轉載].

[己丑[4日], 太白與月同舍:天文3轉載].

[→令宰相及六曹·臺省, 各擧才兼文武, 可爲守令者:節要·選擧3選用守令轉載].

[某日] 禑出書筵, 讀大學, 問右副代言尹邦彦曰, "詩云, 穆穆文王, 於緝熙敬止,[103)] 何義也?", 邦彦不能對. 禑曰, "予嘗謂儒者能通經書, 今乃爾耶". 時禑昵近宦官·宮妾, 不親士大夫, 識者憂之.

[某日], 倭寇楊廣道濱海州縣, 以判典儀寺事金仕寶爲兵馬使, 禦之.

[某日], 遣密直副使金寶生如京師, 賀正, 阻風, 還泊喬桐.

[某日, 禑, 欲以美官授外戚, 用小帖, 擬金瑄重房, 韓忠典法, 韓略臺官, 下政房. 提調·侍中慶復興等曰, "除授已訖, 不宜更改". 禑曰, "有紙墨, 改之何難". 復興又曰, "古制, 外戚不除言官, 請除他官". 禑曰, "何不從命". 復强之, 復興力爭, 終不授. 略, 爲人, 無才行, 有口辨. 初, 以憲府吏, 登明經科, 夤緣外戚, 超授官爵, 又托宦寺及乳媼, 求爲持平:節要轉載].[104)]

[丙申[11日], 月暈:天文3轉載].

妙賢, 心中所願, 皆合法界平等, 利益而已, 應安七年甲酉甲寅十一月日, 願主沙彌妙賢敬白".

102) 丙戌에 朔이 탈락되었는데, 지9, 五行3, 土行에는 옳게 되어 있다.

103) 이 구절은 『詩經』, 大雅, 文王之什, 文王, "穆穆文王, 於緝熙敬止"를 인용한 것이다.

104) 이와 같은 내용이 다음의 기사에도 수록되어 있으나 자구에 출입이 있다. 또 이에서 口給은 口辯이 能熟하고 敏捷함을 가리킨다.

- 열전24, 慶復興, "… 有韓略者, 口給無才行. 初, 爲司憲令史, 登明經科, 以禑外戚, 超授官. 又托乳媼·宦寺, 求爲持平, 禑, 一日用小帖, 擬略臺官, 金瑄重房, 韓忠典法, 下政房, 瑄·忠亦禑外戚也. 復興言, '注授已訖, 不可更改'. 禑曰, '有紙墨, 改之何難'. 復興又言, '古者, 外戚不除言官, 請授他職'. 禑曰, '何不從命'. 强之, 復興力爭, 終不授".
- 『논어』, 公冶長第5, "… 或曰, '冉雍也仁而不佞'. 子曰, 焉用佞. 禦人以口給, 屢憎於人, 不知其人, 焉用佞". 여기에서 不佞은 不才를 의미하는 것 같다.
- 『자치통감』 권4, 周紀4, 赧王 36년(BC279), "趙王封樂毅於觀津, 尊寵之, … 臣雖不佞[胡三省注, 不佞, 猶言不才也]".

戊戌[13日], 雷.[105]

[→霧昏, 雷電:五行3轉載].

[辛丑[16日], 亦如之[月暈]:天文3轉載].

癸丑[28日], 霧.

[某日, 以[知申事]成石璘爲知申事·右文館直提學兼判典儀典理事充春秋館編修官·知制誥[~~知製敎~~]·同知書筵事, [宣德郞·試北部令兼進德博士]柳觀爲典客寺丞:追加].[106]

[冬某月, 大匡·前判內府事金師幸,」 ~~中隨喜~~雲霞蕩子釋覺因,」 ~~從助緣~~」 奉翊大夫·開城尹朴成亮,」 匡靖大夫·判崇敬府事朴元鏡等開板'成佛隨求大陀羅尼':追加].[107]

[是年, 牧·都護府知官, 皆帶兵馬之職:百官2外職轉載].[108]

[○以[政堂文學]鄭思道爲僉議評理商議:追加].[109]

[○以[檢校密直副使]趙暾爲龍城君:列傳24趙暾轉載].

[○以[同知密直司事]金先致爲崇敬府尹:追加].[110]

[○以[以判衛尉寺事]沈德符爲右散騎常侍, 尋遷奉翊大夫·禮儀判書, 充江界都萬戶:追加].[111]

---

105) 이와 같은 기사가 지7, 五行1, 水, 雷震에도 수록되어 있다.

106) 이는 『獨谷集』行狀 ; 『夏亭集』行狀에 의거하였다.

107) 이는 다음의 자료에 의거하였다(海印寺 願堂庵 所藏, 海印寺聖寶博物館 2017년 43面 ; 南權熙 2017년).

- 『成佛隨求大陀羅尼』, 卷末刊記, "甲寅伊始于今乃成,功德之報」 所當印行,過神呪影,佛種猶萌,」 況持而信,玄應愈明,」 太后雖老,」 主上遐齡,祥疑四埜,慶洽」 朝廷,秉彝之暇,咸悟無生,廣資」 恩有,令出火阬,」 洪武乙卯冬,施主前郞將朴免述,」 ~~刊者~~ 金允貴, 李仁烈,」 ~~梵漢字書幷校~~ 平陽朴免,」 ~~始同願~~」 大匡·前判內府事金師幸,」 ~~中隨喜~~雲霞蕩子釋覺因,」 ~~從助緣~~」 奉翊大夫·開城尹朴成亮,」 匡靖大夫·判崇敬府事朴元鏡」".

108) 이후 大都護府使와 牧使는 都兵馬使를, 都護府使는 兵馬使를 兼帶하였던 것 같다(『동도역세제자기』 ; 『안동선생안』).

109) 이는 「鄭思道墓誌銘」에 의거하였다.

110) 이는 『태조실록』 권13, 7년 3월 己巳[22日], 金先致의 卒記, "… 乙卯, 陞崇敬尹"에 의거하였다.

111) 이는 다음의 자료에 의거하였다.

- 『태종실록』 권1, 1년 1월 甲戌[14日], 沈德符의 卒記, "僞主元年乙卯, 以禮儀判書, 充江界都萬

[○以[前左正言]文益漸爲典儀主簿:追加].[112)]

[○以尹鄕爲延安府使:追加].[113)]

[○以李仲順爲知寧海府事:追加].[114)]

[○以律宗辯智大師月松爲通度寺住持:追加].[115)]

[增補].[116)]

[是年頃, [宦官·延城府院君金]玄貪汚巧詐, 外飾勤恪, 善爲承迎. ○是時, 益見寵幸, 且爲明德太后所信任, 悉管機務, 用事于中, 女謁公行. 每銓注, 玄, 輒至禑前, 予奪無忌. 嘗在禑側踞傲, 近臣啓事, 禑未及言, 玄先擅斷決. 一日, 禑視事, 玄瞠閱, 禑罵曰, "汝是家奴, 何不敬乃爾". 玄默然:列傳35金玄轉載].[117)]

[○釋前宦官·判內侍府事金師幸罪, 給告身:列傳35金師幸轉載].[118)]

戶. 才堪將帥, 名聲益彰, 擢爲密直副使·義州副元帥".

· 『동문선』 권117, 沈德符行狀, "僞朝二年乙卯, 陞爲右常侍, 以公多智略, 才堪將帥, 陞爲奉翊大夫·禮儀判書, 充江界都萬戶. 敷施雄略, 名聲益彰, 升聞于朝, 擢爲奉翊大夫·密直副使·義州副元帥".

112) 이는 『태조실록』 권14, 7년 6월 丁巳[19日], 文益漸의 卒記, "… 洪武乙卯[禑王1年], 召益漸爲典儀注簿"에 의거하였다.

113) 이는 『연안부지』에 의거하였다.

114) 이는 『영해선생안』에 의거하였다.

115) 이는 다음의 자료에 의거하였는데, 이는 『通度寺事蹟略錄』(1675年 重刊)에도 引用되어 있다.

· 『목은문고』 권3, 梁山通度寺釋迦如來舍利之記, "… 南山宗通度寺住持圓通無礙辯智大師·沙門臣月松, … 至京謁門下評理李得芬曰, '月松自歲乙卯[禑王1年],蒙」 上恩住是寺', …".

116) 이해의 12월에 日本僧 義堂周信(1325∼1388)이 鎌倉[相陽] 南陽山報恩護國禪寺에 있던 高麗鍾의 銘文을 撰하였다. 또 이와 관련된 자료도 있다(高麗曆과 同一, 日本史料6-45册 31面 ; 張東翼 2004년 366面).

· 『空華集』 권20, 相陽[相州]南陽山報恩護國禪寺鐘銘幷敍, "寺權輿於應安三[四]年辛亥十月十五日, 越五年鐘魚尙闕, 爰有鬻高麗國銅鐘者, 厥直萬錢, 開基住山比丘五臺沙門義堂周信, 作偈, 募緣而市之, 乃爲銘. 銘曰, 維新蘭若, 鐘磬未完, 大哉法器, 出自三韓, 四佛影現, 九乳星攢, 厥音鏗爾, 聽者咸歡, 上而天界, 下而冥間, 驚[警]寢戒食, 息苦停酸, 豊嶺霜實, 禪堂[室]月寒, 扣惟無盡, 應亦莫殫, 庶乎萬歲, 君臣永安, 永和改元乙卯冬十二月日, 大檀那關東都元帥左典廐源某[足利氏滿] 建寺檀那關東副元帥上相[杉]某[能憲]".

· 『空華日用工夫略集』 권2, 永和 1년 6월, "廿三日, 爲新寺[報恩寺]作偈化鐘".

117) 是時는 原文에는 辛禑立으로 되어 있다.

118) 原文에는 "辛禑立, 釋其罪, 給告身"으로 되어 있다.

[○光巖寺住持日昇杲菴, 上書辭職, 再三, 不得命, 遂挺身而去:追加].[119]

丙辰[禑王]二年, 明洪武九年 : 北元宣光六年, [西曆1376年]

1376년 1월 22일(Gre1월 30일)에서 1377년 2월 8일(Gre2월 16일)까지, 13개월 384일

[春]正月[丙辰朔小盡,,庚寅], [乙丑[10日], 月犯五車:天文3轉載].

[某日], 復遣[密直副使]金寶生如京師.[120]

[某日], 攝事于大廟[太廟], 上尊號.[121]

[某日, 全羅道[元帥兼]都安撫使河乙沚, 捕倭船一艘, 賜衣酒. 乙沚無才行, 又有簠簋之誚, 賂權貴, 得任閫寄. 士林鄙之:節要轉載].[122] [時, 乙沚簽軍於定額外, 又簽煙戶軍及別軍, 民頗失業. 體覆使郭璇還奏之, 即罷新簽二軍:列傳27河乙沚轉載].

[某日, 罷政堂文學李茂芳, 爲光陽君. 茂芳, 嘗謂[侍中]慶復興曰, "何不籍韓方信·盧稹家耶?". 復興曰, "以韓安·盧瑄不伏罪, 而死也". 茂芳曰, "二賊, 自知大惡, 至死不伏, 然情狀著見, 論以弑逆, 則其父豈免連坐". 復興, 作色不應, 茂芳, 言愈切, 復興不獲已, 并籍方信·稹家. 茂芳, 竟以是罷:節要轉載].[123]

[庚戌[21日]:追加],[124] 以添設職, 賞軍士, 自奉翊□□[大夫]·通憲□□[大夫], 至七八品, 無算. [時有車載斗量之譏:節要·選擧3添設轉載].

[○以[簽書密直司事]韓脩爲密直副使, [知中事]成石璘爲密直提學, [右散騎常侍]安宗源爲大司

---

119) 이는 다음의 자료에 의거하였다.
- 『목은문고』 권6, 杲菴記, "杲上人受知」 玄陵, 住光岩寺者十年, 嘗蒙」 玄陵宸翰, 日昇杲菴四字之賜, 累請辭去, 竟」 玄陵世, 不得如志, 及」 今上卽位, 凡三辭, 又不得命, 遂挺身而去".

120) 金寶生이 언제 應天府(南京)에 도착하였는지는 알 수 없으나 이해의 9월 16일(丁卯) 禑王이 使臣을 보내와 表를 올려 太祖의 生日(天壽聖節, 18日己巳)을 賀禮하고 方物을 바쳤다는 기록은 찾아진다(『명태조실록』 권108).

121) 이때 덧붙여진[加上] 尊號는 恭愍王, 總論에 수록되어 있다.

122) 이와 같은 기사가 열전27, 河乙沚에도 수록되어 있다.

123) 이와 같은 기사가 열전44, 홍륜에도 수록되어 있다. 또 이 기사는 열전25, 李茂芳에 축약되어 있다("茂方, 嘗責侍中慶復興不籍韓方信·盧稹家, 忤意罷, 封光陽君").

124) 이날의 날짜[日辰]는 下記의 「劉敞政案」 (劉敬政案)에 의거하였다.

憲, [通禮門祗候]劉敬爲郎將:追加].[125]

[某日, 以楊以時爲楊廣道按廉使, 崔濂爲慶尙道按廉使, 李得謙爲全羅道按廉使:慶尙道營主題名記·錦城日記].[126]

[丁丑[22日], 雨水. 月犯房星:天文3轉載].

[是月, 安東大都護府使兼管內勸農·兵馬使李邦翰撰'雪谷集'跋:追加].[127]

[○都堂以禑命, 欲宥在貶康舜龍·鄭思道·廉興邦·成大庸·鄭寓·尹虎·鄭夢周等. 議已定, 瑩出獵, 不與其議, 及還, 錄事請署其案. 瑩怒曰, "國家大事, 必大臣合議然後行, 何不預告, 遽取署耶?". 遂不署:列傳26崔瑩轉載].

二月[乙酉朔大盡,辛卯], [丙戌[2日], 歲星犯大微[太微]左執法, 九日:天文3轉載].

[己丑[5日], 流星出斗魁:天文3轉載].

[丙申[12日], 歲星入天庭:天文3轉載].

[某日], 遣李之富如定遼衛, 通好, 仍察事變. 又遣李原實, 聘于納哈出.

[某日, [門下侍中]李仁任等, 請諸流竄宦官皆許從便. 政堂文學洪仲宣, 謂[三司右使]金續命曰, "閹寺用事前朝, 以階禍亂, 放竄宜矣. 近者, 諫官屢以直言貶斥, 無一還者. 今乃反釋此輩耶?":節要轉載].

[→[洪仲宣]轉政堂文學. 侍中李仁任等, 請釋宦官流竄者, 仲宣謂金續命曰, "閹寺用事先朝, 以階禍亂, 放竄宜矣. 近者, 諫官屢以直言見斥, 一無召還, 今乃反釋此輩, 何以爲國?":列傳24洪仲宣轉載].

[某日, 般若夜潛入太后宮, 啼號曰, "我實生主上, 何母韓氏耶?", 太后黜之, 仁任下般若獄←是年 3月에서 옮겨옴].

[→辛旽妾般若, 夜潛入太后宮, 啼號曰, "我實生主上, 何母韓氏耶?", 太后出

---

125) 이는 「韓脩墓誌銘」; 「安宗源墓碑銘」; 『獨谷集』行狀 ; 「劉敞政案」, "洪武九年正月二十一日, 判郎將"에 의거하였다.

126) 楊以時는 열전26, 崔瑩에 의거하였다(→是年 □□□□[七月以前]).

127) 이는 鄭誧의 문집인 『雪谷集』跋에 의거하였다.

· 跋, "… 先生之令嗣密直提學公[鄭公權]恐其湮沒, 請之懇懇, 悉孚吾意, 卽命宏贊師鋟梓, 傳之無窮. 時洪武丙辰正月 日, 奉翊大夫·安東大都護府使兼管內勸農兵馬使李邦翰跋".

之, 仁任下般若獄. ○大司憲安宗源等, 上疏曰, "延城□□[府院]君金玄, 專掌禁中事, 般若, 直入宮闈, 不加防禁, 驚動太后, 以駭觀聽, 乞下攸司, 鞫問科罪". 乃流玄于懷德縣:節要轉載].[128]

[某日, 安州副元帥王安德, 報瀋王蕘:節要轉載].

[某日, 兩府·臺諫及耆老, 會興國寺, 辨般若事, 密直□□[副使?]權仲和, 以講書筵不至. 三司右使金續命, 謂堂吏曰, "王母未定, 宜速辨, 以解國人之疑, 何用書筵爲?". 旣而嘆曰, "天下未辨其父者, 容或有之, 未辨其母者, 我未聞也":節要轉載].[129]

[某日], 判事安德麟擅殺人, 繫獄鞫治.

[某日], □□[前都]僉議評理洪淳卒.[130]

[丁未[23日], 月入南斗:天文3轉載].

[甲寅[30日], [松岳北,]天磨山廣巖石頹:五行3轉載].

[是月朔日, 朴免撰'禮念彌陁道場懺法'跋:追加].[131]

[是月頃, 以[奉翊大夫]鄭良生爲安東大都護府使, 宋權爲永州副使:追加].[132]

---

128) 般若에 대한 기술은『고려사절요』권30, 우왕 2년 2월에 수록되어 있는데, 이는 편년체로 편찬되었던『高麗史全文』을 底本으로 한 것이기에 더 부합할 것이다[校正事由]. 또 安宗源의 상소는 열전35, 宦者, 金玄에도 수록되어 있다.

129) 이 기사는 열전24, 金續命에도 수록되어 있다.

130) 여기에서 前字가 탈락되었을 것이다.

131) 이는 다음의 자료에 의거하였다(啓明大學圖書館 所藏, 목판본 1책, 권7∼10, 보물 제1320호, 郭丞勳 2021년 489面).
- 『禮念彌陁道場懺法』 권7, 卷末刊記, "前龜山朗公早蛻名韁,今善講且誠孝,兌益敬之,乙」 卯春仲[仲春]來謂免曰,'吾以大懺願爲兼善,蓋末流人入佛」 捷逕[捷徑]止此而已'.至順間三藏順菴,寓燕時,板其懺本」 徙安是旻天寺,庶廣印行,自火於辛丑,恨其湮滅,幸因」 師幹事重刊,喜以相之,予將以一語著于末,免曰, … 蒼龍丙辰仲春朔日,岩遯朴免妥夫書.」 ~~化板隅鐵裝~~ 閑道人 覺斤,」 化板心字漆 老禪伯 月瓌,」 平鍊板心 前伍尉 李端,」 老刊字手 前散員 申天瑞,」 優婆塞 李仁烈,」 優婆塞 金允貴,」 羽翼相助山林衲徒 禪旭,」 慈昱, 頓機, 坦西, 性堅,」 首尾通幹 雲霞蕩子 角因,」 統領大提 江湖老禪 慧朗,」 歉闕相補諸公之室」 某大官之室 化平郡夫人金氏,」 某大官之室 上黨郡夫人鄭氏」 卒左尹全氏之室 高敞郡夫人吳氏,」 卒大諫鄭雪谷[鄭誧]之室 完山郡夫人崔氏,」 [破損]」 脂大願轄大[破損], [脫落] 輸誠翊戴功臣·匡靖大夫·判崇敬府事·進賢館大提學·護軍·知書[脫落],」 培大善根 大壇之家」 三重大匡·上黨君 韓仲禮」".

132) 이는『안동선생안』;『영천선생안』에 의거하였다.

三月[乙卯朔小盡,壬辰], [丁巳[3日], 歲星犯大微[太微]端門:天文3轉載].

[辛酉[7日], 熒惑犯月:天文3轉載].

[壬戌[8日], 月暈:天文3轉載].

[癸亥[9日], 淸明. 日無光:天文1轉載].

[某日], 以朴普老爲西北面元帥兼都巡問使.

[某日], 遣簽書密直司事鄭公權[鄭樞], 安胎于禮安縣.[133)]

[某日, 般若夜潛入太后宮, 啼號曰, "我實生主上, 何母韓氏耶?". 太后黜之, 仁任下般若獄→是年 2月로 옮겨감].

[某日, 流[三司右使]金續命于文義縣. 續命, 以太后近戚, 專摠宮中之事, 淸直敢言, 人皆畏憚. 嘗移病在第, [門下侍中]慶復興·[守侍中]李仁任·[門下贊成事]池奫, 問疾. 續命曰, "古制, 兩府省五樞七而已, 今一日所除宰樞至五十人, 如物議何?". 復興曰, "不得已爾", 續命曰, "今之宰樞, 竊祿尸位, 而心不正, 無我若也". 仁任曰, "公心不正, 誰爲正乎?". 續命曰, "予, 伴食都堂, 凡署事, 心非口是, 心不正孰如我乎?". 復興等, 皆默然. 池·李深銜之, 陰謀傾軋, 未得間, 至是, 嗾□[左]司議□□[大夫]許時·[右司議大夫]金濤等劾曰, "臣而不敬, 罪莫大焉, 近集議興國寺, 續命發口不可道之言, 不敬孰甚. 請鞫治". 疏再上, 太后力救, 宥而流之. 自是, 太后如失左右手. 時人惜之: 節要轉載].[134)]

[→[三司右使金]續命以太后外戚, 專摠宮中之事, 剛直不撓, 人皆畏忌, 執政至有欲殺者. 出爲楊廣·慶尙道都安撫使, 盖斥之也. 太后欲留之, 召柳實問之, 實曰, "今北有邊警, 大臣不可出外". 太后遂遣中使, 止之. 時, 李仁任·池奫·林堅味等, 專權用事, 貪黷無厭, 唯憚續命不敢肆. 續命嘗移病在第, 慶復興·仁任·奫問疾. 續命曰, "古制, 兩府省五·樞七而已, 今一日所除宰樞至五十人, 如物議何?". 復興曰,

---

133) 鄭公權의 初名은 鄭樞였는데, 1373년(공민왕22) 7월 6일에서 1376년(우왕2) 3월 某日 사이에 前者로 개명하였다(열전19, 鄭瑎, 公權, "公權, 初名樞, 字公權, 後以字行"). 또 이해[是年]에 淸州 출신으로 文名을 떨친 三人[上黨三豪]인 前政堂文學 韓仲禮, 前簽書密直司事 韓脩, 그리고 첨서밀직사사 鄭公權 등이 韓山君 李穡을 방문하였던 같다.

·『목은시고』 권6, 奉謝韓政堂·鄭簽書·韓簽書, 踏月見訪, "上黨三豪氣味醇, 半酣乘興見天眞, …".

134) 이 기사의 縮約으로 열전24, 金濤, "辛禑時, 拜右司議□□[大夫], 承李仁任·池奫指嗾, 劾三司右使金續命流之"가 있다.

"不得已爾". 續命曰, "今宰樞, 竊祿尸位而心不正者, 無我若也". 仁任曰, "公不正, 誰爲正乎?". 續命曰, "予伴食都堂, 凡署事, 心非口是, 心不正, 誰如我乎?". 池·李深銜之. ○於是, 仁任等嗾司議□□大夫許時·金濤等, 劾之曰, "爲人臣止於敬, 天下古今之常典也, 臣而不敬, 罪莫大焉. 近集議興國寺, 續命發□不可道之言, 不敬孰甚, 請鞫治". 疏再上, 太后力救, 乃流文義縣. 遂罷柳實, 以朴林宗代之. 實續命所薦, 林宗仁任姻親也. 續命旣竄, 太后如失左右手, 時人惜之:列傳24金續命轉載].

[→門下贊成事池奫與門下侍中李仁任·知門下府事?林堅味專權貪黷, 憚金續命淸直, 謀傾軋之. 奫通禑乳媼張氏, 其妻亦與張善, 出入禁中, 續命譏之曰, "宰相之妻, 無故出入宮禁, 可乎?". 奫聞而深銜之. 及般若事起, 奫嗾諫官, 劾續命流之, 語在續命傳:列傳38池奫轉載].

[某日], 臺諫·司平巡衛府, 雜治<u>之</u>~~般若獄~~.[135] 般若指新創中門, <u>號</u>呼曰,[136] 天若知吾冤, 此門必頹. 司議□□□大夫許時, 纔入門, 門自頹. 時僅□得免,[137] 人頗異之. 竟投般若于臨津, 斬其族判事<u>龍居實</u>~~姜居實~~.[138]

[某日, 罷司憲持平宋齊岱, 出知泰安郡事. 初贊成事池奫使其妻, 交結禑乳媼, 出入宮禁, 招權納賂. 三司右使金續命譏之. 奫, 深惡斥之. 齊岱欲劾奫, 執義金承得以告, 奫乃<u>出之</u>:節要轉載].[139]

[某日], 遣判事<u>金龍</u>如定遼衛, 通好.

[某日, 倭寇晋州, 慶尙道都巡問使<u>曹敏修</u>與戰于淸水驛, 斬首十三級, 以獻:節要轉載].[140]

[庚辰26日, 歲星犯<u>大微</u>~~太微~~端門:天文3轉載].

[夏]四月甲申朔大盡,癸巳, [丙戌3日, 亦如之歲星犯太端門:天文3轉載].

[庚寅7日, 月犯熒惑:天文3轉載].

---

135) ~~添字~~는 『고려사절요』 권30에 의거한 것이다.

136) 號는 『고려사절요』 권30에는 呼로 되어 있는데, 후자가 더 적절할 것이다.

137) ~~添字~~는 『고려사절요』 권30에 의거하였다.

138) 龍居實은 『고려사절요』 권30에는 姜居實로 되어 있는데, 後者가 옳을 것이다.

139) 이와 같은 기사가 열전38, 池奫에도 수록되어 있다.

140) 이와 같은 기사가 열전39, 曹敏修에도 수록되어 있다("倭又寇晋州, 慶尙道都巡問使曹<u>敏修</u>戰于淸水驛, 斬十三級以獻, 禑遣人賜酒").

[辛卯8日, 暈:天文3轉載].

[壬辰9日, □月又犯軒轅:天文3轉載].

[某日], 以郭璇爲楊廣·全羅道體察使, 察將帥·守令備禦勤怠.

[某日], 官軍, 久留西北面, 民多飢乏, 以李淑林爲完護使, 賫布千五百匹, 賑之.

[→以李淑林爲西北面完護使. 往歲, 征北軍馬, 久留騷擾, 民多饑乏, 故遣淑林, 賫布千五百匹, 以賑之:食貨3水旱疫癘賑貸之制轉載].

[某日], 禑曲宴禁中, 宰相請奏樂, 禑以國恤, 不許.

[某日], 營敬孝大王恭愍王影殿于王輪寺西.

[戊戌15日, 王師懶翁惠勤設文殊會于楊州檜巖寺,[141] 中外士女, 無貴賤, 賫布帛·果餌施與, □猶恐不及,[142] 寺門嗔咽. 憲府遣吏禁斥婦女, 都堂又令閉關, 尙不能禁, 放于慶尙道密城郡~~瑩原寺~~. ~~五月十五日~~, 行至驪興神勒寺死.[143]

---

141) 이 시기의 前後에 이루어진 檜巖寺 管內의 건물 구조와 규모에 대한 분석도 찾아진다(金潤坤 2001년d).

142) ~~添字~~(猶)는 『고려사절요』 권30에 의거하였다.

143) 이와 관련된 자료로 다음이 있는데, 上記 記事에 추가된 ~~添字~~(日辰, 瑩原寺)는 이에 의거하였다. 또 瑩原寺는 현재의 慶尙南道 密陽市 活城洞 慈氏山 溪谷에 있었다고 하며, 이 寺址에 대한 調査報告도 찾아진다(尹容鎭 1963년).

- 『목은문고』 권14, 普濟尊者諡先覺塔銘幷序(楊州檜巖寺禪覺王師塔碑, "… 師曰, 先師指空蓋嘗指畫重營, 而燬于兵, 敢不繼其志. 迺謀於衆, 增廣殿宇, 工旣告畢. 丙辰四月□□□~~十五日~~, 大設落成之會. 臺評以謂檜巖密邇京邑, 士女往還, 晝夜絡繹, 或至廢業, 禁之便. 於是, 有旨移住瑩原寺, 逼迫上道. 師適疾作, 輿出三門, 至□南池邊, 自導輿者, 從涅槃門出, 大衆咸疑, 失聲號哭, 師顧曰, '努力努力, 無以余故中輟也, 吾行當止於驪興耳'. 至漢江, 謂護送官卓詹曰, '吾疾劇, 乞舟行'. 泝流七日, 方至驪興, 又謂卓曰, '欲少留, 竢病間卽行', 卓勉從之, 寓神勒寺. 五月十五日, 卓又督行急, 師曰, '是不難, 吾當逝矣'. 是日辰時, 寂然而逝. … 臣謹按, 師諱惠勤, 號懶翁, 初名元惠. 享年五十七, 法臘三十八".
- 『나옹화상어록』, 行狀, "今上禑王卽位, 遣內臣周彦邦, 降內香幷送印寶, 再封爲師. 至丙辰春, 檜巖寺, 修營已畢, 四月十五日, 大設落成會. 上遣具官柳之璘, 爲行香使, 京外四衆, 雲臻輻湊, 莫知其數, 會臺評, 以謂檜巖密邇京邑, 士女往還, 晝夜絡繹, 或至廢業, 禁之便. 於是, 有旨移住瑩原寺, 逼迫上道. 師適疾作, 輿出三門, 至南池邊, 自導輿者, 從涅槃門出, 大衆咸疑, 失聲號哭. 師顧謂衆曰, '努力努力, 毋以予故中輟也, 吾行當止驪興耳'. 五月初二日, 到漢江, 謂護送官卓詹曰, '吾今疾劇, 願欲乞舟行', 卽與門徒一什餘人, 泝流七日. 方到驪興, 語卓曰, '吾疾益篤, 不可過此, 請以此, 申聞于朝'. 卓旣馳聞, 師寓神勒寺, 留數日, 驪興守黃希直·道安監務尹仁守, 受卓命督行急, 侍子以告. 師曰, '是不難, 吾當逝矣'. … 到辰時, 寂然而逝, 五月十五日也. 驪興·道安兩官侍坐, 同封印寶, 師顔色如常, 驪興守申報按廉, 按廉傳聞于朝. … 二十九日, 到檜巖, 安于寢堂. 八月十五日, 樹浮圖於寺之北崖, 往往有神光照耀. 粘舍利頂骨一片,

[某日, 門下贊成事商議柳淵卒. 淵, 以公廉才幹, 稱爲將帥, 頗得衆心:節要轉載].

[→□[淵], 三司左使之淀子也. 以公廉才幹稱. 執事必恪, 居官稱職. 屢爲將帥, 頗得衆心. 辛禑二年, 以□□[門下]贊成事商議卒, 年四十九, 中外惜之, 謚貞靖. 子龍生:列傳24柳淵轉載].[144]

[庚戌[27日], 亦如之[月又犯軒轅]. 歲星在大微[太微]端門, 凡十日:天文3轉載].

[壬子[29日], 熒惑入輿鬼:天文3轉載].

[是月戊戌[15日], 鐵原府寶盖山地藏寺僧慈惠, 設轉藏法會, 以落成殿宇之重修畢功. 先是, 歲辛丑, 以紅賊兵亂, 燹及山中, 屋宇存者, 盖三之一, 惠欲再建. 入上國, 拜謁皇妃, 懇求施財貨, 得依允慈旨. 又請援本國禧妃及鐵原君崔孟孫·監丞崔忠輔·政堂文學李寶林等因緣者:追加].[145]

[是月頃, 以[匡靖大夫]尹承順爲雞林府尹兼管內勸農·都兵馬使:追加].[146]

五月 [甲寅朔[大盡,甲午], 獐入都省·毬庭:五行2轉載].

[某日], 遣知印尹思禮, 賫布千五百匹, 分與西北面各站.

[某日], 以六曹印小, 改鑄之.

[某日], 濟州[萬戶兼牧使]金仲光, 捕斬逆賊哈赤姜伯顏等十三人, 分配妻子于光·羅二州.[147]

安于神勒寺, 造石幢以覆之, 師數五十七, 臘三十七, 謚曰先覺, 塔曰□□".

· 『신증동국여지승람』 권26, 密陽都護府, 古跡, "瑩原寺, 在慈氏山, 有高麗李齊賢所撰僧寶鑑碑銘, 寺有先照樓, 李文和詩, 先照樓中僧坐禪, 冋然心迹兩相便, 何年渡海一蘆上, 今日飜經雙樹前".

144) 柳淵(柳之淀의 子)은 右侍中 洪彥博의 壻이다(열전24, 洪彥博).

145) 이는 다음의 자료에 의거하였는데, 여기에서 崔忠輔는 1363년(공민왕12) 윤3월 15일 扶侍避難 2等功臣에 책봉된 司宰副令 崔忠輔로 추정된다.

· 『목은문고』 권2, 寶盖山地藏寺重修記, "歲辛丑, 兵燹及山中, 屋宇存者, 盖三之一, [僧慈]惠迺發憤, 又欲新之. 於是, 元朝」皇妃[奇皇后], 本國 禧妃, 施錢於上下, 迺鐵原君崔孟孫·監丞崔忠輔也, 政堂李公[寶林], 以祖翁[李齊賢]之愛也, 判事朴侯[東生], 以外舅之愛也, 如先生之平日焉, 而皆施財. 以致重營之功之畢, 歲丙辰四月十五日, 轉大藏經, 以落成其成".

146) 이는 『동도역세제자기』에 의거하였다.

147) 金仲光은 이 시기(우왕2) 또는 1384년(우왕10) 8월 前後에 걸쳐 濟州萬戶兼牧使를 再任하였던 것 같고, 그때 濟州 水精寺(현 濟州市 外都洞에 위치한 寺址)를 重修하였던 흔적이 남겨져 있다.

· 「水精寺址銘文瓦」, "萬戶兼牧使·奉翊大夫金沖光"(洪榮義 2020년).

[丁卯[14日], 日珥:天文1轉載].

[○月暈心星, 有珥:天文3轉載].[148)]

[戊辰[15日], 王師懶翁惠勤, 入寂於神勒寺, 年五十七, 僧臘三十七. 後諡禪覺王師:追加].[149)]

庚午[17日], 地大震, 鵖巖吼.

[某日], 禑出北園, 習騎馬, 又觀弄杖戲.

[某日], 北元人吳抄兒志來, 禑待之厚.

[某日], 取及第鄭摠等.[150)] [時知貢擧·政堂文學洪仲宣, 復以詩賦取士, 罷鄉

---

148) 이날 일본의 교토에서 비가 심하게 내려 河水가 넘쳐 흘렀다고 한다(『愚管記』제20, 永和 2년 5월, "十四日丁卯, 自夜雨甚降, 河水泛溢云々").

149) 이는 「楊州檜巖寺禪覺王師塔碑」; 『懶翁和尙語錄』 行狀에 의거하였다. 이날은 율리우스曆으로 1376년 6월 2일(그레고리曆 6월 10일)에 해당한다.
또 조선시대에 懶翁惠勤의 舍利는 金剛山 正陽寺·表訓寺 등에, 袈裟와 鉢盂는 表訓寺·普賢寺(妙香山) 등에 남겨져 있었다고 한다(『愚伏集』 권14, 記夢 ; 『五洲衍文長箋散稿』 권18, 經史篇3, 釋典類1, 釋氏雜事, 佛骨舍利 ; 『鳴巖集』 권3, 普賢寺 ; 『息山集』別集권3, 金剛山記 ; 『陶谷集』 권25, 遊金剛山記 ; 『頭陀草』册14, 東遊記). 또 나옹혜근의 遺墨으로 「無住菴爲億政長老作」이 있었다는데, 내용은 없고 題名만이 기록되어 있다(『海東名蹟』권하 ; 吳世昌 1928년).

- 『목은문고』 권14, 普濟尊者諡先覺塔銘幷序, "~~禑王2年~~ 五月十五日, ~~護送官~~卓□[詹]又督行急, 師曰, '是不難, 吾當逝矣'. 是日辰時, 寂然而逝", 여기에서 ~~添字~~는 省略으로 인한 脆弱을 보완하기 위해 추가하였다.
- 「寧邊妙香山安心寺[指空·懶翁]石鐘之碑」, "… 至驪興神勒寺入寂, 丙辰五月十五日也".
- 『성종실록』 권290, 25년 5월 壬辰[5日], "弘文館副提學宋軼等上疏曰, … 高麗之季, 紀綱蕩然, 猶能竄誅懶翁, 以快衆憤, 況堂堂聖朝, 僨一妖儒, 使爲聖化之蝃蝀乎? …".
- 『玄谷集』 권3, 懶翁東亭[注, 高僧懶翁示滅於此, 有牧隱·陶隱碑文, 殿舍兵火盡燒云].
- 『魯西遺稿』續集권3, 巴東紀行, 甲辰[顯宗5年], "… [3月]廿九日朝, 觀[正陽寺]懶翁舍利, 僧徒十襲雜色錦裹, 皆京華祈福家所施也. 舍利狀如小兒等所佩青珠, 大如小豆, 余[尹宣擧]欲沈水以試, 而僧徒不欲, 故不强爲也".
- 『세종실록』 권12, 3년 5월 庚辰[19日], "囚僧尙强于義禁府, 强堂弟僧適休與其徒信乃等九人住平安道 香山, 乘桴渡鴨綠江, 逃入遼東, 上書于都司曰, '貧道等在本國金剛山·五臺山·妙香山等諸山, 遞相棲身, 以松皮·草根爲糧, 以松絡木皮爲衣, 勤修道業. 以爲曷日曷月, 親拜聖帝, 蒙被聖恩, 安修道業, 如熱思冷, 誓願載天. 幸開天門, 得結桴渡江, 今三月十四日, 始到此土, 如墜長空而乘靈鶴, 溺巨海而遇芳舟, 其爲歡喜, 曷勝道哉? 貧道片無錢物, 惟陪法寶定光如來舍利子二枚, 本國王師懶翁和尙舍利子一枚進獻. 伏願大人, 俯照某等之意, 聞於帝所, 助揚佛法'. 都司送詣京師, 其意欲訴本國不崇佛法, 而依大明, 以興行其道也".

150) 이 구절은 "賜鄭摠等及第"였을 것인데, 禑王의 世家를 叛逆列傳 다음에 수록하였기에 改書하였

試·殿試. 議者非之:節要轉載].[151]

[→政堂文學洪仲宣, 革林樸所建對策取士之法, 復以詩·賦取士, 罷鄕試·會試·殿試. 議者非之:選擧1科目轉載].

[丁丑[24日], 以旱, 祈雨于宗社·山川.

[某日, 體覆使郭璇, 還自全羅道, 奏曰, "元帥於原定別抄外, 又抄煙戶軍, 又抄別軍, 民將失農". 乃罷煙戶軍與別軍, 歸農:兵1五軍轉載].[152]

辛巳[28日], 以久旱不雨, 因祈雨, 滛祀[~~淫祀~~]頗多:五行2轉載].

[癸未[30日], 流星大如壺, 出軒轅, 指東而沒:天文3轉載].

[是月, 知申事郭樞, □□□□□[掌成均館試], 取鄭熙等九十九人:選擧2國子試額轉載]. [→復設國子監試[成均館試]:選擧2國子監試轉載].[153]

六月甲申朔[小盡,乙未], [以護軍梓明下別將沈龜齡爲郞將:追加].[154]

[丙戌[3日], 歲星犯大微[太微]右執法:天文3轉載].

[戊子[5日], 熒惑犯軒轅:天文3轉載].

[某日], 代言李元紘封雩祭香, 忘其祝板, 久而請押. 禑怒曰, 祀事不可不愼, 爾何慢耶.

[某日], 以大旱禁酒. 禑謂宰相曰, "宮中亦不宜用酒". 宰相以爲不可, 禑曰, "予性不好酒, 自今不復飮".

[甲午[11日], 小暑. 雨:五行2轉載].

[丙申[13日], 雨:五行2轉載]

을 것이다. 『고려사절요』 권33에는 "賜鄭摠等三十三人及第"로 되어 있고, 이때 합격자들은 6월에 紅牌를 하사받았다고 한다.

151) 이때 1344년(충목왕 즉위년) 8월 試官 朴忠佐의 건의로 製述業에서 詩賦가 古賦와 策問으로 대체되었던 것이 다시 회복되었던 것 같다. 그래서 韓山君 李穡은 1380년(庚申, 우왕6) 여름의 東堂試에서 詩賦의 興盛을 기뻐하였다(『목은시고』 권22, 詩賦科興有感).

152) 郭璇은 是年 4월 某日에는 楊廣·全羅道體察使에 임명되었다고 되어 있다.

153) 이는 지28, 選擧2, 國子監試, "辛禑二年, 復之"를 전재한 것이다.

154) 이는 『豊山沈氏世譜』, 沈龜齡의 仕宦日記, "洪武九年丙辰六月一日[~~初壹日~~], 判千牛衛常領護軍梓明下郞將"에 의거하였는데(南權熙 2002년 449面), ~~添字~~와 같이 고쳐야 옳게 될 것이다.

[己亥16日, 又雨:五行2轉載].

[某日], 以柳濚爲全羅道元帥兼都巡問使, 版圖判書柳實爲全州道兵馬使.155)

[某日], 放輕繫, 量移諸流配人, 有差.

[某日], 判事金龍自定遼衛, 賫高家奴書還. 其書曰, "僕自洪武五年恭愍21年, 歸降朝廷, 數年之間, 深蒙厚恩, 非筆舌一言能盡. 玆因本國, 不知怎生廢了普顏帖木兒王伯顏帖木兒王·恭愍王, 上頭主人疑惑. 况又將差去官蔡大使蔡斌等亦廢了, 因此不通王命. 這三二年, 恁又與納哈出通音, 前後不一. 然人在天地間, 豈不知順逆循環的道理, 今次差使臣金龍來, 好生的好爭, 柰南雄侯趙庸大人回京,156) 又恐恁那裏心上不安, 俺這裏與兩箇守方面的官人商量了. 且交他每回去, 即自摠兵官靖海侯吳禎·余都督·李平章三箇大官人,157) 到牛家莊下岸, 總統大軍, 轉運大糧, 至遼陽·海州·潘陽·開原開元等處,158) 堅守城池, 交恁知會. 我想著前元時分, 與王普顏帖木兒伯顏帖木兒, 共同策應, 殺沙劉二·破頭潘, 那其間, 王京官人每, 多信從我來, 今日前日何異. 未敢以不至誠待人. 切思, 無知納哈出, 孤兵深入, 所部將士, 未戰自敗, 從然僥倖, 到金山子, 百無一二. 然又接王保保擴廓帖木兒輩,159) 况彼幾戰敗將, 何足爲論. 旦夕, 我國家大軍, 四面雲集至彼, 如勁風之掃敗葉, 臨時雖悔何及. 若原來使臣金龍至, 專望列位相國, 當以四海八方, 靡不來臣之心, 爲意. 作急差經濟老臣, 或奉上之馬, 幷總兵官靖海侯吳禎等大官人處來說話. 趁此之機, 不可失期. 更有遼陽先前避兵之民, 端冀列位相國, 早爲發付前來. 不惟民之思, 即實報國家善政之一端

155) 柳濚은 6월 28일 羅州牧에 들어왔고(『금성일기』), 柳實(柳淑의 長子)은 全羅道兵馬使로 표기된 기록도 있으나 오류일 것이다(열전25, 柳淑, 實, "辛禑時, 拜版圖判書, 出爲全羅道全州道兵馬使"). 이때 全羅道는 行政區域이고, 全州道는 軍事의 管轄區域[軍事道]이다.

156) 南雄侯는 廬州(現 安徽省 合肥市) 출신의 趙庸(?∽1390)이다(『명사』 권129, 열전17, 趙庸).

157) 靖海侯는 安徽 定遠(現 安徽省 定遠縣) 출신의 吳禎(1328∽1379)으로 初名은 國宝이다(『명사』 권131, 열전19, 吳禎).

158) 海州는 현재의 遼寧省 遼陽市 남서쪽에 위치한 鞍山市 관할하의 海城市 지역이고, 당시 이곳에 海州衛가 설치되어 있었다.

159) 王保保(?∽1375)는 擴廓帖木兒[KöKö Temur]의 初名이다. 그의 姓氏는 王이고 初名[小字]은 保保[Baobao]로서 穎州 沈丘(現 安徽省 臨泉) 출신이다. 父는 漢人이고, 母는 畏吾兒 출신의 平章政事 察罕帖木兒(Chagan Temur, ?∽1362)의 妹이기에 察罕帖木兒의 甥姪인 셈인데, 후에 察罕帖木兒의 養子가 되었다. 養父를 따라 紅巾賊을 토벌하여 功을 세워 惠宗[順帝]으로부터 擴廓帖木兒를 下賜받고, 知樞密院事·左丞相·右丞相 등을 역임하였다(『원사』 권141, 열전28, 察罕帖木兒, 『명사』 권124, 열전12, 擴廓帖木兒).

也. 果允所禱, 先將已未起男婦, 備細手本將來, 與總兵官大人看. 况東寧等處來歸之民遼陽, 如市, 去使詳知. 原差蔡大使[蔡斌]取的馬如達, 可作急差人來. 解與我國家, 添力一般. 若今次不來, 顯知我也說謊, 恁再如何說話. 克日大軍, 殄滅納哈出等後, 恁便將無萬的馬來, 何用". ○都堂見書喜, 給龍銀五十兩.

[□□[是時], [曹敏修], 遷知門下府事, 爲西北面都體察使, 定遼衛都事高家奴聞納哈出與北元屢遣使交好於我, 遣卒二百餘來, 渡鴨江, 行商覘我. 敏修曰, "聞有聖旨禁斷私商, 汝何犯令, 擾我疆耶?". 其卒還渡江去:列傳39曹敏修轉載].

[某日], 以太后不豫, 宥二罪以下.

[某日], 倭焚掠固城縣.

[某日], 書雲觀請依'道詵密記', 凡制度, 一循土俗, 禁斷異國之風.

[某日, 倭寇林州. 全州道兵馬使柳實·知益州事金密等力戰, 却之:節要轉載].[160]

[戊申[25日], 彗見文昌, 光芒射紫薇垣[紫微垣]. 月暈有珥:天文3轉載].[161]

[某日, [五月], 政堂文學洪仲宣知貢擧, □[同]知密直□□[司事]韓脩同知貢擧, [六月]取進士, 賜鄭摠等三十三人·明經四人及第:選擧1選場轉載].[162]

---

160) 이 기사는 열전25, 柳淑, 實에도 수록되어 있다.

161) 이때 일본의 교토에서 23일(丙午) 혜성이 관측되었다(日本史料6-47册 15面).
- 『愚管記』제20, 永和 2년 6월, "廿六日己酉, 晴, 去廿三日寅剋, 彗星出現丑方云々. 廿七日庚戌, 晴 … 今夜亥初, 彗星出乾方, 曉更又如夜, 々見丑方云々".
- 『花營三代記』, 永和 2년 6월, "廿三日丙午寅時, 彗星出現, 艮方, 安家勘文有之. 御祈禱五壇法并泰山府君祭被行之".
- 『續史愚抄』28, 永和 2년 6월, "廿三日丙午, 彗星見東北".

162) 이는 지27, 선거1, 科目1, 選場, 禑王 2년 6월에서 전재하였고, 이와 관련된 자료로 다음이 있다.
- 「韓脩墓誌銘」, "夏五月, 同知貢擧, 取今判書鄭摠等三十三人, 時稱得士".
- 『목은시고』 권24, 至正癸巳四月, … 今上卽位□□[丙辰2年], 言者歸咎陽坡[洪彥博], 復設宴享. 여기에서 丙辰이 추가되어야 좋을 것이고, 洪彥博에게 허물을 지운 것은 1362년(공민왕11) 급제자에게 宴享을 베풀지 않았던 것을 가리킨다.
- 『태종실록』 권4, 2년 11월 戊戌[19日], 姜淮伯의 卒記, "歲丙辰, 登第".
- 『양촌집』 권40, 李穡行狀, "… 公[李穡]三男, … 次曰種學, 丙辰進士".
- 『태종실록』13권, 7년 2월 庚子[15日], 洪吉旼의 卒記, "吉旼, 檢校中樞院副使普賢之子. 洪武丙辰[禑王2年], 以典法正郞[生員]登第, 嘗按廉江陵道, 痛抑豪强, 略不屈撓, 以司憲掌令召". 여기에서 典法正郞(刑部郞中의 改稱, 正5品)으로 급제하였다는 것은 사실이 아닐 것이다. 이 시기에도 禮儀司(禮部의 改稱)가 主管하던 東堂試(禮部試)에 6品이상의 관료는 應試할 수 없었을 것이다.
- 『태종실록』 권32, 16년 10월 乙丑[7日], 孔俯의 卒記, "… 俯, 滅[感]陰縣人, 字伯共, 自號漁村. 善

[夏某月, 有人奪[某官李]天桂管下人已媒之妻, 天桂怒, 歐殺之, 遂下獄. 天桂, 嘗詈辱用事宰相, 宰相遂以前憾, 將殺之, □[我]太祖□[李成桂]營救力請, 竟不能得, 甚悼之, 撫育諸孤, 凡婚嫁等事, 皆自主之. 康祐之妻家貧, □[我]太祖憐之, 多給奴婢, 以贍其生. 開國後, 天桂之子, 皆拜高爵. 天桂, 卽咬住□[也]. □□[先是], □[我]桓祖薨, 天桂自以爲嫡嗣, 心忌□[我]太祖. □[我]太祖奴有訴良者, 天桂與其妹康祐妻合謀, 連結訴良者, 欲作亂不果. □[我]太祖不以介意, 待之如初:追加].[163)]

[□□□□[~~七月以前~~], [判三司事崔]瑩姪女壻判事安德麟擅殺人, 楊廣道按廉□[使]楊以時械送憲司. 時瑩判[司平]巡衛府事, 都堂以瑩故, 欲輕德麟罪, 移繫巡衛府, 瑩怒曰, “德麟殺無罪人, 憲司可斷決. 況我在巡衛, 豈宜推鞫”. 遂還憲司:列傳26崔瑩轉載].

[秋]七月[癸丑朔大盡,丙申], [甲寅[2日], 彗星現文昌西, 隔四五尺, 光射斗魁:天文3轉載].

[乙卯[3日], 歲星犯左執法:天文3轉載].

[某日], 倭賊二十餘艘, 寇全羅道元帥營, 又寇榮山, 焚戰艦. [又寇羅州, 縱火剽掠. 時元帥河乙沚, 聞柳濚來代已, 輒歸晋州農莊. 倭乘隙而至, 無敢拒者, 是以

爲詩, 尤工草隷, 得其筆蹟者, 以爲寶. 中洪武丙辰科. 爲�子房必闍赤者九年. 文書應奉司別監·提調者三十餘年”.

이때 [生員]鄭擵·[生員]楊首生·[生員]成石璐(乙科3人), [生員]偰慶壽·[甲寅年生員壯元]李就·柳伯淳·趙禾·孔俯·李均·[進士]李克濟(丙科7人), [生員]鄭訥生·[生員]崔咸·[成均館試壯元]鄭熙·[生員]偰眉壽·金九二(改金瞻)·[直長]李晃·[生員]元庠·[生員]姜淮伯·[生員]崔瀁·[義盈庫副使]安景恭·[生員]李存斯·[生員]安祖同·[生員]宋愚·[生員]金順·[正郎]任猷·[生員]李詹·[生員]李種學·[生員]權辭·[進士]禹洪得·[生員]李結·[進士]安魯生·[生員]洪吉旼·[進士]金涵(同進士23人) 등이 급제하였다(『등과록』; 『전조과거사적』, 朴龍雲 1990년 ; 許興植 2005년). 여기에서 金瞻은 金九二의 改名이다(→공민왕 3년 5월 壬申[11日] ; 『태종실록』 권35, 18년 5월 癸丑[4日]).

또 이때 발급된 楊首生의 及第紅牌는 다음과 같다(全羅北道 淳昌郡 東溪面 龜尾里 所藏, 보물 제725호, 盧明鎬 等編 2000年 91面 ; 國立博物館 2009年 197面).

· 「紅牌」, “准」 王命, 從事郞·掌服直長楊首生,」 賜」 乙科第二人及第者,」 洪武九年六月日,」 同知貢擧·奉翊大夫·同知密直司事·藝文館提學·同知春秋館事·上護軍·同知書筵事韓脩,」 知貢擧·輸誠輔理功臣·匡靖大夫·政堂文學·右文館大提學·知春秋館事·上護軍·知書筵事洪仲宣」”.

여기에서 또 洪仲宣은 洪仲元의 개명이다.

163) 이 기사는 『태조실록』, 總書, 우왕 1년 10월에 수록되어 있는데, 該當 年月의 기사는 아니다. 또 筆者가 原文의 順序를 적절히 바꾸었다. 그리고 咬住(改名 李天桂)는 李子春의 형인 塔思不花의 아들로서 李成桂의 從兄弟이고, 雙城에 거주하던 李氏家系의 嫡子이기에 李子春의 死后에 雙城摠管府高麗軍民達魯花赤을 承襲받는다는 약속을 받은 적이 있었다(『태조실록』, 總書, 至正 2년[忠惠王後3年] 7월 24일).

大敗. 杖流乙沚河東縣:節要轉載].[164)]

[→柳濴代乙沚爲元帥, 未至, 乙沚輒歸晋州田莊, 倭賊二十餘艘, 乘閒來, 寇羅州焚兵船, 又燒營舍民戶, 大肆剽掠. 禑怒命繫致乙沚于[司平]巡衛府, 杖百, 流河東縣. 尋釋之:列傳27河乙沚轉載].

[某日], 判密直司事金湑, 自納哈出營, 逃還. 先是, 僧小英托緣化, 遣其徒數人于北方, 潛寄書瀋王曰, "今國家, 臣弑其君, 主誤臣諂, 國柄專在權臣, 若引兵來, 大事可成". 湑見其書來告, 下小英獄, 鞫之, 果服, 乃沈于碧瀾渡.

[某日], 全羅道元帥柳濴擊倭于靈巖.

[某日], 倭寇扶餘, 至公州, 牧使金斯革戰于鼎峴, 敗績, 賊遂陷公州. 楊廣道元帥朴仁桂, 以屬縣懷德監務徐天富, 不赴救, 斬之. 賊又寇石城, 趣連山縣開泰寺, 仁桂迎戰, 墮馬被殺. 賊屠開泰寺. 仁桂素得民心, 時號賢將.

[某日, 憲府劾典校副令申仁甫, 冒稱三品職. 又奸故郞將朴東朝妻, 請論如法. 仁甫素諂附權貴, 且東朝妻, 乃宰相金元命之女, 爲玄陵外戚, 故寢其事, 止坐冒職, 杖流[舒州(西州)]長巖戍:節要轉載].[165)]

[某日, 判三司事崔瑩聞朴仁桂敗死, 自請擊倭. 禑及諸將以老, 止之, 瑩曰, "蕞爾倭賊, 肆暴如此, 失今不制, 後難圖也. 今若將他人, 未必制勝, 且兵不素鍊, 亦不可用. 臣身雖老, 志則不衰, 但欲安社稷, 衛京城耳". 請率麾下, 亟往擊之, 請至再三許之. 瑩不宿, 而行:節要轉載].[166)]

---

164) 全羅道元帥兼都巡問使 柳濴은 6월 28일 羅州牧에 들어왔다(『금성일기』).

165) 이와 같은 기사가 열전38, 金元命에 수록되어 있다. 長巖戍는 長巖(조선시대의 長巖鎭, 舒川浦營)에 있던 哨所로 추측된다(『신증동국여지승람』 권19, 舒川郡, 關防). 또 申仁甫는 李穡이 50歲인 明年(1377년, 우왕3)에 中顯大夫(從3品下)를 띠고서 榮州府使로 파견되었다고 한다(『목은시고』 권6, 送申中顯赴榮州, □[名]仁甫·五十自詠. 여기에서 ~~添字~~가 탈락되었을 것이다).

166) 이때 崔瑩의 행적에 관련된 기사로 다음이 있다.

· 열전26, 崔瑩, "[禑王二年], … 倭屠連山開泰寺, 元帥朴仁桂敗死, 瑩聞之, 自請擊之. 禑以老止之, 瑩曰, '蕞爾倭寇, 肆暴如此, 今不制, 後必難圖. 若遣他將, 未必制勝, 兵不素鍊, 亦不可用. 臣雖老, 志則不衰, 但欲安宗社衛王室耳, 願亟率麾下往擊'. 請之再三, 禑許之, 瑩不宿而行. 時賊使老弱乘舟, 示若將還, 潛遣勇銳數百, 深入寇掠, 所過望風, 無敢當者. 至鴻山, 大肆殺虜, 勢甚盛. 瑩與楊廣道都巡問使崔公哲·助戰元帥康永·兵馬使朴壽年等趣鴻山將戰. 瑩先據險隘, 三面皆絶壁, 唯一路可通, 諸將畏怯不進. 瑩身先士卒, 盡銳突進, 賊披靡. 有一賊隱林薄, 射瑩中脣, 血淋漓, 神色自若, 射賊, 應弦而倒, 乃拔所中矢. 瑩益力, 遂大破之, 俘斬殆盡. 遣判事朴承吉獻捷, 禑大喜, 賜承吉白金五十兩, 遣三司右使石文成, 賜瑩衣酒·鞍馬, 又遣醫魚伯評,

[某日], 都堂奏, "倭寇方興, 唯防禦都監造軍器, 恐或不足, 請令各司·各愛馬·諸都監, 各以其司錢物, 剋期繕造, 以備緩急", 從之.

[→都評議使□司奏, "今倭賊興行, 但以防禦都監軍器, 難於周用. 宜令各司, 用司中錢物, 刻日造兵器, 以備緩急", 禑從之.

○禑曰, "四方盜賊未息, 軍政當時所急. 今後每當興師之際, 令各道都巡問使兼元帥, 軍目道官員兼兵馬使·知兵馬使事, 與各道元帥, 各軍目道兵馬使·知兵馬□事, 同帥各道曾屬品官軍人, 上京. 大小品官幷及子弟, 閑散兩班, 百姓, 諸宮司, 倉庫私奴漢, 才人·禾尺·僧人·鄕吏中, 擇便弓馬者, 各備兵器, 及冬衣戎衣, 二朔料䴷末乾飯, 以待, 如有緩急, 元帥·各軍目道兵馬使, 及期來會":兵1五軍轉載].

[某日], 以前僉議評理梁伯益爲西海道元帥.

[癸亥11日, 日背, 有冠有珥:天文1轉載].

[甲子12日, 日背:天文1轉載].[167]

[○以同知密直司事韓脩爲知密直司事, 安宗源爲密直提學兼大司憲, 李子脩爲奉順大夫·判書雲觀事:追加].[168]

[庚午18日:追加], 以太后誕日, 宥二罪以下.[169]

[某日], 遷喬桐縣民于近地, 以避倭寇.

[某日], 東萊安集□□別監魚承漢貪暴, 憲府司憲府劾之.

齎藥治創. 瑩凱還, 禑命宰樞郊迎, 具雜戲·儀衛如迎詔禮. 及入見, 禑賜酒, 問曰, '賊衆幾何'. 對曰, '未能的知其數, 然不多'. 諸相又問曰, '賊若多, 此老幾不生矣'. 論功, 擬拜侍中, 瑩固辭曰, '爲侍中, 則不可輕出於外, 待倭寇平, 然後可'. 乃封鐵原府院君, 論賞將士有差. 柳榮, 瑩妻之姪, 瑩愛榮. 朝廷欲悅其意, 超拜榮密直副使商議. 榮卽濚也. 後瑩麾下進鴻山破陣圖, 禑命李穡製贊". 여기에서 柳榮은 柳濚의 오자일 것이다.

· 『목은시고』 권11, 賀判三司□事崔相國戰退倭賊, "鯨波萬里振威風. 雪鬢霜髭兩頰紅, 更喜一朝安社稷, 大山功上大山功".

167) 이때 일본의 교토에서 11일(癸亥)은 맑았고, 12일(甲子)은 晴陰이 불분명하다가 밤에 비가 내렸다고 한다.

· 『愚管記』 제20, 永和 2년 7월, "十一日癸亥, 晴, 十二日甲子, 晴陰不定, 入夜雨降".

168) 이는 「韓脩墓誌銘」; 「安宗源墓誌銘」; 「洪武九年李子脩朝謝牒」에 의거하였다(『眞寶李氏世譜遺事』所收; 張東翼 1982년b; 盧明鎬 2000년 93面). 前二者는 이해의 가을[秋]에 임명되었다고 되어 있으나 同時에 이루어졌을 것이다.

169) 忠肅王妃인 明德太后 洪氏의 誕日은 7월 18일이다(→공민왕 21년 7월 18일).

[某日], 倭寇朗山·豊堤等縣, □□□[~~全羅道~~]元帥柳濚, □□□□[~~全州牧使~~]兵馬使柳實力戰, 却之.[170] 禑遣人, 與綵叚[段].

[→倭又寇朗山·豊堤等縣, 實與元帥柳濚, 力戰射殪三十餘人, 奪所掠牛馬二百餘, 還其主, 禑喜厚加賞賜:列傳25柳淑轉載].

[某日, 都評議使□[司]出榜, 使守城元帥, 領坊里軍, 守四門. 又令百官, 率下屬, 鎭沿海. 不與防禦者, 唯門下省·司憲府·內侍·茶房·知製敎·藝文春秋兩館及各司城上而已:兵2鎭戍轉載].

[某日], 訛言, 倭將寇都城, 夜半, 發坊里軍守城. 又聞, 賊欲先登松嶽□[丗], 發僧爲軍, 分守要害.[171]

[某日, [判三司事]崔瑩與楊廣道都巡問使崔公哲·助戰元帥康永·兵馬使朴壽年等, 至鴻山, 倭先據險隘. 三面皆絶壁, 唯一路可通, 諸將畏怯不進. 瑩身先士卒, 盡銳突進, 賊披靡. 有一賊隱林中, 射瑩中脣, 血淋漓. 神色自若, 射賊應弦而倒, 乃拔矢, 戰益力, 遂大敗之, 俘斬殆盡. 遣人獻捷, 賜瑩衣酒·鞍馬:節要轉載].

[某日], □[~~左,右?~~]諫議□□[~~大夫~~]李悅, 製疏文以進, 禑問代言李元紘曰, "此疏, 用於何日". 對曰, "在今夕". 曰, "然則當, 復何時寫之, 而受押". 又以藝文檢閱金爾音, 不豫令作疏, 囚巡軍獄[司平巡衛府獄]. 宰樞睦仁吉等[宰臣睦仁吉等]請釋.[172] 禑曰, "命令大輕, 未可遽釋". 仁吉等再請. 乃釋之.

庚辰[28日], [處暑]. 震漢川君王眹及其妻朴氏與孺子, 俗傳蓄震□[死]家之物, 可□[以]致富, 以故都人坌集, 爭取牛馬·財帛·器皿·木石·瓦甓. □[~~時~~]眹及朴, 氣猶未絶, 至臠其支體而去, 眹家須臾變爲丘墟.[173] 都堂令巡軍[司平巡衛府]·典法, 推其財產, 悉還其族.[174]

[→大風拔木, 震漢川君王眹及其妻朴氏:五行1雷震轉載].[175]

---

170) ~~添字~~는 『고려사절요』 권30에 의거하였다.

171) 이 기사는 『고려사절요』 권30 ; 지36, 兵2, 鎭戍에도 수록되어 있다. ~~添字~~는 이들 기사에 의거하였다.

172) 宰樞睦仁吉等은 睦仁吉의 官職이 僉議贊成事이므로 宰臣睦仁吉等 또는 睦仁吉等宰樞로 고쳐야 옳게 될 것이다.

173) ~~添字~~는 『고려사절요』 권30에 의거하였다.

174) 이때의 巡軍은 司平巡衛府의 오류일 것이다.

175) 28日(庚辰)은 율리우스曆으로 1376년 8월 13일(그레고리曆 8월 21일)에 해당한다.

[某日，禑曰，“諸州流配之人，與妻子，南北異居，豈無思怨．酌其輕重，可赦者，釋之，不赦者，從便宜量移，遣妻子同居”:刑法2恤刑轉載].

[是月，簽書樞密院事鄭公權印施‘圓覺類解’:追加].[176)]

[是月頃，以李還儉爲羅州牧使:追加].[177)]

八月[癸未朔小盡,丁丑]，[某日]，銀鑄定妃印及乳媼·辰韓國大夫人張氏印，張卽金莊也.[178)]

[某日]，以金縝爲慶尙道元帥兼都體察使，金用輝爲泥城元帥.

[某日，[判三司事]崔瑩凱還．禑命宰樞，供帳于天水寺，巡衛府具雜戲，迎于臨津，如迎詔使禮:節要轉載].

[某日]，有人，自定遼衛逃還言，“定遼衛，將乘秋來侵”.

○遣使諸道，點兵.

[→遣使諸道，點兵．楊廣道騎兵五千·步卒二萬，慶尙道騎兵三千·步卒二萬二千，全羅道騎兵二千·步卒八千，交州道騎兵四百·步卒四千六百，江陵道騎兵二百·步卒四千七百，朔方道騎兵三千·步卒七千，平壤道騎兵六百·步卒九千，西海道騎兵五百·步卒四千五百:兵1五軍轉載].

[是月丁酉[15日]，立懶翁惠勤浮屠於檜巖寺之北崖，頂骨·舍利，厝于神勒寺:追加].[179)]

[是月頃，以[奉翊大夫]金龜壽爲安東大都護府使，宋子浩爲羅州牧判官:追加].[180)]

---

176) 이는 다음의 자료a에 의거하였다(郭丞勳 2021년 489面). 또 이와 같은 册子에 b와 같은 墨書가 있는 資料가 있다고 한다(동국대학 소장, 보물 제719호, 郭丞勳 2021년 421面).

· a『圓覺類解』권1, 題記[墨書], “丙辰秋七月日,~~優婆塞~~鄭公權印施,願」共,諸衆生同入大圓覺海」”.

· b『圓覺經解』권3, 題記[墨書], “霜鋒,」乙未[~~己未~~]六月初四日成册, 圓齋鄭公權印施」”. 여기에서 ~~添字~~(己未, 우왕5, 1379)와 같이 고쳐야 a의 자료와 時間的 間隔을 좁힐 수 있을 것이다[首尾相應].

177) 이는『금성일기』에 의거하였다.

178) 이 기사는 원래 “銀鑄定妃印及乳媼·辰韓國大夫人張氏印[注, 張卽金莊也]”로 되어 있었을 것인데, 組版過程에서 현재의 形態로 바뀌었을 것이다.

179) 이는 다음의 자료에 의거하였다.

· 『목은문고』 권14, 普濟尊者諡先覺塔銘幷序, “[禑王二年], 八月十五日, 樹浮屠於[檜巖]寺之北崖, 頂骨·舍利, 厝于神勒寺, 示其所從也”.

180) 이는『안동선생안』에 의거하였다.

九月[壬子朔大盡,戊戌], [某日], 以[密直副使]慶補爲西北面都體察使.

[某日, 令中外官及吏民·奴婢, 出穀有差, 以補軍食:節要轉載].

[→以軍餉不足, 收品米有差, 三四品三石, 五六品二石, 其餘, 從品秩而降. 時官爵猥濫, 工商賤隷, 皆冒受, 故品米之出, 多額焉:食貨2科斂轉載].

[→都評議使□[司], 以各道軍資, 無數日之費, 令各道在外品官, 又烟戶各里, 差等抽歛[抽斂], 以補軍須[軍須]. 宰樞議曰, 近因軍征, 軍糧乏少, 宜令京外品官大小各戶, 出軍糧有差. 兩府以下通憲以上, 造米[糙米]四石, 三四品三石, 五六品二石, 七八品一石, 權務十斗, 散職鄕史十斗, 百姓·公私奴, 則量其戶之大小, 徵之:兵2屯田轉載].

[甲寅[3日]:追加],[181] 論鴻山功, 以崔瑩爲鐵原府院君, 柳濴[柳榮]爲密直副使商議, 其餘軍士除授有差. 時[侍中]慶復興·[守侍中]李仁任·[贊成事]池奫, 提調政房, 池·李擅權, 不從軍而得官者, 甚衆. 復興廉潔自守, 雖欲薦賢, 牽制, 不能有爲:節要轉載].[182]

[→時仁任·奫·堅味, 提調政房, 顓權植黨, 擧國趍附. 銓注之際, 視人賄賂多少, 伺候勤怠, 以爲升黜. 官或不足, 則添設無限, 或累旬不下批, 以待貨賄之來. 一日除官, 宰樞至五十九, 臺諫·將帥·守令, 皆其親舊, 至於市井工匠, 無不夤緣除拜, 時人謂之烟戶政. 其論賞鴻山戰功, 不從軍得官者, 甚衆:列傳39李仁任轉載].

[□□[是時], 權臣弄權, 隱政批, 累日而下, 時謂之隱批:選擧3選法轉載].

[○以郎將劉敬兼諄論博士:追加].[183]

[某日], 倭寇古阜·泰山·興德等地, 焚官廨. 又寇保安·仁義·金堤·長城等縣.

[→倭三百餘騎, 又寇古阜·泰山等縣, 焚官廨. [全州牧使兼兵馬使柳]實追擊之. 副令金

---

181) 이날의 日辰은 下記의 「劉敞政案」(劉敬政案)에 의거하였다.

182) 이 시기의 侍中 慶復興의 형편은 다음과 같았다고 한다. 또 柳濴은 柳榮(崔瑩의 妻姪)의 오자인데, 전자는 1379년(우왕5) 3월 某日에 逝去한 高城君 柳濴이고, 후자는 1381년(우왕7) 5월 모일에 서거한 三司右使 柳邃(柳榮의 개명)이다.

· 열전24, 慶復興, "復興與仁任·瑩·池奫, 同注擬, 奫曰, '當先軍功'. 復興曰, '此則都目, 宜後軍功'. 久未定. 時池·李擅權, 擧國趨附, 復興廉潔自守. 雖惡其貪饕, 知不可救, 日以酔酒爲事. 及其銓注, 輒薦賢, 以抑行賄之輩, 然柅二人, 不能行己意, 或先出不與. 都堂將議呈省書, 復興醉不至, 瑩呼堂吏曰, '可撤禁酒榜, 首相乃如是耶'. 諸相遂詣復興第, 復興赧然曰, '吾因飮藥而醉, 未能進也'. 嘗與親舊, 夜飮聯句, 典客令金七霖曰, '予近自外來, 民之憔悴莫甚此. 豈唱和爲樂之時耶'. 復興默然".

183) 이는 「劉敞政案」, "同年[洪武九年]九月初三日, 判兼諄論博士"에 의거하였다.

玄伯·舍人閔中行戰死, 實退屯:列傳25柳淑轉載].

[某日], 禑造等身佛, 聚僧徒, 點眼于禁中.

[戊午7日, 無雲而雷:五行1雷震轉載].[184]

[某日], 以天變, 宥二罪以下.

[某日], 禑□始習馳馬·放鷹. [禑, 初稍志于學, 李仁任·池奫·林堅味等, 不喜儒, 競以珍玩~~鷹犬~~, 導之:節要轉載].[185]

[某日, 倭陷全州, 牧使柳實與戰敗績. 賊退屯母岳山歸信寺, 實復擊, 却之:節要轉載].[186]

[→賊乘夜圍之, 士卒驚潰, 全州牧使兼兵馬使柳實僅脫身走, 賊遂陷全州. 實與戰不利, 賊退屯歸信寺, 實擊却之:列傳25柳淑轉載].

[是時頃, 知樂安郡事崔克孚妻林氏, 待聘齋生柜之女也. 陷於倭賊, 欲汚之. 不從. 賊斷一臂, 又刖一足, 猶不從. 賊刺殺之:追加].[187]

[某日], 以韓邦彥爲安州副元帥, 金得齊爲義州元帥, 趙思敏爲全羅道副元帥兼都巡問使,[188] 睦忠爲助戰兵馬使, 密直副使孫光裕爲海道上元帥.

[某日], 憲府~~司憲府~~論劾判事趙思謙, 奸其妻父李培中妾, 又嘗諂附辛旽, 多受賄賂. 禑命收職牒, 流外.[189]

---

184) 이때 일본의 교토에서 7일(戊午)은 맑았으나 8일(己未)은 晴陰이 불분명하고 때때로 비가 조금 뿌렸다고 한다(『愚管記』제20, 永和 2년 8월, "七日戊午, 晴, 八日己未, 晴陰不定, 時々小雨灑").

185) 이 기사에서 밑줄[underilne, 下部線] 이하는 열전39, 李仁任에도 수록되어 있지만, 1382년(우왕8)에 정리되어 있고 ~~添字~~와 같이 되어 있다.

186) 이와 관련된 자료로 다음이 있다.

- 『신증동국여지승람』 권33, 全州府, 佛宇, "歸信寺, 在毋嶽山. 高麗辛禑時, 倭三百餘騎陷州城, 退屯是寺, 全州牧使兼兵馬使柳實擊却之".

187) 이는 다음의 자료에 의거하였다.

- 『태종실록』 권7, 4년 4월 庚寅27日, "旌表完山節婦林氏閭, 林氏, 完山人崔克孚妻, 待聘齋生柜之女也. 陷於倭寇, 欲汚之. 不從. 寇斷一臂, 又刖一足, 猶不從. 寇刺殺之".
- 『신증동국여지승람』 권33, 全州府, 烈女, "林氏, □知樂安郡事崔克孚妻也. 倭寇突入其里, 林避亂走, 寇追及欲汚之, 强拒. 寇斷一臂, 不從. 又斷一臂, 竟不屈, 遂遇害. 表其門閭".

188) 趙思敏은 10월 10일에 羅州牧에 들어왔는데(『금성일기』), 이에는 全羅道上元帥兼都巡問使로 되어 있다.

189) 이 시기의 司憲府는 憲府 또는 憲司로 略稱되었다. 또 趙思謙(趙仁規의 孫)은 1379년(己未, 우왕5) 봄[春] 무렵 逝去하였던 것 같다(『목은시고』 권16, 趙思謙挽詞).

[某日], 以門下評理邊安烈爲楊廣·全羅道都指揮使兼助戰元帥. [時倭陷臨陂縣, 撤橋自固. 全州牧使柳實潛令士卒作橋, 安烈率兵得渡, 使按廉□使李士穎, 設伏橋畔, 賊望見逆擊, 我軍敗績:節要轉載].[190]

[→賊陷臨坡縣, 撤橋自固, 全州牧使柳實潛使士卒作橋. 全羅道都指揮使邊安烈, 率兵得渡, 令按廉□使李士穎, 設伏橋畔. 賊望見逆擊之, 我軍敗:列傳25柳淑轉載].

[戊寅27日, 太白·歲星犯軫, 凡十日:天文3轉載].

[某日, 以姜隱爲慶尙道按廉使, 李士穎爲全羅道按廉使, 通禮門副使趙浚爲江原道按廉使:慶尙道營主題名記·錦城日記].[191]

[□□是月],[192] 西北面蝗.

閏[九]月壬午朔小盡,戊戌, [戊子7日, 太白·歲星, 離軫度, 四尺許:天文3轉載].[193]

[乙未14日, 月暈:天文3轉載].

[丙申15日, 立冬. 亦如之月暈:天文3轉載].

[某日], 因倭寇水路阻梗, 罷漕運, 蠲全羅·楊廣·慶尙沿海州郡傜賦, [或三年或五年:節要轉載], 有差.

[→都評議□使司奏, "各道州縣, 屢經倭亂, 殘亡太甚, 其沿海各官, 常徭雜貢及

---

190) 全羅道秋冬番按廉使 李士穎(李士榮)은 9월 18일 羅州牧에 들어 왔다고 한다(『錦城日記』).

191) 李士穎은 原文에는 李士榮으로 되어 있으나 오자일 것이다(→열전25, 柳淑, 實).

- 『송당집』 권2, 次江陵客舍韻[注, 丙辰秋九月日, 受江原道按廉之命].
- 열전31, 趙浚, "辛禑初, 以通禮門副使, 出按江原道, 威惠並行. 至旌善郡, 有詩云, '滌蕩東溟當有日, 居民洗眼待澄清'. 識者知其有大志, 召拜司憲掌令".
- 『태종실록』 권9, 5년 6월 辛卯27日, 趙浚의 卒記, "丙辰禑王2年, 拜左右衛護軍兼通禮門副使, 選爲江陵道按廉使, 吏民畏愛, 豪猾屛息. 行部至旌善郡留詩, 有'滌蕩東溟當有日, 居民洗眼待澄清'之句, 識者韙之".

192) 이 구절에서 是月이 탈락되었을 것이다.

193) 이때 明에서도 天文에 異象이 있었던 같다.

- 『명태조실록』 권109, 홍무 9년 윤9월, "壬午朔, 有星, 自天船東北行約流丈餘, 光芒煥發, 入紫微至四輔沒. … 庚寅9日, 以災異, 詔求直言, 詔曰, 朕本布衣, 因元多故, 遂與群雄并驅險阻艱難, …". 여기에서 四輔는 北極星 주위에 있는 四星을 가리키는데, 이는 四弼이라고도 불린다.
- 『명실록』 권2, 태조2, 홍무 9년 윤9월, "庚寅, 以災異, 詔求直言".
- 『憲章錄』 권5, 홍무 9년 윤9월, "□□某日, 以五星紊度, 日月相刑, 詔求直言".

鹽稅等, 全羅道限五年, 楊廣·慶尙道限三年, 蠲免", 從之:食貨3災免之制轉載].[194)]

[某日], 以羅世爲全羅道上元帥兼都安撫使.[195)]

[某日], 奉安敬孝大王恭愍王眞于王輪寺影殿, 號曰惠明.

[癸卯22日, 太白·歲星犯軒轅:天文3轉載].

[丁未26日, 亦如之月暈:天文3轉載].

戊申27日, 葬順靜王后韓氏于懿陵.[196)] [己酉28日, 遂配享于惠明殿, 以魯國公主祭于別室:節要轉載]. 時明經及第韓略言, 我韓氏宗人也. 初, 韓氏卒, 我與韓氏族故僧能祐,[197)] 火其屍收骨, 厝于奉恩寺松林. 乃於寺之北岡, 發燒骨一缸, 備儀物, 移葬顯陵太祖之西, 輀車至十川橋, 祖奠將撤, 燒魂錢, 延及柩幄幷爇儀物, 惟柩賴救得免. 時人異之, 或云天火.

[己酉28日:追加],[198)] 追上玄陵尊號仁文·義武·勇智·明烈·敬孝大王, 韓氏宣明·齊淑·敬懿·順靜王后, 配享惠明殿, 魯國公主祭于別室.

[○月犯輿鬼:天文3轉載].

[某日, 憲府司憲府上疏曰, "全羅□道元帥柳濚, 不以閫寄爲意, 日玩聲色, 以致倭寇乘勝肆暴. 及陷全州, 詐稱墜馬, 擁兵逗遛, 請置於刑. 全州牧使兼全州道兵馬使柳實所管泰山郡, 亦被寇劫討, 捕失機, 反爲所敗. 又不能收復全州, 罪亦大矣. 然實於往者, 倭犯全州, 悉力擊却, 其與濚罪, 似有重輕. 請削奉翊□□大夫以上官". 於是, 廢濚爲民, 幷實戍遠地:節要轉載].

---

194) 이 기사의 原文에서 冒頭인 "閏九月, 都評議司奏, 各道州縣, …"의 앞에 '禑王二年'이 탈락되어 마치 禑王 1년의 기사처럼 보인다.

195) 羅世는 윤9월에 羅州牧에 들어와서[下界] 다음 해(丁巳) 1월에 上京하였다고 한다(『금성일기』, "都安撫使羅瑞羅世, □閏九月日下界, 丁巳正月日上京"). 이에서 羅世는 羅瑞로 표기되어 있고, 9월로 되어 있는데, 각기 羅世, 윤9월의 잘못일 것이다. 또 『금성일기』에서 羅世를 羅瑞로 표기한 이유를 알 수 없지만, 이를 筆寫한 인물의 先祖와 관련된 私諱(혹은 家諱)일 가능성이 있다(『세종실록』 권48, 12년 4월 13일(癸未)에만 羅瑞로 表記되었지만, 여타의 기록에서는 모두 羅世이다).

196) 『양촌집』 권33(『동문선』 권29), 王后哀册에는 25일(丙午) 順靜王后[順靖王后] 韓氏를 西陵에 葬事하였다고 되어 있다. 또 懿陵은 開城市 開豊郡 中西面 鵠嶺里에 있다고 한다(張慶姬 2013년).

197) 僧侶 能祐는 辛旽과 친근한 관계에 있었고, 그의 母는 禑王을 養育하였다(→禑王 卽位年 總論).

198) 이는 공민왕 23년 10월의 "辛禑二年□閏九月己酉28日, 謚諡曰仁文·義武·勇智·明烈·敬孝大王"에 의거하였다.

[→憲司上疏曰, “[全州道]兵馬使柳實, 當倭寇泰山, 失機致敗, 又不能收復全州. [全羅道]元帥柳濴, 不念閫寄, 日玩聲色, 致賊乘勝肆暴. 及陷全州, 詐稱墜馬, 擁兵逗遛, 罪俱大矣. 然[柳]實於全州, 悉力擊却, 與濴罪, 似有重輕, 請科等治罪”. 於是, 奪濴告身, 配海島, 削實奉翊□□[大夫]以上官, 遠流, 尋釋之:列傳25柳淑轉載].

[某日, 憲府[司憲府], 以兵革旱荒, 連歲相仍, 軍食罄竭, 請於功臣田租, 三分取一, 寺社田, 收其半, 兩殿所屬宮司田, 科歛[斂]外羡餘, 並充軍需, 從之:節要·食貨1租稅·兵2屯田轉載].

[庚戌[29日晦], 木稼:五行2轉載].

[冬]十月[辛亥朔大盡,己亥], [丙辰[6日], 義成倉酒庫災:五行1火災轉載].

[戊午[8日], 月暈:天文3轉載].

[壬戌[12日], 雷:五行1雷震轉載].

[某日] [判典客寺事]羅興儒還自日本□□□[~~副家臺~~], 日本遣僧良柔來, 報聘, 獻彩叚[~~彩段~~]·畵屛·長劒·鏤金龍頭酒器等物. [自辛巳[忠烈7年]東征之後, 絶交且百年. 至是, 日本以興儒爲謀者, 囚之. 良柔, 本我國晋州僧, 少從倭僧而去. 聞興儒至, 來謁, 遂請釋, 使之通好. 興儒之還:節要轉載], 其國僧周佐寄書曰,[199] “惟我西海道一路, 九州亂臣割據, 不納貢賦, 且二十餘年矣. 西邊海道頑民, 覰釁出寇, 非我所爲. 是故, 朝廷遣將征討, 深入其地, 兩陣交鋒, 日以相戰. 庶幾, 克復九州, 則誓天指日, 禁約海寇”.[200]

[→自辛巳東征之後, 日本與我絶交好, 興儒初至, 疑諜者囚之. 有良柔者, 本我

---

199) 周佐는 교토의 서남쪽에 위치한 天龍寺의 승려 德叟周佐(도쿠소 슈사)를 가리키다.

200) 이때 羅興儒는 前月(윤9월)에 良柔를 위시한 여러 日本僧을 帶同하여 귀환하였던 것 같고, 이들 중의 일부가 元天錫을 訪問하였던 것 같다.

- 『운곡행록』 권2, 丙辰[禑王2年]閏九月, 日本諸禪德來此, 其叢林典刑, 如我國之制, 作一詩以贈.
  한편 다음의 자료에 의하면 是月 16일 對馬島(つしま)의 宗澄茂가 大山四衛門五郎에게 和田浦(わたの浦)에 있었던 高麗에 관한 어떤 事案[高麗公事, こうれいのくうし]을 通報하였다고 한다. 당시의 倭는 倭賊들이 한반도에서 저지른 노략질[倭寇]을 은폐하기 위해 高麗公事로 표기하였던 것 같다(日本史料 6編 48册 410面).
- 「大山小田文書」, “つしまのしまわたの浦のこうれいの御くうしの事·きうふんとしてあて給るところ也·御かき下のむねにまかせてちきやうすへき状如件」·[宗]澄茂手決」大山さえもん五郎殿」”.

國僧也，見興儒，遂請釋之．時興儒年僅六旬，紿曰，“吾今百有五十矣”．倭人騈闐聚觀，至有畫像，作讚而贈之者:列傳27羅興儒轉載].

[→時倭寇充斥，濱海州郡，蕭然一空．國家患之，嘗[禑王1年]遣羅興儒使覇家臺[博多]說和親．其主將拘囚，興儒幾餓死，僅得生還:列傳30鄭夢周轉載].

[某日，倭寇扶寧，[楊廣·全羅道都指揮使兼助戰元帥]邊安烈·[全羅道上元帥兼都安撫使]羅世·[全羅道副元帥兼都巡問使]趙思敏等進擊，大破之:節要轉載].[201]

[某日]，以密直副使沈德符爲東江元帥．[先是，以[密直副使·義州副元帥]沈德符爲密直副使·上護軍，尋徵還:追加].[202]

[某日]，北元遣兵部尙書孛哥帖木兒來，都摠兵·河南王·中書右丞相擴廓帖木兒，貽書曰，“往者，予與令先君[恭愍王]獲承，往來甚厚．厥後，令先君爲小人所譖，方在危疑，遣介來告，予亦周旋，以定其事．大駕東巡，予惟舊交之故，期於宣力國家，不意早世，未展慰問．每惟高麗事我朝，自世祖爰降貴主，建爲東藩．今所存者，非舅甥，卽姻亞也.去歲，或傳令先君[恭愍王]無嗣，朝廷以爾邦久未有君，必致危亂，是以遴爾族，世往承其祀，詔使旣行，彼則有梗．當此之時，朝廷非乏樹立之策，失問罪之擧也．特念天戈一臨，不無玉石俱焚．是以[瀋王]脫脫不花，暫館遼西，不令一卒一馬渡江，以俟彼之覺悟，玆者，所遣抄兒志至，深陳彼情，以爲寔不悖德．又知伯顏帖木兒王[恭愍王]，有子牟尼奴在，國人見推領務．夫朝廷之於爾國，義則君臣，恩則婚媾，當其命王之意．正欲安全爾家，豈有偏於彼此．然令先君[恭愍王]去世，今已二年，[瀋王]脫脫不花近在境上，北邇大朝，南隣朱寇[朱元璋]．王子雖爲衆所服從，未有朝廷之命，竊料，彼中人心向背，亦各有半．而乃冥然莫醒，則謀事者，可謂未爲得計矣．且小之事大，必得所恃，乃可立國．如令先君[恭愍王]，往年，以大駕北狩，必暫餌

---

201) 이와 관련된 기사로 다음이 있는데, 熊淵島[熊淵]는 현재의 全羅北道 扶安郡 鎭西面 곰소지역이라고 한다(尹龍爀 2015년 206面).
- 열전27, 羅世, “辛禑初[2年閏9月]，爲全羅道上元帥兼都安撫使，倭五十餘艘，來泊熊淵，踰狄峴，寇扶寧縣，毁東津橋，使我兵不得進．世與邊安烈·趙思敏等，夜築橋，分兵擊之．賊步騎千餘，登幸安山，我兵四面攻之，賊徒奔潰，遂大破之”．
- 열전39, 邊安烈, “倭寇扶寧，登幸安山，安烈與羅世·趙思敏·柳實，督兵進攻，大破之，斬獲甚多．獻捷，禑賜白金一錠·鞍馬·衣服，凱還，都堂出天水寺，設儺戱迎之”．
- 『신증동국여지승람』 권34, 扶安縣，橋梁，“東津橋，在東津上，辛禑初，倭船五十餘艘來，泊熊淵，踰狄峴，寇扶寧縣，毁東津橋，使我兵不得進．上元帥羅世與邊安烈等，夜築橋，分兵擊滅，遂大破之”．

202) 이는 『동문선』 권117, 沈德符行狀, “丙辰，除密直副使·上護軍，未幾徵還”에 의거하였다.

朱寇[朱元璋]，以安境內．然朝廷在近，加以故主義重，甥舅恩厚，而可悖哉．今料，彼設若不歸大朝，亦當南事朱寇，則呑噬無厭．汝雖盡其事之之禮，則彼之親汝安汝，未必能如汝心，掊爾財力，遷爾人民，改爾社稷，不知其何所不至矣．聖天子[昭宗]寬容待物，忘過記功，方且延攬四方忠義，以爲恢復之計．王子誠能改圖，以副上命，厲兵秣馬，共成犄角．庸贊我國家中興之業，則於爾祖歸國之功，不尤有光歟．爰念令先君[恭愍王]交契之厚，故備言之，書到，可善審利害輕重，速令使來，朝廷必有處也”．

[某日]，納哈出亦遣右丞九住來，歸我行人[判宗簿寺事]文天式．

[某日]，倭寇鎭浦，以洪仁桂爲楊廣道都巡問使．

[某日]，倭寇江華府，焚戰艦．

[某日]，倭寇韓州，[楊廣道都巡問使]崔公哲擊之，斬百餘級，禑與[賜]酒·鞍馬.[203)]

戊辰[18日]，雷．

翼日[己巳19日]，亦如之.[204)]

[○月犯輿鬼:天文3轉載]．

[己巳[19日]:追加]，設消灾道場于外院寺．

[→己巳[19日]，雷雨大風，行消災道場於外院寺:五行2轉載].[205)]

[某日]，遣密直副使孫彦如北元，百官呈省書曰，“本國，世世相承，保有東土，至忠敬王[元宗]，首先歸順世祖皇帝，仍襲王爵，其子忠烈王，尙世祖皇帝親女忽篤怯烈迷思公主，生子忠宣王，忠宣王生子忠肅王，忠肅王生子伯顔帖木兒王[恭愍王]，伯顔帖木兒王生子牟尼奴[禑王]，見今襲位，以俟明降，具載往歲申達之文．不期金也烈哥[金義]，附托不干本國王派瀋王完澤禿[暠]之孫脫脫不花，結構兇黨，上誑朝廷，欲亂國統．今來參詳國家之統，父子相傳，古今天下，一定之理，不可紊亂．如蒙准呈，將亂統生事之徒，發還本國究理，允合公道”．

○又遣開城尹黃淑卿于納哈出，以報九住之來．納哈出曰，“我本非與高麗戰，伯

---

203) 與는 『고려사절요』 권30에는 賜로 달리 표기되어 있는데, 前者는 『고려사』를 편찬할 때 改書한 글자일 것이다.

204) 지7, 五行1, 水, 雷震에는 ‘戊辰·己巳, 亦如之[雷]’로 되어 있다

205) 原文인 ‘十月己巳，雷雨大風，行消災道場於外院寺．十一月辛巳朔，大雨，震電，祔敬孝大王于大廟，不克祔’가 우왕 1년에 연결되어 있으나, 이 句節 앞에 二年이 탈락되었다.

顔帖木兒王[恭愍王]，遣年少李將軍[李成桂]擊我，幾不免．李將軍[李成桂]無恙乎?．年少而用兵如神，眞天才也，將任大事於爾國矣”.[206]

壬申[22日]，憲府[司憲府]上疏曰，“往者，瀋王之變，宰相協謀[協謀]決機，諸將仗義奮忠，輒率偏師，晝夜倍道，逆戰却逐，使朝野寧謐．而賞典不擧，無以勸後，請第功行賞”，從之.

[乙亥[25日]，沉霧:五行3轉載].

[是月辛亥朔，小雪．明改定遠後衛爲盖州衛，復置定遠後衛於遼陽城址，以定遠左衛指揮僉事張山統兵屯戍:追加].[207]

十一月辛巳□[朔小盡,庚子]，祔敬孝大王[恭愍王]于大廟[太廟]，大雨震電，不克祔.[208]

[癸未[3日]，夜，義成倉酒庫再火，無餘:五行1火災轉載].

[某日]，倭寇晋州溟珍縣,[209] 又焚掠咸安·東萊·梁州·彦陽·機張·固城·永善等處.

[某日，執義金承得與知申事金允升，言於[贊成事]池奫曰，“林樸不署呈省書，且有迎立瀋王之志，是可罪也?”．承得，遂率臺官，上書請誅之，遂鎖致樸，允升，從中下典法，杖百流之，道死．[密直提學·]大司憲安宗源，畏其勢，莫敢發言．時奫用事于內，承得·允升爲羽翼．樸之死，[侍中]慶復興·[守侍中]李仁任，皆不與聞，遂惡之.[210] ○先是，倭寇全州，都堂議擇元帥，而難其人，擬遣奫子益謙，奫內不平，仁任·奫·[判三司事]崔瑩等，會復興第，議久不決．奫 厲聲曰，“判三司公，可□[往]”，瑩怒曰，“吾旣分管楊廣道，豈可之他乎?”．奫前語仁任曰，“□[守]侍中謀事，此而未決，□[守]侍中可往”．奫又托攻遼，以撓其議曰，“倭賊但擾邊，不足憂．脫大軍根據定遼衛後，必難圖，爲今之計，莫若移師先攻．□[守]侍中之計雖善，非今日謀國之長策”．仁任勃然曰，“三

206) 이 기사는『태조실록』권1, 總書, 공민왕 11년 7월에도 수록되어 있다.

207) 이는『명태조실록』권110, 홍무 9년 10월 辛亥朔을 전재하였다.

208) 辛巳에 朔이 탈락되었는데, 지8, 五行2, 木行에는 옳게 되어 있다.

209) 이때의 溟珍縣은 倭賊을 피해 晋州管內에 寓居하고 있던 巨濟縣의 溟珍浦 人民들로 구성된 僑郡이다(→원종 12년 是年條 溟珍縣의 각주).

210) 이와 관련된 기사로 다음이 있다.

- 열전22, 安軸, 宗源, “進大司憲．時執義金承得等，希池奫意，請誅林樸，宗源畏其勢，莫敢言”.
- 열전38, 池奫, “奫，用事于內，[金]承得及知申事金允升爲羽翼．奫之殺林樸，[李]仁任·慶復興，皆不與聞，遂惡焉”.

宰敢爾, 君旣善謀國, 吾當讓避. 吾意, 第以全州國之襟喉, ~~今賊闌入, 暴骨原野,~~ 脣亡齒寒, 不可不救. 爲是拳拳爾, 三宰抗此議, 則吾何能爲", 遂徑出. 復興走追, 挽其袖, 泣止之, 奫頓首謝. 及仁任, 移病在家, 奫, 過門不謁. 人始知池·李有隙:節要轉載].[211]

[→辛禑初, 仁任倡議, 與百官爲書, 將呈北元中書省. 左代言林樸與朴尙衷·鄭道傳不署名, 大司憲李寶林, 阿仁任意, 劾樸廢爲庶人, 流吉安縣. 初, 禮安人附池奫, 藏禑胎于其縣, 陞爲郡. 又與安東爭地. 樸在吉安, 相其地曰不吉. 安東人告於朝曰, "禮安不宜藏胎", 實以樸言. 奫, 由是惡樸. 奫黨執義金承得·知申事金允升謂奫曰, "林樸不署呈省書, 必有迎立瀋王之志, 是可罪也". 承得遂率臺官上書曰, "林樸本系庸人, 嘗附逆賊辛旽, 爲其腹心, 多行譎詐, 及旽伏誅, 又附金興慶. 殿下卽位之初, 乃與朴尙衷輩, 結爲黨援, 蔑視都堂, 違忤衆心. 以悖理之事, 誘令上書, 罪固不細. 元朝聞叛賊金義之言, 議立瀋王, 於是本朝耆老·百官呈省辨明, 樸陰懷異志, 獨不署名. 請誅之, 以正典刑". 允升從中下其書, 遣體覆孫慶生, 鎖致典法. 杖百流務安, 中路蹋殺之. 子稼:列傳24林樸轉載].[212]

丙戌6日, 霧·雨雹·震電.

[某日], 倭寇晉州班城縣, 又寇蔚州·會原·義昌等縣, 焚掠殆盡.

己亥19日, 祔敬孝大王于大廟太廟, 以忠惠王母弟, 同一室, 祔以韓氏. [→配以順靖順靜王后:節要轉載].[213] [又配享故政丞王煦·右政丞李齊賢·右政丞李公遂·左政丞曹益淸·僉議贊成事柳淑:追加].[214]

---

211) 이 기사는 열전38, 池奫에도 수록되어 있는데, 添字는 이에 의거하였다.

212) 林樸이 그의 女弟를 잘 보살핀 것은 후일 그의 아들 稼에게 恩澤이 내려지게 하였다.

- 『세종실록』 권38, 9년 12월 甲戌, "高麗承旨林樸, 其父母歿, 季妹未嫁, 只有婢三口. 樸與其弟根·樹·株歎曰, '我兄弟雖無奴婢, 皆有妻, 必不自手炊爨, 妹今在室, 若無臧獲, 誰肯娶之. 終必躬操井臼, 誠可憐憫'. 弟皆曰, '諾'. 遂以婢及家財盡與之, 嫁於侍史李遇. 遇言, '家世所傳, 臧獲爲重, 吾豈獨專'. 欲分之. 樸曰, '我家事, 非汝所知'. 竟不分. 樸歿, 三婢所生幾三十口, 妹與其夫謀, 分其所生于根與樹·株, 又給樸子稼, 稼固辭曰, '非我父之志'. 終不受. 後稼以事, 見收職牒, 得廢疾窮居, 政府六曹, 義其稼父子所爲, 請特還稼職牒, 以礪風俗, 從之".
- 『立齋遺稿』 권4, 過林樸舊居, "吉安古縣北, 云是林生居, 隤塢花猶落, 野塘蓮欲舒, …".

213) 禑王의 母로 追尊된 韓氏의 諡號 중의 하나는 順靜이다(→우왕 즉위년 11월 8일).

214) 이는 다음의 자료에 의거하였다.

- 열전23, 王煦, "後配享恭愍廟庭".
- 열전23, 李齊賢, "後配享恭愍廟庭".

[某日], 倭寇密城郡及東萊縣.

[某日, 春城君·前判三司事李壽山卒:節要轉載]. [諡恭良:列傳27李壽山追加].215)

[丁未27日, 西北面萬戶金得齊獻白獐:五行2轉載].

[是月頃, 以李就爲安東大都護府司錄兼參軍事:追加].216)

十二月庚戌朔大盡,辛丑, [壬子3日, 日有冠珥:天文1轉載].

[庚申11日, 日暈有珥, 有背南虛:天文1轉載].

[○月暈畢·觜·參. 五車內黑, 中紅, 外靑暈, 北白冠:天文3轉載].

[辛酉12日, 坡平君尹侅尹海卒, 年七十:追加].217)

[丁卯18日, 立春. 月在大微太微右執法:天文3轉載].

[戊辰19日, 月暈:天文3轉載].

[己巳20日, 亦如之月暈:天文3轉載].

[庚午21日, 亦如之月暈:天文3轉載].

[某日], 納哈出遣使, 遺白金及羊.

[某日], 倭焚合浦營, 屠燒梁·蔚二州及義昌·會原·咸安·鎭海·固城·班城·東平·東萊·機張等縣. [先是, 元帥金縯, 大集一道倡妓有姿色者, 日與麾下, 晝夜酣飮, 軍中號曰, "燒酒徒", 以縯嗜燒酒也. 卒伍偏裨有犯, 必鞭辱, 一軍憤怨, 及寇至,

---

· 열전25, 李公遂, "辛禑二年, 配享恭愍廟庭".
· 열전21, 曹益淸, "辛禑二年, 配享恭愍廟庭".
· 열전25, 柳淑, "辛禑二年, 配享恭愍廟庭".
· 「柳淑墓誌銘」, "丙辰禑王2年十一月, 玄陵祔廟, 廷議配享, 公得與焉". 여기에서 ~~添字~~와 같이 고쳐야 옳게 될 것이다.
· 지14, 예2, 太廟, 禘祫功臣配享於庭, "恭愍王室. 政丞·正獻公王煦, 雞林府院君·文忠公李齊賢, 益城府院君·文忠公李公遂, 夏城府院君·襄平公曹益淸, 瑞寧君·文僖公柳淑".

215) 李壽山은 李成桂를 優待하였던 것 같다.
· 『태조실록』 권2, 1년 윤12월, "壬辰16日, 政堂文學李恬, 精詳縝密, 有先見之明. 其父判三司□事公遇我殊禮".

216) 이는 『안동선생안』에 의거하였다.

217) 이는 「尹侅墓誌銘」에 의해 추가하였는데, 이날은 율리우스曆으로 1377년 1월 21일(그레고리曆 1월 29일)에 해당한다.

軍士, 却立不戰曰, “元帥使燒酒徒擊賊. 我輩何爲” 以故大敗:節要轉載].[218)]

[某日, 令西北鄙, 納粟補官, 以充軍食. 自白身, 補伍尉者, 出米十石, 豆五石, 自檢校, 補八品者, 出米十石, 豆十五石, 自八品, 補七品者, 米豆各十五石, 自七品, 補六品者, 米豆各二十石:食貨3納粟補官之制轉載].[219)]

[某日, 執義金承得·獻納安定等, 交章請殺益妃所生子, 禑從之. 妃秘之, 久乃出, 女也. 又請鞫妃, 禑不許曰, “是彰先君之失也”. 又請誅崔萬生·洪倫父母·妻子·同產, 其親叔姪·堂兄弟削職遠流, 永不敍用. 又言大逆之賊, 非特萬生·倫也, 其洪寬·權瑨·韓安·盧瑄等, 父母·妻子·同產·親叔姪·堂兄弟, 並宜一體施行. 皆從之. ○於是, 守侍中李仁任·贊成事睦仁吉·評理邊安烈·政堂文學洪仲宣·判密直□□[司事]王安德·密直副使禹仁烈等, 以爲賊臣父兄, 皆已遠流, 請免其死. 禑不從. 仁吉曰, “臣從先王, 在元朝十有一年, 未聞以夫罪而戮妻也”. 禑許之, 萬生之妻已死, 倫妻, 臨刑得免. 乃誅洪倫父師禹·兄彝, 韓安父方信·兄休·弟烈, 權瑨父鏞·兄定住, 盧瑄父稹·兄楨·弟鈞, 洪寬父師普·弟憲, 流倫等親叔姪·堂兄弟. 以萬生·倫, 首惡, 幷流姨子·姑子. ○師禹, 彥博子也, 嘗[恭愍王22年]鎭合浦, 吏畏民懷, 爲人, 淸廉勤謹. 知倫不肖, 欲殺之未果. 及倫嬖幸寵傾群豎, 師禹曰, “倫, 人面獸心, 願無畜宮中”. 及爲全羅道都巡問使, 寄流書長子彝, 俾戒倫縱恣. 至是, 與彝俱死, 國人惜之, 慶尙·全羅之人, 至有流涕者:節要轉載].[220)]

---

218) 이 시기 이전에 合浦營, 곧 慶尙道都巡問使의 鎭營이 兵火에 燒失되어 들판에 假設 兵營이 있었던 것 같고, 1375년(우왕1) 무렵에 慶尙道都巡問使 曹敏修가 현재의 昌原市 合成洞에 위치한 合浦城址에 터전을 잡았으나 築造하지 못했던 것 같다(『신증동국여지승람』 권32, 昌原都護府, 關防, 右道兵馬節度使營 ; 『동문선』 권77, 合浦營城記, “李詹記, 初營火于兵, 軍士野處, 門下評理曹公[曹敏修], 稍地得吉卜. …”).

219) 이와 관련된 자료로 다음이 있다.
- 『고려사절요』 권4, “우왕 2년 12월, 令納粟補官, 以充西北面軍食”.
- 지29, 選擧3, 鬻爵, “令西北鄙, 納粟補官, 以充軍需”.

220) 이때 處刑, 處罰받은 인물들에 대한 기사는 다음과 같다.
- 全羅道都巡問使 洪師禹(倫의 父), 열전24, 洪彥博, 師禹, “後爲全羅道都巡問使, 以子倫弑逆, 遣人鞫之, 杖流遠州. 尋遣崔仁哲, 縊殺師禹及子彝于陜州. 當刑彝泣謂仁哲曰, 請誅彝, 釋吾父. 師禹曰, 吾已老矣, 願誅老夫, 釋吾子. 仍歎曰, 吾嘗斬獲倭賊甚多, 功何在耶. 父子相携而死, 人皆惜之, 全羅·慶尙之民, 至有流涕者”.
- 贊成事 韓方信(安의 父), 열전20, 韓康, 方信, “… 後拜贊成事. 以子安弑逆, 編配遠州, 辛禑, 遣体覆□[使]李英殺之. 子休·安·寧·烈”. 여기에서 3子 寧(權仲和의 壻)은 韓確(1403~1456, 成宗의 外祖父)의 祖父인 점을 보아 韓方信이 處刑되었지만 그의 아들은 모두 처벌받지 않았던 것 같다(『四佳集』文集增補1, 韓確墓誌銘).

[→辛禑時，臺諫交章，請殺妃[益妃]所生子，從之．初，中郎將金元桂，收其子養于家，至是鞫之，乃女也．臺諫又請鞫妃，禑不許曰，“是彰先君之失也”:列傳2恭愍王妃益妃韓氏轉載].

[→執義金承得，獻納安定等交章請，“誅萬生·倫父母妻子兄弟，其親叔·姪堂·兄弟，削職遠流，永不敍．且大逆非特萬生·倫也，其洪寬·權瑨·韓安·盧瑄等，並宜一體施行.” 禑皆從之．[守侍中李]仁任·贊成□[事]睦仁吉·評理邊安烈·政堂文學洪仲宣·判密直□□[司事]王安德·密直副使禹仁烈等以爲，“賊臣父兄，皆已遠流，請免其死”．禑曰，“今臺諫之言固是，如之何不從”．仁吉曰，“臣從先王，在元朝十有一年，未聞以夫罪而戮妻，子罪而戮母也．若論弑逆，則雖擧國受戮，尙無憾焉．臣等亦豈得保首領，况彼婦人焉能知”．言甚切至，禑許之．時萬生妻已死，倫妻臨刑得免．○命誅師禹·彝·方信·鏞·頏·師普，及安兄休，弟寧·烈，瑨兄定住，瑄兄楨·弟鈞，寬弟憲，流倫族洪師瑗·洪彦猷·彦修·韓蕆·柳龍生，瑨族權鎬·權適·權鑄·權滊·權湛，安族韓脩·韓理等遠州．以萬生·倫首惡，幷流姨子·姑子．○時池奫利其逆黨田民貲產，倫·萬生之族，假法悉誅．○初，師禹知倫不肖，欲殺之未果．及倫嬖幸寵傾群豎，師禹白王曰，“倫人面獸心，願無畜宮中”．王不聽．其在全羅，寄彝書，令戒倫縱恣，倫反訴於王曰，“臣兄彝疾臣官居己右，讒臣於父，欲罪臣”．彝臨刑曰，“倫之惡，倫之惡，素知滅吾門，不忍早除，以至今日”．烈曰，“吾於甲寅之變，年方九歲，豈得與聞”．不肯署名刑書，旣而曰，“若是則違王命也”．遂就死:列傳44洪倫轉載].

[某日]，北青千戶金仁贊獻海東青，禑賜白金五十兩．

[某日]，以池奫爲門下贊成事，尹邦彦△[爲]密直提學，鄭良生△[爲]大司憲,[221] 金濤

- 同知密直司事 韓脩(安의 4寸), 열전20, 韓康, 脩, “陞同知密直□□[司事]. 尋以韓安之族, 流于外, 召還封上黨君”.
- 前密直副使 權鏞(瑨의 父), 열전20, 權呾, 鏞, “… 後以子瑨弑逆, 編配遠州, 辛禑, 遣人殺之”.
- 前贊成事 權適(瑨의 從祖父), 열전20, 權呾, 適, “恭愍見弑, 適以權瑨近親, 罷. 卒謚原靖”.
- 僉議評理 盧頏(瑄의 父), 열전44, 盧頙, 頏, “其子瑄與洪倫, 犯逆伏誅, 頏亦杖流, 尋與子楨及鈞, 俱被誅, 籍其家. 恭讓在潛邸, 娶頏女, 及即位, 封順妃, 追贈頏爲齊孝公”.
- 判閣門事 洪師普(寬의 父), 열전24, 洪彦博, 師普, “官至判閣門事, 以子寬弑逆, 被誅”.

221) 鄭良生의 官職인 大司憲은 15世紀 前半에 逝去한 그의 아들 鄭符(3子), 鄭矩(2子)의 卒記에는 監察大夫(大司憲의 前稱)로 달리 표기되어 있다.
- 『태종실록』 권23, 12년 6월 庚午[17日], 鄭符의 卒記, “前漢城府尹鄭符卒, 致賻米豆二十石, 遣中官致祭. 符, 東萊人, 監察大夫良生之子”.
- 『태종실록』 권35, 18년 5월 丙辰[7日], 鄭矩의 卒記, “前議政府贊成鄭矩卒, 矩, 東萊人, 字仲常,

△[爲]左副代言, 金承得△[爲]右副代言. [是日, 除官宰樞至五十九. 自仁任·禑而下各植其黨, 臺諫·將帥·守令, 皆其親故, 至於市井·工匠, 無不夤緣除拜. 時人謂之煙戶政:節要轉載].

[某日, 晋山君河允源卒. 允源, 歷仕有聲績, 當辛旽用事, 不諂附:節要轉載].

[→[前大司憲河允源,] 居母憂廬墓, 禑下書徵之曰, "三年行喪, 雖古今之通制, 百日卽吉, 因時勢以從宜, 可移孝以爲忠, 其抑哀而赴召". 書未至卒. 子有宗·自宗·啓宗:列傳25河允源轉載].

[某日, [門下贊成事]池奫, 欲娶故大司憲[監察大夫]王重貴妻□□[奇氏], 數通媒, 不應. 一日, 奫率徒黨, 至其第, 婢僕走入曰, "願夫人避之". 曰"我不可苟逃". 婢僕, 咸意將從之. 重貴妻, 饗奫以酒, 奫欲入其室. 重貴妻, 捽胡而批其頰曰, "宰相, 何有如此彊暴之行耶? 寧死, 從汝乎?". 奫, 慙而退. 重貴妻, 遂往告崔瑩曰, "奫以妾有華屋, 思欲有之, 暴辱於妾, 公以淸直聞, 故來告耳":節要轉載].[222] [乃移居, 國人義之. 子肅·嚴·道:列傳23王重貴轉載].[223]

[某日], 以[密直副使]禹仁烈爲慶尙道都巡問使, 裴克廉△[爲]晋州道元帥.[224]

[某日], 憲府[司憲府]劾論判事金禧, 嘗附辛旽, 稱爲姻婭, 多行不義, 又不告父忌. 乃削職, 歸田里.

[是月頃, 以李均爲雞林府司錄·參軍事兼掌書記:追加].[225]

監察大夫良生之子. 中丁巳[禑王3年]乙科第二人, 歷仕中外, 勤謹明敏, 所至有聲績, 又善隷草篆書".

222) 王重貴가 逝去할 때의 관직이 (知樞密院事兼?)監察大夫였으므로 大司憲은 前者로 고치는 것이 옳을 것이다.

223) 王重貴(王煦의 子)의 아들 3人은 후일 權氏로 復姓하였고, 權肅(?∼1428)은 諫官을 거쳐 恭安府尹에 이르렀던 것 같고(『세종실록』 권40, 10년 윤4월 丁酉[16日]), 權嚴은 司憲執義에 이르렀던 것 같다(『태종실록』 권22, 11년 12월 己丑[3日]). 또 이들의 가족관계는 『成化安東權氏世譜』, 黃字에 수록되어 있다.

224) 이때 禹仁烈은 慶尙道元帥兼慶尙道都巡問使[慶尙道元帥兼合浦都巡問使]였다고 하는데(열전 27, 禹仁烈), 合浦都巡問使는 慶尙道都巡問使의 鎭營이 合浦에 位置해 있음에 따른 別稱이다.
· 『佔畢齋集』, 文集권2, 慶尙道左廂元帥府題名記, "… 高麗時, 置元帥府于合浦, 洛東西州郡之兵, 皆爲所隷. 至其季歲, 乾綱解弛, 雲海沸騰, 寇賊之衝突無恒, 所以一帥府提兵遠赴, 東寇則南傻, 南討則東陷, 疲於奔命, 而往來不相及, 海濱之地, 蕭然一空, 言之可爲於邑".

225) 이는 『동도역세제자기』에 의거하였다.

[是年, 以安御胎, 升安東府任內禮安縣, 爲知禮安郡事官:追加].[226)]

[○雞林府與金州, 爭按廉使營, 都評議使□[司]奏, 金州賊殺按廉, 且置營歲月, 不及雞林, 况近海濱, 倭賊可畏, 乞移置雞林, 禑從之:地理2東京留守官慶州轉載].[227)]

[○以[典客寺丞]柳觀爲承奉郎·禮儀佐郎:追加].[228)]

[○以黃喜爲福安宮錄事. 喜, 年十四:追加].[229)]

[○以趙還璧爲延安府使, 尋以都成天代之:追加].[230)]

[○以張安起爲知寧海府事:追加].[231)]

[○以崔資爲西海道按廉使:追加].[232)]

[○許[前左正言金子粹]從便, 給告身:列傳33金子粹轉載].

[增補].[233)]

[是年頃, 密直安輯請辭職, 歸鄕里:追加].[234)]

[○密直朴形妻某氏卒:追加].[235)]

[○故密直使金希祖妻李氏卒:追加].[236)]

---

226) 이는 다음의 자료에 의거하였다.
- 『경상도지리지』, 安東道, 禮安縣, "僞朝洪武丙辰, 安胎, 置知郡事".
- 지11, 지리2, 禮安郡, "辛禑二年, 藏其胎於縣, 陞爲郡, 尋陞爲州".

227) 金州에서 按廉使를 殺害한 것은 1293년(충렬왕19) 1월 26일(癸未)에 수록되어 있다.

228) 이는 『夏亭集』行狀에 의거하였다.

229) 이는 다음의 자료에 의거하였는데, ~~添字~~와 같이 고쳐야 옳게 된다.
- 『保閑齋集』 권15, 黃喜墓誌, "公古諱壽老, 後改喜, … 至正[~~洪武~~]丙辰, 始以蔭除福安宮錄事".

230) 이는 『연안부지』에 의거하였다.

231) 이는 『영해선생안』에 의거하였다.

232) 이는 『목은시고』 권6, 送西海崔按廉資에 의거하였다.

233) 이해에도 日本 北朝의 지배질서 내에 위치한 各種의 領地에서 고려의 침입을 방어하기 위한 石築[防壘]의 補修 名目으로 貢納이 徵收되고 있었던 것 같다(日本史料 6編 49册 101面).
- 「東寺百合文書」, 矢野庄學衆方散用狀應安六年, "注進, 矢野庄學衆御方應安六年·雜穀未進事·… 六斗四升·代四百文·高麗人警固幷人夫催促郡使兩度引出雜物·十二月九日·…".

234) 이는 『목은시고』 권6, 次安政堂[安軸]韻, 奉送安密直歸山, 名輯.

235) 이는 『목은시고』 권6, 朴密直夫人挽詞三首, 名形.

236) 이는 『목은시고』 권6, 金思亭[~~希祖~~]夫人李氏挽詞.

丁巳[**禑王**]三年, **明洪武十年**→2月高麗行**北元宣光七年**,[237] [西曆1377年]

1377년 2월 9일(Gr2월 17일)에서 1378년 1월 28일(Gre2월 5일)까지, 354일

[春]正月[庚辰朔小盡,壬寅], [己丑[10日], 月暈:天文3轉載].[238]

[庚寅[11日], 亦如之[月暈]:天文3轉載].

[某日], 倭盜會原倉[品米. 時以軍餉不足, 令州郡隨職品, 出米有差. 謂之品米:節要轉載].

[某日], 以[同知密直司事?]池湧奇爲楊廣道副元帥[~~元帥~~].[239]

[某日, 以[慶尙道元帥兼都體察使]金縝敗軍, 廢爲民, 流嘉德島[~~加德島~~], 斬其千戶二人, 杖軍官有差:節要轉載].[240]

[某日], 納哈出遣使□[來], 遺[獻]羊·馬.[241]

[某日], 以印海爲楊廣道副元帥.

[某日, 新置安州二翼軍, 號新勇·新猛. 安州本有八翼, 今更爲二翼, 總十翼, 與西京軍同:兵1五軍轉載].[242]

[庚子[21日], 亦如之[月暈]:天文3轉載].

[丁未[28日], 朝, 虹出艮, 至坤:五行1虹霓轉載].

[某日, 以白君瑛[~~白君寧~~]爲慶尙道按廉使, 李克明爲全羅道按廉使:慶尙道營主題名記·錦城日記].[243]

---

237) 이해에 年號를 宣光으로 사용한 사례도 있고, 中原 年號를 사용하지 아니하고 干支로 表記한 경우도 있다.
- 「檜巖寺禪覺王師塔碑」, "宣光七年六月 日".
- 『목은문고』 권1, 南谷記, "丁巳臘八日記", 遁村記, "蒼龍丁巳九月記" ; 권4, 聖居山文殊寺記, "蒼龍丁巳冬十月日記", 朴子虛貞齋記, "丁巳仲冬下澣記". 여기에서 臘八日은 中原에서 臘祭와 관련된 행사를 설행하였던 12월 8일[臘初八]을 가리킨다(→문종 35년 12월 11일의 脚注).

238) 이날 일본의 교토[京都]에서 비가 내렸다고 한다(『愚管記』제21, 永和 3년 1월, "十日己丑, 雨降").

239) 池湧奇는 같은 달 14일에 元帥兼都巡問使로서 全州道에 들어와 防禦[移防]하였다고 하며, 4월에 全州兵營에 들어 왔다고 한다(『금성일기』).

240) 嘉德島는 加德島(現 釜山市 江西區 天加洞 天城 加德島)의 오자로 추측된다.

241) 遺는 『고려사절요』 권30에는 獻으로 달리 표기되어 있다.

242) 이 기사는 『고려사절요』 권30에 縮約되어 있다("置新勇·新猛軍于安州").

二月[己酉朔大盡,癸卯], [某日], 倭寇新平縣, 楊廣道都巡問使洪仁桂, 擊之.

[甲寅[6日]:推定], 北元遣翰林承旨孛刺的[孛剌的], 賚册命及御酒·海靑來. 詔曰, "上天眷命, 皇帝聖旨, 諭牟尼奴[禑王], 粤惟我國家, 受天景命, 統承萬方. 世祖皇帝, 聖德神功, 澤被四表. 惟時高麗, 雖介在海隅, 能仰德執義, 率先來臣, 以順以忠. 帝用嘉之, 爰降貴主, 俾爾祖, 啓壤三韓, 作我東藩, 百年于玆. 前歲, 伯顔帖木兒[恭愍王]沒, 爾衆, 以繼襲之典, 上章有司, 而不言有子. 國家, 恤彼宗祀廢殞, 乃簡爾族之良, 用承厥世. 是以, 有[瀋王]脫脫不花之命. 今者, 來言伯顔帖木兒有嗣牟尼奴在, 故遣使往問, 而祖母洪氏請章, 偕至. 夫父死子繼, 古今之通誼也, 在理苟安, 何難改作. 今以牟尼奴爲征東省左丞相·高麗國王. 於戱, 稽古象賢, 期於爲治而已, 牟尼奴其益懋, 迺心保乂我民, 毋替若祖, 爲我國藩輔之義, 則忠孝之道, 於是在矣, 往敬之哉, 益光寵命".

○又授尹桓等六人平章事[平章政事].[244)]

[→甲寅[6日], 北元封册使至, 禑欲冕服郊迎, 前密直副使朴成亮曰, "不可. 昔元復命敬孝王[恭愍王]爲王, 詔使來, 王不郊迎, 以便服, 出行省, 聽旨, 乃具冕服, 拜命. 今元使來, 宜遵先王舊制", 禑從之:禮7賓禮轉載].

[某日], 納哈出遣文哈剌不花[文哈剌不花]來.

[丁巳[9日]:追加],[245)] 北元遣豆亇達來, 祭敬孝大王[恭愍王].[246)] ○始行北元宣光年號.

[某日, 以[門下評理]王安德爲楊廣道都元帥:節要轉載].

[某日], 倭寇慶陽, 遂入平澤縣, 楊廣道副元帥印海, 與戰不克.[247)]

---

243) 白君瑛은 白君寧의 誤字로 추측된다.

244) 平章事는 平章政事의 오자일 것이다(열전27, 尹桓, "辛禑三年, 北元遣使□[來], 授平章事[平章政事]").

245) 이날의 날짜[日辰]는 『동도역세제자기』의 "宣光七年丁巳, 二月初九日施行"에 의거하였다.

246) 이때 門下評理 王安德이 北元의 封册使, 祭奠使 중 하나의 館伴이 되었는데, 典禮를 몰라 迎接 나온 宰相과 함께 元使로부터 질책을 받았다고 한다.

· 열전39, 王安德, "[王安德,] 陞判□□[密直]司事, 轉門下評理. 北元使來, 安德爲館伴, 有宰相奉宮醞至館, 立而飮使臣, 跪飮安德, 使臣怒曰, '以汝君之酒, 立飮天朝使, 跪飮陪臣, 禮乎?'. 時君弱, 大臣用事, 人皆趨附求合, 故積習至此. 出爲楊廣道都元帥".

247) 慶陽縣은 稷山縣의 서쪽에 있던 河陽倉이 승격된 것이고, 1396년(태조5) 11월 폐지되어 稷山縣의 直村이 되었다.

· 『태조실록』 권10, 5년 11월 丙辰[22日], "幷忠淸道市津·德恩·彩雲, 置德恩監務. 罷慶陽縣爲慶陽庄, 屬稷山郡".

[某日], 禑令召募良家子弟善射御□[~~者~~]及郡縣吏有膂力者, 使防倭. □[~~罷~~]諸司員吏, 告歸田里, 久不還者削職, 取其田, 給有戰功者.[248)]

[某日], 以知密直司事趙希古爲全羅道都兵馬使, 與衣·馬.[249)]

[某日], 各道要衝, 皆置防護, 以遏流民, 修築沿海州郡山城.[250)]

[某日], 令中外決獄, 一遵'至正條格'.[251)]

[甲戌[26日], 雨, 震雷:五行2轉載].

[某日, 有貼匿名書于[守侍中]李仁任門曰, "[贊成事]池奫門客金允升等七八人, 嗾門下舍人鄭穆, 欲劾去仁任, 以奫爲侍中, 事迫矣, 其速圖之". 其末又云, "吾職判事, 吾姓李, 吾名十一畫". 仁任秘不發, 大護軍具成老, 又得其書, 以示仁任. 仁任密以示奫曰, "公與吾, 交分甚篤, 是得無間吾二人耶." 奫曰, "此掌令[~~內府令~~]金賞所書也". 賞卽仁任族姪也. 時判典校寺事李悅·左常侍華之元·右副代言金承得, 與知申事金允升, 結朋黨, 諂事奫, 以希遷擢, 自謂池門四傑. 仁任欲翦奫黨, 未得間, 之元·承得會悅家, 言□[曰], "厚待元使, 不用洪武年號, □[行]行宣光七年, 無乃速乎". 仁任廉得之, 遂下三人[司平]巡衛府. 奫時爲巡軍副萬戶, 故仁任, 托以誹謗朝政, 痛鞫之曰, "近日, 若等會悅第, 作何等文書, 晝日月乎?". 對曰, "天下方亂, □□□□□[~~朱氏與大元~~], 戰爭未息, 先王決策事南[~~朱氏~~], 今不遵先志, 遽用宣光紀年, 不已速乎? 但議之耳. 非因文書, 而發是言也". 韓略, 亦以奫黨幷繫獄:節要轉載]. [又鞫賞曰, "汝嘗爲掌令, 不署穆告身, 以妓之嬖乎? 世累乎?". [金]賞·[鄭]穆, 嘗共姦一妓故云. 賞曰, "以其身有過也." "然則誰發其議." 賞曰, "寧我受罪, 臺議豈可洩乎?":列傳38池奫轉載]. 遂[於是]杖流悅·之元·略, 幷承得~~·~~賞流之[~~以承得嘗封順靜王后玄宮, 故免杖而流之, 又流賞~~]. 其不及允升者, 蓋仁任, 欲以慰安奫危疑之心, 且冀其發之不暴也. 奫大懼, 誓

· 『세종실록』 권149, 지리지, 稷山縣, "高麗, 改河陽倉爲慶陽縣, 置令兼任監場官. 本朝太祖五年丙子, 革縣爲直村".

248) 이 기사는 『고려사절요』 권30과 兵志1, 五軍에도 수록되어 있는데, ~~添字~~는 이에 의거하였다.

249) 趙希古는 3월 8일 羅州牧에 들어왔다(『금성일기』).

250) 이 기사는 지37, 刑法2, 禁令에는 "立防□[護]於各道要衝, 以遏流移戶口"로 되어 있다. 이에서 ~~添字~~가 탈락되었을 것이다.

251) 이 기사는 지38, 刑法1, 職制에도 수록되어 있다. 또 2003년 慶尙北道 慶州市에서 발견된 『至正條格』에 대한 소개와 주석도 있다(韓國學中央研究院 2007년 ; 張帆 2008年 ; 植松 正 2008年a ; 大島立子 2009年).

謂仁任曰, "予若謀公, 天必誅之". 使其子益謙, 請救於崔瑩, 不得~~曰, "崔公亦黨於仁任矣"~~", 乃嚴兵自衛:節要轉載].[252]

三月己卯朔小盡,甲辰, [辛巳3日, 狐入宮中:五行2轉載].

[戊子10日, 大雨:五行2轉載].[253]

[乙未17日, 月犯心星:天文3轉載].

[某日], 贊成事池奫伏誅.

[→守侍中李仁任嗾臺諫, 劾金允升, 結爲朋黨, 沈湎酒色. 允升, 夜往見奫曰, "之元·承得·悅, 皆已見竄, 公之羽翼旣除, 今又劾我, 禍將及公. 其早圖之". 奫曰, "明日, 我將請王, 命卿視事", 遂白禑云,[254] "慶復興·李仁任, 乃逆臣洪倫之族, 見上誅夷其族, 欲圖大事, 請亟發兵收捕". 旣定約, 又使其子益謙, 請勇士於睦仁吉, 期詰朝會宮門. 仁吉曰, "所謀止仁任乎?". 益謙, 歷數陰復興·崔瑩·李希泌·李琳·都吉敷等.[255] 仁吉, 馳告仁任等, 令避宿以觀變. 益謙陰引交州道軍士二十餘人, 密伺仁任動靜. ○翌日, 奫至都堂, 謂復興·仁任曰, "金允升, 今爲同知貢擧, 而被臺劾, 若代以他人, 取士遲緩, 必涉農月, 請令視事". 復興欲乘奫出, 與瑩謀去之, 乃陽言曰, "公可自詣闕以啓". 奫遂出至闕, 矯旨召臺官臺諫, 趣令允升視事. 適持平李吉祚等上疏曰, "奫 廣植黨與, 擅行威福, 謀殺冢宰, 允升爲奫喉舌~~腹心~~, 必知其謀, 請下獄鞫之". ○疏將上, 復興·仁任·瑩及希泌·吉敷·朴林宗·曹敏修·林堅味·仁吉等入內. 奫使其黨賓天翊等二十餘人, 束甲帶劍, 聚闕下, 伺仁任等出, 將

---

252) 이 기사는 열전38, 池奫에도 수록되어 있는데, 자구의 차이가 있다(添字). 『고려사절요』 권30의 기사는 潤文된 것이기에 前者를 이용하는 것이 좋을 것이다.

253) 이때 일본의 교토에서 7일(乙酉)과 8일(丙戌) 비가 조금 내렸다고 하지만, 9일(丁亥)와 10일(戊子)은 맑았다고 한다.
- 『愚管記』제1, 文和永和 3년 3월, "七日乙酉, 小雨. 八日丙戌, 小雨, …". 이 記事는 『愚管記』冒頭의 1354년(文和3)에 수록되어 있으나 실제는 永和 3년에 該當하는 日記의 殘片인 것 같다.
- 『愚管記』 제21, 永和 3년 3월, "九日丁亥, 晴, … 十日戊子, 晴". 이에는 7일과 8일의 日記가 없다.

254) 이 시기 이전에는 官僚가 禑王에 報告한 것을 奏[上奏]로 표기하였으나 이때부터 白을 많이 사용하였던 것 같다.

255) 都吉敷는 李仁任의 친족인데, 이 시기에 代言으로 재직하였던 것으로 추측된다.
- 열전39, 李仁任, "… 都吉敷以仁任姻親, 拜代言, 諸司章疏, 不能口讀".

擊之. 復興·仁任等, 使仁吉, 白禑曰, “老臣聞變, 不以聞, 臣亦有罪. 昨奫使益謙, 請甲士於臣, 其情叵測”. 奫卽厲聲曰, “有之. 復興·仁任·琳, 乃洪倫妻族也, 希泌, 倫之妻父. 忌臣欲誅逆黨, 將殺臣, 故請甲士以備之耳”. ○視瑩佩刀張目, 膝行而前, 若將奪之. 瑩執刀鞘, 以身蔽禑, 謂奫曰, “臣而無禮於君, 邦有常刑. 且爾止欲殺兩侍中耶?”. 奫曰, “奚止侍中而已”. 歷數在座諸相, 抗語不已. 禑趣奫出, 奫曰, “上何故先退臣”, 振袂突出, 及門將上馬, 堅味執之. 奫顧左右索劒, 不得. ○遂下奫等巡軍獄, 奫謂堅味曰, “與君有平昔之雅, 幸亟殺之. 我死, 君亦繼之”. 初, 允升密謂奫曰, “公爲冢宰何如?”, 奫曰, “有仁任在, 況予命數, 在戊午, 運乃吉”. 允升曰, “苟有命, 何待戊午. 第聽吾計”. 遂謀變曰, ”黃裳摸掕, 宜爲左侍中, 公守侍中, 益謙鷹揚軍上護軍, 之元大司憲, 允升政堂文學, 承得簽書密直□□[司事]. ○至是, 奫曰, “悔聽允升計, 以至於此”. 奫及益謙·允升, 遂伏誅. ○奫, 起行伍, 屢從軍有功, 遂至宰輔. 又通禑乳媼, 夤緣有寵, 恣其跋扈, 附己者用之, 異己者斥之, 以其腹心, 分置臺諫, 大張威福. 多列姬妾, 幾三十人, 惟取富者, 不以色. 於是, 立門戶者, 十有二人. 貪淫[貪淫]譎詐, 賣官鬻獄, 得人臧獲, 不可勝紀. 又遙授人官爵, 代受其祿. 及誅, 人皆快之. 又斬其黨賓天翊等二十餘人:節要轉載].[256]

[→[司憲]掌令姜隱, 見奫權稍弛, 阿附[李]仁任, 刻允升等結爲朋黨, 沈湎酒色. 是夜, 允升往見奫曰, “之元·承得·悅皆已見竄, 公之羽翼既除, 今又刻我, 禍將及公, 宜早圖之.” 奫遂與允升謀曰, “明日, 我將請王, 命予視事, 又令復興·仁任入政房. 予便告王曰, 是政轉動[轉動政]也,[257] 侍中不欲詣, 願上親下批目. 卽矯制召我, 我入罷復興·仁任職, 彼必各還其第, 我又白王云, 復興·仁任, 乃逆臣洪倫之族, 見上誅夷其族, 欲圖大事. 請亟發兵收捕.” ○既定約, 使益謙言於族黨睦仁吉曰, “仁任謀害吾父, 父亡則及我, 我亡則族父繼之. 請潛遣睦忠波·演等勇士, 期以詰朝, 會宮門.” 仁吉佯應曰, “諾”, 因問曰, “所謀止仁任乎?”. 益謙歷數復興·瑩·李希泌·李

---

256) 이 기사는 다음에 轉載된 열전38, 池奫의 내용을 크게 축약한 것이기에 後者를 참조하는 것이 좋을 것이다.

257) 여기에서 政轉動은 轉動政의 오류일 것인데, 처음 乙亥字로 『고려사』를 組版할 때 글자가 轉倒되었을 것이다. 轉動政은 官人의 人事移動[陞轉]이 결정되는 6월의 小政[權務政], 12월의 大政[都目政]이 행해지는 間隔에서 필요에 따라 수시로 소규모의 人事가 행해해진 것을 가리킨다(朴龍雲 1995년b).

- 『세종실록』 권2, 즉위년 12월 庚辰[5日], “上以都目政, 御便殿親檢銓注, 謂選曹官曰, ‘此予卽位後大政, 毋令人有駁議.’ 國制, 每年六月·十二月, 吏·兵曹論中外官吏功過, 陞黜之, 謂之都目政, 無時除授, 謂之轉動政”.

琳·都吉敷等. 仁吉卽馳告仁任等, 令避宿以觀變. 益謙陰引交州道兵二十餘人, 密伺仁任動靜. 明日奫至都堂, 謂復興·仁任曰, "允升今爲同知貢擧, 而被臺劾, 若代以他人, 取士遲緩, 必涉農月, 可令視事". 復興欲乘奫出, 與瑩謀去之, 乃陽言曰, "公可自詣闕白王." 奫遂至闕, 矯旨召臺諫, 趣令允升視事. 適持平李吉祚等上疏曰, "奫廣植黨與, 擅行威福, 謀殺冢宰. 允升爲奫腹心, 必知其謀. 請下獄鞫之." 疏將上, 奫以約允升之語白禑, 不許, 奫色變, 又使人請仁任入政房. ○仁任·復興·瑩等知其謀, 與希泌·邊安烈·吉敷·朴林宗·曹敏修·楊伯淵·堅味·仁吉等直至禑前, 命召奫入. 奫使其黨賓天翊等二十餘人, 衷甲帶劒, 聚闕下, 伺仁任等出, 將擊之. 復興·仁任等使仁吉白禑曰, "老臣聞不測之變, 不以聞, 臣亦有罪. 昨奫使益謙, 請甲士於臣, 其情叵測." 奫厲聲曰, "有之. 復興·仁任·琳乃洪倫妻族, 希泌倫之妻父. 忌臣欲誅逆黨, 將殺臣, 故請甲士以備之耳." 視瑩佩刀張目, 膝行而前, 若將奪之. 瑩執刀鞘,[258] 以身蔽禑, 謂奫曰, "臣而無禮於君, 邦有常刑. 且爾止欲殺兩侍中耶?". 奫曰, "奚止侍中而已". 歷數在座諸相, 抗語不已. 禑趣奫出, 奫曰, "上何故先退臣?". 禑曰, "諸卿可以次出". 奫振袂突出, 及門, 將上馬. 中郎將桓天祐擊奫僕, 奪其馬, 堅味執奫, 以待司平巡衛官. 奫顧左右索劒, 不得. 遂下奫·允升于巡軍獄, 益謙逃. 奫謂堅味曰, "與君有平昔之雅, 幸亟殺之. 我死, 君亦繼之". 旣囚奫黨, 宮禁戒嚴. ○初, 允升等屢夜飮, 謀以奫爲首相, 密謂奫曰, "公爲冢宰何如". 奫曰, "有仁任在, 況予命數在戊午, 運乃吉". 允升曰, "苟有命, 何待戊午, 第聽吾計". 遂謀變曰, "黃裳摸稜, 宜爲左侍中, 公守侍中, 益謙鷹揚軍上護軍, 之元大司憲, 允升政堂文學, 承得簽書密直□□司事". 及鞫奫, 奫曰, "悔聽允升計, 以至於此". 下益謙母妻及其黨天翊, 判事高如意, 判書崔奕成, 典客令黃淑眞·金履·金密·秦金剛·洪子安·李龍吉·李宗彥·李乙和·宦官李臣·張德賢·金宗·李陽眞·安思祖等于獄. 翼日, 益謙聞母被繫, 自就獄. ○瑩鞫奫·允升·益謙, 聚兵闕門, 謀害大臣, 三人皆服, 遂誅之. 幷斬天翊·奕成·如意等二十餘人, 流奫妾十二人·益謙妾七人·允升妾二人, 杖流密·金剛·龍吉·宗彥·乙和·德賢·金得守等七人, 流履·思祖·宋臣起等, 餘皆釋之. 如意·奕成皆爲奫卜吉凶者也. 又遣體覆使崔仁哲鞫承得·之元·悅于淸州, 之元首服曰, "奫及允升謀殺大臣, 我實與聞". 悅曰, "前日匿名書, 實吾所爲. 吾名乃十一畫也, 請原之". 仁哲栲問之元曰, "悅亦與聞否". 之元曰, "有之". 悅不服, 及鞫訊甚慘, 遂服. 承得被搒掠垂死, 猶不服, 然之元·悅證驗明

258) 執刀는 延世大學本에서 執力으로 되어 있으나 오자일 것이다(東亞大學 2006년 27冊 649面).

甚，乃服．○仁哲報于都堂，仁任謂復興·瑩曰，“旣誅其魁，可釋此輩，復杖流何如．況罪不可再加乎?”．復興曰，“奫愚人也，從此輩從臾耳．非奫首謀也”．瑩亦曰，“前日杖流，以其議朝政也，今日之誅，以其害大臣也，皆罪之重者，豈宜釋之?”．仁任曰，“何以處悅，若無悅書，吾儕其得有今日乎?”．瑩曰，“果悅所爲，當奫在時，可以言矣，見竄之後，猶不言，是誣我也．宜幷誅之”．仁哲遂斬承得·之元·悅，傳首于京．○奫，遇知玄陵[恭愍王]，位至宰輔．通禑乳媪，或賂宮妾，夤緣有寵．恣其跋扈．多植門客，附己者用之，異己者斥之．允升贈奫奴婢，遂爲奫親信，與承得·之元·悅，更相汲引．奫倚爲腹心，分置臺諫，大張威福．多列姬妾，幾三十人，唯取富者，不以色，立門戶者，十有二人．貪淫譎詐，賣官鬻獄，得人臧獲，不可勝紀．又遙授官爵，代受祿俸．朝野側目，及誅，人皆快之．益謙目不知書，嘗憑父勢，以上護軍爲侍學，爲世所嗤:列傳38池奫轉載]．[又奫壻李芳雨，成桂之長子也．官至密直副使·禮儀判書，入本朝，退處咸興之故里:追加]．[259]

[某日]，遣三司左使李子松如北元，謝册命，表曰，“天地無私，廣施生成之造，侯藩有慶，優承寵渥之恩，萬姓懽呼，四方聳聽．伏念，臣年才總角，材乏經邦，權世職而守封，眾懷兢惕，効臣順而嚮化．常切蘄傾，第緣道阻於朝宗，易致讒興於萋斐．惟哀懇，必期於奏達，顧臣庶冒昧，而籲呼睿謀．克灼其群情霈澤，仍從於寬典，遂令陋質，獲被耿光．爵旣襲於眞王，秩又升於左相，賜以仙壺之醞，侑以錦毛之禽．顧無糾逖之勞，豈意褒崇之賞，爲榮過厚，揆分難堪．玆蓋陛下，志在固存，仁敦綏遠，敷虞文德，兩階之舞雍容，復漢官儀，十行之詔密勿．天下之勢，離必合，大平之期，適當今．謂孤臣，爲世皇之外孫，謂小邑，爲太后之故國．眷顧特殊於他姓，光華夐越於常倫，臣敢不益殫不二之心，恪遵侯度，恒貢由中之信，永祝皇齡”．

○且獻禮物，皇帝白金七錠·紵布八十一匹，皇后白·黃·紅紵布各九匹，二皇后白

---

259) 李芳雨(1354∽1393)는 다음의 자료에 의거하였다(『목은문고』 권15, 李子春神道碑).

- 「鎭安君李芳雨墓碑」，“… 其序曰，大君諱芳雨，太祖大王第一男，神懿王后韓氏生也．幼事 太祖，以孝稱，處兄弟，篤于友愛，稍長心潛詩書，躬行儉約，一切富貴榮辱，意泊如也．仕麗朝，官至禮儀判書，洪武戊辰，太祖以右侍中，仍授右軍都統使，率師攻遼，及次威化島，倡義回軍，以尊中國．當是時，大君挈家入鐵原，已有韜晦志．… 夫人贊成事[池]奫之女，有一男福根，定宗朝，册靖難·定社功，奉寧侯，謚安簡”．이 자료는 『弘齋全書』 권15，鎭安大君墓碑銘幷序와 같은 것이고，여기에서 靖難은 削除되어 할 것이다.
- 『태조실록』 권4，2년 12월，李芳雨의 卒記，“甲申[13日]，鎭安君芳雨，上之長子也，性嗜酒，日以痛飮爲事，飮燒酒病作而卒．輟朝三日，謚敬孝，子福根”．

紵布九匹·黃紵布五匹·紅紵布四匹, 中書省太師闊闊帖木兒·太保哈剌章[~~哈剌章~~]·大尉[~~太尉~~]蠻子, 各白紵布八匹·黑麻布七匹·鞍子一面, □[旹]平章[平章政事]·參政[參知政事]·臺大夫[御史大夫], 下至內官小臣, 皆遺紵·麻布有差.

○遣禮儀判書文天式, 報聘于納哈出, 仍遺麻布各十五匹·鞍子一面·胡床·豹皮·屛風等物, □[旹]娘子姐姐, 至麾下官人, 各遺紵·麻布有差. 又送納哈出宴餞回禮, 白紵布八十匹, 以納哈出翁主·文哈剌不花[~~文哈剌不花~~]·豆亇大等, 嘗遙受本國官爵, 皆遺祿俸布. 納哈出五百匹, 翁主·文哈剌不花[~~文哈剌不花~~]俱三百匹, 豆亇大五十匹.

[→判書文天式將聘于元丞相納哈出, [判三司事崔]瑩謂天式曰, "丞相若問禑死, 宜以病歿對". 天式曰, "願諸公, 勿使復有如此之亂". 瑩慚服. 尋以老病辭,[260] 禑不聽: 列傳26崔瑩轉載].

[某日], 宥境內, 惟洪倫親族及池奫黨, 不原.

[某日], 憲府[司憲府]以水旱·兵革, 請禁酒, 從之.

[某日], 倭寇西鄙, 以海州須彌寺[須須寺], 爲日本脉, 設文殊道場, 以禳之.

[某日], 倭寇窄梁.

[→倭夜入□[寇]窄梁, 焚戰艦五十餘艘,[261] 海明如晝, 死者千餘人. 萬戶孫光裕, 中流矢, 乘劍船僅免. 先是, [判三司事]崔瑩戒光裕曰, "耀兵窄梁江口, 愼勿出海". 是日, 光裕纔出窄梁, 大醉熟眠, 賊突至, 遂見敗:節要轉載].[262]

○又寇江華, 京城大震.

[→倭又寇江華府, 萬戶金之瑞·府使郭元龍[郭彥龍], 遁于摩利山. 賊遂大掠, 虜之瑞妻而去, 府吏處女三人, 遇賊, 義不汙, 相携赴江而死. 下光裕·之瑞·彥龍于獄: 節要轉載].[263]

---

260) 辭는 延世大學本에서 艘로 되어 있으나 誤字인데, 이는 열전26, 崔瑩을 刻字할 때 32板 右1行 第1字인 艘와 右2行 第1字인 辭가 轉倒[錯亂]된 結果일 것이다.

261) 艘는 延世大學本에서 辭로 되어 있는데, 事由는 上記의 脚注와 같다.

262) 이 기사는 열전26, 崔瑩에도 수록되어 있는데, ~~添字~~는 이에 의거하였다.

263) 郭元龍은 郭彥龍의 오자인데, 이 기사의 끝에서도 彥龍으로 표기되어 있고, 崔瑩列傳에도 郭彥龍으로 되어 있다(열전26, 崔瑩). 또 江華府 鄕吏의 딸 3人에 대한 기록으로 다음이 있다.
· 열전34, 烈女, 江華三女, "三女者, 江華府吏之處子也. 辛禑三年, 倭寇江華, 恣殺掠. 三女遇賊, 義不辱, 相携赴江, 而死".

[→倭寇江華，恣殺虜，□[太]后遣楊伯顔，言於都堂曰，“倭賊肆暴，屠害生民，不可坐視. 今倭僧良柔等，奉使而來，可遣說賊曰，汝亦人耳，何殘忍之甚也? 汝欲金銀·粟帛，則我何惜焉? 雖土地，亦當與之，無徒殺人爲也. 以此開曉之如何?”. 侍中慶千興[慶復興]曰，“是示弱也”. 乃止:列傳2忠肅王明德太后洪氏轉載].

[某日，以[同知密直事]沈德符爲西海道元帥[~~副元帥~~]:節要轉載].[264]

[某日，判開城府事羅世上言，“請提兵入江華，擊走倭賊”. 禑，壯其志，賜廏馬二匹. 遂遣世及李元桂·姜永·朴壽年·趙思敏，擊倭于江華:節要轉載].

[→[羅世,] 尋判開城府事，時倭寇江華，世上書曰，“臣非有文章，可以華國，又非衣冠之後，得處肉食之列. 常思效死，以報萬一，請提兵入江華，擊走倭賊”. 禑，壯其志，賜內廐馬二匹，又賜十匹，分與麾下. 世與□[趙]思敏·李元桂·康永·朴壽年等，擊却之:列傳27羅世轉載].

[某日]，以[判三司事]崔瑩爲六道都統使，三司左使李希泌爲東江都元帥，睦仁吉·[門下評理?]林堅味等十一人，副之. 受守城都統使慶復興節度. 義昌君黃裳爲西江都元帥，我太祖[李成桂]與楊伯淵·邊安烈等十人，副之，受京畿都統使李仁任節度.[265]

[某日，都統使崔瑩次昇天府，以備之. 賊乃棄江華，退寇守安·通津·童城等縣，所過蕭然. 至童城語曰，“無人呵禁，誠樂土也”. 時有童子，自賊中逃還，諸將召問賊所爲. 對曰，“賊常言所可畏者，唯白髮崔萬戶而已. 曩日，鴻山之戰，崔萬戶至則，麾下士卒，爭先躍馬，蹴踏我衆，甚可畏也”:節要轉載].

[→[判三司事崔]瑩爲都統使，次昇天府，以備之. 賊弃江華，退寇守安·通津·童城等縣，所過一空. 至童城語曰，“無人呵禁，誠樂土也”. 瑩與慶復興·仁任等次敬天□~~寺~~,[266] 議備禦之策，瑩歎曰，“倭寇肆虐如此，元帥擧何顔乎?”. 遂泫然泣下. 元帥

---

264) 이해에 沈德符는 同知密直司事로서 西海道副元帥兼都巡問使에 임명되었다.
- 『태종실록』 권1, 1년 1월 甲戌[14日], 沈德符의 卒記, “… 擢爲密直副使，義州副元帥. 丁巳[禑王3年]，爲西海道副元帥”.
- 『동문선』 권117, 沈德符行狀, “丁巳，除同知密直司使[~~同知密直司事~~]·上護軍，是年爲西海道副元帥兼都巡問使”.

265) 이 기사의 축약으로 『태조실록』 권1, 總書, 우왕 3년, “三月，倭寇江華府，京城大震. 以太祖及義昌君黃裳等十一元帥，耀兵于西江”이 있다.

266) 15세기 후반 敬天寺의 모습은 다음과 같았다고 한다.
- 『懶齋集』 권1, 遊松都錄(1477년 3월), “戊子[21日]，出承濟門，行二十餘里，至敬天寺，寺經火，但存一室，庭中有石塔，光瑩如玉，高十三層，雕刻十二會相，窮極精巧，殆非人力所造. 寺乃

石文成但問歌妓來否, 觀者歎崔·石憂樂不同. 瑩又曰, “光裕違吾節度, 使賊跳梁至此. 賊初寇江華·阻江[祖江], □□□[通津縣]安集使妄報賊退,[267] 使我緩不及擊. 若官軍早報, 則賊如檻中虎耳”. 乃囚安集于□□[司平]巡衛府. 之瑞遣人告瑩曰, “賊已載婦女·玉帛, 置德積島, 復以三十七艘來寇, 請遣援兵”. 瑩不聽曰, “汝府有騎兵千餘, 何所用哉? 賊取汝妻, 曾不奮擊坐視, 江華陸沈. 今又請兵, 欲以與賊乎?”. 又謂諸相曰, “遠道元帥提不腆之兵, 暫失期會, 尙置軍法. 况在畿甸, 領巨艦五十戰士千餘, 不戰而敗走者乎? 賊入江華, 遽弃兵渡江, 使一府蕭然赤地者乎. 釋此不誅, 何以號令. 吾欲斷罪, 第嫌專殺耳”. 遂請禑治之, 乃下光裕·之瑞·彥龍于獄, 以李希椿爲江華萬戶, 金仁貴爲府使. ○時有童子, 自賊中逃還, 諸將召問賊狀, 曰, “賊常言, 所可畏者, 唯白首崔萬戶耳. 鴻山之戰, 崔萬戶至, 則士卒爭先躍馬蹴踏之, 甚可畏也”:列傳26崔瑩轉載].

[某日, 慶尙道元帥禹仁烈, 報倭賊自對馬島蔽海而來, 帆檣相望, 已遣兵分守要衝, 然, 賊勢方張, 防戍處多, 以一道兵分軍而守, 勢甚孤弱, 請遣助戰元帥, 以備要害. 時江華之賊, 逼近京都, 國家備禦不暇, 又得此報, 罔知所爲:節要轉載].[268]

[某日], 募徵諸道僧徒, 作戰艦.

[→令諸道, 募僧作戰艦:節要轉載]. 京山[京城]三百人·楊廣道一千人·交州·西海·平壤道, 各五百人, 遂下令僧徒, 如有苟避者, 以軍法論.[269]

[→徵造戰船僧徒於京山[京城]及各道. 楊廣道一千人, 交州·西海·平壤道, 各五百人, 京山[京城]三百人. 令曰, “僧徒如有苟避者, 輒以軍法論. 移牒諸道, 其船匠一百人餼廩, 及其妻孥”:兵1五軍轉載].

[某日, [判三司事·六道都統使]崔瑩啓曰, “喬桐·江華, 禦寇要害之地, 豪强爭占土田, 軍資不繼, 請罷二邑私田, 以充軍食”, 從之. ○徙喬桐人老幼於內地, 留壯者, 以治農桑:節要轉載].

元奇皇后願刹, 而塔亦中國人所作, 渡海來建于此, 當國步䑕杌之日, 惑於內寵, 勞民力, 以事無用如此, 元祚之不長宜矣. 僧出所藏寶珠長幡以示之, 珠徑數寸, 光艶照人, 幡亦織金爲之, 皆當時奇后所施者也. 又出脫々丞相畫像, 半已脫落, 不可辨識”.

267) 이 구절은 ~~添字~~와 같이 고치고, 追加하여야 옳게 될 것이다.

268) 이와 같은 기사가 열전27, 禹仁烈에도 수록되어 있다.

269) 京山은 京城의 오자일 것이다. 이때 動員된 僧侶들이 楊廣·交州道로 이어지는 韓半島中部 以北 地域이고, 京山(現 慶尙北道 星州郡)은 慶尙道에 소속된 京山府이다.

[→崔瑩言於禑曰, "喬桐·江華, 乃倭賊防戍之地也, 兩處土田之出, 皆入兼幷之門, 私費何益. 唯摩尼山[摩利山]塹城祭田,[270] 及府官祿俸外餘田, 皆以軍簿收之, 且置窖兩處, 以備粮餉", 禑從之:兵2屯田轉載].

[某日, [六道都統使]崔瑩令諸元帥, 各出從事十人, 又發愛馬·宮司·倉庫人爲兵, 遣戍江華:節要·兵2鎭戍轉載].

[→[禑王,] 又令諸元帥, 出麾下士各十人, 又發愛馬·宮司·倉庫人爲兵, 使戍江華. [六道都統使崔]瑩點閱, 怒部伍不整, 遣人請曰, "臣願斬隊伍長". 禑曰, "都統使無乃已殺乎? 重則杖之, 輕則原之":列傳26崔瑩轉載].

[→都城諸門, 皆置元帥, 分領五部坊里軍, 以備之. ○判三司事·[六道都統使]崔瑩至□□[征東]行省,[271] 調諸元帥從事各十人, 及各愛馬·宮司·倉庫人, 爲江華防戍之軍, 怒其部伍不一, 使請於禑曰, "臣願斬部伍之長". 禑曰, "都統使毋乃已殺乎? 請輕之, 重者杖之, 輕者原之":兵1五軍轉載].

[戊戌[20日], 梅介井, 黑沸:五行1黑眚黑祥轉載].[272]

[乙巳[27日], 亦如之[月犯心星]:天文3轉載].

[是月, 知申事金濤, □□□□□[掌成均館試], 取鄭悛等九十九人:選擧2國子試額轉載].[273]

[○推忠協理功臣·重大匡·星山君成士達撰'白雲和尙抄錄佛祖直指心體要節'序:追加].[274]

---

270) 摩尼山은 『고려사』에서 유일하게 이곳에서만 사용되었고, 여타에서는 모두 摩利山로 표기되었다. 또 『고려사절요』와 『조선왕조실록』에서는 兩者가 並用되었고, 『신증동국여지승람』에는 前者만으로 표기되었다.

271) 征東行省은 1388년(우왕14) 6월 親明派인 鄭道傳·李成桂 등에 의해 이루어진 威化島 回軍 이후 그 기능을 상실하였던 것 같고, 이의 官衙는 1393년(太祖2) 1월 修理되어 明帝國의 사신을 영접하는 太平館으로 改稱되었다고 한다(『태조실록』 권3, 2년 1월 ; 『신증동국여지승람』 권4, 開城府上, 宮室大平館). 또 조선시대의 태평관은 日帝强占期에 開城人蔘專賣局의 건물로 사용되어 朝鮮總督府를 지탱한 財源의 하나가 되었다고 한다(黑板勝美記念會 1974年 65面).

272) 이때 일본에서는 여러 지역의 山이 崩壞되었다고 한다(『續史愚抄』28, 永和 3년 3월, "廿八日丙午, 此日, 諸國山多崩云, 或作八月, 南方紀傳二十日").

273) 이때 權遠(遇의 初名, 近의 弟)이 15歲로 進士試에 합격하였다고 한다.
· 『梅軒集』 권6, 梅軒先生[權遇]行狀, "宣光七年丁巳春, 年十五中進士試居魁".

274) 이는 다음의 자료에 의거하였다(한국학중앙연구원 소장, 보물 제1132호, 郭丞勳 2021년 510面).
· 『白雲和尙抄錄佛祖直指心體要節』卷首, 序, "有禪師諱景閑, 號白雲, 全羅道古阜人也. … 宣光七年丁巳三月日, 推忠協理功臣·重大匡·星山君成士達兼書序". 여기에서 協理는 協謀佐理

[○前宰相李玖撰'白雲和尙語錄'序:追加].[275]

[是月頃, 遣禮儀判書周誼等如京師, 貢馬六十疋及方物:追加].[276]

[春某月, 慶尙道都巡問使禹仁烈, 始築合浦營, 未旣, 被召還京:追加].[277]

[夏]四月 戊申朔大盡,乙巳, [某日], 倭寇蔚州·雞林.

[□□ 是時, 倭賊來梁山通度寺, 其意欲得釋迦如來舍利, 賊窖之深. 又恐掘發, 住持·辯智大師月松, 負之而走, 避免:追加].[278]

[某日, 點五部丁壯爲兵, 計屋十間出一丁, 九間以下, 出資糧·器仗, 以給軍卒:節要轉載].

[→點五部街里戶數, 以屋三十閒, 出丁三人, 二十閒, 出丁二人, 十三閒 十間, 出丁一人, 九閒以下, 令出從軍者軍具:兵1五軍轉載].[279]

[某日, 倭又寇蔚州, 元帥禹仁烈往擊之, 斬九級:節要轉載].[280]

[某日, 金海府使朴葳, 擊倭于黃山江口, 斬二十九級. 賊投江死者亦衆:節要

의 오류일 가능성이 있는데, 君臣이 施政을 協理[協治]한다는 용어는 사용될 수 없을 것이다.

275) 이는 다음의 자료에 의거하였는데(국립중앙도서관 소장, 郭丞勳 2021년 514面), 이 시기에 李玖(李穡의 同年, 後日의 門下評理, 鐵城君)는 密直 또는 宰臣으로 在職하다가 일시 退職하였던 것 같다.

· 『白雲和尙語錄』卷首, 序, " … 時宣光丁巳三月初吉, 通菴居士鐵城李玖溫甫序".

276) 이는 다음의 자료에 의거하였다.

· 『명태조실록』 권112, 홍무 10년 5월, "丙戌 9日, 高麗世子王禑, 遣其禮儀判書周誼等, 貢馬六十疋及方物, 却不受".

277) 이는 다음의 자료에 의거하였다(『동문선』 권77, 合浦營城記와 같은 내용이다).

· 『신증동국여지승람』 권32, 昌原都護府, 關防, 右道兵馬節度使營, "李詹記, 初, 營火于兵, 軍士野處, 門下評理曹公 曹敏修, 稍地得吉卜. 丁巳春, 知門下事禹公 禹仁烈, 營於其地, 未旣, 被召還京".

278) 이는 다음의 자료에 의거하였다.

· 『목은문고』 권3, 梁山通度寺釋迦如來舍利之記, "… 丁巳四月, 倭賊來, 其意欲得舍利也, 窖之深, 又恐掘發也, 住持月松, 負之而走 …".

279) 여기에서 家屋의 規模인 十三間(十三閒)은 上記의 記事와 같이 十間[十閒]으로 고쳐야 옳게 될 것이다. 이는 出丁의 單位가 30間, 20間이면 그 다음은 10間일 것이고, 그 이하의 單位가 9間인 점이 考慮되어야 할 것이다. 또 여기에서 閒의 間의 正字인데, 『고려사』에서는 閒으로, 『고려사절요』에서는 間으로 조판되었던 것 같다.

280) 이와 같은 기사가 열전27, 禹仁烈에도 수록되어 있다.

轉載].[281]

[某日], 以睦仁吉·洪仲宣爲門下贊成事□□[商議], 睦忠△[爲]同知密直□□[司事], 王賓△[爲]密直副使.[282]

[某日, 斬金承得·華之元·李悅于淸州, 傳首于京. 初, 遣體覆□[使]崔仁哲, 鞫之, 之元, 首服曰, "𡊮及允升, 謀殺大臣, 我實與聞". 悅曰, "前日, 匿名書, 實吾所爲, 吾名乃十一畫也, 請原之". 仁哲問之元曰, "悅亦與聞否", 之元曰, "有之". 悅不服, 及鞫訊甚慘, 遂服. 承得, 被榜掠, 垂死猶不服, 然, 之元·悅, 證驗甚明, 乃服. [守侍中]李仁任謂[侍中]慶復興·[判三司事]崔瑩曰, "旣誅其魁, 可釋此輩, 復杖流何如, 況罪不可以再加乎?". 瑩曰, "前日杖流, 以其議朝政也, 今日之誅, 以其害大臣也, 皆罪之重者, 豈宜釋之". 仁任曰, "何以處悅, 若無悅書, 吾儕其得有今日乎?". 瑩曰, "果悅所爲, 當𡊮在時, 可以言矣. 見竄而後, 猶不言, 是誣我也. 宜幷誅之":節要轉載].

[某日], 遣判軍器監事李光甫, 造戰艦于龍津.

[某日], 倭寇蔚州·梁州·密城等處, 焚掠殆盡.

[某日], 以旱災·兵革, 禁公私宴飮.[283]

[某日], 以知密直□□[司事]李琳爲慶尙道助戰元帥.

[某日], 倭焚彦陽縣, 雞林府尹尹承順, 斬倭四級.[284]

---

281) 이 기사는 열전29, 朴葳에도 수록되어 있다. 또 이 시기에 朴葳가 裵元龍과 함께 金海都護府의 鎭山에 城郭을 築造하였다고 전해진다(後代의 盆山鎭城).
- 『舫山集』 권3, 盆山鎭城, [注, 高麗朴將軍葳, 築城于此, 我朝廢棄不修, 鄭侯顯奭, 因遺址重築, 具廨舍, 置軍校, 爲陰雨之備].
- 『晩求集』 권19, 高麗兵部尙書·盆城君裵公墓碣銘, "公在盆城時, 有禦倭功, 又與府使朴葳修治山城, 闔境賴之, 事在鄭圃隱山城記及金寧誌".
- 『고종실록』 권8, 8년 5월 己未[30日], "議政府啓, 卽見慶尙監司金世鎬狀啓, 則枚擧金海府使鄭顯奭牒呈, 以爲府北盆山, 卽曾前築城處也. 關防咽喉, 每患疎虞, 自昨冬經紀, 今乃告訖. 而廨倉·樓·櫓軍餉支放, 已皆畢具. 別將一窠, 依東萊·金井別將例, 以該府首校望報下批, 軍器, 以該府所在者, 從便移置. … 允之".

282) 添字는 열전24, 洪仲宣에 의거하였다.

283) 日本에서는 이해에 岩代國[이와시로노쿠니] 地域(現 福島縣의 西部地域)에서 旱魃이 있었다고 한다(中央氣象臺 1941年 2册 533面).
- 『會津舊事土苴考』, 永和 3년, "此年, 大旱饑饉"(筆者未見).

284) 尹承順은 輸忠亮節輔理功臣·匡靖大夫·雞林府尹兼管內勸農·都兵馬使로서 前年(丙辰, 우왕2)

[某日], 以王賓爲安東道□□~~助戰~~副元帥,285) 瑞城君崔公哲爲江陵道元帥.

[某日, 倭寇密城郡, 慶尙道元帥禹仁烈與戰敗績. 寇至靈山縣, 仁烈及副元帥裴克廉等, 戰于栗浦, 斬十餘級:節要轉載].

[→倭, 又寇密陽~~密城郡~~,286) 仁烈與戰敗績, 典客副令崔方雨等數人死. 賊至靈山, 據險自固, 仁烈及副元帥裴克廉, 進擊不利. 又戰于栗浦, 斬賊將, 又斬十餘級, 獲馬六十餘匹, 我軍死傷亦多. 仁烈每戰, 獲賊馬兵仗, 輒分與有功, 士卒爭死戰, 然賊倍於我, 故不能敵, 請濟師. 禑遣我太祖李成桂及三司右使金得齊·知密直□□~~司事~~李琳·密直副使柳曼殊爲助戰元帥:列傳27禹仁烈轉載].

[某日], 倭賊入西江, 六道都統使崔瑩·邊安烈, 出師却之.

[某日], 禑下書~~敎書~~都堂曰, "今星變·旱乾, 災異可畏, 宜釋徒流, 以答天譴". 所釋者, 唯宦者金玄□□~~而已~~.

[某日], 以密直副使慶儀爲西京都巡問使兼西北面副元帥.

[某日], 取及第成石珚等, 近臣金虔中第, 禑喜, 與鞍馬.287)

5월 2일 赴任하여, 明年(戊午, 우왕4) 2월 22일 上京하였다(『東都歷世諸子記』).

285) 이때 安東都護府使는 金龜壽이므로(우왕 2년 9월~3년 5월 在職, 『안동선생안』), 이 기사의 安東道는 軍事道로 추정된다. 또 王賓은 安東道助戰副元帥였던 것으로 추측된다(→是年 5월 某日).

286) 여기에서 密陽은 密城郡으로 고쳐야 옳게 될 것이다. 密城郡이 密陽府로 승격한 것은 1390년(공양왕2)이다

- 지11, 지리2, 密城郡, "… 忠烈王十一年, 陞爲郡. 又降爲縣. 恭讓王二年, 以曾祖益陽侯妃朴氏內鄕, 陞爲密陽府".
- 『세종실록』 권150, 지리지, 密陽都護府, "… 忠烈王十二年~~十一年~~乙酉, 復陞爲密城郡. 恭讓王二年庚午, 以曾祖益陽侯妃朴氏內鄕, 陞爲密陽府". 여기에서 '忠烈王十二年乙酉'는 고려시대의 紀年方式(즉위년칭원법)이고, '十一年乙酉'는 『고려사』의 기년방식(유년칭원법)이다.

287) 이와 관련된 기사로 다음이 있다.

- 지27, 선거1, 科目1, 選場, "禑王三年四月, 竹城君安克仁知貢擧, 政堂文學權仲和同知貢擧, 取進士, 賜成石珚等三十三人及第".
- 『목은시고』 권24, 至正癸巳四月, … □□~~是時~~, □□□~~及第者~~, □□□~~遊街後~~, □□□~~設宴享~~. ~~添字~~는 筆者가 추가하였다(→우왕 6년 5월 某日의 脚注).
- 『태종실록』 권35, 18년 5월 丙辰7日, 鄭矩의 卒記, "前議政府贊成鄭矩卒, 矩, 東萊人, 字仲常, 監察大夫良生之子. 中丁巳禑王3年乙科第二人".
- 『태조실록』 권1, 1년 8월 壬申23日, 禹洪壽의 卒記, "禹洪壽, 丹陽伯玄寶長子, 僞朝丁巳, 中同進士, 拜郎將兼成均博士".

이때 衛尉寺丞成石珚·興福都監判官鄭矩·生員崔文利(乙科3人), 生員朴爲·生員裴衷·散員李格·進士權軫·散員朴畡·義鹽倉丞閔致康(改開)·諸陵署令鄭洪(丙科7人), 別將蔡海·散員文魯·生員河得孚·散員朴偉·進士趙承肅·別

[某日, 倭寇餘美縣:節要轉載].

[→王安德, 出爲楊廣道都元帥, 倭寇餘美縣, 安德擊之. 賊登山趣沔州, 安德追擊斬一級. 賊入加耶寺, 禑遣體覆使崔仁哲, 責安德不能捕倭:列傳39王安德轉載].

丙子29日, 暴雨雹288).

是月, 旱

[○重大匡·雞林君李達衷撰'懶翁和尙語錄'跋:追加].289)

[是月頃, 以完山府院君李成桂爲東北面都元帥, 判密直司事商議姜筮爲上元帥,290) 唐城君洪徵爲副元帥, 前簽書密直司事商議柳源爲助戰元帥, 前知密直司事商議鄭夢周·前密直副使李和爲從事官:追加].291)

將李汝忠·生員金稠·郎將禹洪壽·典客寺丞金彌·新進士崔兢·散員李稷·別將房仲良·開城判官許操·散員鄭揮·散員金舊·閤門祗候[祗候]李擴·生員尹會宗·郎將崔霮·進士李伯順·考功佐郎廉致和(改和庸)·生員金得綏·司憲糾正禹洪康·進士金虔(同進士23人)이 급제하였다(『登科錄』; 『前朝科擧事蹟』, 朴龍雲 1990년 ; 許興植 2005년).

288) 이와 같은 기사가 지7, 五行1, 水, 雨雹에도 수록되어 있다.

289) 이는 다음의 자료에 의거하였다.

· 『나옹화상어록』발, "… 强」 圉大荒落,夏孟旬季有日,端誠輔理翊贊功臣·重大匡·雞林君李達衷稽首再拜謹題」. 여기에서 夏孟旬季은 孟夏季旬으로 읽어야 좋을 것 같다[讀].

290) 이때 姜筮(李仁任의 壻)가 띤 判密直司事는 商議職이었을 것으로 추측되는데, 그는 이보다 2년 후인 1379년(우왕5)에 密直副使에 임명되었다.

· 『세종실록』 권26, 6년 10월 庚申6日, 姜筮의 卒記, "… 初, 拜通禮門舍人, 歷尉衛寺丞·軍器少尹·備巡衛精勇·護軍·三司左尹·判軍器監事, 遷親御軍上護軍, 陞密直司右代言·典理判書. 己未禑王5年, 密直副事使".

291) 이는 「釋王寺藏經碑」에 의거하였는데(許興植 1984년 1194面), 이들 모두가 곧 召還되어 倭賊討伐에 參與하였거나(李成桂·洪徵), 日本에 사신으로 파견되었다(鄭夢周). 또 李成桂는 三道助戰元帥로서 都兵馬使 柳曼殊[柳蔓殊]·金縝(金鎭] 등과 함께 6월에 羅州牧에 들어왔다고 한다(『금성일기』). 또 釋王寺는 현재 북한의 국보유적 제94호이다.

· 『漫浪集』 권1, 釋王寺贈軒師并序, "寺故無井, 浚山之泉, 而注之禪廚, 東西南北, 惟所導焉. …".

· 『藥泉集』 권28, 北關十景圖記, 釋王寺, "寺在安邊府西四十里雪峯山下, 我太祖潛龍時, 夢入破屋中, 負三椽而出, 往問於山下土窟中僧. 僧答曰'身負三椽, 乃王字也', 太祖感此, 建寺于土窟之基, 號釋王. 其僧卽無學云. … 寺之西邊有一閣, 置木像八百羅漢, 乃太祖以元帥北征時, 使郎將金南連往吉州廣積寺, 船載以來, 刻板以記其事, 列書僚屬鄭夢周等名, 板藏在寺尙宛然. 前臨溪上, 有龍飛·興慶二樓, 甚軒敞".

· 『定齋集』 권1, 釋王寺, 用壁上韻, "寺有洪武十年, 太祖爲東北面都元帥移藏經像記, 記中已云安邊釋王寺. 則寺之名釋王久矣. 休靜所記, 乃云洪武十七年甲子禑王10年, 太祖移居鶴城, 遇無學, 占夢建寺, 遂名釋王. 其爲誕妄明甚, 不可以不辨".

五月戊寅朔小盡,丙午, [某日], 以旱, 宥二罪以下.

[某日, 我太祖李成桂與三司右使金得齊·知密直□□司事李琳·密直副使柳曼殊, 往擊倭于慶尙道:節要轉載].

[某日] 倭寇密城, 侵掠村落, 取麥載船, 若蹈無人之境, 安東□道助戰□副元帥王賓擊, 却之.

[某日, 禑謂□□司平巡衛府曰, "孫光裕·金之瑞·郭彦龍之罪, 宜以軍法論, 然方旱甚, 其□並減死, 並流遠地". 都統使崔瑩嘆曰, "向曲法原金縝, 今又釋光裕等, 政刑如此, 何以爲國". 禑, 又賜縝衣馬, 召還, 瑩, 不可曰, "縝不撫士卒, 見賊逗遛, 以至敗軍, 得保首領幸矣, 今反厚賜, 而召還, 他日, 如有樹功者, 何以待之, 賞罰人主大柄, 不可顚倒". 乃止:節要轉載].

[→一日, 禑敎□□司平巡衛府曰, "孫光裕·金之瑞·郭彦龍之罪, 當以軍法論, 然方大旱, 其並減死, 籍其家流遠". 先是, 金縝爲慶尙道元帥, 大集一道名妓, 與麾下士, 晝夜酣飮. 縝嗜燒酒, 軍中號曰燒酒徒. 卒伍偏裨, 少忤其意, 輒鞭辱, 衆忿怨. 及倭焚掠合浦營, 衆曰, 可使燒酒徒擊賊, 我輩焉能戰. 却立不進. 縝單騎遁走, 遂大敗. 於是, 廢縝爲民, 流昌寧縣, 尋徙嘉德島. 斬合浦都千戶李東樽·金元穀. 至是, 都統使崔瑩見下敎, 歎曰, "金縝·孫光裕等皆敗軍, 宜殺以徇. 向曲法原縝, 今又釋光裕等, 政刑如此, 何以爲國". 禑又賜縝衣馬召還, 瑩不可曰, "縝不撫士卒, 見賊逗遛, 以至敗軍, 得保首領幸矣. 今返厚賜召還, 後有樹功者, 何以待之. 賞罰人主大柄, 不可顚倒". 禑乃止:列傳26崔瑩轉載].

癸未6日, 雩, 且遍禱□于諸寺.

[→且遍禱于佛宇五行2轉載].

[○判三司事·六道都統使崔瑩, 颺言於都堂曰, "國家政刑紊亂, 有功者不賞, 有罪者不罰, 天豈雨哉?":節要轉載].

[→時以旱雩, 且遍禱諸寺, 都統使崔瑩, 颺言於都堂曰, "今政刑紊亂, 有功不賞, 有罪不刑, 天豈雨哉?". 又僧徒以端午施食通衢, 士女坌集, 瑩見之, 詰僧曰, "若施食鬼神, 當依山野淨處, 今方夏月設食, 臭穢衢路. 是汝欲聚美婦, 誨淫耳", 將繫獄. 僧徒懼四散:列傳26崔瑩轉載].

[乙酉8日, 又禱于朴淵·臨津五行2轉載].

[戊子[11日], 巷市五行2轉載].

[某日], 以京城濱海, 倭寇不測, 欲遷都內地, 會耆老[前侍中]尹桓等, 書動·止二字, 議可否. 衆雖心不肯, 恐後有變, 禍將及已[~~後若有變, 恐禍及已~~], 皆占動字書名[~~署名~~].[292] 唯[判三司事]崔瑩否, [乃陳徵師, 固守之策. [守侍中]李仁任曰, "今赤地千里, 農夫輟耕, 以望雲霓, 而又徵師, 俾失農業, 非爲國之謀也":節要轉載].[293] [門下侍中]慶復興·瑩等詣太祖眞殿, 卜之, 得止字. 禑曰, "倭寇密邇, 可從卜耶". [遣政堂文學權仲和,[294] 相宅于鐵原. 瑩諫之, 事遂寢→是月의 後半部로 옮겨감].

[→以京都濱海, 畏倭寇, 欲遷內地, 議可否. 衆慮後禍, 皆欲遷, 瑩獨陳徵師固守之策. 禑不聽, 命築宮城于鐵原:列傳26崔瑩轉載].

[某日, [慶尙道元帥]禹仁烈遣精騎五百, 夜擊倭于[金海府]沙弗郎松旨, 賊潰, 爭舟墜水, 中矢者亦多:節要轉載].

[→[慶尙道元帥]禹仁烈與賊戰于[金海府]太山新驛,[295] 賊退, 仁烈夜遣精騎五百, 擊賊于沙弗郎松旨. 賊潰, 爭舟墜水, 中矢者亦多. 我太祖[三道助戰元帥李成桂]素得人心, 又士卒精銳, 戰無不克, 故州郡望若雲霓:列傳27禹仁烈轉載]. [邏卒又言, "賊船隱見海島, 不知多少". 時我太祖[李成桂]行未至, 人心恟懼:節要轉載].[296]

[某日], 我太祖[三道助戰元帥李成桂]擊倭于智異山, 大敗之.

---

292) ~~添字~~는 『고려사절요』 권30에 의거하였다.

293) 이 기사는 열전39, 李仁任에도 수록되어 있으나 자구에 출입이 있다. 또 이후에 遷都에 대한 의논이 있자, 이인임은 다음과 같은 방안을 제시하였다고 한다.
- 열전39, 李仁任, "後仁任坐都堂, 議遷都曰, 今倭謀寇京都, 忠州去海遠, 四方道路適均宜, 預遷太祖眞于忠州, 以松都爲防戍之地".

294) 이때 權仲和는 匡靖大夫·政堂文學·藝文館大提學·上護軍·提點書雲觀事였다(楊州檜巖寺禪覺王師塔碑 ; 廣通普濟禪寺碑).

295) 太山新驛은 金海府管內인 太山部曲에 있었고(密陽郡 守山縣과 隣接), 太山驛으로 불리기도 하였다.
- 『신증동국여지승람』 권32, 김해도호부, "~~屬縣~~, 太山部曲, 一名嚴山, 在府西北四十五里. ~~姓氏~~, 田·太. ~~山川~~, 太山津, 在太山驛東, 卽密陽守山縣前渡. ~~驛院~~, 太山驛, 在太山部曲. 太山院, 在太山驛傍".
- 『세종실록』 권150, 지리지, 金海都護府, "驛七·南驛·德山·金谷·省法·赤項·大山新驛[~~太山新驛~~]·熊神新驛". 여기에서 大山新驛은 太山新驛의 오자일 것이다.

296) 이와 같은 기사로 다음이 있다.
- 『태조실록』 권1, 總書, 우왕 3년, "五月, 慶尙道元帥禹仁烈飛報曰, 邏卒言, 倭賊自對馬島蔽海而來, 帆檣相望. 請遣助戰元帥. 時倭賊所在充斥, 命太祖往擊之. 太祖行未至, 人心洶懼".

[→ 慶尙道元帥禹仁烈飛報繼至, □我太祖李成桂幷日而行, 與賊戰于智異山下. 相去二百許步, 有一賊背立俯身, 手扣其臀, 示無畏, 以辱之. □我太祖用片箭, 射之, 一矢而倒. 於是, 賊驚懼氣奪, 卽大破之. 賊衆狼狽, 登山臨絶崖, 露刃垂槊, 如蝟毛, 官軍不得上. □我太遣裨將, 率衆攻之. 裨將還白, 巖高峻, 馬不得上. □我太祖叱之, 又使恭靖王李芳果, 分麾下勇士, 與之偕行. □我恭靖王李芳果還白, 亦如裨將之言. □我太祖曰, "然則我當親往見之". 乃謂麾下士曰, "我馬先登, 則汝等要當隨之", 遂鞭馬互馳, 觀其地勢, 卽拔劍, 用刃背打馬. 時日方中, 劍光如電, 馬一躍而登, 軍士, 或推或攀而隨之. 於是, 奮擊之, 賊墜崖死者大半~~太半~~. 遂擊餘賊, 殲焉:節要轉載].[297)]

[某日, 金海府使朴葳, 擊倭于黃山江, 敗之. 初, 倭船五十艘, 先至金海南浦, 牓示後來賊曰, "吾輩適乘風利, 泝黃山江, 直擣密城". 葳偵知之, 設伏兩岸, 將舟師三十艘, 以待. 賊果見牓, 有一大船先入江口. 伏發, 葳亦突至遮擊, 賊狼狽, 自刃投水死, 殆盡. ○時江州晋州道元帥裵克廉, 又與倭戰, 賊魁霸家臺博多萬戶, ~~著大鐵兜鍪, 至手足皆甲,~~ 令步卒翼左右, 躍馬而前, 馬旋濘而止. 我軍逆擊, 斬之:節要轉載].[298)]
[□捷報至, 褒賞葳·克廉甚厚:列傳29朴葳轉載].

庚寅13日, 大雨雹.[299)]

[某日], 禑以門下贊成事商議洪仲宣·政堂文學權仲和, 爲師傅.

[某日, 倭自江華, 攻陷楊廣道濱海州郡. 初, 賊船僅二十二艘, 奪我戰艦, 多至五十艘. 邏卒望見我戰艦, 以爲我軍, 民皆信之, 不避, 殺傷不可勝計:節要轉載].[300)]

---

297) 이와 같은 기사가 열전27, 禹仁烈 ;『태조실록』 권1, 總書, 우왕 3년 5월에도 수록되어 있다.

298) 江州元帥 裵克廉은 晋州道元帥兼慶尙道副元帥 裵克廉을 指稱하는데, 이때 慶尙道副元帥의 軍營이 晋州[江州]에 있었던 것으로 추측되고, 霸家臺는 하카다[博多, hakada]의 다른 표기이다. 또 이 기사는 열전29, 朴葳에도 수록되어 있는데, ~~添字는~~ 이에 의거하였다.
- 『靑泉集』續集권3, 海槎東遊錄1, "肅宗45年, 八月初一日辛丑, 晨雨濛濛, 使舘無庭除, 不得行望闕禮, 晚晴得西南風, 掛席而發, … 福岡十里外, 有博多津, 是新羅忠臣朴堤上死義處, 鄭圃隱先生, 奉使被留亦此地. 問之倭, 倭言故事無知者, 盖非不知, 而向我人諱之也. 雨森東至藍島贈我詩, 有雄關月照覇家臺之句, 余申維翰問覇家臺在何許. 東曰, 是博多津, 倭音和家多, 貴國申文忠叔舟奉使時筆錄, 乃曰覇家臺, 此因音譯之訛, 而其義便佳, 至今呼以爲名". 여기에서 雨森東은 에도[江戶]시대 중기이후 널리 사용된 朝鮮語 學習書인『交隣須知』의 편찬에 협조하였고, '誠信の外交'를 力說하던 승려 雨森芳洲(아메노모리 호슈, 1668~1755)를 가리키는 것 같다(張東翼 2004年 682쪽).
- 『謙齋集』 권7, 登藍島山, 望霸家臺, 志感[注, 本名, 博多島, 以方音, 呼爲霸家臺].

299) 이와 같은 기사가 지7, 五行1, 水, 雨雹에도 수록되어 있다. 이날 일본의 교토에서 비가 내렸다고 한다(『愚管記』 제21, 永和 3년 5월, "十三日庚寅, 雨降").

[某日, 賊又寇慶陽及安城郡, 楊廣道□都元帥王安德, ~~望見賊勢,~~ 怯懦不戰, 乃召副元帥印海及陽川元帥洪仁桂, 退次加川驛, 欲邀擊歸路, 賊望見~~賊知之~~, 由他路引去. 安德率銳, 追擊不克, ~~身被創銳, 卒死者四人. 安德,~~ 號天痛哭. 擒賊諜訊之, 諜曰, "吾等議, 若侵楊廣諸州, 崔瑩必帥師而下, 於是, 乘虛, 直擣京城, 可圖也". ○初, 賊入安城, 伏兵麻田, 使被虜三四人, 田于隴上, 若農夫然, 以紿之. 水原府使朴承直, 聞三元帥至, 亦領兵來, 問田者曰, "賊退否, 三元帥何在?". 對曰, "賊既退, 三元帥追之矣". 承直信之, 直趨官廨. 賊伏發, 圍之, 承直單騎, 突圍脫走, 軍士多被殺虜. 自水原至陽城·安城, 蕭然, 無復人煙. ○遣贊成事楊伯淵, 評理邊安烈·林堅味助戰. ○體覆使崔仁哲還朝, 妄言□曰, "臣督王安德·洪仁桂·印海, 擊倭于稷山縣, 斬五十餘級, ~~賊奔潰~~". 禑賜仁哲廐馬·白金, 賜安德等衣酒·廐馬, ~~召伯淵等還~~:節要轉載].[301]

[某日, 禑命築宮城于鐵原. 判三司事崔瑩曰, "夏月遷都, 恐防農業, 且以京城委賊, 國將日蹙可乎?". 事遂寢:節要轉載]. [→瑩諫之, 事遂寢:是月의 前半部에서 옮겨옴].

[→禑王, 命築宮城于鐵原. 瑩曰, "今遷都, 非特防農擾民, 且啓海寇覬覦之心, 國將日蹙, 非計也. 請奉太后, 徙居鐵原, 殿下留此鎭之". 禑曰, "太后徙居, 予豈可獨留". 瑩曰, "太后年齒已暮, 脫有不虞, 起居尤難". 禑然之, 事遂寢:列傳26崔瑩轉載].

[某日], 倭賊百餘騎寇南陽·安城·宗德等縣.

[某日], 新作市廛東廊.

[某日], 倭□□□□~~又五十艘~~復寇江華.[302] [殺府使金仁貴. 戍卒, 被虜者以千計. 又寇水原府, 元帥楊伯淵·羅世, 以戰艦五十艘, 擊走之. 世, 過江華境, 有一婦, 匿水滸指示曰, 賊諜入彼民家, 世疾趨圍, 而火之, 殺賊二十九人:節要轉載].

[→倭五十艘, 復寇江華, 殺府使金仁貴, 虜千餘人. 又寇水原, 世與元帥楊伯淵, 率戰艦五十艘, 擊走之. 世過江華境, 有一婦, 匿水滸指示一家曰, 賊諜入彼. 世疾趍, 圍而火之, 殺賊二十九人:列傳27羅世轉載].

[某日, 都評議使□司懼倭賊犯京, 令街里烟戶軍, 約束部伍, 畫地以守之, 失畫

300) 이와 같은 기사가 열전39, 王安德에도 수록되어 있으나 자구의 출입이 있다.
301) 이와 같은 기사가 열전39, 王安德에도 수록되어 있으나 자구의 출입, 文章의 顚倒 등이 있다.
302) ~~添字~~는 『고려사절요』 권30에 의거하였다.

地者斬，乃以崔瑩·曹敏修，治兵甲. ○楊廣·全羅·慶尙三道，倭賊方熾，京城益戒嚴，乃出良家子弟，諸元帥從事，各司謁告歸鄕者，徵至京城，不應者，籍沒其家:兵1五軍轉載].

[某日]，烽火自江華，晝擧不絶，京城戒嚴，遣諸元帥，分戍東·西江，召募勇士，皆賞以官，先給布人五十匹.[303]

丁酉[20日]，以德寧公主，祔于神孝寺忠惠王眞殿.[304]

[某日，驪城君閔抃卒:節要轉載]. [□[抃]，爲人嚴正無私，一循繩矩. 子霽·亮·開:列傳21閔抃轉載].

[某日]，倭又寇江華，大肆殺掠.

[某日]，慶尙道[元帥兼]都巡問使禹仁烈以病辭，以[晋州道元帥]裴克廉代之.

[是月，取□□□[升補試]文褧等:選擧2升補試轉載].

[○國師·圓應尊者千熙造成榮州浮石寺祖師堂:追加].[305]

[是月頃，以[奉翊大夫]姜瑹爲安東大都護府使，金冲養爲永州副使:追加].[306]

---

303) 이 기사는 지35, 兵1, 五軍에도 수록되어 있는데, 이의 冒頭에 五月이 다시 기재되어 있어 重出의 한 사례가 될 수 있다.

304) 이 기사는 열전2, 忠惠王妃, 德寧公主에도 수록되어 있다.

305) 이는 1916년 祖師堂을 수리할 때 찾아진 添桁下의 部材에 새겨진 墨書銘에 의거하였다(天沼俊一 1928年 ; 李基白 1987년 235面 ; 杉山信三 1996年 9面). 이에서 國師인 圓應尊者 雪山和尙은 당시의 국사였던 千熙(千禧, 1307~1382)이다(水原彰聖寺眞覺國師大覺圓照塔碑). 여기에서 a는 ~~添字~~와 같이 고쳐야 옳게 되지만, 1358년(至正戊戌, 공민왕7) 敵兵에 의해 無量壽殿이 불탔다고 하는데, 이때의 敵兵은 무엇을 指稱하는지는 알 수 없다. 그리고 18세기 초반 浮石寺의 모습을 기록한 자료도 찾아진다(『恕菴集』 권11, 太白紀遊, 9월 4일).

· 墨書銘, "宣光七年」 丁巳[禑王3年]五月初」 二日立柱,」 大施主寺住持」 國師圓應尊」 者雪山和尙,」 同願施主」 貞眞翁主」 李氏」·大木禪師」 心鏡」".
또 浮石寺의 重創은 다음의 無量壽殿 壁面 墨書銘과 같이 前年(우왕2, 洪武9, 丙辰)부터 이루어졌던 것 같다(藤島亥治郎 1934年 ; 申榮勳 1964년 105面 ; 杉山信三 1996年 6面 ; 關野貞 1941年·2005年).

· a西北隅 隅桁矧의 墨書銘, "鳳凰山浮石寺改椽記」, 此寺唐高宗二十八年儀鳳元年[文武王16年]，新羅王命義相法師始立，創建後元順帝十七年至正~~至正十八年~~戊戌[恭愍7年]，敵兵火其堂」 尊容頭面，飛出烟焰中，在于金堂西隅文藏石上，而奏于上. 洎[洎]洪武九年丙辰[禑王2年]，圓融國應[國師]改造·改金，而至于萬曆三十九年辛亥[光海君3年]五月晦日，風雨大作，柝其中樑. 明年□壬子[4年]，改椽新其畵彩，儼若舊制也. 記其匠碩及勸緣人，以示後世". 여기에서 ~~添字~~와 같이 고쳐야 옳게 될 것이다.

· b前側西南隅 飛檐隅木의 墨書銘, "此金堂，自洪武九年，經倭火，後改造而至，萬曆三十九年，自折衝椽也，壬子年始從，畢於癸丑年[光海君5年]八月也".

六月[丁未朔大盡,丁未], [某日], [禮儀判書]文天式還自北元, 獻玉帶及琉璃盃.

[某日], 憲府[司憲府]劾奏, “[體覆使]崔仁哲本賤人, 冒受官爵, 承命出使, 擅自還朝. 妄獻倭捷, 欺瞞國家, 濫受賞賜, 請置于法, 以懲後來”. 遂收賜銀, 杖流永州, 道死.

庚戌[4日], 禱雨.

[辛亥[5日]:追加], 禑歎曰, “五月二十九日, 祖聖[~~聖祖~~]忌日也, 水旱無災, 祖聖之願, 故當此日, 雨暘不失其期者, 四百餘年. 今乃不雨, 以予幼冲否德, 未厭天心乎, 抑有寃枉耶”. 遂徹膳, 謂宰相曰, “旱災太甚, 豈無故哉, 必是寃怨所召肆, 予欲悅人心, 屢下恩宥. 卿等, 因循不肯行, 得無不可”. 於是, 宥二罪以下, 唯[前三司右使]金續命不原.

[→辛亥, 傳旨都堂曰, “旱災太甚, 豈無其故. 必是人怨所召, 肆予屢放囚貶, 欲慰人心. 卿等, 因循不肯行, 得無不可”. 於是, 宥二罪以下, 唯[前三司右使]金續命不原:五行2轉載].

[某日, 倭[~~四十五艘~~], 寇信州·甕津·文化等縣, 元帥趙仁璧·羅世·[西海道元帥]沈德符, 與戰不克, 請濟師:節要轉載].

[→倭四十五艘, 寇信州·瓮津·文化等縣, 世與元帥趙仁璧·沈德符等擊之, 斬數級. 不克而退, 報于朝曰, 賊勢甚强, 我師疲弱, 難以制勝, 請遣軍助之:列傳27羅世轉載].

[某日, 倭寇順天·樂安等處. □□□[順天道]兵馬使鄭地斬十八級, 擒三人:節要轉載].[307]

[→禑三年夏, 倭寇順天·樂安等處, 地以禮儀判書爲順天道兵馬使擊之, 斬十八級, 擒三人. 遣判事鄭良奇獻捷, 禑喜賜良奇白金五十兩, 其母米十碩, 地鞍馬·羅絹:列傳26鄭地轉載].

---

306) 이는『안동선생안』;『영천선생안』에 의거하였다. 또 姜揉에 대한 기록으로 다음이 있다.
- 『목은문고』 권3, 養眞齋記, “養眞齋, 前安東大都護姜公之所居也, 公臥病久矣, 託其外弟金壯元純仲求予記, 予蓋先公而病者, 今雖起, 尙無力. … 庚申七月朔, 記”.

307) 이때 鄭地의 職責은 順天府使兼順天道兵馬使였을 것이고, 順天道는 軍事道이다. 또 이 시기의 順天의 형편은 倭賊의 침입으로 悽慘하였다고 한다.
- 『敬齋遺稿』 권1, 順天客舍記, “館宇之修, 雖若無關乎王政, 而有可以觀世道隆替焉. 高麗之季, 政厖國危, 海寇孔熾, 侵軼深至於畿輔, 沿海數千里之地, 委爲賊藪. 順天受禍最酷, 丘墟其邑, 蒿萊其野, 可謂於悒”.

[某日, 以旱赦, 唯前三司右使金續命不原:節要轉載].

[某日], 倭寇西海道安州, 金公世等三人擊, 斬四級. 與布, 人五十匹.[308)]

[某日], 倭又寇長興府長澤縣, 元帥池湧奇擊, 走之.[309)]

[某日], 禑下書敎書都堂曰, "今聞, 邊民被虜於賊, 幸而逃還, 皆指爲賊諜, 輒殺之, 甚不可也. 夫思鄕懷土, 人情之常, 況有父母·妻子者, 孰不思還, 特畏死, 從賊耳. 自今, 凡逃還者, 必加褒賞, 雖實諜者, 毋得殺戮, 官給資粮, 以遂其生. 如有斬倭還者, 賞之加等. 其令邊郡, 張榜以示, 違者罪之".

乙卯9日, [大暑]. 大雨.[310)]

[某日], 以知門下□□府事朴普老爲西海道助戰元帥.

[某日], 謝恩使李子松還自北元. 元朝臣僚, 見子松朝服行禮, 皆泣曰, 自我播遷, 困於行間, 不圖今日, 復見禮儀. 待之甚厚.

[某日], 以密直副使李仁立爲西京副元帥,[311)] 判密直□□司事韓邦彦爲安州元帥.

[某日], 遣判典客寺事安吉祥于日本, 請禁賊.[312)] 書國書曰, "本國與貴邦爲隣, 雖隔大海, 或時通好. 歲自庚寅忠定王2年, 海盜始發, 擾我島民, 各有損傷, 甚可憐愍. 因此, 丙午年恭愍15年間, 差萬戶金龍等, 報事意, 卽蒙征夷大將軍足利義詮禁約, 稍得寧息. 近自甲寅恭愍王23年以來, 其盜又肆猖蹶. 差判典客寺事羅興儒, 賫咨再達, 兩國之間, 海寇造釁, 實爲不祥事意. 去後, 據羅興儒賫來貴國回文, 言稱, 此寇, 因我西海一路九州亂臣, 割據西島, 頑然作寇, 實非我所爲, 未敢卽許禁約. 得此參詳,

---

308) 이 시기에 安州는 西北界의 安州牧이고(공민왕 19년 이후), 過去의 西海道 安州는 載寧縣으로 改稱되었기에 이 기사는 西海道 載寧 또는 西海道 安岳으로 고쳐야 옳게 될 것이다.

309) 全羅道元帥兼都巡問使 池湧奇는 1월 14일 羅州牧에 들어 왔다가 4월 本營에 歸還하였다고 한다(『금성일기』).

310) 이와 관련된 기사로 다음이 있지만 時期整理[繫年]에 잘못이 있다. 곧 이해의 5월에 乙卯는 없고, 6월 9일(乙卯)에 해당하며, 6월 5일(辛亥)에도 旱魃이 심했다고 한다. 그래서 '乙卯大雨'는 5월이 아니라 禑王世家編에 해당하는 上記의 기사와 같이 6월 9일의 오류임을 알 수 있다.

· 지8, 오행2, 金行, 恒暘에 "禑王三年五月癸未6日雩, 且遍禱于佛宇, 乙酉8日又禱于朴淵·臨津, 戊子11日巷市, 乙卯大雨. 六月庚戌4日禱雨, 辛亥5日傳旨都堂曰, '旱災太甚, 豈無其故. 必是人怨所召. 肆予屢放囚贬, 欲慰人心. 卿等, 因循不肯行, 得無不可'. 於是, 宥二罪以下, 唯金續命不原, …".

311) 李仁立(李褒의 4子, 1子 仁復, 2子 仁任의 弟)은 이보다 먼저[先是] 密直副使에 임명되었을 것인데, 그때 李穡이 賀禮를 올렸던 것 같다(奉賀李密直, ….→공민왕 7년 2월 28일 李仁任의 脚注).

312) 安吉祥은 『고려사절요』 권30에는 安吉常으로 달리 표기되어 있다.

治民禁盜, 國之常典, 前項海寇, 但肯禁約, 理無不從. 兩國通好, 海道安靜, 在於貴國處之如何耳".

[某日], 倭賊二百餘艘, 寇濟州, 全羅道水軍都萬戶鄭龍·尹仁祐等, 率兵候之, 獲一船殲之. 禑與龍等衣一襲.

[某日], 倭寇西海道永康·長淵等縣, 三元帥擊之.[313)]

[某日], 倭寇豊州·安岳.

[某日], 禑下書[教書]都堂曰, "今困於兵革, 加以飢饉, 不可以土木之役, 重困吾民. 自今, 中外營繕, 一皆停罷".

[某日], 倭寇咸從·三和·江西等縣.

[某日], 禑謂宰相曰, "倭雖賊, 其屍亦當瘞之, 況我江華·西海之民, 死於賊, 暴露甚衆, 豈可忍視. 其出內帑錢布, 以資掩埋".

[某日], 野城君金寶一妾朴, 與寶一適孫金孜爭田, 誣告孜奸其妹. 憲府[司憲府]具朴罪, 縊殺之.

[某日], 先是, 遣使于下三道, 抄閑散子弟, 至有鬻子·易馬者. 名雖抄閑散, 半是農民·私隸也. 至是, 都堂覈其實, 皆放還.

[→都評議使□[司]閱各道所調閑散軍. 先是, 各道抄軍使等, 抄閑散子弟, 慶尙道六百, 全羅道一千三百四十, 楊廣道七百. 無馬者畏刑, 至有鬻·子易馬, 盡賣家產, 又賣已耘之田, 以求馬匹. 雖名閑散, 其實, 農民及戍邊鎭者, 居半. 至是, 皆令放歸:兵1五軍轉載].

[是月, 建楊州檜巖寺禪覺王師碑:追加].[314)]

[夏某月, 東北面都元帥李成桂, 遣前中郎將金南連於管內海陽廣積寺, 取佛像·法器·大藏經等舟載以還, 置于安邊府釋王寺].[315)]

---

313) 三元帥는 西海道元帥 梁伯益·羅世·朴普老로 추측된다(→是年 8월 某日). 또 長淵縣은 고려말에 倭와 紅巾賊의 침입을 받아 荒廢되었고, 조선시대에 南道의 人民을 이주시켰다고 한다.
・『旅菴遺稿』 권1, 民隱詩[注, 乙酉[1765年]], 總敍[注, 麗季倭寇數侵, 及紅巾之亂, 邑里丘墟, 我朝多遷南民, 以實之]".

314) 이는 「檜巖寺禪覺王師碑」에 의거하였다(金石總覽 498面).

[秋]七月丁丑朔大盡,戊申, [癸未7日:比定], 以歲旱, 國用虛竭, 除生日進馬.[316]

[辛卯15日, 集緇流, 設法席于龍首·蜈山~~蜈蚣山~~等處, 以禳烏鳶:五行1轉載].[317]

[丙申20日, 都評議司~~都評議使司~~言, “往歲玄陵, 將親討紅賊, 始立纛, 每月朔望祭之, 其弊不細, 請停罷”, 從之:禮5雜祀轉載].

[某日], 遣崇敬府尹陳永世, 相宅于漣州. 永世還曰, “漣州, 五逆之地, 不可建都”.

[某日], 北元遣宣徽院使徹里帖木兒來, 請挾攻定遼衛. 禑贈金帶·鞍馬. 不受.

[某日, 全羅道水軍都萬戶鄭龍等, 聞倭寇濟州, 率兵船二艘詗之, 獲賊一艘, 盡殺之:節要轉載].

[某日], 倭寇豊州, 西海道上元帥朴普老, 進擊之, 副使趙天玉等十餘人死.

[某日], 遣使諸道, 修築山城.[318]

[某日, 開城府狀曰, “其一. 倭賊向京城對戰事則曰, 我國家夜別抄三番, 皆步卒有勇力者也, 近年以來, 倭賊深入陸地, 弱馬窮民, 强稱馬兵, 不論射御能否, 皆以凋弓殘箭, 以具軍額. 如遇長槍利劒, 摧鋒挫銳之寇, 無所措手, 多致喪亡, 誠可痛也. 願自今, 射御驍勇者, 爲馬兵, 其民軍, 則爲步卒, 皆齎槍劒白棒, 隨其所用, 以禦賊鋒, 可也.

其二. 各道各官, 依東西北面例, 各翼設立事, 則曰, 輕變先王之制, 似乎不可. 然無知之民, 不慮社稷安危, 規免出征, 彼此流移, 軍額日縮, 職此之由, 宜分揀强弱, 以成軍籍.

其三. 五部元帥定體事, 則曰, 城內鰥寡孤獨稍多, 其無男丁各戶外, 烟戶男丁,

---

315) 이는 다음의 자료에 의거하였는데, 海陽은 현재의 咸鏡北道 吉州郡 地域이다.
- 「釋王寺藏經碑」, “東北面都元帥·完山府院君李成」桂, 上元帥·判密直司事姜筮, 副元」帥·唐城君洪徵, 助戰元帥·前簽書」密直司事商議柳源, 前知密直司」事商議鄭夢周, 前密直副使李和等,」於洪武十年夏, 受」命而來, 次于淸州靑州大藏一部及佛」像·法器, 在海陽廣積寺, 兵火之」餘,僧亡寺毁, 大寶幾於盡失, 心實」惻然.遣前中郞將金南連, 舟載以來.」補其所失若干函軸,以成全部, 置于」安邊府雪峯山釋王寺, 永爲壽」君福國之資云」”.

316) 이날을 禑王의 誕日인 7월 7일로 比定하였다.

317) 蜈山은 松嶽의 서쪽에 있는 蜈蚣山에서 蚣이 탈락되었을 것이다.
- 『신증동국여지승람』 권4, 開城府上, 山川, “蜈蚣山, 在松嶽西, 其形如鼓. 又松嶽有石如鼓, 世謂之左·右鼓山”.

318) 羅州牧에는 山城修補使 趙還璧이 9월에 도착하였다[下界](『금성일기』).

調發出軍.

其四. 定遼軍馬對敵事, 則曰, 嚴器械, 謹烽燧, 馬兵·步卒, 各持所能軍器, 養兵靜守, 如有彼敵, 兩班·百姓·公私賤隷·僧俗勿論, 悉皆調發力戰. 勢如難濟, 各入山城, 堅壁固守, 乘閒伺隙, 四出攻之:兵1五軍轉載].

[○其一, 外城修葺事. 則曰定國立都者, 必先高城深池, 此古今之通制也. 我國家, 太祖創業宏遠, 而城郭不修, 至於顯廟, 始築外城, 置城上羅閣, 以固守. 世遠城頹, 且古基周回廣遠, 一二年閒, 雖竭民力, 似未能重修也. 宜鍊兵息民, 以待其變.

其二, 內城新築事. 則曰惟事事, 乃必有備, 有備則無患矣. 今也, 倭寇橫行肆毒, 京內之民, 如有急難, 無所依據, 誠可畏也. 願令堅築內城.

其三, 外方山城修補事. 則曰唐鑑, 以高麗因山爲城, 爲上策也. 山城相近之地, 隨宜修葺, 使之烽燧相望, 攻戰相救, 可也.

其四, 牧·府·郡·縣築城事. 則曰休兵息民, 有國之先務也. 比來, 倭患相仍, 民不聊生, 且曾築四方周回長城, 與癸丑年所築東西江等城, 徒勞民費財而已. 其外方平地築城, 宜令停罷":兵2城堡轉載].[319)]

[□□是時, 判三司事崔瑩又曰, "京城大廣, 雖有十萬兵, 未易守也. 請築內城, 備不虞". 門下贊成事睦仁吉曰, "不可動土". 禑曰, "以拘忌廢築城, 可乎?. 捨此, 欲都何處. 宜及農隙, 興工役":列傳26崔瑩轉載].

[某日, 以李吉祚爲慶尙道按廉使, 鄭喬爲全羅道按廉使, 河崙爲交州道按廉使:慶尙道營主題名記·錦城日記].[320)]

[是月, 慶尙道都巡問使報日本國覇家臺博多使者至:追加].[321)]

[○淸州牧興德寺, 以鑄字刊'白雲和尙抄錄佛祖直指心體要節':追加].[322)]

---

319) 이상의 狀啓도 開城府가 같은 날에 올린 것으로 추측되는데, 連番이 同一한 것은 志의 編纂者가 다시 附與한 것으로 추측된다.

320) 河崙은 『삼봉집』 권2, 交州道按廉使河公崙復命如京, 原州倅使君長壽邀予同餞, 不赴以詩代之 ; 原城. 同金若齋見按廉使河公崙·牧使倎公長壽賦之[注, 丁巳冬. 按原城今原州]에 의거하였다.

321) 이는 『동문선』 권88, 送鄭達可奉使日本詩序(李穡 撰)에 의거하였다.

322) 이는 프랑스 國立圖書館에 所藏된 『白雲和尙抄錄佛祖直指心體要節』卷下(直指心經)의 題記에 의거하였다(南權熙 2002년 235面 ; 디지털한글박물관).
- 題記, "宣光七年丁巳七月 日, 淸州牧外興德」 寺,鑄字印施,」 緣化,」 門人,」 釋璨,」 達湛,」 施主 比丘尼 妙德」".

八月[丁未朔小盡,己酉], [某日], 遣啓稟使·晋川君姜仁裕如北元.

[某日], 以贊成事梁伯益爲西海道元帥.

戊午[12日], 雨雹.[323)]

[某日], 倭寇[~~西海道~~]信州·文化·安岳·鳳州, 元帥[~~贊成事~~]梁伯益, [~~判開城府事~~]羅世, [~~知門下府事~~]朴普老·[西海道副元帥兼]都巡問使沈德符等, 擊之, 敗績, 請遣將助戰. 於是, 以我太祖[李成桂]及[~~門下評理~~]林堅味·邊安烈, 密直副使柳曼殊·洪徵, 爲助戰元帥, 赴之.[324)]

[→倭又寇信州·文化·安岳·鳳州, 世與□[沈]德符·梁伯益·朴普老擊之, 敗績:列傳27羅世轉載].

[○□[我]太祖[李成桂]與諸元帥擊賊于海州, 安烈·堅味等, 奔潰. □[我]太祖將戰, 置兜鍪於百數十步外, 試射之, 以卜勝否. 遂三發皆洞貫, 曰, "今日之事, 可知". 戰於州之東亭子, 戰方酣, 遇泥濘之地丈餘. □[我]太祖之馬, 一踴而過, 從者皆不得度. □[我]太祖以大羽箭, 射賊十七發, 皆斃之. 乃縱兵乘之, 遂大破之. □[我]太祖口不言功, 堅味等, 諱其敗, 自以爲己功, 要取爵賞. 是戰也, □[我]太祖, 初御大羽箭二十, 及戰罷, 餘三矢. 謂左右曰, "吾皆射左目眥, 汝往觀之". 往觀之, 果盡驗. 餘賊阻險, 積柴自固. □[我]太祖下馬, 據胡牀張樂, 僧神照割肉進酒. 命士卒焚柴, 烟焰漲天, 賊勢窮, 出死力衝突, 矢中座前甁. □[我]太祖安坐不起, 命金思訓·魯玄受·李萬中等, 擊之幾殲→9월로 옮겨감].

[某日], 日本國遣僧信弘來, 報聘. 書云, "草竊之賊, 是逋逃輩, 不遵我令, 未易禁焉".

[某日], 以三司右使崔公哲爲義州元帥.[325)]

[某日], 倭寇海州.

九月[丙子朔大盡,庚戌], [某日, □[我]太祖[李成桂]與諸元帥擊賊于海州, 安烈·堅味等, 奔潰.

---

323) 이와 같은 기사가 지7, 五行1, 水, 雨雹에도 수록되어 있다. 이날 일본의 교토에서 흐렸다고 한다(『愚管記』제21, 永和 3년 8월, "十二日戊午, 陰").

324) ~~添字는~~ 『고려사절요』 권30 ; 『태조실록』 권1, 總書, 우왕 3년 8월에 의거하였다.

325) 다음의 자료를 통해 볼 때, 이 시기의 崔公哲은 고려시대에 일종의 勳職으로 기능했던 三公의 하나인 守司空을 띠고 있었던 것 같다("以守司空·三司左使崔公哲爲義州元帥").
· 『목은시고』 권7, 奉謝崔司空[注, 名公哲, 時在義州].

□[我]太祖將戰, 置兜鍪於百數十步外, 試射之, 以卜勝否. 遂三發皆洞貫. 曰, "今日之事, 可知". 戰於州之東亭子, 戰方酣, 遇泥濘之地丈餘. □[我]太祖之馬, 一踴而過, 從者皆不得度. □[我]太祖以大羽箭, 射賊十七發, 皆斃之. 乃縱兵乘之, 遂大破之. □[我]太祖口不言功, 堅味等, 諱其敗, 自以爲己功, 要取爵賞. 是戰也, □[我]太祖初御大羽箭二十, 及戰罷, 餘三矢. 謂左右曰, "吾皆射左目眥, 汝往觀之". 往觀之, 果盡驗. 餘賊阻險, 積柴自固. □[我]太祖下馬, 據胡牀張樂, 僧神照割肉進酒. 命士卒焚柴, 烟焰漲天, 賊勢窮, 出死力衝突, 矢中座前甁. □[我]太祖安坐不起, 命金思訓·魯玄受·李萬中等, 擊之幾殲←8월에서 옮겨옴].[326]

[甲申[9日], 赤氣見于西方:五行1轉載].

[某日], 倭寇靈光·長沙·牟平·咸豊等地.[327]

[某日], 倭又寇海·平二州, 禑投[賜]崔瑩鉞, 使與元帥李希泌·金得齊·楊伯淵·邊安烈·禹仁烈·朴壽年·趙思敏·康永·柳濚·柳實·朴修敬等擊, 走之.[328]

[某日], 以密直副使裴彦爲和寧府尹.

[某日], [晉川君]姜仁裕在北元, 遣人來, 告曰, "平章[平章政事]文典成大, 參政[參知政事]張海馬, 與丞相納哈出, 鍊兵秣馬, 待高麗軍來, 欲攻定遼衛". 時我不應攻遼之請, 故又督之.

[某日], 遣軍簿判書文天式□□□[如北元], 告以天寒草枯, 不可出師.

[某日], 倭寇岳陽縣, 元帥李琳擊之, 獲□□[~~共船~~]二艘.[329]

[某日], 遣前大司成鄭夢周,[330] 報聘于日本, 且請禁賊. 書[國書]曰, "竊念, 本國北

---

326) 이 기사는 『고려사절요』 권30에 의하면 9월에 이루어진 戰鬪이다[校正事由].

327) 이 시기 이후에 長沙縣(조선 초에 茂松縣과 합하여 茂長縣으로 개편됨) 現 高敞郡은 倭賊으로 인해 백성이 遊離하여 거의 空地狀態된 것 같다.

· 『신증동국여지승람』 권36, 茂長縣, 樓亭, "迓觀亭, 在客館北. 鄭坤記, 是縣在全羅之西, 濱於大海. 前朝之季, 海寇方張, 民失生業, 流離播越, 蕭然一空者久矣. 今我盛朝, 聖神繼作, 修攘有道, 沿邊州郡, 民物殷阜. 於是合茂松·長沙而一之, 因鎭於此, 擇賢能爲主將, 以固邊圉. 乃於兩縣之中, 相地築城, 使民居之".

328) ~~添字~~는 『고려사절요』 권30에서 달리 표기된 글자이다.

329) ~~添字~~는 『고려사절요』 권30에 의거하였다.

330) 鄭夢周는 이해[是年]의 여름에 前知密直司事商議였고(釋王寺藏經碑), 大司成은 1375년(우왕1)에 임명되었던 옛 관직인데(열전30, 鄭夢周), 李穡은 그냥 成均大司成으로만 표기하였다(『목은시고』 권1, 東方辭, 送大司成鄭達可奉使日本國 ; 『동문선』 권88, 送鄭達可奉使日

連大元, 西接大明, 常鍊軍官, 以充守禦. 迺於海寇, 只令沿海州郡, 把截防禦. 賊徒偵候, 乘間入侵, 燒毁民廬, 奪掠人口, 及覩官軍, 隨卽騎船逃匿, 爲害不小. 今蒙大將軍[征夷大將軍足利義詮]言及諄諄, 又於弘[~~信弘~~]長老, 備諳厚意, 其益圖之".

[→[禑王]三年, 權臣嗛前事, 擧夢周報聘于覇家臺[博多]請禁賊, 人皆危之, 夢周略無難色. 及至, 極陳古今交隣利害, 主將敬服, 館待甚厚. 倭僧有求詩者, 援筆立就, 緇徒坌集, 日擔肩輿, 請觀奇勝:列傳30鄭夢周轉載].

[某日, 倭屠燒洪州, 殺牧使池得淸妻, 虜判官妻子. 楊廣道元帥王安德等與戰于蘆峴, 敗績:節要轉載].[331)]

[翌日, 賊又寇溫水縣, 焚伊山營. 元帥印海等戰于新橋, 夜, 賊四圍, 士卒驚潰, 多被殺傷[死]. 賊又自鎭浦, 入韓州, 安德, 請遣將助戰. 禑命商山君金得齊·密直副使睦忠·王賓, 赴之:節要轉載].[332)]

[甲辰[29日], 雷電, 雨雹:五行1雷震轉載].

[是月頃, 前閤門祗候沈淵卒:追加].[333)]

[冬]十月[丙午朔[小盡,辛亥], □[~~判~~]門下判事·漆原府院君尹桓, 侍中·淸原府院君慶復興, 守侍中·廣平府院君李仁任, 判三司事·鐵原府院君崔瑩, 贊成事·判版圖司事睦仁吉, 三司左使李希泌, 贊成事·判禮儀司事楊伯淵, 商議梁伯益, 贊成事·判典工司事李成桂, [~~門下贊成事~~]商議洪仲宣, [門下]評理邊安烈·林堅味, 商議王福命·李子松, 評理曹敏脩[~~曹敏修~~], 知[~~門下~~]府事王安德, 政堂文學權仲和, 三司右使崔公哲, 知府事商議臣朴普老, 政堂文學商議李寶林, 密直司判事韓邦彦, 使趙人壁, 商議禹仁烈, 知司

本詩序).

331) 이와 같은 기사가 열전39, 王安德에도 수록되어 있다.

332) 이와 같은 기사가 열전39, 王安德에도 수록되어 있는데, ~~添字~~는 달리 표기된 것이다.

333) 이는 다음의 자료에 의거하였다.

· 『壽谷集』 권11, 散言下篇, "靑松沈氏先祖, 麗末閤門祗候沈淵之墓, 在咸悅縣. 而墓表漫漶, 不可讀, 子孫之不知其處久矣. 頃年本縣士人, 葬其親於此墓咫尺之地, 塋域開斥之際, 誌石一片見出, 卽取以投諸水中, 而會葬之人耳目難掩. 沈氏子孫風聞, 呈卞巡營, 追問士人, 覓出其誌石, 則第一行, 書屹山下南堂山辰坐乙向十字, 第二行, 書閤門祗候沈淵之墓八字, 第三行, 書洪武十年丁巳九月十二日入葬十三字. 而字多磨滅. 余得見其印本, 則僅卞魚魯, 而長可二把, 廣不滿一把矣, 諸沈遂合力修墓, 營竪碑碣. … 閤門祗候, 卽靑城伯德符之祖, 而今之諸沈, 皆以靑城爲祖".

□~~事~~趙思敏·李琳，商議洪仁桂，同知□~~事~~沈德符，簽書□□~~司事~~姜君寶，同知□~~事~~商議康永，同知□~~事~~都吉敷，商議金用輝·金光富，同知□~~事~~安宗源，[334] 簽書□□~~司事~~商議郭樞，同知□~~事~~·鷹揚軍上護軍朴林宗，副使李榮，商議禹玄寶，副使裴克廉，商議池湧寄·薛師德，副使柳實，[335] 商議李仁立，提學尹邦晏，副使柳曼殊，商議王賓，副使睦忠，提學商議尹珍，副使商議朴脩敬，副使宋光美等，請刻廣通普濟禪寺碑銘文字．許之:追加].[336]

[□□□□~~是時以後~~，或置領門下府事，或置判門下府事:百官1門下府轉載].[337]

[己酉4日，熒惑犯輿鬼，凡十九日:天文3轉載].

[某日]，始置火㷁都監，從判事崔茂宣之言也．茂宣與元焰焇匠李元，同里閈，善遇之．竊問其術，令家僮數人，習而試之．遂建白，置之.[338]

[某日]，修京城.

[某日]，倭賊四十艘寇東萊縣.

[某日，徵諸道兵，以備倭．慶尙道騎兵六百，江陵·平壤道各三百，朔方·西海道各二百，交州道騎·步幷五百:兵1五軍轉載].[339]

[某日，倭寇寧州·牙州，~~楊廣道元帥~~王安德·洪仁桂·~~元帥~~印海·~~商山君~~金得齊·~~密直副使~~睦忠·王賓，與戰于牙州，走之，擒三人，~~獲兵仗及馬百七十餘匹．禑賜酒以慰之~~:節要轉載].[340]

[丁巳12日，小雪．雷雨:五行2轉載].

庚申15日，雷.[341]

---

334) 이때 安宗源은 同知密直司事였다(安宗源墓碑銘).

335) 柳實(柳淑의 長子)은 密直副使·商議會議都監事·上護軍에 이르렀다고 한다(열전25, 柳淑, 實 ; 柳淑墓誌銘).

336) 이는 『목은문고』 권14, 廣通普濟禪寺碑銘幷序에 의거하였는데, 당시의 宰相職의 構成을 잘 반영하고 있다. 또 이때 安宗源은 同知密直司事였다(安宗源墓碑銘).

337) 이는 지30, 百官1, 門下府, "辛禑改判門下"를 적절히 變改하였다. 이 시기 이후에는 領門下府事 또는 判門下府事가 混在해 있다.

338) 이와 관련된 기사로 다음이 있다.
· 지31, 百官2, 火㷁都監, "辛禑三年，判事崔茂宣建議，置之".
· 지35, 兵1, 五軍, "禑王三年十月，始置火㷁都監".

339) 이 기사는 『고려사절요』 권30에 축약되어 있다("徵諸道兵，以備倭").

340) 이 기사는 열전39, 王安德에도 수록되어 있는데, ~~添字~~는 이에 의거하였다.

[癸亥[18日], 開城大井, 赤沸:五行1轉載].

[某日], 倭寇咸悅縣.

[乙丑[20日], 入夜, 風雨大作:追加].[342]

[某日], 政堂文學·[同知書筵事]權仲和侍書筵, 講'貞觀政要', 至魏徵對太宗曰, '□□[~~嗜慾~~]喜怒之情, 賢愚皆同. 賢者能節之, 不使過度, 愚者縱之, 多至失所, 陛下□□□□[~~聖德玄遠~~], □□□□[~~居安思危~~], □□□□[~~伏願陛下~~], 常能自制, 以克厥終[~~以保克終之美~~], 則萬代永賴'.[343] 禑曰, "美哉, 言乎. 卿其法魏徵, 以教我". 對曰, "但殿下容受臣言, 臣敢不罄竭心力".

[壬申[27日]:節要轉載], [大雪]. 以贊成事楊伯淵爲安州上元帥.[344]

[某日, 出市廛商賈, 以充海道之軍:兵3船軍轉載].

[是月, 砥平縣龍門山竹杖庵僧覺照重修殿宇三間:追加].[345]

[□□□□[~~十月以後~~], 禑乳媼張氏, 將祭松岳, 禑使宦者鄭鸞鳳, 言於[同知密直司事兼大司憲]玄寶曰, "今禁酒令嚴, 乳媼欲祭松岳何如?". 玄寶曰, "酒祀神之物, 若受司醞帖則可矣":列傳28禹玄寶轉載].[346]

十一月[乙亥朔大盡,壬子], [某日], 遣前開城尹黃淑卿如北元, 賀節日.

[某日], 下[元帥]印海于清州獄, 治伊山□[營]敗軍罪.

---

341) 이와 같은 기사가 지7, 五行1, 水, 雷震에도 수록되어 있다.

342) 이는 다음의 자료에 의거하였다.
- 『목은시고』 권6, 丁巳十十月二十日晩, 康子野[好文], 欲留之同宿, 而未果也. 是夜, 風雨大作, 呼燈題此, 當與其同年朴子虛[宜中]·李子安[崇仁]同賦云. 여기에서 添字의 3人은 1362년(공민왕11) 10월 洪彦博·柳淑이 주관한 東堂試 製述業에서 급제하였다.

343) 이는 『貞觀政要』 권10, 愼終第40의 끝인 貞觀 16년의 내용으로서 ~~添字~~는 原文의 내용이다.

344) 日辰이 대부분 削除된 『고려사절요』에서 指揮官의 任命에 日辰이 삭제되지 않고 溫存한 것은 극히 異例的이다.

345) 이는 다음의 자료에 의거하였는데, 조선시대에는 龍門山에 좋지 않은 세 가지가 있었다고 한다.
- 『목은문고』 권2, 砥平縣彌智山竹杖庵重營記, "釋覺照踵門請曰, 砥平龍門山, 世所知也, 其名則曰弥智, 舊有庵曰開現, … 用丁巳春三月始工, 訖於秋七月, 丹雘於九月, 落成於十月, 雖爲屋三間, 而佛居中, 僧居左右".
- 『龍門集』 권4, 山中人相傳, 龍文有三惡, 蛇也, 石也, 又可怕者虎也, ….

346) ~~添字~~는 열전28, 禹玄寶, "辛禑初, 授密直代言, 陞提學, 轉同知司事兼大司憲"에 의거하였다.

丁亥[13日], [冬至]. 霧塞.

己丑[15日], 以月食, 停八關會.[347]

[某日, 禑賜侍中慶復興·守侍中李仁任, 田二百結·奴婢十五口. 又:節要轉載], 禑與賜乳媼張氏書曰,[348] “念昔, 先后不幸奄弃, 予方幼弱, 惟爾小心保護, 以著勤勞, 式至今休, 日篤不忘, 賜田百結·奴婢十口, 雖有過愆犯, 不至十, 悉皆原宥”. 與忠惠王女長寧公主及張氏, 各米·豆幷六十碩, 知申事楊以時四十碩. [張, 故同知密直□□司事金鉉婢也. 鉉以賂辛旽, 旽令乳禑:節要轉載].

[某日], 倭寇扶餘·定山·鴻山.

[某日], 又倭□船百三十艘寇金海·義昌, 慶尙道都巡問使裵克廉與戰, 敗績.

[某日], 倭寇守安·童城·通津等縣.

[戊戌[24日], 歲星犯房上相, 凡七日:天文3轉載].

[某日], 以星變·月食, 宥二罪以下.

[某日], 命韓山君李穡註‘唐太宗百字碑’百字箴, 以進.[349]

[是月, 前元朝列大夫·征東省左右司郎中·推忠保節同德贊化功臣·三重大匡·韓山君·領藝文春秋館事李穡撰‘清州楸洞永慕亭記’:追加].[350]

[○優婆夷妙惠·與前奉善大夫·軍器少尹羅賢寫成‘墨書法華經’:追加].[351]

---

347) 이날(己丑) 일본에서도 월식이 예측되었고, 관측되었다(「永和三年具注曆」). 이날은 율리우스曆의 1377년 12월 15일이고, 월식 현상이 심했던 때의 世界時는 15시 31분, 食分은 1.27이었다(渡邊敏夫 1979年 486面).
· 『愚管記』제21, 永和 3년 11월, “十四日己丑, 陰, 月蝕正現云々”.
· 『續史愚抄』28, 永和 3년 11월, “十五日庚寅, 月蝕, 御祈僧正禪守勤仕”.

348) 添字는 『고려사절요』 권30에 의거하였다.

349) 이때 李穡은 松岳山 부근의 巖穴에 거주하고 있다가 王命을 받아 「唐太宗百字箴」을 주석하여 바쳤던 것 같다. 百字箴는 太宗 李世民이 大臣에게 百字의 箴言을 내려 修己를 당부한 것이다.
· 『목은시고』 권6, 巖棲·雲游·拜八仙宮···· 對普濟影口號·出山, 相應敎撰進.

350) 이는 『목은문집』 권4, 永慕亭記의 말미에 의거하였는데, 이 자료는 『西浦集』 권6에 인용되어 있다.

351) 이는 일본에 소장된 『墨書法華經』 권7의 題記에 의거하였다(京都國立博物館 2000年 64面 ; 張東翼 2004년 713面).
· 題記, “妙法蓮華経破權現實會三歸」 一授記作佛之妙說也,於此濁」 惡世中,得遇斯経,生慶幸之心,」 有弘通之志,發誠傾財,倩人敬」 寫七卷,伏願先亡父母,承此妙」 福,俱生淨土,同受」 佛記,證一切智,又願此経流通,」 永祀作法供養,福資」 恩有者,宣光七年丁巳仲冬初吉」 謹跋,」 發願優婆

[○前斷俗寺大禪師元珪寫成 '墨書妙法蓮華經':追加].[352]

十二月[乙巳朔小盡,癸丑, 日食:天文1轉載].[353]

[○熒惑犯五諸侯:天文3轉載].

[己酉5日, 歲星犯房上相:天文3轉載].

[辛亥7日, 霧:五行3轉載].

[壬子8日, 木稼:五行2轉載].

[→陰霧, 木稼:五行3轉載].

[某日], 遣順興君王昇如北元, 賀正.[354]

[某日], 中郎將池遇淵與判書閔伯萱, 爭田, 訴于版圖版圖司. 正郎李養中詰遇淵, 嘗在合浦, 盜官物, 遇淵銜之, 誣告養中, 爲都官正郎, 受人賂. 下巡軍鞫之, 遇淵逃, 捕得誅之.

[某日, 順天□道兵馬使鄭地, 斬倭四十餘級, 擒二人, 以獻:節要轉載].

夷妙惠,」 功德主前奉善大夫·軍器少尹羅賢,」 宣光七年丁巳十一月日」".

352) 이는 『白紙墨書妙法蓮華經』 권1~7의 末尾 題記에 의거하였다(國寶 第211號, 湖林博物館 所藏, 文明大 1994년 2册 307面 ; 南權熙 2002년 382面 ; 張忠植 2007년 246面).

· 題記a(권1~6, 末尾), "特爲」先妣鐵城郡夫人李氏寫成一部,」 功德主·前斷俗大禪師 元珪」".

· 題記b(권7, 末尾) "特爲」先妣鐵城郡夫人李氏靈魂,超生極」樂世界面奉」弥陀,親受記莂證一切智,又願父重」大匡·晋城君河氏, 寶体延壽保安,」當生淨土,諸佛護主法,德蘭」敬寫'妙」法蓮華經'一部流通永祀作法,供」養福資 恩有者,」 宣光七年丁巳禑王3年十一月 日,」 功德主·前斷俗大禪師 元珪」".

· 追記(권7, 末尾에 接續), a'嘉吉三年二月吉日奉籠(朱書)',」 b'本願堯海',」 c'慶長十年 七夕, 松尾大明神, □□廣大院僧正 敬白'(以上 墨書)」". 이를 읽는 順序는 a, b, c일 것으로 추측되며, 嘉吉三年은 1443년(세종25)이고, 慶長十年은 1605년(선조38)이다.

353) 지3, 天文3에는 乙巳에 朔이 탈락되었다. 이날 明에서도 일식이 있었고(『명태조실록』 권116 ; 『명사』 권2, 본기2, 太祖2, 10년 12월 乙巳), 일본에서도 관측되었다. 이날은 율리우스曆의 1377년 12월 31일이고, 開京에서 일식 현상이 심했던 시간은 10시 37분, 食分은 0.42이었다(渡邊敏夫 1979年 312面).

· 『愚管記』제21, 永和 3년 12월, "一日乙巳, 朝間天陰, 未剋以後陰. 日蝕正現".

354) 이때 順興君 王昇이 正使로, 李蒙達이 副使로 北元에 파견되었고, 王康(王昇의 子)이 書狀官으로 隨從하였던 것 같다. 또 李蒙達은 이름[名字]을 알 수 없고, 蒙達은 그의 字인 것 같다(『목은시고』 권6, 送王康隨尊公進表·送李蒙達進表賀年).

[→[禑王3年]冬又擊倭，斬四十餘級，擒二人，遣判事鄭龍獻捷，禑賜龍布二百五十匹·馬一匹:列傳26鄭地轉載].

[某日]，帝[明太祖]放還我國人丁彥等三百五十八人.

[某日]，有僧達明者，遊歷安州等處，自稱忠肅王母弟德興君之子，潛圖不軌. 遣判開城府事慶補，執之以來，鞫問，本善州民王加勿也. 幷其黨五人斬之.

[某日]，三司左使<u>李希泌</u>卒. 贈<u>謚</u>[諡]忠靖.[355]

[某日]，納哈出遣使，<u>遺</u>[獻]羊一百六十頭·毛午三首.[356]

[某日，命成衆愛馬，勿論番次，皆入直. 又以所乘馬，置紫門，以備不虞. 命翼衛軍，宿衛於闕外四隅，宰樞，各以伴倘，宿于私第:兵2宿衛轉載].

[某日，[三嘉縣]靈巖寺住持·禪師<u>妙慧</u>，判天台宗事·[班城縣]龍巖寺住持<u>忍演</u>等開板'法華三昧懺助宣講儀':追加].[357]

[是月庚申[16日]，是夜，韓山君<u>李穡</u>之女兒，以'守庚申'，達旦不睡:追加].[358]

[是年，陞三陟縣令官爲知郡事官:轉載].[359]

[○以蠹赤每政敍用，其弊不細，汰之:百官2大淸觀轉載].

[○宦者金壽萬妻，與珦爭田民，謀害之，乃與宦者金元老妻誣告，[鶴城府院君]珦將不

---

355) 이때 韓山君 李穡이 李希泌의 逝去를 슬퍼하는 詩文을 지었다(『목은시고』 권7, 哭李左使, "鐵城門閥盛，公獨擅朝儀 慷慨傾千古，風流蓋一時. …").

356) ~~添字~~는 『고려사절요』 권30에서 달리 표기된 글자이다.

357) 이는 다음의 자료에 의거하였다. 이 자료의 사진에 의하면 後半部의 내용에 대한 判讀이 향후 추가되어 할 것이다(千惠鳳 等編 1988년 73面；南權熙 2002년 99面；安田純也 2006年).
- 『法華三昧懺助宣講儀』，刊記，"… 宣光七年丁巳十二月日施主靈嵒寺住持禪師<u>妙慧</u>謹識,」 同願」 判天台宗事·龍岩寺住持<u>忍演</u>,□妙普濟大禪師<u>了圓</u>,」 推忠奮義純□功臣·三重大匡·檜□□□□□[出君黃石奇]… ,」 安國□□□□…,」 書寫 大選<u>性徹</u>,」 校整 大選<u>慶廉</u>,」 化主 道人<u>覺環</u>,」 刻手 □[佛?]行<u>幻岑</u>, <u>達桓</u>」 練鐵 <u>□□</u>, 鐵匠 <u>金元</u>」".

358) 이는 다음의 자료에 의거하였다. 이날은 12월의 庚申日이어서 '守庚申'이라는 道敎的 風俗에 의해 다음 날 아침까지 就寢하지 않는다고 한다. 만일 이날 徹夜不寐하면 人間을 宿主로 寄生하는 想像의 벌레인 三尸蟲이 '宿主의 罪惡을 玉皇上帝에게 보고할 수 없다'고 한다(→원종 6년 4월 21일).
- 『목은시고』 권6，□□[丁巳]十二月十六日庚申，是夜，兒女達旦不睡，"歲闌今夜是庚申，共說三尸事最神，瞪視莫敎過海眼，天庭咫尺玉皇宬. 兒女無知寂可憐，猶知頭上有蒼天，明明不待三尸報，休把微勞辱蓋愆，…". 여기에서 ~~添字~~가 추가되면 理解하기 쉬울 것이다[讀].

359) 이는 다음의 기사를 전재하였다.
- 지12，지리3，三陟縣，"辛禑三年，陞知郡事".

利於上. 禑命巡軍守瑀家, 鞠壽萬·元老妻, 服誣妄. 禑以明德太后請, 竟不治, 勑[教]有司, 禁宗室擅出入:列傳4神宗王子襄陽公恕轉載].[360]

[○禑錄仁任·復興功, 敎曰, "卿以功臣之後, 在先王時, 赤心素節, 歷仕中外. 丙申·己亥·辛丑·壬寅·癸卯年間, 社稷傾危之際, 奮不顧身, 克著功績. 迨先王奄弃之初, 悉捕兇徒, 以正典刑. 俾予幼冲, 不墜祖宗之緖, 再安社稷, 以迄于今, 帶礪難忘. 若不旌異, 何以勵後. 今賜田各二百結, 奴婢各十五口, 雖有過愆, 犯不至十, 悉皆原宥. 卿等其益懋乃心, 匡救不逮, 與國咸休":列傳39李仁任轉載].

[○加韓山君李穡, 爲推忠保節同德贊化功臣:列傳28李穡轉載].

[○以[典理判書]崔宰爲密直副使商議, 固辭乞退, 復封完山君:列傳24崔宰轉載].

[○以[禮儀佐郎]柳觀爲版圖佐郎:追加].[361]

[○以[前典法摠郎]趙云仡爲左司議大夫. 與同列上䟽曰, 自古人君, 未有不由學而能治天下國家者也. 爲學之要無他, 讀書窮理, 誠意正心而已. 是以, 先考聖王, 置講官侍學, 使之講明道學, 蒙以養正, 其慮深矣. 近來, 書筵講學, 或作或輟, 臣等竊爲殿下惜也. 願奉先考之遺訓, 復設書筵, 俾正直之士, 日近左右, 萬機之暇, 講習經史. 樂聞善道, 涵養德性, 以臻至理:列傳25趙云仡轉載].[362]

[○[以金士衡]爲[司憲]執義, 與[掌令]趙浚·安翊·金湊·崔崇謙等, 同在臺諫, 時稱得人:列傳17金士衡轉載].

[○以李光臣爲延安府使:追加].[363]

[○以宋吉昌爲知寧海府事:追加].[364]

[○以[朝奉郎]鄭規爲安東大都護府判官:追加].[365]

---

360) 勑은 敎로 고쳐야 옳게 될 것이다.

361) 이는 『夏亭集』行狀에 의거하였다.

362) 이는 다음의 자료에 의거하였다.

· 열전25, 趙云仡, "辛禑三年, 起授左諫議大夫".

· 『태종실록』 권8, 4년 12월 壬申[5日], 趙云仡의 卒記, "[洪武]丁巳, 起拜左司議大夫, 再轉判典校寺事, 非其好也".

363) 이는 『연안부지』에 의거하였다.

364) 이는 『영해선생안』에 의거하였다.

365) 이는 『안동선생안』에 의거하였다.

[○判門下府事·漆原府院君尹桓, 招曹溪禪師行備住錫報法寺:追加].[366)]

[○演福寺住持·大禪師□軫門下僧坦如中曹溪宗選. 女, 俗姓延日鄭氏, 年二十七:追加].[367)]

戊午[禑王]四年, 北元昭宗宣光八年→9月稱明洪武十一年,[368)] [西曆1378年]

1378년 1월 29일(Gre2월 6일)에서 1379년 1월 18일(Gre1월 26일)까지, 355일

[春]正月甲戌朔大盡,甲寅, 庚辰7日, 半陰半晴, 以人日太倉頒祿:追加].[369)]

[乙酉12日, 雨:追加].[370)]

[某日], 都評議使□司率百官, 相地于新京.

[某日], 倭寇延安府.

[某日, 以副令康得和爲慶尙道按廉使, 辛熙爲全羅道按廉使:慶尙道營主題名記·錦城日記].[371)]

[是月, 利雄尊者普愚撰'緇門警訓'序:追加].[372)]

---

366) 이는 다음의 자료에 의거하였다.
· 『목은문고』 권6, 報法寺記, "歲丁巳, 邀曹溪禪師行備主席".

367) 이는 다음의 자료에 의거하였다.
· 『목은문고』 권9, 贈幻翁上人序, "釋坦如踵門請曰, 如, 曹溪宗今丁巳年禑王3年大選也. 俗姓延日之鄭也, 演福寺住持·大禪師竹菴軫公, 吾之師也, 吾生廿有七年矣, …".

368) 韓山君 李穡은 이해[是年]의 中原 年號를 사용하지 아니하고 干支로 表記하였다(→是年 1월 是月頃의 脚注 ; 『목은문고』 권4, 幻菴記, "戊午夏五月二十又六日記" ; 권8, 賀竹溪安氏三子登科詩序, "蒼龍戊午四月 日").

369) 이는 다음의 자료에 의거하였다(→명종 3년 1월 7일의 脚注).
· 『목은시고』 권7, 人日, "改歲臨草七, 半陰還半晴, 三養初發達, 萬物向生成. 閭閻休祥集, 衣冠禮數精, 太倉頒祿鬧, 香案謝牋呈. …".

370) 이는 『목은시고』 권7, 正月十二日, 雨, 忽記種瓜幽興動, 小圃在江城之句, …에 의거하였다.

371) 康得和는 密直司의 堂後官, 省郞, 通川·歙谷의 縣令, 全羅道按廉使 등을 거쳐 경상도안렴사에 임명되었던 것 같다.
· 『목은시고』 권8, 送康得和副令出按慶尙道, "中樞堂後早知名, 揚歷星郞遇事情, 通歙山川勝跡, 全羅草木振威聲, … 慶尙從古冠諸營".

372) 이는 다음의 자료에 의거하였다(奎章閣 所藏, 郭丞勳 2021년 501面).
· 『緇門警訓』序, "… 戊午正月初吉,三韓國尊小雪山利雄尊者普愚謹序".

[是月頃, 五冠山興聖寺住持·大禪師乃明, 爲魯國公主追善, 設轉藏法會:追加].[373]

二月甲辰朔, [丁未4日, 以春丁祭文廟, 成均館致膰于耆老宰臣:追加].[374]

[某日], 倭寇安山·仁州·富平·衿州.

[丁巳14日:比定], 以年荒, 停燃燈.

[某日], 以知杆城郡事田光富, 貪墨害民, 枷市三日, 杖流之.

[某日], 點五部坊里軍.

[→僉五部坊里軍, 令乘船捕倭:兵3船軍轉載].

[某日], 江華府屢被倭寇, 民失其業, 給穀三百石, 賑之.[375]

[→以租三百石, 賑江華府饑:食貨3水旱疫癘賑貸之制轉載].

[丁卯24日, 諸君·宰樞詣闕, 肅拜:追加].[376]

[庚午27日, 孤柳洞五十餘家火:五行1火災轉載].

壬申29日晦, 地震.

[是月, 僧尙偉·万恢, 優波塞高息機·優波夷崔省緣等開板'禪林寶訓'於忠州天龍禪寺:追加].[377]

---

373) 이는 다음의 자료에 의거하였다.
- 『목은문고』 권2, 五冠山興聖寺轉藏法會記, "… 由是,」 魯國公主, 自爲功德主, 屋宇·錢糧, 悉新悉贍, 迺化大藏, 函藏標識, 秩然粲然, 未幾,」 公主薨, 又置」 公主考妣之眞, 時節致祭, 終」 玄陵之世, 益豊無替, 蔚然大叢林矣. 今住持·大禪師, 曰乃明者, 曺溪曹溪之老也, 走侍子佛惠求記曰, '本寺爲魯國轉藏者, 已三會矣, 其功德之勝窮劫, 難於口宣, 將版以懸之, 以示將來', … 穡日夜望之, 故喜爲之記, 戊午正月".

374) 이는 『목은시고』 권7, 泮宮送春丁膰肉에 의거하였다. 唐代의 釋奠은 仲春과 仲秋의 上丁(또는 初丁) 곧 첫 번째 丁日에 설행되었다(→예종 3년 7월 某日의 脚注).

375) 江華는 前年(우왕3)에 江華縣에서 江華府로 昇格하였다고 되어 있지만, 공민왕 10년 12월 30日(丁未)부터 江華府라는 名稱이 많이 찾아진다.
- 지12, 지리3, 江華縣, "忠烈王時, 併于仁州, 尋復舊, 辛禑三年, 陞爲府".
- 『세종실록』 권148, 지리지, 江華都護府, "洪武丁巳, 陞爲府".

376) 이는 다음의 자료에 의거하였는데, 作詩의 時點은 1379년(己未, 禑王5) 2월이었던 것 같다.
- 『목은시고』 권15, 去歲二月卄四日肅拜, 今已周年矣, 吟成絶句喜幸之至也.

377) 이는 다음의 자료에 의거하였다(~~湖巖美術館~~ 所藏, 보물 제700호, 千惠鳳 1990년 99面 ; 郭丞勳 2021년 503面, ~~東洋文庫~~ 所藏, 張東翼 2004년 714面).

[○典醫副正高息機與漢陽判官趙云介等開板‘金剛般若經疏論纂要助顯錄’, 備置於忠州靑龍寺:追加].[378]

[是月頃, 以[奉翊大夫]金光富爲雞林府尹兼管內勸農·都兵馬使:追加].[379]

三月[癸酉朔大盡,丙辰], [某日], 倭寇富平, 又寇泰安郡.

[某日], 遣判繕工寺事柳藩如京師, 謝恩, 禮儀判書周誼, 請謚[謚]承襲.[380] 謝恩表曰, “帝德天臨, 萬邦咸仰. 臣疑冰釋, 一國更生, 事久乃明, 恩深莫報. 伏念, 臣爰從弱歲, 遽喪嚴君[恭愍王], 敢稽告訃以易名, 輒望哀孤而錫命. 馬取諸耽羅以遞送, 人到於定遼而被留, 亟期行李之必通, 乃敢浮海, 而復年華之屢易. 尙未回舟, 罔知事變之所由, 徒切籲呼而無已. 忽此還家, 而團聚餘三百人, 故其向闕以蘄傾, 惟億萬歲, 歡聲競沸, 喜氣悉均. 共言, 曖昧之已明, 益竚恩憐之必至. 玆蓋陛下, 舞干体舜, 弛罟蹟湯. 綏斯來, 動斯和, 華夏蠻貊之率俾, 道以德, 齊以禮, 典章文物之修明. 乃令海邦, 獲瞻天日, 臣謹當率循先人之業, 永有依歸, 對越上帝於心, 恒申頌禱”.

○請謚表[謚表]曰, “節惠賜謚[謚], 固帝王之大公, 請命顯親, 尤人子之至願. 冒陳愚懇, 庸浼亶聰. 伏念, 臣父先臣顓[恭愍王], 當聖人之作興, 以小邦而歸附, 斯克勤於侯度, 嘗効薄勞, 柰不永於天年, 奄辭昭代, 若稽諸古, 必易其名, 敢訃告之後時, 仍陳乞之併瀆. 今荐更於歲律, 益翹佇於德音, 降監在玆, 兢惶無已. 伏望, 敦勸忠之典, 推恤孤之恩, 特令貞魂, 獲蒙寵命, 則臣謹當恒述藩宣之職, 罙殫頌禱之誠”.

· 『禪林寶訓』권하, 권말간기, “右寶訓者,宋之高僧妙喜竹」 菴,愍諸末學,多求聲名,不脩」 道德,共集尊宿之高談·叢林」 之遺訓,可以警衆者,析[折]爲二」 卷,目之曰禪林寶訓,兩街了」 庵行齋公,得之一部,歎未曾」 有囑,門人尙偉禪者, 募緣彫」 板,廣令流布,幻菴[混修]爲題數語」 于末」, 宣光八年戊午二月書于宴晦庵,」 募緣」 尙偉, 万恢,」 助緣」 優波塞高息機,」 優波夷崔省緣,」 留板忠州青龍禪寺」”.

378) 이는 다음의 자료에 의거하였다(尹炳泰 1969년 ; 郭丞勳 2021년 504面).

· 『金剛般若經疏論纂要助顯錄』跋, “ … 鏤板, 以廣其傳, 捐家資, 囑門人萬恢·尙偉, 共令辨是事, 今彫刻已畢, … 時宣光八年戊午二月上旬, 幻庵比丘無作書于宴晦菴. ~~募緣~~ 万恢, 尙偉, 志中, 天密,」 ~~辨善~~」 奉善大夫·典醫副正 高息機,」 海州郡夫人崔氏 省緣,」 ~~同願~~」 比丘尼 戒完,」 承奉郞·漢陽判官 趙云介,」 板留鎭忠州青龍寺」”.

379) 이는『동도역세제자기』에 의거하였다.

380) 柳藩과 周誼는 5월 5일(丙子) 明에서 馬 60匹·白黑布 100疋·金銀器用을 바치고, 鈔·物品을 下賜받았다(『명태조실록』 권118 ;『속문헌통고』 권29, 土貢考).

○請承襲表曰, "建邦樹屛, 帝命斯彰, 繼世襲封, 臣鄰攸慶. 玆當再瀆, 尤切三思. 伏念, 臣猥以幼冲, 適丁憂恤, 粤從先考恭愍王, 權國事者數年. 顒望上恩, 對天威於咫尺, 措躬無地. 惟簡在心, 伏望, 施字小之恩, 降纘考之命, 而令庸品, 獲被耿光. 則臣謹當永覲苗裔之存, 願爲漢輔, 共祝康寧之嚮, 恒效箕疇".

[某日], 贊成事睦仁吉·判密直□□司事趙仁璧, 帥師放火炮, 習水戰.

[某日], 倭寇南陽, 遂焚掠水原府, 府使愼仁道, 僅以身免. 元帥·密直副使王賓與戰, 敗績, 請濟師. 命密直副使朴修敬, 赴之.

[某日], 倭又寇林·韓二州.

○修京城.

[某日], 以密直副使知密直司事趙希古爲漢陽道助戰都兵馬使.[381]

[庚寅18日, 熒惑犯輿鬼:天文3轉載].

[甲午22日, 熒惑犯積尸:天文3轉載].

[是月, 前別將許玲與典農副正安贇等開板'佛說長壽滅罪護諸童子陀羅尼經': 追加].[382]

[是月頃, 以正順大夫梁有珍爲羅州牧使, 李德猶爲羅州牧判官:追加].[383]

[夏]四月癸卯朔小盡,丁巳, [某日], 倭寇德豊·合德等縣, 火都巡問使營.

[某日], 倭船, 大集□于窄梁, 入昇天府, [聲言將寇京城:節要轉載].[384] 中外大震, [戒嚴. □耦分命諸軍, 出屯東·西江, 兵衛列於闕門, 以待賊至, 城中洶洶. 令坊里軍, 登城望候. 判三司事崔瑩, 督諸軍, 軍于海豊郡, 門下贊成事楊伯淵, 副之. 賊

381) 趙希古의 관직은 添字로 고쳐야 옳게 될 것이다(→우왕 1년 4월 모일, 우왕 3년 2월 某日).

382) 이는 다음의 자료에 의거하였다(佛敎中央博物館 所藏, 보물 제1720호, 佛敎文化財研究所 2012년 142面 ; 郭丞勳 2021년 505面).

- 『佛說長壽滅罪護諸童子陀羅尼經』, 卷末刊記, "… 著雍敦牂入辰月有日圓齋鄭公權書」 前別將 許玲,」 奉善大夫·典農副正 安贇,」 原州郡夫人 李氏,」 同願開城郡夫人 王氏,」 施主漆原郡夫人 尹氏」".

383) 이는 『금성일기』에 의거하였다.

384) 이때 戒嚴이 發令되고 郊外의 人民들을 城內로 피난시켰던 것 같다(『목은시고』 권11, 倭賊近畿甸·又賦).

覘知之, 以爲得破瑩軍, 則京城可窺, 乃經諸屯, 捨不與角, 趨海豊, 直向中軍. 瑩曰, “社稷存亡, 決此一戰”, 遂與伯淵進擊之. 賊逐瑩, 瑩奔:節要轉載]. ○我太祖[贊成事李成桂][率精騎直進:節要轉載], 與[贊成事]楊伯淵合擊, 大破之. [瑩, 見賊披靡, 率麾下乃進, 從傍□[擊]之, 賊殆盡, 餘黨夜遁. 夜, 城中, 聞瑩被逐, 益洶洶, 莫知所之. 禑欲出避, 百官裝束累重, 會于闕以待之, 及諸元帥使人□[來]獻捷, 京城解嚴, 百官畢賀. 朝廷以爲瑩功, 賜號安社功臣:節要轉載].[385]

[→[成石璘,] 辛禑初[~~禑王2年~~], 拜密直提學. [~~4年夏~~]倭賊大至, 入昇天府, 石璘爲助戰元帥, 隷元帥楊伯淵將戰. 諸將欲退度橋[~~渡橋~~], 石璘曰, “若度橋, 人心貳矣, 安能力戰. 不若背橋而戰”. 諸將從之, 人皆殊死戰, 賊果敗. 賜輸誠佐理功臣號:列傳30成石璘轉載].[386]

[壬戌[20日], 歲星犯房上相:天文3轉載].

[乙丑[23日], 亦如之[歲星犯房上相]:天文3轉載].

[某日, 定火桶放射軍於京外各寺, 大寺三名·中寺二·小寺一:兵1五軍轉載].

[是月丁未[5日], 三重大匡·韓山君·領藝文春秋館事李穡撰‘白雲和尙抄錄佛祖直指心體要節’序. 又撰‘白雲和尙語錄’序:追加].[387]

---

385) 이와 같은 기사가 열전26, 崔瑩 ;『태조실록』 권1, 總書, 우왕 4년 4월에도 수록되어 있으나 자구에 출입이 있다. 또 ~~添字~~는 이에 의거하였고, 이와 관련된 자료도 있다(『목은시고』 권11, 賀判三司□[事]崔相國, 戰退倭賊).

386) 이와 관련된 기사로 다음이 있는데, 庚申夏는 戊午夏의 오류일 것이다.
- 『세종실록』 권19, 5년 1월 甲午[12日], 成石璘의 卒記, “庚申夏[~~戊午夏~~], 倭賊入升天府[~~昇天府~~], 幾陷京城. 時石璘爲元帥楊伯淵褊將. 諸將見賊鋒銳甚, 欲退渡橋, 石璘獨決策曰, ‘若過此橋, 人心貳矣, 不若背橋一戰’. 諸將從之, 人皆殊死戰, 賊果失利, 而遁”.
- 『獨谷集』行狀, “戊午夏, 稱輸誠佐命功臣, 除密直副使, 國制密直以上, 例稱功臣. 是夏, 倭賊侵入松都近郊, 幾陷京師, 時楊伯淵爲元帥, 以爲助戰元帥, 諸將欲退, 渡橋而戰, 公獨執曰, ‘若退渡橋, 人心二矣, 不若背橋而戰’. 諸將從之, 人皆殊死戰, 賊果敗還, 時皆服公之智略”. 여기에서 宰相이 되면[入相, 密直以上] 功臣으로 册封되는 慣例라고 설명한 것이 주목되는데, 이를 許筠(1569~1618)도 인정하였다.
- 『惺所覆瓿藁』 권22, 惺翁識小錄上, 說部1, “今功臣之陞正一品者, 例曰府院君, 此亦失舊意也. 前朝大臣例封君自樞密經門下者, 以歷兩府入銜爲府院君, 此言猶存, 於館隷新來鼓祝之時, 自卑官至三公, 皆唱好官, 終曰府院君者, 乃此也/ 正一品非大臣, 而曰府院, 亦非也. 領敦寧府事, 大典, 以一員書之, 所當只出一人, 而今則特置二員, 蓋上旨也. 戊申[光海君卽位年]二月, 成泳爲政柄, 請遞延興領事, 而以文陽代之, 未果焉, 人以爲諂, 然祖宗朝, 亦有是例云”.

387) 이는 다음의 자료에 의거하였다. 또 이 시기에 李穡은 病中에서 일어나 騎馬[起身上馬]가 가능하였다고 한다.

[是月，宣光帝愛猷實理達臘崩御于沙漠，在位九年，壽四十，上尊謚□□，廟號昭宗. 子脫古思帖木兒卽位，是爲天元帝:追加].[388]

五月[壬申朔小盡,戊午]，[甲戌[3日]，芒種. 以時令不和，醮太一于福源宮:禮5雜祀轉載].

[戊寅[7日]:追加]，以旱，宥二罪以下.[389]

[庚辰[9日]，巷市:五行2轉載].

[丁亥[16日]，月食，旣:天文3轉載].[390]

[戊子[17日]，禱雨于宗社:五行2轉載].

[某日]，倭寇西州[瑞州]·庇仁縣. 又寇水原·龍駒等處，戶長李富擒獲十餘人.[391]

[某日]，以評理商議崔公哲爲楊廣道都元帥.

[某日，以漕船不通，始頒初番祿，權勢家奴，操梃叫號，爭先奪攘蹂躪，死者二三人:食貨3祿俸轉載].

[是月，京城饑，布一匹，直米三四升:節要·五行3轉載].

[○判曹溪宗事·禪敎都總攝·太子山寺住持希琛，前興化寺住持·大禪師達然，明德太后洪氏，惠妃李氏，愼妃廉氏，定妃安氏，長寧公主王氏，永昌府院君瑛,[392] 三

- 『白雲和尙抄錄佛祖直指心體要節』卷首，序，“… 蒼龍戊午夏四月五日，推忠保節同德贊化功臣·三重大匡·韓山君·領藝文春秋館事牧隱李穡序”.
- 『白雲和尙語錄』卷首，序,“… 戊午夏四月五日，推忠保節同德贊化功臣·三重大匡·韓山君·領藝文春秋館事牧隱李穡序”. 이 序文의 내용은 上記 資料와 조금 差異가 있다.
- 『목은시고』 권22，兩朝文學歌幷序，“… 戊午[禑王4年]，始得上馬，召入內侍講書筵”.

388) 이는 다음의 자료에 의거하였다.
- 『명태조실록』 권118，홍무 11년 4월 是月，“元嗣君愛猷實理達臘殂于沙漠”.
- 『憲章錄』 권6，홍무 11년 4월，“□□[是月]，元嗣君愛猷識理達剌殂于沙漠”.
- 『國史紀聞』 권3，홍무 11년 5월，“元嗣君愛猷失理達臘殂，子脫古思帖木兒立”.

389) 이 기사는 지7，五行2에 “戊寅，以旱，宥二罪以下”로 되어 있다.

390) 이날 일본에서도 월식이 예측되었고(永和四年具注曆)，明에서는 15일(丙戌)에 월식이 있었다고 한다. 또 이날(丁亥，16일)은 율리우스력의 1378년 6월 11일이고，월식 현상이 심했던 때의 世界時는 14시 48분，食分은 1.57이었다(渡邊敏夫 1979年 486面).
- 『명태조실록』 권118，홍무 11년 5월，“丙戌，月食”.

391) 西州는 庇仁縣의 隣近에 있는 瑞州(이 時期의 富城縣의 名稱)의 오자일 것이다(지10，지리1，富城縣).

重大匡·門下侍中兼判崇敬府事慶復興, 守門下侍中兼領景靈殿事·廣平府院君李仁任, 三重大匡·吉昌君權適, 三重大匡·門下贊成事睦仁吉, 宦官·三重大匡·奉化君鄭鸞鳳, 三重大匡·溫陽君方節,[393] 匡靖大夫·判崇敬府事兼判典農寺事李得芬等造成西天提納薄陀尊者指空浮圖於楊州檜巖寺. 先是, 前朝列大夫·征東行中書省左右司郎中·三重大匡~~重大匡~~·韓山君李穡撰浮圖銘:追加].[394]

[○政堂文學·藝文館大提學韓蕆, 光州郡夫人金氏等開板'佛說大報父母恩重經':追加].[395]

[○僧自延·法弘·優婆塞金臣桂等開板'佛說大報父母恩重經':追加].[396]

[○僧自延·覺寬·優婆塞金臣桂等開板'佛說長壽滅罪護諸童子陀羅尼經':追加].[397]

[是月頃, 以奉翊大夫安仲溫爲安東大都護府使, 劉漢忠爲永州副使:追加].[398]

---

392) 原文에는 '永昌府院君覺璞'이라고 되어 있으나 誤刻 또는 誤讀일 것이다.

393) 이 시기에 三重大匡·奉化君을 띤 人物은 禑王의 寵愛를 받은 宦官 鄭鸞鳳(宦官 李得芬의 假子)을 除外하고 찾을 수 없고, 方節은 恭愍王代의 환관이다.

394) 이는 李能和, 『韓國佛教通史』卷上, 西天提納薄陀尊者浮圖銘 ; 『大正新脩大藏經』제51권, 史傳部3, 遊方記抄, 梵僧指空禪師傳考에 의거하였는데, 事實과 다른 点도 있을 것이다 하다. 이에서 李穡이 元의 官職과 北元의 年號인 宣光八年을 사용한 것이 주목된다("宣光八年戊午五月 日立"). 현재이 탑비는 1821년(순조21) 7월에 파괴되고, 1828년(순조28) 5월에 재건된 것이라고 한다("崇禎紀元後四戊子五月 日 立", 許興植 2020년 569面).

· 『순조실록』 권24 21년 7월, "辛未[23日], 廣州幼學李膺峻, 碎破楊州檜巖寺浮圖及石碑, 偸竊舍利, 仍葬其親於其地. 蓋指空·懶翁·無學三禪師浮圖及事蹟碑, 在於寺之北厓, 而無學碑, 卽太宗朝奉敎撰立者也. 因畿伯狀聞, 刑曹以勘律當否, 詢問于大臣. … ".

395) 이는 다음의 자료에 의거하였는데(국립중앙박물관 소장, 삼성미술관 소장, 보물 제705호, 朴文烈 2007년 ; 郭丞勳 2021년 506面), 資三有은 三有齊資로 읽는 것이 좋을 것이다[讀].

· 『佛說大報父母恩重經』, 卷末刊記, "本經非特報」 親之罔極,其報四恩,資三有[三有齊資],且壽君報國,而消兵登穀濟物利生之道,亦不外此,故命刊廣施,使」 見聞者,同種佛種云,」 戊午五月日誌,」 施主」 輸忠翊戴功臣·匡靖大夫·政堂文學·藝文館大提學·上護軍韓蕆,」 光州郡夫人 金氏,」 同願」 上黨郡夫人 韓氏,」 同願 桓浩」 化刊 □□□」".

396) 이는 다음의 자료에 의거하였다(祇林寺 所藏, 郭丞勳 2021년 509面).

· 『佛說大報父母恩重經』, 卷末刊記, "戊午五月 日開板 化主 自延,」 施主比丘 法弘, 金臣桂」".

397) 이는 다음의 자료에 의거하였다(삼성미술관 소장, 보물 제701호, 宋日基 2008년 ; 郭丞勳 2021년 508面).

· 『佛說長壽滅罪護諸童子陀羅尼經』, 卷末刊記, "主上殿下壽万歲,」 諸官宗室各保千秋,國泰民安,雨」 順風調,禾稼登稔,天下太平,法界有」 情,俱等覺岸者.」 戊午五月日重刻,」 勸善比丘 自延,」 同願比丘 覺寬,」 同願比丘 解禪,」 施主 比丘 法弘,」 金臣桂」".

398) 이는 『안동선생안』 ; 『영천선생안』에 의거하였다.

六月辛丑朔大盡,己未, [某日], 倭寇清州, 賊鋒甚銳, 我軍望風而遁, 賊四出攻掠, 我師復乘間襲之, 斬十餘級.[399]

[□□是時, 倭寇清州吏孫宥所居里, 兒女攬衣號泣, 宥, 不顧徑走母家, 負而匿得免, 州人敬服. 宥, 每因公幹, 出入村落, 一毫不取. 時稱淸白吏:列傳34孫宥轉載].[400]

[某日], 日本九州節度使源了浚今川了俊, 使僧信弘率其軍六十九人來, 捕倭賊.

[某日], 倭又寇木州·寧州·溫水縣.

[某日], 平壤君趙思敏卒.

[某日], 帝放還我行人判宗簿寺事崔源·全甫·李之富.

[某日], 以禹仁烈爲慶尙·楊廣·全羅三道都體察使. [仁烈, 獻倭捷, 賜酒及鞍馬:節要轉載].

[→又出爲慶尙·楊廣·全羅三道都體察使. 與倭戰中矢, 力戰破之. 遣人獻捷, 禑賜酒及鞍馬:列傳27禹仁烈轉載].

[某日], 倭寇宗德·松莊·永新等縣, 元帥楊廣道都元帥崔公哲·王賓·朴修敬等擊, 却之.

[癸丑13日, 雨:五行2轉載].[401]

[○僧弍庵·禪和·判通禮門事金繼生等開板'白雲和尙抄錄佛祖直指心體節要', 備置於川寧縣鷲嵓寺:追加].[402]

---

399) 이때 청주지역은 倭賊에 의해 蹂躪되어 住民의 생활 기반이 크게 惡化되으나 牧使 李某가 惠政을 베풀어 回復되었던 것 같다.

· 『목은문고』 권6, 清州牧濟用財記, "淸爲倭蹂躪, 閭巷赤立不自持, 李慕之受命莅之, 咨訪規劃, 煦之撫之, 再朞而澤洽民親, 吏法政聲聞于朝, …". 여기에서 慕之는 字 또는 號일 것이다.

400) 이는 다음의 자료에 의거하였다.

· 열전34, 孝友, 孫宥, "… 淸州吏也. 每因公幹, 出入村落, 一毫不取. 時稱淸白吏. 辛禑四年, 倭寇所居里, 兒女攬衣號泣, 宥, 不顧徑走母家, 負而匿得免, 州人敬服".

401) 이날 일본의 교토에서 雷鳴이 있은 후 비가 내렸다고 한다(『愚管記』제22, 永和 4년 6월, "十二日癸丑, 雷鳴雨降, 如昨日").

402) 이는 다음의 자료에 의거하였다(尹炳泰 1969년 ; 郭丞勳 2021년 512面).

· 『白雲和尙抄錄佛祖直指心體節要』, 권말간기, "… 宣光八年戊午六月 日,」 書員 弍庵, 禪和, 天亘,」 刻字 宗幹, 昷如, 信明,」 募緣 法麟, 自明, 惠全,」 助緣門人,」 比丘尼 妙德, 妙性, 靈照, 性空,」 鈴平郡夫人 尹氏,」 北原郡夫人 元氏,」 駒城郡夫人 李氏,」 正順大夫·判通禮門事 金繼生」 留板川寧鷲嵓寺」".

[秋]七月辛未朔大盡,庚申, [某日], 前知密直司事商議鄭夢周還自日本, 九州道節度使源了浚今川了俊, 遣周孟仁偕來.[403]

[→及歸, 與九州節度使所遣周孟仁偕來, 且刷還俘尹明·安遇世等數百人. 且禁三島侵掠. 倭人久稱慕不已, 後聞夢周卒, 莫不嗟惋, 至有齋僧薦福者. 夢周憫倭賊奴我良家子弟, 乃謀贖歸, 力勸諸相, 各出私貲若干. 且爲書授尹明以遣, 賊魁見書辭懇惻, 還俘百餘人. 自是, 每明之往, 必得俘歸:列傳30鄭夢周轉載].[404]

丁丑7日, 以生辰放囚.

[戊寅8日:追加],[405] 北元□遣使來, 告其主豆叱仇帖木兒豆仇叱帖木兒卽位, 禑欲托疾不迎, 使强之. 禑出迎□□征東行省, [率韓山君李穡等聽詔:追加].[406]

---

403) 이때 鄭夢周는 室町幕府[무로마치 바쿠후, 혹은 足利幕府]가 九州에 파견한 九州探題[규슈탄다이, 혹은 鎭西探題] 今川貞世[이마가와 사다요, 今川了俊]에 의해 하카다[博多]에 9개월 정도 붙잡혀 있다가 귀환하게 되었던 것 같다. 또 이때 교토[京都] 동남쪽에 위치한 東福寺(現 京都市 東山區 本町 15-778 臨濟宗 東福寺派 本山)의 僧侶인 大有天祐·弘慧 등도 함께 왔던 것 같다. 이들 일본 승려들은 是年 9월 30일(己亥) 歸國을 위해 開京에서 長途에 올랐던 것 같다. 또 이후 鄭夢周는 재상들에게 권유하여 私財를 모아 수차에 걸쳐 尹明이라는 인물을 일본에 파견하여 被擄人을 刷還하였다고 한다(열전30, 鄭夢周).
- 『목은시고』 권8, 送日本釋□大有天祐 ; 『동문선』 권88, 送日本釋大有天祐上人還國序.
- 『목은시고』 권12, 九月晦己亥, 日本僧弘慧求詩, 送日本釋, 因有所感, 十月朔日庚子.
- 『도은집』 권3, 日本□大有天祐上人饋赤城紫石硯以詩爲謝, 권4, 送日本國釋大有天祐上人還同序.
- 『柳巷集』, 贈日本僧天祐.
- 『양촌집』 권2, 送日本釋大有還國.
- 『滓溟齋詩集』 권3, 博多浦, 卽朴堤上就義處, 鄭圃隱駐節地, 感舊謾筆, "詩文 省略".
- 『靑城集』 권1, 藍洲舟中, 次劉長卿韻, "梅窗春色海中央, 鄭老遺蹤隔水香, 漫詠藍洲詩十景, 博津煙雨獨悲凉[注, 麗時, 圃隱使日本, 被拘於博多津, 久而得返]".

404) 이에서 3島는 對馬島·一歧島·五島列島로 추정된다.

405) 이날 韓山君 李穡이 몽골제국의 廷試에 급제한 某人(號 明善)과 함께 征東行省에서 北元의 사신으로부터 卽位詔勅을 청취하였다. 여기에서 明善學士의 身上을 알 수 없으나 李穡이 明善先生으로도 呼稱하는 것을 보아 그보다 年上으로 추측된다. 이에 해당하는 인물은 1348년(충목왕4)에 급제한 尹安之와 1351년(충정왕3)에 급제한 白彌堅을 들 수 있는데(張東翼 1994년 174面), 누가 生存해 있었는지는 알 수 없지만 그도 10餘日 후에 逝去하였다고 한다.
- 『목은시고』 권8, 七月初八日聽詔征東省拜, 明善學士在焉. 廿一日王太醫來, 語及明善仙去十餘日矣, 驚呼之餘, 作歌以哭, "元朝進士二人存, 臥病壯年兩眼昏. 扶杖省中同聽詔, 望槎天上欲鎖魂. 那知數日仙遊去, 最是多生客死寃, …".
- 『목은시고』 권8, 奉懷明善先生, "永懷勞玉趾, 始病臥金經, 庭樹含風碧, 簷松蔽日靑, 生涯三徙室, 歲律五移星, 幾度乘狂興, 扶輿欲拜庭".

406) 이 기사에서 豆叱仇帖木兒는 豆仇叱帖木兒의 誤字일 것이다. 곧 이해(1378)의 4월에 昭宗(愛猷識理達臘, Ayu Siri Dala, 40歲)이 崩御하고, 아들인 脫古思帖木兒(豆仇叱帖木兒, Tugus

[丙戌[16日], 北元使歸, 韓山君李穡餞送:追加].[407)]

[辛卯[21日], 處暑. 晩, 黑雲垂四方, 小雨點滴, 微凉:追加].

[壬辰[22日], 入夜風雨大作:追加].

[明日~~癸巳~~[23日], 晩, 雲向北, 天陰:追加].[408)]

[某日], 倭寇牙州, 入東林寺, [楊廣道都元帥]崔公哲·王賓·朴修敬等進擊, 斬三級, 獲馬二十餘匹.

[某日], 日本僧信弘與倭寇, 戰于[寶城郡]兆陽浦, 獲一艘, 盡斬之, 放還被虜婦女二十餘人.[409)]

[某日, 以[三司左尹]朴可興爲慶尙道按廉使, 宋文中爲全羅道按廉使, 姜蓍爲江陵道按廉使:慶尙道營主題名記·錦城日記].[410)]

[是月, 判通禮門事金繼生·前護軍朴叢, 僧昷如·信明等開板'白雲和尙語錄':追加].[411)]

Temur, 天元帝, 益宗)이 嗣位하였다(열전46, 禑王 4년 7월 ; 『明史』 권2, 洪武11년 4월 ; 『十駕齋養新錄附餘錄』 권9, 順帝後世次). 또 『명사』와 錢大昕의 『十駕齋養新錄』에는 脫古思帖木兒는 昭宗의 아들로 되어 있다. 脫古思帖木兒가 昭宗의 弟인가, 子인가에 대해서는 자료에 따라 차이가 있는데, 이에 대한 검토와 그 이후의 帝系에 대한 검토도 있다(和田 淸 1930·1932年, 1933年 ; 薄音湖 1987年 ; 尹銀淑 2007년).

407) 이는 『목은시고』 권9, 即事是日送詔□[使]에 의거하였다.

408) 21일 이후의 天候는 다음의 자료에 의거하였다.
- 『목은시고』 권9, 二十二日夜中, 風雨大作, 吟成一篇, 曉起錄之, "昨晩黑雲垂四坊, 小雨點滴生秋凉, …".
- 『목은시고』 권9, 晩看雲向北賦此, "早起望雲雲向北, 日光不漏天沈黑, …".

409) 兆陽浦는 寶城郡 管內의 兆陽縣에 있던 浦口로서, 潮陽浦로도 표기되어 있으나 오자일 것이다(지33, 식화2, 漕運). 이 浦口는 成宗代의 安波浦(現 全羅南道 寶城郡 鳥城面 得粮灣 鳥城川地域)가 改稱된 것으로 추측되고 있다(韓禎訓 2019년).

410) 宋文中은 9월에 羅州牧에 들어 왔다고 하지만, 같은 해 11월 초에서 12월 4일(壬寅) 사이에 만들어진 崔宰의 묘지명에 將軍 崔恕(崔宰의 孫)가 全羅道按廉使라고 되어 있는 것으로 보아 교체되었을 가능성도 있다. 또 姜蓍는 『양촌집』 권39, 姜蓍墓誌銘에 의거하였다. 그리고 이들 안렴사는 8월 15일 이후에 開京에서 출발하였던 것 같다.
- 『목은시고』 권9, 送慶尙道按廉使朴可興.
- 『세종실록』 권37, 9년 8월 丙子[21日], 朴可興의 卒記, "… 可興字安中, 順天人. 初以蔭補散員, 累遷三司左尹, 慶尙道按廉使, 擢密直司右副代言, 遷禮儀判書, 移典法軍簿判書, 密直副使, 以事謫外".
- 『금성일기』, "秋冬番按廉使宋文中九月日下界".
- 『목은시고』 권11, 題宋文中全羅□[按]廉使詩卷. 이것이 작성된 시기는 是年 9月 무렵이다.

八月[辛丑朔[小盡,辛酉], 雨:追加].

[某日], 慶尙道元帥[兼都巡問使]裴克廉擊倭于欲知島, 斬五十級.

[丙午[6日], 白露:追加], 虎入京城, 多害人物, 我太祖[贊成事李成桂]射殪之.[412)]

[○歲星犯房及鉤鈐:天文3轉載].

[丁未[7日], 以秋丁祭文廟, 成均館致膰于耆老宰臣:追加].[413)]

[某日, 倭寇長興府. 都巡問使池湧奇, 遣卓思淸, 與戰于會寧縣, 擒斬九人:節要轉載].[414)]

[某日], 倭寇延安府及海州. 遣判崇寧府事羅世·判密直□□[司事]沈德符,[415)] 領戰艦, 大索倭賊于諸島.[416)]

[某日], [禮儀判書]周誼·[判繕工寺事]柳藩, 還自京師. 禮部尙書朱夢炎錄帝旨, 以示我國人曰, "朕起寒微, 實膺天命, 代元治世, 君主中國. 當卽位之初, 法古哲王之道, 飛報四夷酋長, 使知中國之有君. 當是時, 不過通好而已, 不期高麗王王顓[恭愍王], 卽稱

---

411) 이는 다음의 자료에 의거하였는데(서울대학도서관 1966년 54面 ; 尹炳泰 1969년 ; 郭丞勳 2021년 516面), 이는 是年 6월에 開板된 『白雲和尙抄錄佛祖直指心體節要』의 권말간기를 축약한 것이다.
- 『백운화상어록』, 권말간기, "戊午七月日,前護軍朴叢爲金判閣書,」 留板于川寧鷲岩寺,」 宗幹, 昰如·信明等刊"」 門人 法麟, 募緣」 助緣 門人等,」 比丘尼 妙德, 北原郡夫人 元氏,」 駒城郡夫人 李氏,」 正順大夫·判通禮門事 金繼生」". 여기에서 冒頭는 "1378년(우왕4) 7월 某日 前護軍 朴叢이 判通禮門事(判閣門事의 改稱) 金繼生[金判閣]의 요청에 의해 整稿本을 만들고[書, 筆寫], 板木은 川寧縣 鷲巖寺[鷲岩寺]에 남겨둔다"로 해석하는 것이 좋을 것이다.

412) 이날의 日辰은 五行志2, 金行에 의거하였다. 또 이와 같은 기사가 『태조실록』 권1, 總書, 우왕 4년 8월에도 수록되어 있다.

413) 이는 다음의 자료에 의거하였는데 이달의 初丁이 '七日丁未'이므로 韓山君 李穡은 翌日(8일)에 燔肉을 받았던 것 같다. 곧 다음의 詩文에 燔肉을 春丁에 받고 곧 다시 秋丁에 받았다고 한다(→是年 2월 4일), 참고로 '前年[禑王3年]八月丁未朔'의 秋丁은 1日, '明年[禑王5年]八月甲子朔'의 秋丁은 4日(丁卯)이었다(張東翼 2016년 143面).
- 『목은시고』 권8, 初八日, 丁祭燔肉至, 作詩以記, "春丁未幾又秋丁, 燔肉濃薰黍稷馨, 當日講明猶汗背, 如今俊秀尙盈庭. …".

414) 이는 열전27, 池湧奇에도 수록되어 있다.

415) 沈德符는 이해에 密直司使·上護軍에 임명되어 10월에 사신으로 明에 파견되었다고 한다.
- 『태종실록』 권1, 1년 1월 甲戌[14日], 沈德符의 卒記, "戊午, 除密直使, 奉使如京, 專對敏給".
- 『동문선』 권117, 沈德符行狀, "戊午, 除密直司使·上護軍, 十月, 奉使如京, 時太祖高皇帝屢問孫內侍不復, 使者皆力辭, 公受命無難色, 旣至闕下, 專對敏給".

416) 이 기사는 열전27, 羅世에는 수록되어 있지 않다.

臣入貢，斯非力也，心悅也．其王精誠數年，乃爲臣所弑，今又幾年矣．彼中人來，請爲王顓諡號[諡號]．朕思限山隔海，似難聲敎，當聽彼自然，不干名爵．前者弑其君，而詭殺行人，今豈遵法律，篤守憲章者乎？好禮來者歸，爾大臣，勿與彼中事．如勑施行".[417)]

[某日]，憲府[司憲府]上言，近來州郡，屢經倭寇，凋弊已甚，而守令，每爲賓客，多張宴樂，耗費錢穀，侵漁細民．爲按察者，若罔聞知，其弊日甚，自今，請令按廉□[使]，條啓民瘼及守令得失，以憑黜陟．諸道，連年旱荒，軍食不給，民轉溝壑，誠可痛心．宜令守令，審今歲豊凶之狀，量戶大小，出穀有差，藏之州廩，以救來歲之荒，且備不虞之用．又添設官職，只爲賞軍功也，而無功閑居者，亦或夤緣冒得，使名器至賤，自今，除從軍立功外，勿授添職:節要轉載].[418)]

[某日]，倭寇衿州·陽川．

[○懶翁惠勤門下僧覺連，謁淸州淸信男女，得財若干，作屋三間．是時畢功，垂懶翁眞于其中，僧居左右偏，朝夕香火，報惠勤恩:追加].[419)]

九月[庚午朔大盡,壬戌]，[某日]，宰樞等詣奉恩寺太祖眞殿，卜遷都，不吉，事遂寢．

[某日]，倭寇瑞州．

[某日]，憲府[司憲府]劾[判宗簿寺事]崔源，在京師，帝問金義殺使，先王被弑事．源不遵使旨，不諱國惡，請治其．乃下源獄，鞫之不服．竟殺之．

[丁丑[8日]，以郎將沈龜齡爲奉善大夫·試典醫副正，賜紫金魚袋:追加].[420)]

---

417) 이 勅書는 『명태조문집』 권6, 諭中書却高麗請諡와 같은 것이다. 또 이때 李穡이 사신이 돌아온 것을 들었고(『목은시고』 권8, 聞江南使入界), 이 시기에 사신단의 一部가 風浪을 만나 돌아오지 못하였다고 한다(『목은시고』 권9, 航海入貢金陵遭風不返, 國人哀之, …).

418) 이 기사에서 黜陟 以上의 구절은 刑法志1, 職制에, 諸道 以下의 賑恤에 관한 句節은 食貨志3, 常平·義倉에, 添設에 관한 구절은 지29, 선거3, 添設에 각각 수록되어 있다.

419) 이는 다음의 자료에 의거하였는데, 이에서 戊戌八月은 1358년(공민왕7)이 惠勤(1320~1376)의 生前이므로 誤字일 것이다. 이 사실은 혜근의 入寂을 고려하면 1378년(우왕4, 戊午)의 戊午八月의 오류일 것이다.

- 『목은문고』 권6, 淸州龍子山松泉寺懶翁眞堂記, "… 今其徒覺連, 又來曰, '淸州龍子, 有石弥勒·石塔存, 實福地也, 連走邑居鄕社, 謁淸信男女, 得財若干, 作屋三間, 戊戌[戊午]八月畢功, 垂我懶翁眞于其中, 僧居左右偏, 所以朝夕香火, 報師恩也'. …".

420) 이는 『豊山沈氏世譜』, 沈龜齡의 仕宦日記, "宣光八年□□[戊午]九月□[初]八日, □[批]奉善大夫·試典醫

[己卯10日, 有星, 孛于紫薇紫微西藩, 犯四輔. 北極出東藩, 犯天桮·天紀:天文3轉載].

[辛巳12日, 雲薄滴疏雨, 雷輕低遠天, 孛星方示儆:追加].[421]

[壬午13日, 三更急雨, 雷電:追加].[422]

[甲申15日, 慶尙道副元帥裵克廉, 起役合浦軍營城:追加].[423]

[某日], 倭寇鐵州.

[戊子19日:追加], 復行洪武年號.[424]

[某日], 以密直副使林成味爲西京都巡問使.

[某日], 倭寇連山·尼山·公州.

[某日], 以門下評理韓邦彦·判密直□□司事李琳爲楊廣·全羅道助戰元帥.[425]

[某日], 倭寇益州·全州.

[是月頃, 以通直郞許繼道爲雞林府判官兼勸農·防禦使, 通直郞·永州副使劉漢忠爲安東大都護府判官:追加].[426]

[增補].[427]

副正, 賜紫金魚袋"에 의거하였는데(南權熙 2002년 449面), 添字와 같이 고쳐야 옳게 될 것이다.

421) 이는 『목은시고』 권11, 十二日, 二首를 전재하였다.

422) 이는 다음의 자료에 의거하였다.
- 『목은시고』 권11, 十三日, "三更來急雨, 九月欲窮秋, 雷電施餘怒, …".

423) 이는 다음의 자료에 의거하였다. 또 이해[是年]에 일시 金海府에 있던 慶尙道都巡問使의 本營이 폐지되고[罷本營], 다시 合浦(現 慶尙南道 昌原市 合浦區 地域)로 돌아 왔던 것으로 추정된다.
- 『신증동국여지승람』 권32, 昌原都護府, 關防, 右道兵馬節度使營, "李詹記, … 丁巳禑王3年春, 知門下事禹公禹仁烈, 營於其地, 未既, 被召還京. 京山裵公裵克廉, 以副元帥, 代鎭其衆, 至則修葺軍營, 工訖, 因謂衆曰, 既營矣, 城可後歟, 軍鎭謂藩翰者, 取其扞衛天下也. … 戊午秋九月甲申, 冬十一月戊寅, 役之終始也"(『동문선』 권77, 合浦營城記와 同一하다).
- 『경상도지리지』, 晋州道, 金海都護府, "僞朝禑王, 洪武戊午, 罷本營".

424) 이날의 날짜[日辰]는 다음의 자료에 의거하였다. 또 이해[是年]의 5월에 宣光을 연호로서 기록했던 浮圖銘이 있고(『朝鮮佛教通史』권상, 西天提納薄陀尊者浮圖銘并序), 7월에 宣光을 사용했던 陳省도 찾아진다(1392년에 작성된 和寧府의 戶籍(國寶戶籍)의 6幅, 盧明鎬 2000년 265面).
- 『동도역세제자기』, "宣光八年戊午, 九月初十九日, 洪武十一年還行".

425) 李琳은 明年(己未, 우왕5) 3월 羅州牧에 들어왔다(『금성일기』).

426) 이는 『동도역세제자기』; 『안동선생안』에 의거하였다. 許繼道는 許邕의 5子이고(許邕妻李氏墓誌銘), 劉漢忠은 永州副使로 재직하다가 8월에 안동판관으로 移任되었다고 한다(『영천선생안』).

427) 이해의 9월 초순에서 10월 중순 사이에 혜성이 출현하였던 것 같다. 이 彗星은 發生周期(76~79

[冬]十月[庚子朔大盡,癸亥], [某日], 倭寇沃州·珍同·懷德·靑山·林州, 楊廣道元帥韓邦彦擊之, 斬二級·獲馬十匹.

[某日], 倭屠燒全州.

[某日], 遣版圖判書李子庸·前司宰令韓國柱如日本, 請禁賊, 遺九州節度使源了浚[今川了俊]金銀酒器·人參[大蔘]·席子·虎豹皮等物.[428]

[某日], 以成汝完爲政堂文學商議, 王承貴·金光厚·崔準·金漢磾·安翊·張夏·睦子安△[並]爲密直副使, [[正順大夫·羅州牧使]梁有珍爲通憲大夫·羅州牧使:追加].[429]

[某日], 遣判密直司事沈德符如京師, 賀正, 版圖判書金寶生,[430] 謝放還[判宗簿寺事]崔源等. 謝恩表曰, "神機廣運, 德洽四方, 賤价畢來, 歡騰一國, 嫌疑攸釋, 壅塞必通. 伏念, 臣猥以沖資, 叨逢盛旦, 嘗馳一二之行李, 歲月荐更. 忽值三百之歸來, 室家交慶. 矧當源[崔源]等之旣至, 其慰禑心之曷勝. 玆蓋陛下, 推字小之仁, 廓包荒之度, 諒微臣畏天之敬, 憐殊俗懷土之思, 悉皆放還, 令其完聚. 臣謹當恪恭藩職, 恒輸事上之忠, 倍祝天齡, 永沐漸東之化".

[某日, 倭寇靈光·光州·同福縣, [~~密直~~·全羅]都巡問使池湧奇·順天□[道]兵馬使鄭地, 追及於玉果縣, 賊入彌羅寺, 我軍圍之, 縱火奮擊. 賊自焚死, 獲馬百餘匹. 是戰, 地之功居多, 捷至, 賜湧奇·地, 各銀五十兩:節要轉載].[431]

[→[禑王]四年, 倭寇靈光·光州·同福等處, 地與都巡問使池湧奇·助戰元帥李琳·韓邦彦等追及玉果縣[432]. 賊入彌羅寺, 我軍圍而火之, 遂縱擊, 賊自焚死殆盡, 獲馬

年, 平均 76.1年)로 보아 핼리혜성(1p/Halley, Halley's comet)으로 추측된다(→성종 8년 9월 16일의 脚注).

· 『명사』 권27, 천문3, 客星, "[洪武]十一年九月甲戌[5日], 有星見于五車東北, 發芒丈餘, 掃內堦, 入紫微宮, 掃北極五星, 犯東垣少宰, 入天市垣, 凡天市. 至十月己未[20日], 陰雲不見".

428) 이때 韓山君 李穡이 日本[東國]의 風俗과 使臣의 왕래에 대해 詩文을 작성하였다(『목은시고』 권12, 東國[~~日本~~]禮俗, 近於春秋戰國, 錄之所以進之也).

429) 成汝完(1309∼1397, 版圖摠郞 君美의 子, 石璘의 父)은 조선 초기에 昌寧府院君(혹은 昌城府院君)에 책봉되었던 것 같고(『태조실록』 권11, 6년 1월 乙亥[22日], 成汝完의 卒記), 梁有珍은 『금성일기』에 의거하였다. 또 성여완의 묘소는 抱川에 있었다고 한다(『허백당집』 권5, 謁抱川高祖昌寧府院君墓).

430) 이때 金寶生은 密直副使 또는 同知密直司事로서 版圖判書를 兼職하였을 것이다.

431) 全羅道都巡問使 池湧奇가 보낸 膳物[紅大蝦]은 開京의 韓山君 李穡에게 9월 하순에 도착하였다(『목은시고』 권12, 謝全羅都巡問使池密直惠紅大蝦,走筆·詠紅大蝦).

432) 玉果縣은 延世大學本에는 王果縣로 되어 있으나 오자일 것이다(東亞大學 2006년 25册 456面).

百餘匹. 是戰, 地之功居多. 捷至, 賜地及湧奇銀, 各五十兩:列傳26鄭地轉載].

[某日, 改忽赤四番, 爲近侍左右前後衛, 置四品以下祿官:兵2宿衛轉載].

[己巳[30日], 密直副使商議崔宰卒, 年七十五.[433] 宰, 以剛直不撓, 見重於世:節要轉載·追加].[434] [子思美·德成·有慶:列傳24崔宰轉載].

[是月頃, 以[前安東判官]鄭規爲永州副使:追加].[435]

十一月[庚午朔小盡,甲子], [辛未[2日], 雷雨:五行2轉載].

[某日], 以門下評理朴普老爲安州上元帥兼西北面都体察使.[436]

[某日, 倭寇潭陽縣, [都巡問使]池湧奇·[順天道兵馬使]鄭地與戰, 斬十七級:節要轉載].[437]

[某日], 倭寇益州.

[某日], 禑, 嘗召□□[三司]左使洪仲宣·政堂文學權仲和等曰, "京城控海, 慮有不虞之患, 且地氣有衰旺, 而定都已久, 宜擇地徙都之, 其考道詵書以聞". 仲宣·仲和及韓山君李穡·右代言朴晋祿, 與書雲觀會議. 前摠郎閔中理上言, "詵密記所載, 北蘇箕達者, 卽峽溪[俠溪], 可以遷都", [十月頃] 遣仲和及判書雲觀及[事]張補之·中郎將金祐等,[438] 往相之. 仲和還曰, "得北蘇宮闕舊基, 凡百八十間". 於是, 設北蘇造成都

433) 이날은 율리우스曆으로 1378년 11월 20일(그레고리曆 11월 28일)에 해당한다.

434) 이는 「崔宰墓誌銘」에 의거하였는데, 『고려사절요』 권30에는 月初에 수록되어 있다. 그런데 崔有慶(宰의 子)의 卒記에는 崔宰가 1377년(우왕3, 丁巳)에 逝去하였다고 되어 있으나 잘못일 것이다.
- 『태종실록』 권25, 13년 6월, "辛未[24日], 前參贊議政府事崔有慶卒. … 丁巳[禑王3年], 丁父憂, 廬墓終制".
- 『목은시고』 권10, 哭崔先生宰, 三首.

435) 이는 『영천선생안』에 의거하였는데, 鄭規는 6월까지 安東判官으로 재직하였고(『안동선생안』), 명년(우왕5) 8월 副正(從4品)으로 移任하였다고 한다. 그런데 鄭規는 1382년(우왕8) 1월 어떤 匿名書에 의해 林堅味·崔瑩으로부터 前判事 金克恭·判事 張子忠 등과 함께 부당하게 처벌을 받은 典校副令 鄭矩(克恭의 壻)와 같은 인물일 가능성이 있다(열전26, 崔瑩→우왕 6년 1월 某日).

436) 朴普老의 出鎭과 관련된 기사가 『목은시고』 권10, 是日, 西北面元帥啓行인 것 같다.

437) 이와 같은 기사가 열전26, 鄭地에도 수록되어 있다. 또 이 시기에 前判事 鄭之祥의 夫人이 潭陽에 거주하다가 왜적에게 피살되었던 것 같다(열전27, 鄭之祥, "[前判事鄭]之祥妻寡居潭陽, 爲倭賊所害").

438) 及은 事의 오자인데, 『고려사절요』 권30에는 옳게 되어 있다. 또 金祐는 黃喜의 外祖父 金祐와 같은 인물일 가능성이 있다. 그리고 이날의 月次는 韓山君 李穡의 詩文에 의거하였다.
- 『保閑齋集』 권15, 黃喜墓誌, "… 諱君瑞, 行已勤恪, 諳練典故, 明達事理, 爲一時名臣. 娵監門衛護軍龍宮金祐之女".

監. 朝議尋以峽溪[俠溪], 僻在山谷, 漕船不通, 遂寢.[439]

[某日], 以冬寒, 放囚.

[某日], 覇家臺[博多]倭使來, 泊蔚州. [日本僧]信弘言, "彼若見我, 必歸告其國". 遂紿曰, "高麗將拘汝", 使懼逃歸.

[戊寅[9日], 合浦軍營城工畢:追加].[440]

[庚辰[11日], 習八關行禮於毬庭:追加].[441]

辛巳[12日], 地震.

· 『목은시고』 권12, [十月]初八日, "司天承命共胥原, 老牧[李穡]吟詩獨閉門, 山勢北來尋正脈, 水聲西去問眞源, …".

· 『목은시고』 권12, 十一日, 四首, "詩文(→是月 11日)". 相視後蘇諸公, 雪中必苦,吟成一篇, 以爲諸公賢勞云, "登高望遠古所樂, 況是平生志丘壑, … 不聞登降頗崎嶇, 流汗洽背面發赤, 他年定鼎紀元庸, 勒向豊碑知幾尺".

439) 이때 北蘇의 論議와 관련된 기사로 다음이 있다. 여기에서 六錄은 道詵의『玉龍秘記』의 玉龍子十勝之地秘決, 十勝之之外論保身山水之所, 玉龍秘決, 玉龍子記, 玉龍子詩, 玉龍子青鶴洞訣 등의 6편을 指稱한다고 한다(奎章閣圖書). 또 秘錄은 '玉龍秘記', '道詵密記'를 指稱하는 것 같다.

· 지12, 지리3, 俠溪縣, "北蘇, 卽縣之箕達山. 辛禑時, 據'道詵密記', 遣權仲和等, 審得之. 與左蘇白岳山·右蘇[昇天府]白馬山, 爲三蘇".

· 『목은시고』 권10, 觀書席上, "中使傳宣檢秘書, 金卮賜酒勝醍醐, 群英座上情神聚, 六錄篇中氣歲錮, 自有老龍知其變, 欲招祥鳳在三蘇, 無短感激前朝事, 一箇書生白盡鬚. 夢中赴召向書雲, 左閱秘書將夕 曛, 丕奉天顔知有喜, 再傾御酒覺微醺, 實封的是神仙字, 奏狀容多附會文, 更命省臣來押座, 猊師·閔子政云云".

· 『목은시고』 권10, 廿一日司天監來, 傳亶[曹]六宰語, 趣進秘書, "曉窓頭未櫛, 兀坐愛吾廬, 傳語自參政, 刻期觀秘書, …". 고려시대에는 현재의 曺氏가 曹氏로 表記하였기에 ~~添字~~와 같이 고쳐야 옳게 될 것이다. 여기에서 이용된『목은시고』의 版本은 조선시대에 제작된 것이다.

· 『목은시고』 권12, 進讀秘錄, 有旨司天臣馳馹相視, 明日發行.

· 『목은시고』 권12, 閔摠郞[中理]以後蘇地圖來, 且言殿宇遺址宛然, 山水形勢與書中所載相合, 喜而記之, "相地初憑六錄篇, 獻圖今日敞書筵, 山河勝地無多子, 殿宇遺基尙宛然, …".

· 『여유당전서』詩集권3, 北蘇宮春感[注, 戊午[1798年], 宮在新溪縣東七十里, 高麗恭愍王所築], "古木荒臺碧澗東, 居人猶指北蘇宮. 當時綺閣峨雲表, 此日金鈿拾草中. 乳鹿銜花春寂寂, 啼鸎穿樹野濛濛. 可憐階戺文螭石, 漸作墦間祭案空".

440) 是年 9월 15일의 脚注와 같고, 이 城址에 대한 調査報告書도 찾아진다(沈奉謹 1993년).

441) 이는 다음의 자료에 의거하였다.

· 『목은시고』 권12, 十一日, 四首, "年々悅樂日將頹, 今歲毬庭習禮會, …".

· 『목은시고』 권12, 今月望,月有蝕, 故十一日毬庭習禮, 賦此, "八關行禮立子月, 先王周年停閱樂, … 司天奏言月有蝕, 進而無退稽諸史". 여기에서 先王周年은 禑王 1년으로도 생각할 수도 있으나 그때는 11月에 月食이 없었다.

[壬午[13日], 木稼:五行2轉載].

[甲申[15日], 月食:天文3轉載].[442)]

[乙酉[16日], 暈:天文3轉載].

[戊子[19日], 亦如之[暈]:天文3轉載].

[○木稼:五行2轉載].

[某日], 賜[慶尙道都巡問使兼元帥]裴克廉鞍馬·衣酒, 賞捕倭功.

[某日], 以地震, 宥二罪以下.

[某日], [日本僧]信弘與倭賊, 戰于固城郡[固城縣]赤田浦, 不克, 遂還其國.[443)]

[某日], 以前密直副使黃淑卿爲東北面都巡問使兼和寧府尹.

[某日], 有李安仁者, 剃妻髮, 稱爲家婢, 賣之不得, 欲殺之, 妻逃. 安仁與妻父母詰, 欲拔劍刺之. 典法司論, 殺之.

[丁酉[28日], 眞觀寺主山及南山, 群烏飛鳴相鬪, 凡七八日, 至有墜死者:五行1轉載].

[□□[是月], 析廣州任內砥平縣, 置監務, 以乳媼張氏之鄕也:節要轉載].[444)]

十二月[己亥朔大盡,乙丑], [某日], 倭寇河東·晋州, [慶尙道]都巡問使[兼元帥]裴克廉與兵馬使兪益桓夾攻, 斬十九級, 追擊于泗州, 斬二級.

丙午[8日], 雷.[445)]

[己酉[11日], 月暈:天文3轉載].

[壬子[14日], 亦如之[月暈]:天文3轉載].

---

442) 이날(甲申) 일본에서도 월식이 예측되었고(「永和四年具注曆」), 明에서는 14일(癸未)에 월식이 있었다고 한다. 또 이날(甲申)은 율리우스曆의 1378년 12월 5일이고, 월식 현상이 심했던 14일(癸未) 때의 世界時는 23시 29분, 食分은 1.12이었다(渡邊敏夫 1979年 486面).
· 『명태조실록』 권121, 홍무 11년 11월 癸未, "夜, 月食".

443) 이 기사는 ~~添字~~와 같이 고쳐야 옳게 될 것인데, 이는 固城縣이 이 시기 전후에 固城의 邑格이 승격된 일이 없기 때문이다.

444) 이와 같은 기사로 다음이 있다.
· 지10, 지리1, 廣州牧, 砥平縣, "辛禑四年, 以乳媼張氏之鄕, 置監務, 後罷之".

445) 이와 같은 기사가 지7, 五行1, 水, 雷震에도 수록되어 있다.

[某日], 置左蘇造成都監. 時議欲遷都, 國史有左蘇白岳山·右蘇白馬山·北蘇箕達山等, 三所創建宮闕之文, 故有是役.[446)]

[某日, 典法司言, "前成均祭酒金文鉉弑父與兄, 萬世不容之大逆, 而猶不悛, 沈湎酒色, 若不痛懲, 何以戒後, 請置于法". 卽下文鉉獄, 杖百流全義縣:節要轉載].

[→辛禑四年, 典法司言. "金文鉉弑父與兄, 天下大逆, 而曲蒙恩宥, 得保首領. 沈湎酒色, 無所忌憚, 此而不懲, 何以爲國. 請依律處刑, 周示四方". 禑杖流全義縣:列傳44金文鉉轉載].[447)]

[某日], 高家奴以兵四萬來, 投江界.

[某日], 遣[密直副使]柳曼殊于東北面, 吳季南于全羅道, 安翊于楊廣道, 南佐時于江陵道, [門下評理]王安德于西海道, 慶補于交州道, 計點戶口, 依西北例, 置左·右翼軍. 惟慶尙道, 令[慶尙道]都巡問使裴克廉掌之. 後, 憲府[司憲府]上疏罷之.[448)]

[→都堂議置軍翼[翼軍], 遣各道計點元帥. 下旨, 限倭寇寢息, 依西北面例, 各道皆置軍翼[翼軍], 擇淸白能射御者, 自奉翊至四品爲千戶, 五六品爲百戶, 參外爲統主, 千戶統千名, 百戶百名, 統主十名, 錄軍籍. 其餘三品至六品, 分屬各翼, 備軍器衣甲. 以兩班·百姓·才人·禾尺爲軍人, 人吏·驛子·官寺·倉庫·宮司奴·私奴爲烟戶軍, 定頭目, 聽自願, 備弓箭·槍·劒中一物, 五人爐臼一·斧三·鎌二, 各其官押領習戰. 令元帥府及軍目長官, 點檢, 無事歸農, 有變押領赴征, 違者, 以軍法論, 流移魁首, 及引誘許接人, 並皆軍法斷罪:兵1五軍轉載].[449)]

---

446) 이때의 國史는 다음의 기사를 통해 볼 때 『明宗實錄』이나 그것을 이용하여 後世에 편찬된 史書를 指稱하는 것 같다(東亞大學 2012년 11책 202面).
- 『고려사절요』 권12, 명종 4년 5월, "□□[某日], 制, 左蘇白岳山, 右蘇白馬山, 北蘇箕達山, 置延基宮闕造成官".
- 지31, 백관2, 三蘇造成都監, "明宗四年, 制, 左蘇白岳山, 右蘇白馬山, 北蘇箕達山, 置延基宮闕造成官. 辛禑四年, 議欲遷都, 以國史有三蘇創建宮闕之文, 置三蘇造成都監".

447) 이상에서 金文鉉에 관련된 두 기사를 비교해 보면, 前者가 당시의 實狀에 더 부합될 것이고, 後者는 事大外交를 표방했던 조선 초기의 정치적 형편을 잘 반영해 주는 潤文일 것이다.

448) 이 기사는 지33, 食貨2, 戶口에도 수록되어 있다. 또 吳季南은 全羅道元帥兼計點使로서 明年(己未, 우왕5) 全羅道에 들어왔다(『금성일기』). 또 翼軍制가 폐지된 것은 1379년(우왕5) 閏5월 某日이다.

449) 이 記事의 내용과 1379년(우왕5) 閏5월 司憲府가 翼軍制의 弊端을 열거한 내용을 통해 볼 때, 이때 설치된 翼軍은 몽골제국 軍戶制의 運用을 兵農一致의 高麗 軍制에 接木시켜 보려는 試圖로 추정된다(羅璋 2017年).

[辛酉[23日], 有氣, 大如鉢, 色如火, 飛過空中:五行1轉載].

[甲子[26日]:兵2城堡轉載],[450] 憲府[司憲府]上疏, [論時弊:食貨2借貸]曰, “[□一. 守令, 分憂重任, 自古, 必選有名望者, 近來, 軍國事殷, 以五六品爲安集, 無問賢否, 故侵漁病民者甚衆, 請令臺諫, 擬議差遣. 又按廉六朔番代, 送往迎來, 民受其弊, 自今滿一歲方許遞代:節要轉載].[451]

□一. 諸道□□[州郡]山城, 國家往往, 遣使修築, 多發軍丁, 不日畢功, 旋致崩壞, 其弊甚巨. 請自今不復遣使, 令守令, 徵發旁郡軍丁, 農隙修葺, 若未畢則停, 待明年, 以爲年例.[452]

□一. 功臣之號. 必待有功, 近年以來, 自兩府至六曹判事, 添設奉翊, 無寸功者, 濫授功臣號, 如有樹立大勳者, 何以爲賞. 請重惜名器, 毋得妄與. 古者, 非有功不侯, 今封君甚衆. 近因倭寇, 漕運不通, 倉廩虛竭, 除省宰封君外, 其餘封君, 請勿頒祿.[453]

[□一. 諸道公廩所儲米豆, 貧民多糴, 利其無滋息, 累歲不納, 按廉·守令, 互相遞代, 不能糾察. 因此, 國用日就虛竭, 乞依元糴之額, 督徵輸倉, 自今於一石, 取息三斗, 以救其弊:食貨2借貸轉載].

[□一. 奉翊·通憲官, 例未得出外, 今憑內香, 多率伴人, 乘馹橫行, 其弊不小. 願自今, 科罪禁止. 且各鎭軍官, 因軍人小錯, 贖罰太重, 以致失業流移, 今後軍人, 隨所犯輕重, 依例斷罪, 毋得贖罰”:刑法1職制轉載].

[某日, 以[順天道兵馬使]鄭地爲全羅道巡問使:節要轉載].[454]

---

450) 이날의 날짜[日辰]는 지36, 兵2, 城堡에도 수록되어 있다(“[禑王]四年, 十二月甲子, 憲司上疏曰, …”).

451) 이 기사의 일부가 지29, 選擧3, 選用守令에도 수록되어 있다. 또 ‘按廉’ 以下의 句節은 다음의 기사를 축약한 것이다.

· 지29, 선거3, 選用監司, “辛禑四年 十二月, 憲司上言, 各道按廉, 軍國重事, 民生疾苦, 守令得失, 刑獄爭訟, 皆委統察, 所任至重. 今六朔更代, 故凡行公事, 未畢見遞, 以至廢弛, 且一年兩度送迎, 有弊. 願自今, 滿一歲, 方許遞代”.

452) 이 구절은 지36, 兵2, 城堡에도 수록되어 있다.

453) 이 기사에서 ‘古者’ 以下의 구절은 지33, 食貨2, 祿俸에도 수록되어 있다.

454) 鄭地는 順天道兵馬使에서 全羅道都巡問使로 陞進하여 前任者인 元帥兼都巡問使 池湧奇와 明年 1월에 交代하였다.

· 『금성일기』, “元帥~~及兼~~[兼都]巡問使池□□正月日上京, 本順天道兵馬使鄭地, ~~巡問使以入營~~[以巡問使入營]”. 여기에서 ~~添字~~와 같이 고쳐야 옳게 된다.

[是月], 無冰.[455)]

[○靈嵒寺住持·禪師妙慧等開板'法華三昧懺助宣講儀':追加].[456)]

[是月庚申[22日], 韓山君李穡移居妙覺洞判閤門事權某家:追加].[457)]

[是月頃, 北元帝脫古思帖木兒, 改明年爲天元元年:追加].[458)]

[是年, 改築雞林府邑城:追加].[459)]

[○以[知密直司事]韓脩爲大匡·上黨君·進賢館大提學:追加].[460)]

[○以[崇敬府尹]金先致爲洛城君, 仍賜推忠保節贊化功臣號:追加].[461)]

[○以[前知密直司事商議]鄭夢周爲右散騎常侍:列傳30鄭夢周轉載].

[○以[版圖佐郎]柳觀爲朝奉郎·試典寶都監判官, 賜紫金魚袋:追加].[462)]

[○以羅彥臣爲延安府使:追加].[463)]

· 열전26, 鄭地, "…, 尋爲全羅道巡問使".

455) 이 위치에서 是年 또는 是月이 탈락되었을 것인데, 다음의 자료에 의하면 是月이 적합할 것이다.
· 지7, 五行1, 火, 恒澳, "辛禑四年十二月, 無冰".

456) 이는 『法華三昧懺助宣講儀』卷下의 末尾 刊記에 의거하였다(朴相國 1990년).
· 刊記, "宣光七年丁巳十二月日,施主靈嵒寺住持·禪師 妙慧謹識,」 同願,」 判天台宗事·龍岩寺住持□□,」 忍,演妙普濟大禪師 了圓.」 推忠奮義輔理□□[功臣]·三」 重大匡·檜□□[出君],□□」 …」 書寫大選 性徹,」 校整大選 慶廉,」 化主道人 覺環,」 刻手□行 幻岑, 達桓,」 鍊板□□. 鐵匠 金元」".

457) 이 기사는 다음의 자료에 의거하였는데, 이는 당시에 사용된 不分明한 高麗曆日[日曆]의 復原, 『牧隱詩藁』수록된 作詩의 年月을 파악하는 잣대[指標]가 될 수 있기에 매우 중요하다.
· 『목은시고』 권13, 十二月廿二日庚申, 移寓妙覺洞權判閤家·題權判閤南樓[注, 是拙翁[崔瀣]宅, 判閤, 其壻也].

458) 이때 북원의 改元에 대해서는 1379년(우왕5) 天元元年의 脚注와 같다.

459) 이는 다음의 자료에 의거하였다.
· 『慶尙道續撰地理誌』, 慶州道, 慶州府, "府邑城, 石築, 周廻四千七十五尺, 高十二尺七寸, 有軍倉, 洪武戊午, 改築".

460) 이는 「韓脩墓誌銘」에 의거하였다.

461) 이는 다음의 자료에 의거하였다.
· 『태조실록』 권13, 7년 3월 己巳[22日], 金先致의 卒記, "… 戊午[禑王4年], 年六十一, 封洛城君, 仍賜推忠保節贊化功臣號".

462) 이는 『夏亭集』行狀에 의거하였다.

463) 이는 『연안부지』에 의거하였다.

[○以吳孝常爲知寧海府事:追加].[464)]

[○密直李仁立歸京山府:追加].[465)]

[○自慶州地域倭寇退却後, 鷄林府尹尹承順與判官沈于慶, 乘軍士之閑, 建立栢栗寺之西樓:追加].[466)]

[○判門下府事·漆原府院君尹桓, 始作萬日弥陁會於報法寺, 轉藏歲再者, 用夫人亡日及桓之生日之故也:追加].[467)]

[○咸悅人前散員崔得林妻洪氏, 爲倭所獲, 賊欲汚之, 罵賊固拒, 中槍而死:追加].[468)]

[○前簽書密直司事·同知春秋館事鄭公權撰'金剛般若波羅密經'跋:追加].[469)]

[□□□[~~是年頃~~], 禑始選置內宰樞, 掌出納. 於是, [~~門下評理林~~]堅味及[門下贊成事]洪永通·[門下]

---

464) 이는『영해선생안』에 의거하였다.

465) 이는 李褒(李兆年의 子)의 6子 중에서 同知密直司事로 仕宦이 끝난 仁立(4子)으로 추측하였다(열전22, 李兆年).
- 『목은시고』 권10, 昨晚子安[李崇仁]言李密直仁立歸鄕, 早起賦此·李密直歸京山府.

466) 이는 다음의 자료에 의거하였다. 또 1910年代에 제작된 栢栗寺의 平面圖도 찾아진다(關野 貞 1904年 193面 第278圖).
- 『신증동국여지승람』 권21, 慶州府, 佛宇, 栢栗寺, "… 鈴平君尹相國承順尹府之二年, 倭寇旣退, 戍兵久閑, 與寺住持見海·府倅沈于慶, 謀欲重新, 命通禮門祗候金精美·安逸戶長金君子, 領戍卒而督其役其向背增損之宜, 皆自公意, 而登臨觀覽之富, 倍於昔日矣".
- 「栢栗寺重修記」, "慶州之北, 有山突起曰金剛山, 有一寺名栢栗, … 宣光八年戊午三月, 府尹尹鈴平君相國承順慨然, 有重修之志, 命工伐材, 以玆經營起西樓, 以褰軒通眼界而無窮. 又起左右室而安寢之處, 至於門廊, 惟佛殿仍舊, …"(1415年 尹思瞻 撰, 寺刹史料上 420面).

467) 이는 다음의 자료에 의거하였다.
- 『목은문고』 권6, 報法寺記, "歲戊午, 始作萬日弥陁會, 凡爲屋□□□間, 不侈不陋, 觀者起敬, 夫人以三月初五日亡, 而公以八月初四日生, 故轉藏歲再者, 用其日也".

468) 이는 다음의 자료에 의거하였다.
- 『태조실록』 권8, 4년 9월, "丁未[16日], 上命左·右政丞曰, '今各道所報孝子順孫義夫節婦, 各有實跡, 宜加褒賞, 旌表門閭. 其有役者則復之, 貧乏者則周之, 以勵風俗'. … 咸悅人前散員崔得林妻洪氏, 歲戊午[禑王4年], 爲倭所獲, 賊欲汚之, 罵賊固拒, 中槍而死. … 命皆復其家, 存恤其子. 其中願從仕者, 令給馬上京, 年老家貧者及婦人, 賜米有差. 且令旌表其閭, 仍錄實迹, 通諭中外".
- 『신증동국여지승람』 권34, 咸悅縣, 烈女, "洪氏, 郞將崔得霖[~~崔得林~~]妻也. 年三十二, 恭愍朝[~~禑王戊午~~]遇倭寇, 守節而死. 事聞旌閭". 여기에서 ~~添字~~와 같이 고쳐야 옳게 될 것이다.

469) 이는 다음의 자료에 의거하였는데, 修月은 筆寫, 判讀할 때 발생한 某月[特定月]의 誤字일 가능성이 있다(南權熙 2002년 86面 ; 郭丞勳 2021년 513面).
- 『金剛般若波羅密經』, 권말간기, "… 著雍敦牂修月有日,前簽書密直□□[~~司事~~]·同知春秋館事鄭公權跋".

[評理]曹敏修爲之, 常在禁中, 事無大小, 皆先關白, 然後行. 堅味舅評理致仕公永張[張公永?]死, 葬具皆官府所庀. 禑嘗使人召堅味, 辭以疾, 再召乃至, 其驕蹇如此:列傳39林堅味轉載].[470)]

[○雞林判官沈于慶行殘酷刑. □□[先是]. 晋州人·中郎將鄭覃無子, 養州牧使李仁敏兒爲子, 年六歲墮井死. 仁敏意覃族人所爲, 遂訟于雞林, [沈]于慶繫覃姪汝諧·希範鞫之, 割足灌以油, 加炮烙極慘酷.[471)] 府尹尹承順謂于慶曰, "此輩栲訊踰年. 尙不承, 當更鞫之". 汝諧·希範聞之曰, "吾輩死乎?", 遂亡去, 獄吏捕之. 于慶曰, "汝若無辜, 何用逃爲. 汝必殺此兒". 復鞫之尤慘, 汝諧·希範誣服曰, "從姊姜乙恭妻實知之". 于慶執乙恭妻, 訊之又酷, 或盛石革囊, 亂擊口耳, 牙齒皆折落. 于慶謂承順曰, "吾今得情矣". 乃殺乙恭妻. ○又密直朴天常嘗過雞林, 承順置酒慰之. 有進士李桂芬等二人, 見賓校環列, 譏之曰, "鄕徒宴也". 承順門士以告, 承順怒, 囚桂芬等, 及見代, 以其事屬于慶. 于慶裂足炮烙, 二人尋死. 承順聞之參然, 盡逐其門士. ○國俗, 結契燒香, 名曰香徒. 相與輪設宴會, 男女少長, 序坐共飮, 謂之香徒宴:列傳35沈于慶轉載].

[增補].[472)]

---

470) 이 시기 전후에 林堅味는 林大參, 林參政으로 呼稱되는 것을 보아 知門下府事에서 門下評理(옛 參知政事)로 승진하였던 것 같다.

- 『목은시고』 권15, 次韻奉賀林大參[林堅味] ; 권16, 作謁林參政[林堅味]不遇, 因過東亭[廉興邦]小酌, 至王參政[王安德]宅盛設酒食, 會韓有巷[韓脩], ….

471) 李仁敏(李仁復의 弟)은 1370년(공민왕1) 5월 1일 晋州牧使로 재직하면서 '近思錄'을 간행한 적이 있었고, 이후 1년 정도 더 視務하면서 兒子의 養育을 鄭覃에게 부탁하였다가 慘狀을 당하여 界首官인 雞林府에 訴狀을 올렸던 것 같다.

472) 이해(우왕4, 1378)에 隣國에서 行해진 高麗王朝에 관한 사실은 다음과 같다.

[明] 12월 某日, 太祖 朱元璋이 高麗使臣을 歸還시키며 明의 使臣을 죽인 것을 叱責하고 執政의 來朝와 歲貢을 約束대로 行하지 않으면 軍隊를 派遣하여 問罪하겠다고 하였다(『명태조실록』 권121, 洪武 11년 12월).

[日本] 北朝 永和 4년 4월 16일, 大內義弘의 麾下에서 公務를 집행하던 參謀[奉行]인 陶山弘高·弘中喜快 등이 永久左近將監·福江[盛氏]左衛門尉 등에게 傳令을 내렸다[奉書]. 이의 내용은 倭寇를 討伐하기 위해 長門國 豊東郡 苻分에서 高麗에 건너갈 船舶을 위해 水手를 확보하는 조치[高麗渡水手事]에서 二宮(忌宮神社) 및 이와 관련된 지역[一圓地]에서는 免除하라는 것이다(長門忌宮神社文書大內氏奉行人連署奉書, 『忌宮神社文書』防長古文書1-1, 11面 ; 『南北朝遺文』中國·四國編5, 194~195面). 여기에서 奉書(호쇼)는 문서를 발급하려는 인물이 직접 발급한 것이 아니고 그의 參謀[侍臣] 또는 筆執[右筆]이 발급자[主人]의 뜻을 받들어 발급한 문서를 가리킨다.

- 4월 17일, 前日(16일)의 傳令[奉書]과 관련된 執行狀[遵行狀]이 福江[盛氏]左衛門尉에게 내려졌

[仁同人 張東翼 校注, 增補].

다(長門忌宮神社文書大內氏奉行人連署奉書, 『忌宮神社文書』防長古文書1-1, 11面 ; 『南北朝遺文』中國·四國編5, 194~195). 여기에서 遵行狀(쥰교조)은 守護 또는 守護代가 발급한 명령서를 지칭한다.

· 6월 2일, 播磨國 守護代에 의해 敎王護國寺(東寺)의 領地인 播磨國 矢野莊에 高麗人送夫催促使雜事의 名目으로 2斗 7升 6合(代錢230文)이, 人夫食二人半·馬一疋의 명목으로 6斗 1升 1合 1勺이 부과되었었다(敎王護國寺文書2播磨國矢野莊學衆方年貢幷雜穀等算用狀, 『敎王護國寺文書』2, 1961年 176~185面 ; 張東翼, 2004년 255面).

『高麗史』卷四十六 世家卷四十六[卷百三十四 列傳卷四十七]

[輔國崇祿大夫·議政府左贊成·知集賢殿經筵春秋館成均事·世子賓客·臣金宗瑞奉教撰]

正憲大夫·工曹判書·集賢殿大提學·知經筵春秋館事兼成均大司·成臣鄭麟趾奉教修

禑王[辛禑] 二

己未[禑王]五年, [用當該年干支], 明洪武十二年, 北元天元元年,[1)] [西曆1379年]

1379년 1월 19일(Gre1월 27일)에서 1380년 2월 6일(Gre2월 14일)까지, 13개월 384일

[春]正月己巳朔小盡,丙寅, 放朝賀:追加].

[庚午2日, 諸君·宰樞入闕肅拜, 使中官傳旨, 賜宮醞:追加].[2)]

乙亥7日, 遼東都指揮司遣鎭撫任誠來, 索被虜人及逃軍. □移咨曰, "洪武三年十一月, 高麗軍所虜, 遼陽官民男婦千餘人及各衛軍人, 逃往彼處者, 悉發解送". 時遼東人傳言, 高麗遣兵助北元, 故托以遣誠來, 覘虛實.[3)]

[○以人日, 頒賜祿牌:追加].[4)]

---

1) 蒙古高原의 舊都 和林地域에 本據地를 두고 있던 北元의 이해[是年]의 改元과 관련된 기사로 다음이 있다(神田喜一郎 1941年 ; 方齡貴 1984年). 또 韓山君 李穡은 이해[是年]의 중국 연호를 사용하지 아니하고 干支로 表記하였다.
- 『十駕齋養新錄附餘錄』 권9, 順帝後世次, "… 愛猷識理達臘而殂, 子脫古思帖木兒嗣位, 上廟號曰昭宗, 改元天元, …".
- 『목은문고』 권2, 砥平縣竹杖庵重營記, "… 己未五月日記", 金剛山潤筆庵記, "… 己未閏五月記" ; 권5, 巨濟縣見菴禪寺重修記, "… 己未六月".

2) 正旦과 2日의 記事는 다음의 자료에 의거하였다.
- 『목은시고』 권13, 己未正月初二日, 詣內肅拜, 明日有作, "昨入金門似夢間, 晩窓情興寄毫端, 謙恭不受群臣拜, 惻怛能敎百姓懽, … 中官傳旨傾宮醞, 半醉歸來天地寬".

3) 이날은 일본의 교토[京都]에서 맑았다고 한다. 또 8일(丙子) 遼使로 불린 任誠이 공민왕의 眞影이 奉安된 光巖寺에 銀朱를 施納하였던 것 같다. 銀朱는 水銀, 硫磺, 氫氧化鉀(KOH)이라는 흰색의 粉末을 加熱, 昇化시켜 만든 硫化汞(HgS)라고 하는 붉은색의 藥品인데, 朱砂[丹沙]라고 불려왔다.
- 『迎陽記』, 康曆 1년 1월, "七日乙亥, 天晴".
- 『목은시고』 권13, 明日又賦[注, 是日, 遼使施銀朱].

4) 이는 『목은시고』 권13, 七日頒祿·受祿歌에 의거하였다.

[某日], 以密直副使安翊爲楊廣道計點使.

[某日], 諫官上言, ["□𠆤. 國無三年之儲, 國非其國. 今中外之廩皆竭, 不足以支一年, 請令州郡, 課屯田, 以充軍食":選擧3添設轉載].

[→門下府郎舍上疏, 論時弊, 其詞曰, "國無三年之儲, 國非其國. 我國一年之畜, 尙且不足, 一有緩急, 事勢可畏. 屯田之法, 當今急務, 各道各州, 屯田法制不行, 分種各戶, 秋收以爲賓客之供. 願自今, 痛行禁理, 隨州郡殘盛, 定屯田之數. 每年, 按廉別定守令, 秋收入庫, 報數都堂, 用是以爲守令殿最. 東·西兩界, 用兵最急, 宜於閑曠之地, 設屯田, 遣公廉者, 備官牛農器, 勸督耕耘, 以備軍湏軍須. 甲寅年忠肅1年後, 公私加耕之田, 兵息爲限, 並屬軍湏倉庫軍須倉庫, 宮司所屬田土, 令各道按廉別定守令, 踏檢收納. 如有不得已國用, 都堂量給其費, 其餘, 並屬軍湏軍須,[5] 京畿·各道功臣田土, 丙申年恭愍5年以來, 被罪人土田, 一依憲司所奏, 並屬軍湏軍須:兵2屯田轉載].

[□𠆤. 易曰, '長子帥師, 弟子輿尸, □貞凶'.[6] 今元帥甚衆, 令出多門, 故體統紊亂, 紀綱不立. 請依舊制, 置一元帥, 餘則罷之, 加以他號, 並聽元帥節制:選擧3添設轉載].[7]

[□𠆤. 設官分職, 自有定制, 今兩府之額, 多至六十, 密直以下封君及通憲以上添設, 甚衆, 請皆罷之:節要轉載]. [正順以下添設官, 勿許帶館職. 且本國出謝格例, 滿百日則不出, 添設雖非實職, 年久者亦出, 實非古制. 況因年久, 姓名相似者, 間或用謀冒出. 請丁巳年禑王3年以前, 添設大小職, 毋得出謝:選擧3添設轉載].

[□𠆤. 工匠之徒, 雖或有勞, 勿許受職, 其已受者, 追奪職牒,[8] 僧徒封君, 婦女

5) 여기에서 軍須는 軍需와 같은 의미로 사용되었다.
- 『北史』 권40, 열전28, 韓麒麟, "韓麒麟, 昌黎棘城人, … 後參征慕容白曜軍事, 進攻升城, … 後白曜表麒麟與房法壽對爲冀州刺史. 白曜攻東陽, 麒麟上義租六十萬斛, 并攻戰器械, 於是軍須無乏".
- 『금사』 권11, 본기11, 章宗3, 承安 3년 4년 5월, "己亥, 應奉翰林文字陳載言四事, 其一, 邊民苦于寇掠, 其二, 農民困於軍須, …".
- 『자치통감』 권230, 唐紀46, 德宗興元 1년(784) 4월 庚戌10日, "上欲爲唐安公主造塔, 厚葬之, 諫議大夫·同平章事姜公輔表諫, 以爲'山南非久安之地, 公主之葬, 回歸上都, 此宜儉薄, 以副軍須之急'[胡三省注, 凡行軍資糧·器械所須者, 皆謂之軍須], …".

6) 이 구절은 『周易上經』, 師, 六五, "長子帥師, 弟子輿尸, □貞凶"을 인용한 것인데, 이 기사에서 貞이 탈락되었다.

7) 이 구절은 지35, 兵1, 五軍에도 수록되어 있다.

封翁主·宅主者, 亦悉停罷, 以重名器:節要轉載].[9)]

[□⼀. 又倭賊日熾, 侵掠諸道, 而國家待其告急, 然後, 遣將出師, 道里悠遠, 將帥垂至, 而賊已浮海, 不及與戰, 假令與戰, 併日倍馳, 士馬疲困, 屢致敗績. 請於諸道, 預遣將帥, 寇至, 則擊之:節要轉載].[10)]

□⼀. 民惟邦本, 本固邦寧. 近因倭寇·水旱之災, 百姓饑饉, 宜加存恤, 勸課農桑. 而今者, 後蘇·左蘇土木之役, 方興不已, 民困力政, 將轉于壑. 非惟失農, 又不能拾橡·栗, 以自資. 請卽停罷, 至秋始役.

[□⼀. 玄陵, 崇信經學, 養士取人, 近年以來, 詩·賦取士, 專尙詞章, 經學漸廢, 今後, 一遵玄陵己酉年恭愍18年科擧之法:節要轉載].[11)]

[□⼀. 東西北面, 境連異土, 尤宜袪弊存恤. 近者, 守令受京都相識所屬布帛, 分諸民戶, 徵收米穀, 或換軍須, 傳次輸運, 民不忍苦, 流徙異土. 願自今, 一皆禁斷, 違者, 送布人及守令, 憲司申聞科罪, 米布, 屬軍須. 且元帥所統軍官, 常騎馬陪行, 馬不休息, 因而困斃. 願自今城內, 毋率騎從. 又禁兩府門外迎餞":刑法2禁令轉載].

○禑不聽.

[→禑納之, 唯不罷土木役:節要轉載].

[癸未15日, 濃陰:追加].

[甲申16日, 晴:追加].[12)]

[己丑21日, 月暈:天文3轉載].

[庚寅22日, 日抱·日背·日冠·日戴·日珥, 有纓環之:天文1轉載].[13)]

[○赤祲見于西北方:五行1轉載].

---

8) 이 구절은 지29, 選擧3, 限職에도 수록되어 있다.

9) '僧徒封君' 以下에 관련된 자료로 다음이 있다.

· 지29, 선거3, 封贈, "辛禑五年 正月, 門下郎舍言, 僧人封君及依例外翁主·宅主封爵, 並皆除之".

10) 이 구절은 지35, 兵1, 五軍에도 수록되어 있다.

11) 이와 같은 기사가 지27, 선거1, 科目에도 수록되어 있다.

12) 17일과 18일의 氣象은 『목은시고』 권13, 十六日, "… 昨日濃陰今日晴. …"에 의거하였다.

13) 이때 일본의 교토에서 21일(己丑)은 맑았고, 22일(庚寅)은 晴陰이 불분명했다고 한다(『愚管記』제23, 永和 5년 1월, "廿一日己丑, 晴, … 廿二日庚寅, 晴陰不定").

[辛卯23日, 狐鳴于本闕:五行2轉載].

[壬辰24日, 日珥:天文1轉載].

[乙未27日, 日暈:天文1轉載].

[丁酉29日晦, 亦如之~~廿暈~~:天文1轉載].[14]

○以災變, 慮囚.

[是月, 以河忠國爲慶尙道按廉使, 鄭牧里~~鄭履~~爲全羅道按廉使:慶尙道營主題名記·錦城日記].[15]

[□□□~~是月頃~~, 新定君馬堈秀與其子占匿良民, 事覺繫獄. 會因灾變慮囚, 諸相欲釋之. 判三司事崔瑩曰, "堈秀, 奴使良人至三十, 廣占土田過百頃, 鄉愿莫甚, 豈宜得生". 守侍中李仁任使堂吏成牒曰, "凡匿民役使及犯死罪者, 其田並屬軍須". 吏以告瑩, 瑩厲聲叱之曰, "此事已有定法, 而不能遵, 必欲曲法宥匿民者, 又爭占犯罪者土田, 何用牒爲". 仁任慚靦. 瑩坐司平□~~府~~, 鞫堈秀罪, 報都堂, 都堂稽留不決, 瑩怒不出者數日. 竟杖堈秀一百七, 幷杖其子致遠·希遠, 皆流之, 堈秀道死:列傳26崔瑩轉載].

二月戊戌朔大盡,丁卯, [某日], 日本國遣僧法印來, 報聘, 獻土物.

[丙午9日, 月犯東井:天文3轉載].

[丁未10日, 晴, 以夜氣寒, 積雪. 春丁祭文廟, 成均館致膰于耆老宰臣:追加].[16]

[己酉12日, 月暈, 白氣自東至西, 挾月暈:天文3轉載].

---

14) 이날 교토에서 晴陰이 불분명했다고 한다(『愚管記』제23, 永和 5년 1월, "廿九日丁酉, 晴陰不定").

15) 河忠國은 이해[是年]의 6월 무렵 韓山君 李穡에게 茶와 魚物[鮑]을 보내 問安을 올린 것 같다(『목은시고』 권17, 奉謝河按部寄茶鮑). 또 『금성일기』의 鄭牧里는 鄭履의 다른 表記 또는 誤謬일 가능성이 있다.
- 『목은시고』 권15, 送全羅鄭廉使, 名履. 이때는 1379년(우왕5) 1월 무렵이다.
- 『목은시고』 권18, 代書答全羅鄭按部. 이때는 이해의 6월 무렵이다.

16) 이는 다음의 자료에 의거하였다. 여기에서 春丁(仲春文廟釋奠)이 행해지는 2월[仲春]의 첫 번째의 丁日[初丁]인 10일은 1379년(우왕5)에 해당한다.
- 『목은시고』 권14, 柳學官親送春丁燔肉, "仲春十日又逢丁, 助祭千官集大庭, 夜氣尙寒餘積雪, 天光如濕耿殘星. … 病裏忽驚燔肉至, 白頭無力更窮經".

[辛亥[14日]:比定], 以年荒, 停燃燈.

[某日[甲寅17日?]], 罷移都左蘇.

[乙卯[18日], 日暈:天文1轉載].

丙辰[19日], 雨雹.[17]

[某日], 倭寇順天·兆陽·珍原等處, [全羅道都巡問使]鄭地與戰敗績.[18]

[庚申[23日], 日暈:天文1轉載].

[甲子[27日], 春分. 亦如之[日暈]:天文1轉載].

[○赤氣見于西南:五行1轉載].

丁卯[30日], 亦如之[雨雹].[19]

○沔州人前判書崔有龍, 匿民口八十, 事覺, [楊廣道]計點使安翊, 斬之.

[是月頃, 以判事郭翀龍爲□[巡]軍千戶:追加].[20]

[○以[奉翊大夫]姜蓍爲安東大都護府使:追加].[21]

三月[戊辰朔小盡,戊辰], [己巳[2日], 月犯婁星:天文3轉載].

[辛未[4日], 遣使, 醮摩利山:禮5雜祀轉載].

---

17) 이와 같은 기사가 지7, 五行1, 水, 雨雹에도 수록되어 있다.

18) 全羅道都巡問使 鄭地는 같은 해 9월 이후 交替되어 上京하였다(『금성일기』). 또 이와 관련된 기사로 다음이 있다.

· 열전26, 崔瑩, "[門下侍中]慶復興·[贊成事]黃裳·[知門下府事]禹仁烈詣[判三司事崔]瑩第, 時鄭地與倭戰于順天·兆陽敗績. 瑩謂復興等曰, '諸相何不憂國, 倭寇陸梁至此, 一鄭地雖勇, 其如衆寇何?', 諸相有慙色".

19) 이와 같은 기사가 지7, 五行1, 水, 雨雹에도 수록되어 있다. 이날은 일본의 교토[京都]에서 맑았다고 한다(『迎陽記』, 康曆 1년 2월 , "廿九日[丁卯], 晴").

20) 이는 다음의 자료에 의거하였는데, 郭翀龍[郭仲龍]이 임명된 千戶職의 所屬部隊에 缺字가 있어 분명치 않으나 이 시기에 一字의 名稱을 가진 部隊는 司平府의 前身인 巡軍밖에 없다. 巡軍은 원래 巡軍萬戶府의 略稱인데, 1369년(공민왕18) 6월의 관제 개혁 때에 司平巡衛府로 改稱되었다. 이는 巡衛府 또는 司平府로 불렸지만, 여전히 巡軍으로도 불려졌다. 또 1382년(우왕8) 4월 이후에는 계속 巡軍으로 呼稱되고 있음을 보아 1378년(우왕4)에서 1382년 사이에 순군만호부로 還元되었던 것 같다(張東翼 2009년 494面).

· 『목은시고』 권15, 聞忠州郭判事翀龍爲□[巡]軍千戶, "少年英邁鄙迂儒, 勇折倭鋒向海隅, 縱是多多難益辦, 武才何止長千夫".

21) 이는 『안동선생안』에 의거하였다.

[壬申[5日], 赤氣見于南方:五行1轉載].

[癸酉[6日], 月暈:天文3轉載].[22)]

[庚辰[13日], 日暈:天文1轉載].

[壬午[15日], 亦如之[月暈]:天文3轉載].

[甲申[17日], 命淨事色, 大醮三界:禮5雜祀轉載].

[某日], 以知門下□[府]事禹仁烈爲慶尙道上元帥, 密直副使睦子安爲全羅道副元帥, 並兼都巡問使.

[某日], [判密直司事]沈德符·[版圖判書]金寶生回自京師, 帝賜手詔曰, "爾來者, 承姦之詐, 不得已而來誑. 今命爾歸, 爾當謂高麗禍首, 言朕所云. 其殺無罪使者[蔡斌]之讎, 非執政大臣來朝, 及歲貢如約, 則不能免, 他日取使者之兵, 豈不如滄海與吾共之. 若不信吾命, 則以舳艫數千, 精兵數十萬, 揚帆東泊, 特問使者安在. 雖不盡滅其黨, 豈不俘囚太半, 果敢輕視乎"?.[23)]

○禮部尙書朱夢炎錄帝旨, 以示國人曰, "自高麗國王王顓, 奉表入貢稱臣, 其表云, 子孫世世, 願爲臣妾. 何期數年之後, 王被姦臣所弑. 弑後, 疊差人來, 來文皆言, 嗣王之使爲. 未知王之端的, 拘使詢由, 又三年矣. 朕不忍使者父母妻子懸望, 特勑歸還. 未幾, 復差使至, 却之不納, 使彼自爲人回. 不逾數月, 止稱賀正·貢馬爲由. 而又使至, 稱臣措表, 皆嗣王之稱, 如此者, 五次矣. 若却之不納, 其表皆云, 嗣王之所爲也. 然朕觀高麗之於中國, 自漢至今, 其國君臣, 多不懷恩, 但廣詐交而構禍. 在昔漢時, 高氏失爵, 光武復其王號, 旋卽寇邊, 大爲漢兵所敗. 唐有天下, 亦嘗錫封, 隨復背叛, 以致父子受俘, 族姓遂絕. 迨宋之興, 王氏當國, 逼於契丹·女眞, 甘爲奴虜. 元世祖入中原, 嘗救本國於垂亡, 而乃妄懷疑貳, 盜殺信使, 屢降

22) 이날 교토에서 맑다가 오후 3시 이후에 잠시 風雨가 있었던 것 같다(『愚管記』제23, 永和 5년 3월, "六日癸酉, 晴, 申剋風雨, 卽霽").

23) 沈德符와 金寶生은 이 詔書를 前年(홍무11, 우왕4) 12월 明에서 귀국할 때 받았는데, 이는 『明太祖文集』 권6, 諭高麗使回와 같은 것이다(張東翼 1997년 369面). 이에 비해 『명태조실록』에 수록된 조서는 潤文된 것으로 추측된다.

· 『명태조실록』 권121, 홍무 11년 12월 是月, "遣高麗使還, 以勑諭之曰, 汝承姦之詐, 不得已而來誑. 我今命爾歸, 當以朕意言於首禍之人曰, 爾殺中國無罪之使. 其罪深矣. 非爾國執政大臣來朝, 及歲貢如約, 則不能免問罪之師, 爾之所恃者滄海耳. 不如滄海與吾共之. 爾如不信, 朕命舳艫千里, 精兵數十萬, 揚帆東指. 特問使者安在, 雖不盡滅爾類, 豈不俘囚太半, 爾果敢輕視乎?".

屢叛，是以，數遭兵禍．今王顓被弑，姦臣竊命，將欲爲之首，構讎怨於我，納之何益．以春秋論之，亂臣賊子，人人得而誅之，又何言哉．乃何前後五次，皆云嗣王之爲，陪臣奉之．爾中書差人詣彼，問嗣王之何如，政令之安在．若政令如前，嗣王不被羈囚，則當仍依前王所言．今歲，貢馬一千，差執政陪臣，以半來朝．明年，貢金一百斤·銀一萬兩·良馬百匹·細布一萬匹，歲以爲常．仍將所拘遼東之民，無問數萬，悉送回還．方乃王位眞，而政令行，朕無惑也．設若否此，必弑君之賊爲之．將後多詐並生，必肆侮於我邊陲，構大禍於高麗之生民也．朕觀此姦之量，必恃滄海以環彊，負重山固險，意在逞兇，頑以跳梁，視我朝調兵，如漢·唐．且漢·唐之將，長騎射，短舟楫，故涉海艱辛，兵行委曲．朕自平華夏，攘胡虜，水陸通征，騎射舟師諸將，豈比漢·唐之爲．然且遣使往觀，問嗣王安否，如勑施行”.[24]

○乃使奏差邵壘·趙振，隨□[沈]德符等來，二人至㮇水站,[25] 傳聞本國，遣文天式·吳季南，使北元．乃曰，“昔殺行人，今又懷二心，吾與其死於高麗，寧死於我土”．遂不至而還．

[某日]，倭寇道康縣．

---

24) 이 詔勅은『명태조문집』권6, 命中書諭高麗인데, 자구의 출입이 있다(張東翼 1997년 370面). 그런데 다음의 자료와 같이 이 조칙은 1377년(홍무10) 12월 是月條에 수록되어 있지만, 그 해의 9월 무렵 明에 파견된 사신은 없다. 또 홍무 11년(우왕4) 10월에 賀正使 沈德符가 파견되었으므로, 이 기사는 1378년(홍무11) 12월로 옮겨야 옳게 될 것이다.

· 『명태조실록』 권116, 홍무 10년[11年] 12월 是月, “高麗國遣使來，賀明年正旦，上以王顓既被弑，而其國數遣使入貢，則中書宰臣曰，高麗國王王顓，自入朝貢奉表稱臣云，世世子孫，願爲臣妾，數年之後，被姦臣所弑．及奉表來貢，皆云嗣王所遣，莫明其實，故拘其使詢之，終不得其詳，拘之既久．朕不忍其有父母妻子之情，特勑歸之．未幾，復遣使至，卻而弗納，不逾數月，又遣使以朝正爲名，奉表貢馬，皆稱嗣王，如此者五．朕觀高麗之於中國，自漢至今，其君臣，多不懷恩，惟挾詐以構禍．在漢時，高氏失爵，光武復其王號，旋卽寇邊，大爲漢兵所敗．唐嘗錫封，隨復背叛，以至父子就俘，族姓遂絶．迨宋興，王氏當國，而逼於契丹·女眞，甘爲奴虜．元世祖入中原，嘗救其國於垂亡，而乃妄生疑貳，盜殺信使，屢降屢叛，數遭兵．禍今王顓被弑，姦臣竊命，春秋之義，亂臣賊子，人人得而誅之，又何言哉．而其前後使者五至，皆云嗣王遣之．中書宜遣人，往問嗣王如何，政令安在．若政令如前，嗣王不爲羈囚，則當依前王所言，歲貢馬千匹，差其執政，以半來朝．明年，貢金一百斤·銀一萬兩·良馬百匹·細布一萬□[疋]，仍以所拘遼東之民，悉送來還．方見王位眞，而政令行，朕無惑也．否則弑君之賊之所爲，將來姦詐並生，肆侮於我邊陲，將構大禍於高麗之民也．朕觀彼姦臣之計，不過恃滄海·重山之險固，故敢逞兇跳梁．以爲我朝用兵，如漢·唐，不知漢唐之將，長騎射，短舟楫，不利涉海．朕自平華夏，攘胡虜，水陸征伐，所向無前，豈比漢·唐之爲．中書其如朕命，遣人往觀其所爲，且問王之安否”. 여기에서 ~~添字~~와 같이 고치고 追加하여야 좋을 것이다.

25) 㮇水站(첨수참)은 현재의 遼寧省 遼陽市 동남쪽 60km에 위치해 있었던 驛站이다.

[某日], 高城君柳濚卒.

[某日], 遣前典工判書李演·護軍任彥忠, 如遼東, 修好于惣兵潘敬·葉旺. 演等至遼東, 不得入而還.

[戊子[21日], 王遣知申事金濤於韓山君李穡第宅, 賜宣醞及內膳:追加].[26]

[壬辰[25日], 亦如之[日暈]:天文1轉載].[27]

[某日], 以印原寶爲西北面體察使.

[某日], 以太后[明德太后]不豫, 慮囚.

[某日], 倭寇谷城, 又寇南原, 殺判官, 留三日, 又寇順天府.

[某日], 遼東移咨, 督令發還同知李兀魯思帖木兒[李吾魯帖木兒?]_等三十三人. 又令刷還黃城[皇城]等處移來人民.[28]

[某日, 置盤纏色, 令諸君·兩府, 至九品, 時散勿論, 各出五升布, 隨品有差:食貨2科斂轉載].

[丙申[29日晦], 亦如之[日暈]:天文1轉載].

[是月頃, 以[奉翊大夫]河乙沚爲元帥兼雞林府尹·管內勸農·都兵馬使:追加].[29]

[夏]四月[丁酉朔大盡,己巳], [某日], [以評理商議韓邦彥·密直商議金用輝·同知密直□□[~~司事~~]慶儀爲楊廣·全羅·慶尙道助戰元帥.[30] 使贊成事楊伯淵督戰, 以知密直□□[~~司事~~]洪仁桂副之, 又:節要轉載]遣萬戶鄭龍·尹松, 以戰艦二十艘, 追捕倭賊. [民間聞伯淵等來, 語曰, "寧逢倭寇, 勿逢元帥":節要轉載].[31]

[□□□[~~是時頃~~], 禑遣諸將擊倭, [判三司事崔]瑩曰, "臣無家累關心, 雖死於賊, 無所悔

---

26) 이는 다음의 자료에 의거하였다.
- 『목은시고』 권16, "三月廿一日, 知申事臣金濤奉宣醞·內膳來賜, 臣穡不勝感激, 謹作短歌, 上送史官".

27) 이날은 일본의 교토[京都]에서 맑았다고 한다(『迎陽記』, 康曆 1년 3월, "廿五日[壬辰], 晴").

28) 黃城은 皇城의 다른 표기로서 江界에서 鴨綠江을 건너 40里에 위치한 現 輯安地域이다.

29) 이는 『동도역세제자기』에 의거하였다.
- 열전27, 河乙沚, "… 起爲雞林元帥".

30) 韓邦彥, 金用輝, 慶儀는 각각 楊廣, 全羅, 慶尙道의 助戰元帥에 임명되었다.

31) 이와 같은 기사가 열전27, 楊伯淵에도 수록되어 있다.

恨. 但臣之名, 稍聞他邦, 若死於賊, 恐傷國體. 然倭寇侵暴如此, 臣不忍坐視生靈之魚肉. 國之安危, 在臣一擧, 請率麾下士出征". ○都堂餞諸帥, 瑩獨不赴曰, "近門下府請禁迎餞, 豈可以宰相先犯令乎?":列傳26崔瑩轉載].

[某日], 以密直副使安翊爲楊廣道都巡問使.

[己亥3日 日暈:天文1轉載].[32]

[壬寅6日 月暈:天文1轉載].

[癸卯7日 亦如之月暈:天文3轉載].[33]

甲辰8日 地震. [以佛誕燃燈, 旣晩小雨, 入夜風雨大作:追加].[34]

[某日], 護軍周謙, 至自京師曰, "帝令周姐姐, 見我, 又問'你國王, 是前王子耶?'. 謙對曰, 前王正妃魯國公主無後, 今王乃宮人所出也".[35]

[丙午10日, 亦如之日暈:天文1轉載].

[丁未11日, 亦如之日暈:天文1轉載].

[己酉13日, 立夏. 月暈:天文3轉載].

辛亥15日, 雨雹.[36]

[某日], 倭寇安山郡.

[某日], 禑納判開城府事李琳女, 册爲謹妃, 置府曰厚德, 以琳爲鐵城府院君, 慮囚.[37]

[→禑納琳女, 册爲謹妃, 封琳爲鐵城府院君, 琳母李氏爲三韓國大夫人, 妻洪氏爲卞韓國大夫人:列傳29李琳轉載].

---

32) 이날 일본의 교토에서 흐렸다고 한다(『愚管記』제23, 康曆 1년 4월, "三日己亥, 陰").

33) 이날 교토의 날씨는 개였다고 한다(『愚管記』제23, 康曆 1년 4월, "七日癸卯, 霽").

34) 이는 다음의 자료에 의거하였다.
- 『목은시고』 권16, 四月初八日, 旣晩有小雨, 入夜風雨大作, "持傘觀燈恐取譏, 洛花深巷掩柴扉, 初看小雨將侵幕, 漸聽狂風欲透幃, …".

35) 周姐姐는 高麗人 出身으로 太祖 朱元璋의 後宮(周英贊의 女, 李芳實의 外孫)이다(『咸安李氏族譜』, 1922년).

36) 이와 같은 기사가 지7, 五行1, 水, 雨雹에도 수록되어 있다.

37) 이 婚禮式을 韓山君 李穡은 宮門에 侍立하여 觀覽하였다.
- 『목은시고』 권16, 侍立宮門觀禮, 退已志之, "… 共喜爛盈天作合, 方期燕翼國延基, 歸來更作兒孫念, 聖主賢臣永世垂. 四月淸和正好時, …".

[丁巳[21日], 亦如之[日暈]:天文1轉載].

[戊午[22日], 亦如之[日暈]:天文1轉載].

[某日, 倭侵延安府, 遣金海君金庾·延安君羅世, 以戰艦五十二艘, 往擊之:節要轉載].

[某日, 倭寇合浦, [慶尙道上]元帥禹仁烈□[興]戰却之, 斬四級. 仁烈中流矢, 我軍死傷者八十餘人:節要轉載], [禑又賜衣酒:列傳27禹仁烈轉載].

[乙丑[29日], 小滿. 遣中官韓山君李穡第, 命撰 '判三司事崔瑩畵像贊':追加].[38]

[是月庚申[24日], 明遼東守將潘敬·葉旺等奏言, "高麗遣人致書, 遺禮物". 上賜敬·旺璽書曰, "古之能將 出禦封疆 入衛京畿, 無不謹密. 故雖內臣懷姦, 外敵挾詐, 間無而入焉. 奏言, 高麗行禮, 一節斯非, 彼慇懃致敬之意, 盖間諜之萌也. 且高麗, 古稱東夷, 聖人有言, 夷狄禽獸也, 輕交必離, 重交必絶, 未有能始終者. 觀其書及都評議使司之文, 雖不明言, 其漸已見矣. 可不知所備乎? 吁, 爲人臣無外交, 爾等其愼之":追加].[39]

五月 [丁卯朔[小盡,庚午], 白祲貫日:天文1轉載].

[某日, 倭賊騎七百·步二千餘, 寇晋州, [督戰使]楊伯淵與[慶尙道上元帥]禹仁烈·[慶尙道都巡問使兼元帥]裵克廉·[楊廣道助戰元帥]韓邦彦·[全羅道助戰元帥]金用輝·[慶尙道助戰元帥]慶儀·[督戰副使]洪仁桂, 戰于班城縣, 斬十三級, 賜物有差:節要轉載].[40]

[→倭賊騎七百·步二千寇晋州, [楊]伯淵與慶尙道上元帥禹仁烈, 都巡問使裵克廉·邦彦·用輝·儀·仁桂等戰于班城縣, 大破之, 斬十三級, 餘黨悉竄山谷. 遣判事金南貴·中郎將全五惇獻捷, 禑喜賜南貴等白金各五十兩, 五惇辭以無功不受. 都堂曰, "君賜不可辭". 五惇曰, "然則旣爲吾物, 請納都堂". 時議多之. 賜伯淵金五十兩·羅絹·鞍馬·宮醞, 仁烈等六人銀各五十兩·紗絹·宮醞. 及還, 命兩府迎于天壽寺.

---

38) 이는 『목은문고』 권12, 判三司事崔公[瑩]畵像贊幷序에 의거하였다(『동문선』 권51).

39) 이는 『명태조실록』 권124, 홍무 12년 4월 庚申을 전재하였다. 이 기사의 原本이 『명태조문집』 권9, 諭遼東都司敕이고(張東翼 1977년 374面), 이것이 『명사』 권134, 열전22, 葉旺에 크게 축약되어 있다.

40) 이때 楊伯淵에 대한 자료로 다음이 있다.
- 『목은시고』 권16, 聞楊二相[楊伯淵]回軍至廣□[州], 聞賊在鎭浦, 卽刻南下, "詩文省略".

伯淵以功微賞重，辭所賜金．禑不聽曰，"賞猶未稱其功"．更命都堂宴慰之:列傳27楊伯淵轉載].[41)]

[某日]，倭焚掠豊川^豊州^,[42)] 殺知州事柳滋·按廉□^使^金侃，火官廨·民舍，虜六十餘人而去．^西海道^元帥沈德符，以業精江^業淸江^千戶任堅·李吉生,[43)] 不赴救，斬之，幷杖文化安集□□^別監^凡永富．

[辛未^5日^:比定]，禑以端午，登市街樓，觀擊毬·火炮·雜戲.[44)]

[→辛未，攝事□□□□^于景靈殿^，行端午祭．是時，朝夕風寒，久旱不雨，兼行祈雨祭:五行2轉載].[45)]

[某日，放贊成事洪仲宣于宜寧．^守侍中^李仁任·^門下評理^林堅味等，與仲宣，同在政房，惡分權，以仲宣爲啓稟使，如京師．仲宣不卽行，諫官徐均衡等，素與仲宣有怨，又希仁任意，劾之，放歸田里．以韓山君李穡，代仲宣爲師傅:節要轉載].

[→^守侍中李^仁任·^門下評理^林堅味等，與仲宣同在政房，惡其分權，以仲宣爲啓禀使，□□□^如京師^．時納哈出率兵向遼東，路梗，仲宣不卽行．諫官徐鈞衡等，素與仲宣有怨，且希仁任意，遂劾奏，仲宣在先王朝，潛懷異志，敗露被罪．又附辛旽，得至密

---

41) 이와 관련된 자료로 다음이 있다.
- 『목은시고』 권16, 楊二相^楊伯淵^與諸元帥班師而歸，僕以病餘力弱，不能出迓郊外，吟成短律，"詩文省略".

42) 豊川은 『고려사절요』 권31에는 豊州(조선시대의 豊川都護府，現 黃海南道 松禾郡·과일郡)로 되어 있는데，前者는 誤字일 것이다(지12，지리3，安西大都護府，豊州，盧明鎬 等編 2016년 767面).

43) 業精江은 業淸江의 오자로 추측된다(『신증동국여지승람』 권43，豊川都護府，山川，業淸江，備考，業淸江鎭).

44) 端午에는 여러 가지의 演戲가 設行되었지만，『고려사』에는 그 모습이 거의 반영되어 있지 않다．조선시대의 사례를 들어 보면 다음과 같다.
- 『汾西集』 권8，西京感述幷銘，其二十六[注，西京端午，立彩架通衢中，以羅綺爲索，課諸妓作鞦韆戲](1638년，仁祖16，平壤府).

45) 고려시대의 帝王이 정례적으로 景靈殿에 행차하여 祖先의 御眞을 알현하고 親奠한 것은 1년 중 1월 1일[正朝]，5월 5일[端午]，8월 15일[秋夕，仲秋]，9월 9일[重九，重陽] 등의 4回가 있었다고 한다(지55，예3，景靈殿；張東翼 2009년)．이들 중 正朝·端午·仲秋는 3節日로서 祠堂과 墓所에 享祀하는 날이고，重陽(9월 9일)은 俗節인 6律(1.1，3.3，5.5，7.7，9.9)의 달 중에서 가장 重視되는 날짜이다(『성호사설』 권10，人事門，俗節).
또 조선시대의 俗節은 正朝·端午·中秋·冬至였는데(『선조실록』 권132，33년 12월 2일)，墓所의 參拜 날짜인 寒食과 3節日을 합하여 4節日이라고 하였다(『성호사설』 권11，人事門，四節日上墓)．또 4월 8일[釋誕]도 節日이라고 하였다고 한다.
- 『퇴계집』 권2，四月八日感事[注，國俗，以是日釋迦生，稱爲節日].

直，濫蒙殿下之恩，驟拜贊成□[事]，擢爲師傅，宜其盡忠奉公．今擬仲宣等四人爲啓稟使，仲宣欲自免乃言曰，“四人同時入朝，則必拘留其半．以惑衆聽．復議遣二人”．仲宣不免，則又言曰，“四人當同往．不顧大體，以圖自便，不忠莫甚．乞鞫問遠流不敍”．乃流宜寧縣:列傳24洪仲宣轉載]．

[某日，月城君·判三司事李成瑞卒，年六十一．諡恭簡:列傳27李成瑞轉載]．[46)]

乙亥[9日]，雨雹．

戊寅[12日]，太白晝見，凡二十五日．

[某日]，[前司宰令]韓國柱還自日本，[47)] 大內殿義弘[大內義弘]，[48)] 遣朴居士，率其軍一百八十六人，偕來．

[辛巳[15日]，日暈:天文1轉載]．

[壬午[16日]，月犯歲星:天文3轉載]．

[癸未[17日]，亦如之[日暈]:天文1轉載]．

[○月與歲星相犯:天文3轉載]．

乙酉[19日]，以旱，命判典醫□□[司事]楊宗眞，行醮求雨．宗眞號碧雲，本閩中道士也．[49)]

[→以旱，雩祀圓丘．又祈于宗廟·社稷·朴淵·開城大井·貞州等處:五行2轉載]．

[丙戌[20日]，日暈:天文1轉載]．[50)]

[某日，[延安君]羅世·[金海君]金庾，與倭戰于龍岡縣木串浦，獲賊船二艘，殲之:節要轉載]．

[→又與□[金]庾，擊倭于龍岡縣木串浦，獲二艘，盡殺之:列傳27羅世轉載]．

---

46) 이는 『목은시고』 권16, 哭李月城□[君]成瑞에 의거하였는데, 그 時點은 ‘閏月朔日’ 以前인 是月(5월)이다. 또 李成瑞는 1369년(공민왕18)에 51歲였다(공민왕 18년 8월 某日).

47) 韓國柱는 『고려사절요』 권31에는 韓柱國으로 되어 있으나 後者가 오자일 것이다(盧明鎬 等編 2016년 767面).

48) 大內殿義弘은 百濟王室의 後裔라고 自稱하던 周防·長門·石見地域의 守護 大內義弘(오우치 요시히로, 1356~1399)에 대한 尊稱인 것 같다(松岡久人 2013年 ; 須田牧子 2002年·2011年).
· 『增定吏文輯覽』 권3, 大內殿, “日本國俗倭酋所居，皆謂之殿”(21面左1行).

49) 閩中은 閩地域으로서 現在의 福建省 地域이다.

50) 이날 일본의 교토에서 晴陰이 불분명하였다고 한다(『愚管記』제23, 康曆 1년 閏4월, “廿日丙戌，晴陰不定”).

[某日, 永嘉君·檢校侍中權皐卒. 皐, 性貪殘, 嘗與其子侃爭田, 蹴侃妻, 墮胎死:節要轉載].[51]

[→初封文化君, 後封永嘉君, 位至檢校侍中, 年八十六卒, 謚忠靖. 皐, 嘗與其子正郎 侃爭田, 召侃不至, 怒蹴侃妻, 墮胎死. 監察司鞫之, 時有人曰, “皐, 本貪殘人也, 蹴殺子婦, 非父也, 侃忤父意, 非子也”. 子儼·侃·僖. 僖子和·衷·近·遇: 列傳20權皐轉載].

[某日, 以知門下□□府事符德符爲西海道元帥:節要轉載].

[某日], 倭寇信州.

[某日], 鐵原君崔孟孫卒.[52]

[某日] 宦者金實諫曰, “殿下何學射御·擊毬乎? 若學射, 親征伐, 則國不國矣. 自古, 稱聖君者, 必言堯舜, 稱庸君者, 必言桀紂. 願以堯舜爲法, 桀紂爲戒, 用賢去邪, 以興至治”.

[壬辰26日, 月犯熒惑:天文3轉載], [○上御書筵, 韓山君·知書筵事李穡進講‘論語’泰白篇, ‘君子篤於親, 則民興於仁, 故舊不遺, 則民不偸’. 旣仡, 侍學內官, 高聲讀數遍. 於是, 親賜酒:追加].[53]

[癸巳27日, 梅介井水, 赤沸三日:五行1轉載].

[○故弘福都監判官金昴妻驪興郡夫人閔氏卒, 年五十六:追加].[54]

[○設消災法席于書筵廳, 輟書筵進講:追加].[55]

[甲午28日, 亦如之廿暈:天文1轉載].[56]

---

51) 『목은시고』 권16에는 權皐의 逝去가 陰曆 5월 9일 이후에 수록되어 있다(“哭永嘉權侍中權皐”).

52) 이에 관련된 자료로 『목은시고』 권16, 哭鐵原君崔孟孫이 있는데, 이 詩文은 윤5월에 작성되었다.

53) 이는 다음의 자료에 의거하였다.

- 『목은시고』 권16, 五月廿六日, 上在書筵, 韓山君李穡進講, □□□□□論語太伯篇, ‘君子篤於親, 則民興於仁, 故舊不遺, 則民不偸’. 旣仡, 侍學內官, 高聲讀數遍. 於是, 親賜酒, 拜飮趨出, 還家困臥, 久而方起. “詩文省略”. 여기에서 添字는 필자가 추가하였다.
- 『論語』, 泰白第8, “子曰, 恭而無禮則勞, 愼而無禮則葸, 勇而無禮則亂, 直而無禮則絞. 君子篤於親, 則民興於仁, 故舊不遺, 則民不偸”.

54) 이는 『목은문고』 권19, 金昴妻驪興郡夫人墓誌銘에 의거하였다.

55) 이는 『목은시고』 권16, 消災法席, 輟講에 의거하였다.

56) 이날 교토에서 晴陰이 불분명하였다고 한다(『愚管記』제23, 康曆 1년 閏4월, “廿八日甲午, 晴陰不定”).

[乙未[29日晦], 夏至. 夜, 白氣經天:五行2轉載].

[□□□[是月頃], 俄而烽火再擧, 禑曰, "不可重外而輕內". 命[判三司事崔]瑩勿往. 瑩麾下士李仁茂·朴衛等三十餘人訴云, "昇天府·西海道之戰有功, 未受爵賞". 瑩以爲濫, 悉囚司平府. 禑命原之, 瑩執不可. 禑曰, "吾欲原之, 卿何强耶?". 瑩不獲已釋之:列傳26崔瑩轉載].

[是月辛巳[15日], 僧覺珠·覺惺·覺宏等立神勒寺普濟禪師舍利石鐘碑:追加].[57)]

閏[五]月[丙申朔小盡,庚午], [某日, 書筵, 韓山君·知書筵事李穡進講論語泰伯篇, '君子所貴乎道者三, 至有司存', 罷講:追加].[58)]

[某日], 安州元帥[萬戶]崔元沚擊倭于永淸縣, 敗之.[59)]

[某日, 書筵, 韓山君李穡進講論語泰伯篇, '曾子曰, 以能問於不能'一章:追加].[60)]

[某日, 密直提學金濤免[免密直提學金濤]. 濤, 附[贊成事]洪仲宣, 論議人物. 仁任惡之, 適濤家奴, 竊延慶宮舊基之石, 臺吏執之, 仁任嗾臺官劾, 免之:節要轉載].[61)]

[→拜密直提學. 濤, 附洪仲宣, 論議人物, 仁任惡之. 適濤家奴, 竊延慶宮舊基之石, 臺吏執之, 仁任嗾臺官, 劾以不敬鞫之. 宦官李得芬與濤有故, 白禑, 止令免官. 憲司復請遠配, 得芬又留其狀:列傳24金濤轉載].

[某日, 韓山君李穡將詣書筵, 上穿峴遇忽赤, 傳旨'雨作無來':追加].[62)]

---

57) 이는 「驪州神勒寺普濟禪師石鐘碑」에 의거하였다(金石總覽 514面).

58) 이는 다음의 자료에 의거하였다.
- 『목은시고』 권16, 書筵, 進講, 君子'所貴乎道者三, 至有司存, 退而志之. "詩文省略".
- 『論語』, 泰伯第8, "曾子有疾, 孟敬子問之, 曾子言曰, 鳥之將死, 其鳴也哀, 人之將死, 其言也善. 君子所貴乎道者三, 動容貌, 斯遠暴慢矣, 正顔色, 斯近信矣, 出辭氣, 斯遠鄙倍矣. 籩豆之事, 則有司存".

59) 崔元沚는 1388년(우왕14) 3월에서 1390년(공양왕2) 2월 18일 사이에 崔允沚로 改名하였던 것으로 추측된다. 또 『고려사절요』 권31에는 그의 職責이 萬戶로 되어 있다.

60) 이는 다음의 자료에 의거하였다.
- 『목은시고』 권16, 書筵, 進講'曾子曰, 以能問於不能'一章. "詩文省略".
- 『論語』, 泰伯第8, "曾子曰, 以能文於不能, 以多問於寡, 有若無, 實若虛, 犯而不校, 昔者吾友, 嘗從事於斯矣".

61) 이 기사의 冒頭는 添字와 같이 고쳐야 옳게 될 것이다.

62) 이는 다음의 자료에 의거하였다.

[甲辰[9日], 夕微雨, 日光雨點相雜:追加].[63)]

[乙巳[10日], 細雨濛濛下. ○書筵, 韓山君李穡進講論語泰伯篇, '仁以爲已任, 不亦重乎? 死而後已, 不亦遠乎?'. 穡引'易□[經]'繫辭, '天地之大德曰生, 聖人之大寶曰位, 何以守位, 曰仁', 以證重與遠之義. 罷講, 賜穡苧布:追加].[64)]

[某日, 書筵, 韓山君李穡進講論語泰伯篇, '興於詩, 立於禮, 成於樂'一章:追加].[65)]

[某日, 書筵, 韓山君李穡進講論語泰伯篇, '民可使由之, 不可使知之'一章:追加].[66)]

[己酉[14日]:追加], 倭寇蔚州·雞林府[←是月末尾에서 移動해옴:校正].[67)]

· 『목은시고』 권16, 將詣書筵, 上穿峴, 遇忽只[忽赤]傳謁者言, 雨作難於出入, 止臣無來, 回至家安坐, 感恩吟成一首.

63) 이는 다음의 자료에 의거하였다.
· 『목은시고』 권16, 閏五月初九日獨坐, 至日斜有尾羽, 日光雨點相雜, 因崔拙翁[崔瀣]和郭密直[郭預]賞蓮詩, ….

64) 이는 다음의 자료에 의거하였다.
· 『목은시고』 권16, 初十日, 進講, '仁以爲已任, 不亦重乎? 死而後已, 不亦遠乎?'. 引易繫辭, '天地之大德曰生, 聖人之大寶曰位, 何以守位, 曰仁', 以證證重與遠之義. 退而之志, 盖君當如是也. 既歸, 見苧布之賜, 音成二首, "… 講罷, 經筵日未中, 還家細雨又濛濛, 病妻慶幸蒙恩賜, 明主包容愍老窮, …".
· 『논어』, 泰伯第8, "曾子曰, 士不可以不弘毅. 任重而道遠, 仁以爲己任, 不亦重乎? 死而後已, 不亦遠乎?".
· 『易經』, 繫辭下傳, (第1章 末尾), "… 天地之大德曰生, 聖人之大寶曰位, 曰仁, 何以聚人. 曰財, 理財正辭, 禁民爲非, 曰義理".

65) 이는 다음의 자료에 의거하였다.
· 『목은시고』 권16, 進講, '興於詩, 立於禮, 成於樂'一章, "詩文省略".
· 『논어』, 泰伯第8, "子曰, 興於詩, 立於禮, 成於樂".

66) 이는 다음의 자료에 의거하였다.
· 『목은시고』 권16, 進講, '民可使由之, 不可使知之'一章, "詩文省略".
· 『논어』, 泰伯第8, "子曰, 民可使由之, 不可使知之".

67) 이 기사는 原文에서 是月末尾에 수록되어 있으나 時期整理[繫年]에 실패한 것 같아 이곳으로 移動시켰다. 이날의 날짜[日辰]는 다음의 자료에 의거하였다. 또 이날 倭船 500餘隻이 蔚州浦에 상륙하였고, 같은 달 29일(甲子, 晦日) 왜적이 雞林府 동쪽 25里에 위치한 旦驛(혹은 朝驛)에 침입하였다고 한다(『신증동국여지승람』 권21, 慶州府, 驛院, 朝驛). 이때 元帥兼雞林府尹 河乙沚(1379년 4월 8일~1380년 3월 27일 在職)가 龍宮院의 들판[龍宮院坪, 府의 동쪽 15里 龍頭院推定 ; 盧明鎬 等編 2000年 348面)에서 接戰하였으나 前護軍 堅思濟·中郎將 鄭漀·崔得儒·李智 등이 전사하고 패전하여 安康縣으로 退走하였다고 한다. 이후 왜적이 官衙로 몰려와 永興寺를 포위하자 계림부의 군사가 火桶[銃筒]을 발사하자 왜적이 阿火驛(府 서쪽 45里)로 물러나 倉庫의 쌀과 麥粉[米麵, 米麪]을 약탈하였다고 한다(『경주호장선생안』).
· 『慶州戶長先生案』, 倭賊擊退記, "洪武十二年己未閏五月十四日, 倭賊船五百餘隻亦蔚州浦下陸

[庚戌[15日], 小暑. 倭賊又來通度寺, 住持·辯智大師月松, 負釋迦如來舍利, 登寺之後岡, 避免, 會天黑雨, 又不止, 無追者, 踰山至彥陽. 時新住持將至:追加].[68]

[辛亥[16日], 書筵, 韓山君李穡進講論語泰伯篇, '主公之才之美'一章:追加].[69]

[某日, 書筵, 韓山君李穡進講論語泰伯篇, '三年學, 不志於穀, 不易得也'一章:追加].[70]

[某日, 憲司上䟽, 論五道新置翼軍之弊曰, "古語曰, '天下雖安, 忘戰必危'.[71] 又云, '足食足兵'.[72] 雖已安之, 國忘戰則危, 况未安之國, 有事之時乎? 古人論兵, 必先足食者,[73] 兵雖衆, 食不足, 則是無用之兵也. 故用兵之道, 足食爲先, 足食之道, 勸農爲本. 今者, 各道分遣元帥, 計口徵發, 以成軍籍, 依西北面例, 翼置頭目, 而守令不顧大體, 家至戶到, 殘忍刻剝, 至於單丁寡婦, 令出子孫俠居. 剝膚椎髓, 無所不至, 以至斬屍梟首, 人皆恂懼. 不惟見存子孫, 至於身死已久者, 及從宦遠適者, 亦悉付籍, 及其點考, 督使充額. 方值農時, 獄囚數萬, 誰得治農. 於是, 盡賣家財, 以贖其罪, 遂失產業, 轉于溝壑. 且各翼頭目, 必差有職者, 故不論所居程途遠近, 如得有職人, 則定爲頭目. 或三·四日, 或五·六日, 齎粮往還, 其弊不可勝言. 又爲頭目者, 雖當無事, 不放軍歸農, 常率田獵, 而奴使之. 如或闕進, 日徵布三·四匹, 無布則, 家產·衣服·器皿, 並徵不還. 故民不忍苦, 稍稍逃散, 可謂於邑. 若西北面, 則全委軍務, 貢賦一皆蠲免, 特置各翼, 收其田租, 悉充軍餉, 以故軍政無

爲去乙, 州叱婦人·小兒·家財入城爲有臥, …"

68) 이는 다음의 자료에 의거하였다.
- 『목은문고』 권3, 梁山通度寺釋迦如來舍利之記, "… 今年閏五月十五日, 賊又來, 又負之, 登寺之後岡, … 會天黑雨, 又不止, 無追者, 踰山至彥陽. 明日, 遇寺奴持吾馬, 相持泣, 欲還賊未退, 適新住持將至, 無所安厝, 遂奉以來□[斋], …".

69) 이는 다음의 자료에 의거하였다.
- 『목은시고』 권16, 十六日進講, '周公之才之美'一章, "詩文省略".
- 『논어』, 泰伯第8, "子曰, 如有周公之才之美, 使驕且吝, 其餘不足觀也已".

70) 이는 다음의 자료에 의거하였다.
- 『목은시고』 권16, 進講, '三年學, 不志於穀, 不易得也'一章, "詩文省略".
- 『논어』, 泰伯第8, "… 子曰, 三年學, 不至於穀, 不易得也". 이에 대해 朱熹는 至는 志의 잘못이라고 하였으나 어느 것을 取하더라도 차이가 없다고 한다(吉田賢抗 1995年 188面).

71) 이 구절은 『司馬法』卷上, 仁本第1, "故國雖大, 好戰必亡, 天下雖安, 忘戰必危"를 인용한 것이다.

72) 이 구절은 『논어』 권6, 顏淵第12, "子貢問政, 子曰, 足食足兵, 使民信之矣"를 인용한 것이다.

73) 이 구절은 여러 典籍에 수록되어 있는 자구를 적절히 變造한 말인 것 같다(→공민왕 21년 10월 某日의 脚注).

缺, 他道則不然, 大小貢賦差役, 皆由而出, 加以翼軍, 農民失業, 田野蕭然, 以致兵食不足, 國勢日窘. 願罷各翼, 籍見存丁壯爲軍, 無事則歸農, 有變則徵發, 以爲常式". ○禑下其書都堂, 擬議罷之:兵1五軍轉載].[74)]

[○是日, 有臺狀, 召兩府會議, 以是輟書筵:追加].[75)]

[某日, 書筵, 韓山君李穡進講論語泰伯篇, '篤信好學,守死善道'八字:追加].[76)]

[某日, 韓山君李穡進講, 臨書筵, 中官傳旨, 若曰, "昨日所讀未熟, 且停講". 穡退之曰, "此章誠難讀":追加].[77)]

[丙辰[21日], 韓山君李穡赴書筵, 中官出言, "上體因暑泄痢, 雖已平復, 且停講", 穡退之:追加].[78)]

[某日], 遣檢校禮儀判書尹思忠, 報聘于日本.

[某日], 禑以封妃, 宥杖八十以下罪.

[某日, 日本海盜捕捉軍官朴居士, 與倭戰, [雞林府尹兼]元帥河乙沚不救, 居士軍大敗, 僅存五十餘人. 先是, 韓柱國[韓國柱]還自日本, 居士率其軍一百八十六人, 偕來:節要轉載].[79)]

[→初, 日本大內義弘, 謂其先出於百濟, 以我爲宗國, 嘗欲禁諸島倭侵擾我疆. 會本國使韓國柱如九州, 請禁賊, 義弘遣麾下朴居士, 以其兵一百八十六人與之偕, 謂國柱曰, "以我軍爲先鋒, 貴國師繼之, 海賊不足平也". 至是, 倭寇雞林, 居士率

---

74) 이 기사는 『고려사절요』 권31에 축약되어 있다("憲府上疏, 論五道新置翼軍之弊. 禑令都堂議, 罷之").

75) 이는 『목은시고』 권16, "是日, 有臺狀, 召兩府會議, 以是輟講"에 의거하였다.

76) 이는 다음의 자료에 의거하였다.
- 『목은시고』 권16, 進講, '篤信好學, 守死善道'八字.
- 『논어』, 泰伯第8, "… 子曰, 篤信好學, 守死善道, 危邦不入, 亂邦不居, …".

77) 이는 다음의 자료에 의거하였다.
- 『목은시고』 권16, 赴書筵, 中官傳旨, 若曰, '昨日所讀未熟, 且停講', 臣穡曰, '此章誠難讀', 退而志之.

78) 이는 다음의 자료에 의거하였는데, 이후 李穡도 泄痢(泄瀉, diarrhea)의 증상이 있었던 것 같다.
- 『목은시고』 권16, 廿一日, 中官出言, '上體因暑, 泄痢雖已平復, 且停講', 臣穡退而志之.
- 『목은시고』 권17, 權判事鑄, 以理中湯見遺, 知僕泄痢也, 喜而有作.

79) 韓柱國은 韓國柱의 오자일 것이다. 처음 『고려사절요』를 甲寅字로 조판할 때 集字를 잘못한 것 같다.

兵與戰，乙沚逗遛不救，居士軍大敗，得脫者，纔五十餘人:列傳27河乙沚轉載].

[是月，廟堂方議選目[都目]，甚至于求請韓山君李穡者，頗多:追加].[80]

[○韓山君李穡撰'金剛山潤筆菴記':追加].[81]

[是月頃，以[奉翊大夫]朴修敬爲安東大都護府使:追加].[82]

六月[乙丑朔[大盡,辛未]，大暑. 倭寇雞林府義谷驛:追加].[83]

[壬申[8日]，倭寇雞林府，包圍四面，衆軍出城，擊退:追加].[84]

[某日]，倭寇淸道郡，[慶尙道]元帥禹仁烈擊，走之.

[某日，宥[前三司右使]金續命:節要轉載].

[某日，憲府劾南原府使盧成達，賊退後，火其倉庫，盜米百三十餘碩，常與倡妓宴樂，不恤民事，請治其罪. 成達逃，[守侍中]李仁任曲法，庇之:節要轉載].

[→□□[~~五年~~]，南原府使盧成達，日與倡妓縱飮，不恤民事，及倭寇南原，成達火其倉，盜米百三十石·紙二百卷. 憲司請治其罪，成達逃，仁任曲法庇之，竟不罪:列傳

---

80) 이는 다음의 자료에 의거하였는데, 이때 6월의 小政을 위한 인사행정[銓選]이 논의되고 있었던 것 같다. 또 당시 李穡은 閑職인 韓山君·領藝文春秋館事로서 書筵을 맡고 있었는데, 그에게조차 請託이 필요하였던 것 같다. 그리고 이 무렵에 趙溫(趙鈞의 改名)이 李穡에게 求職을 청하였던 것 같은데, 그는 이색의 外四寸兄인 金隨의 外孫이었다(『목은시고』 권17, 趙鈞改溫求官 ; 권13, 趙鈞伯和[注, 金公隨兄之外孫]).

· 『목은시고』 권16, 廟堂方議選目, 求穡爲請者, 頗多, 自笑之餘, 吟成一首.

· 『목은시고』 권20, [~~6月,~~] 趙鈞求爲膳官, [~~10月,~~] 又求免. 이 詩文은 10월 초순에 지어진 것이다.

81) 이는 다음의 자료에 의거하였다.

· 『목은문고』 권2, 金剛山潤筆菴記, "普濟懶翁旣入寂, 人始大信其道, 從而思慕焉, 況爲其徒者乎? 韓山子奉敎譔銘, 潤筆菴之所由作也, 凡七所而供養, 坐禪之具, 皆精潔致其極. … 檀越名氏, 具錄如左, 己未閏五月日記".

82) 이는 『안동선생안』에 의거하였다.

83) 이는 『경주호장선생안』, 倭寇擊退記에 의거하였는데, 이때 義谷驛(雞林府 서쪽 57里) 倉庫의 米糲을 약탈하여 彦陽縣으로 돌아가 船舶에 積載하였다고 한다. 또 이후에 雞林府의 東南面과 斷石山 일대를 약탈하였다고 한다. 이날은 율리우스曆으로 1379년 7월 14일(그레고리曆 7월 22일)에 해당한다.

84) 이는 위의 「倭寇擊退記」에 의거하였는데, 이때 高麗軍이 衆生寺와 斂藏寺에 불을 질러 왜적을 退治하자, 왜적이 東禪院坪으로 퇴각하였다가 도주하였다고 한다. 이날은 율리우스曆으로 7월 21일(그레고리曆 7월 29일)에 해당한다.

39李仁任轉載].[85)]

[己卯[15日], 以流頭, 賜兩府宴于紫霞洞, 而無公讌, 各開酒席:追加].[86)]

[某日], 帝遣還耽羅飄風人洪仁隆等十三人.

[某日], 倭賊自雞林, 向江陵道, 以趙仁璧爲江陵道元帥, 朴修敬爲安東道元帥兼府尹[府使].[87)]

癸未[19日], 太白晝見.

[某日], 北元遣僉院甫非□[來], 告郊祀·改元天元. 納哈出亦遣文哈剌不花[~~文哈剌不花~~]來, 及還, 禑曰, "丞相[納哈出]與吾先君, 稱兄弟, 吾以父事之". 遺苧·麻布各一百五十匹.

[某日], 倭寇龍州, 義州萬戶張佋擊, 却之.

[丙戌[22日], 熒惑入井口:天文3轉載].

[丁亥[23日], 梅介井水, 赤:五行1轉載].

庚寅[26日], 太白晝見.

辛卯[27日], 亦如之[~~太白晝見~~].

[某日, 倭又寇蔚州·清道·密城·慈仁·彥陽等地, [慶尙道上元帥]禹仁烈·[慶尙道元帥兼都巡問使]裴克廉·[雞林府尹兼元帥]河乙沚與戰于蔚州, 獲船七艘:節要轉載].

[→倭寇蔚州·清道·密陽[~~密城~~]·慈仁·彥陽等地,[88)] 仁烈與克廉·河乙沚·吳彥, 戰于蔚州, 斬十級, 獲船七艘:列傳27禹仁烈轉載].[89)]

---

85) 이 기사의 冒頭에 '[禑王]五年'이 탈락되었고, 그 앞에는 우왕 4년의 李仁任에 대한 기사가 수록되어 있지 않다. 또 이 시기에 李仁任은 뇌물을 받고 律令의 執行도 방해하였다고 하는데, 李釋之(李茂芳?)는 1341년(충혜왕 後2) 李穡과 함께 성균관시에 합격하였다(『목은문고』 권1, 南谷記).

· 열전39, 李仁任, "有裴中倫者, 遺仁任妾奴婢五口, 拜典客寺丞, 與判事金允堅, 爭奴婢. 允堅亦以奴婢十口, 遺仁任. 二人皆附仁任, 訟都官, 允堅得之, 仁任右中倫, 召罵都官吏, 還取其案. 允堅更訟之, 知典法□□[司事]李釋之[李茂芳]曰, '汝可訟於侍中'. 時凡爭訟者, 必先以田民金帛, 遺仁任, 然後得理, 臺諫彈劾, 法司斷決, 亦皆先陰禀之". 여기에서 遺는 延世大學本에서 道로 되어 있으나 오자일 것이다(東亞大學 2006년 27册 656面).

86) 이는 다음의 자료에 의거하였다.

· 『목은시고』 권18, 賜兩府宴于紫霞洞, 病中聞之, 喜而有作. 又聞無公讌, 各開酒席, 因成一首.

87) 朴修敬은 奉翊大夫(從2品上)로서 이해의 6월에 부임하여 明年(庚申, 우왕6) 1월에 遞任되었는데, 관직은 安東府使였다고 한다(『안동선생안』).

88) ~~添字~~와 같이 고쳐야 옳게 될 것이다.

[是月甲戌[10日], □□[明帝]敕遼東守將潘敬·葉旺曰, "奏至, 知高麗龍州鄭白等率南婦[男婦]來降, 朕未審將軍識其計否? 高麗僻居海隅, 其俗尙詐, 其性多頑. 况人情莫不安, 土重遷, 豈有舍桑梓, 而歸異鄕者耶? 斯必示弱於我, 如墮其計, 則不過一二年間, 至者接跡[接踵], 其害豈小小哉? 符至之日, 開諭來者令還, 以破彼姦. 今中國方寧, 正息兵養民之時, 爾與東夷接境, 愼勿妄生小隔, 使必[彼]得以籍口. 若我正而彼邪, 彼果不臧, 則師有名矣. 其來降者, 切不可留, 春秋有云, '毋納逋逃'.[90] 不然, 則邊患將由此, 而啓矣":追加].[91]

[是月, 小政, 以許完爲政堂文學, 李種德·盧嵩爲承宣, [前典儀主簿]文益漸爲淸道郡副使, 金有暾爲寧越郡副使:追加].[92]

[秋]七月[乙未朔小盡,壬申], [某日, 雨, 入夜大雨:追加].[93]

---

89) 이때 韓山君 李穡은 戰勝을 듣고 雞林府尹 河乙沚에게 詩文을 寄贈하였던 것 같다(『목은시고』 권18, 奉寄雞林尹河壯元).

90) 이 구절은 다음의 자료를 인용한 것이다.
- 『서경』, 武成, "… 今商王受無道, 暴殄天物, 害虐烝民, 爲天下逋逃主, 萃淵藪, …".
- 『춘추좌씨전』傳, 昭公 7년, "… 昔武王數紂之罪, 以告諸侯曰, 紂爲天下逋逃, 主萃淵藪, 故夫人致死焉. …".

91) 이는 『명태조실록』 권125, 홍무 12년 6월 甲戌을 전재하였는데, 添字는 『憲章錄』 권6, 홍무 12년 6월에서 달리 표기된 것이다. 또 이와 관련된 기록으로 다음이 있다.
- 『明太祖文集』 권9, 諭遼東都司發回高麗百姓敕, "六月初十日, 報到高麗龍州民鄭白等率戶以五, 男婦一十五口來降. 朕未審爾二將軍識否? 且高麗今古稱東夷, 越崇山之險, 僻居海隅. 其風甚詐, 人性多頑. 況彼奴主分定, 民人樂土, 豈有捨桑梓, 而歸異鄕者耶? 斯必示弱於我, 若此一二年間, 如此者, 又將疊至, 深有智焉. 若我無知, 其害又非小小. 勑符到日, 省諭來民, 加以公文送回, 以破彼姦. 邇者, 中國方寧, 正在休兵息民之時, 其東夷接境, 在我切勿生小隙, 使彼得爲口舌, 若我正而彼邪, 彼果不臧, 則師出有名矣. 其來降, 切不可留. 況春秋有云, '無納逋逃'. 如使互有匿納, 何時了歟. 須當發回"(張東翼 1997년 373面).
- 『명사』 권134, 열전22, 葉旺, "[洪武]十二年 … 旺留鎭如故. 會高麗遣使致書及禮物, 而龍州鄭白等請內附, 旺以聞.帝謂人臣無外交, 此間諜之漸, 勿輕信. 彼特示弱於我, 以窺邊釁, 還之, 使無所籍口. 明年, 旺復送高麗使者周誼入京. 帝以其國中弑逆, 又詭殺朝使, 反覆不可信, 切責旺等絶之, 而留誼不遣. 十九年召旺爲後軍都督府僉事 …".
- 『國史紀聞』 권3, 홍무 12년, "六月, 高麗龍州鄭白等來降. 白等率妻子來降, 遼東守將潘敬以聞. 上敕敬曰, '人情安土重遷, 豈有捨桑梓, 而歸異鄕者耶? 此必示弱於我, 當諭令還, 以破其奸. 春秋云, 毋納逋逃. 不然, 邊患由此啓矣".

92) 이는 『목은시고』 권18, 同甲許政堂[許完]上官, 歷謁時宰, 因過陋巷, ····己酉生員同年, 賀[李]種德新拜承宣也, ····賀盧承制嵩 ; 淸道新太守文益漸告行·送異姓四寸[外四寸]弟金有暾, 赴任寧越郡, 天水峯頭作에 의거하였다.

[辛丑[7日], 聖誕, 谷城君廉悌臣·漆原君尹桓·吉昌君權適·韓山君李穡, 進紫門, 將置賀禮, 中官出曰, "停朝會, 還受私覿". 四人, 只見中官面, 而退:追加].[94)]

[某日, 判事權興祖卒:追加].[95)]

[乙巳[11日], 太白犯輿鬼:天文1轉載]. 聖誕

[己酉[15日], 亦如之[太白犯輿鬼]:天文1轉載].

[庚戌[16日], 正順王太后韓氏忌日, 設齋于王輪寺, 諸君·宰樞, 以都評議司使公緘, 助供祭需:追加].[96)]

[某日, 流贊成事楊伯淵于陜州. 伯淵, 還自慶尙道, 恃戰功, 頗自驕矜. [守侍中]李仁任·[門下評理]堅味等, 惡之, 嗾憲府劾伯淵, 潛通妻弟, 又奸前判事李仁壽·卒密直[同知密直司事]成大庸妾, 遂削職, 流之. 其夕, 宦者林甫·韓軫等, 矯旨召還伯淵, 使者, 爲巡綽官所捕. [判三司事]崔瑩白禑曰, "上護軍全天吉, 嘗語臣曰, 楊伯淵, 謀害兩侍中, 欲自爲首相, 請按治其黨". 乃囚天吉·甫·軫及前□□[密直]提學金濤于巡軍獄, 命瑩等鞫之. 天吉·甫·軫, 皆服曰, "伯淵, 欲自爲左侍中, 以瑩守侍中, [同知密直司事]成石璘兼大司憲, 林甫爲班主". 唯濤不服, 被榜掠, 蘇絶復者三, 至更栲問, 乃服. ○又下伯淵弟三司左尹仲淵·上護軍季淵·密直副使子淵及其親舊知門下□[府]事尹承順·同知密□□[司事]直成石璘·柳曼殊·密直副使任毅·辛廉·典法判書安得禧·判事金南貴·曹淑卿·李貴·前直門下□□[府事]洪琳·前少府尹趙希甫于獄鞫之, 辭連[前贊成事]洪仲宣. 遂遣

---

93) 이는 다음의 자료에 의거하였는데, 이날[此日]은 7월 4일(戊戌)에서 7일[辛丑, 聖誕, 禑王의 生辰] 사이이다.
- 『목은시고』 권18, 雨餘縮坐·大雨, "大雨通宵欲漏天, 簷聲四壁一燈前, … 敢遏衆流成鉅海, 祗憂多稼沒平田".

94) 이는 다음의 자료에 의거하였다.
- 『목은시고』 권18, 恭遇聖誕日, 谷城府院君廉公·漆原府院君尹公·吉昌君權公, 進紫門, 將置賀禮, 中官出曰, 停朝會還受私覿, 穡從三大人, 得見中官面而退, 而自幸吟成一首.

95) 이는 다음의 자료에 의거하였는데, 權興祖는 判事 權嗣宗(仲達의 長子, 李穡의 妻男)의 다른 표기로 추측된다(『成化安東權氏世譜』). 여기에서 興祖와 嗣宗은 그 意味가 같은 것 같다.
- 『목은시고』 권18, 哭權興祖判事, "醴泉孫子幾人存, 丹旐翩翩向九原, 白髮病翁難執紼, 獨吟危坐掩 柴門".

96) 이는 다음의 자료에 의거하였는데, 여기에서 正順은 1376년(우왕2) 閏9월 28일 韓氏에게 追尊된 宣明·齊淑·敬懿·順靜王后에 후일 追加[加上]된 시호로 추측된다.
- 『목은시고』 권18, 十六日正順王太后韓氏忌旦也, 設齋于王輪寺, 奉都評議□[司]使公緘, 助以加供, 吟成一首.

版圖判書表德麟·典法判書柳蕃，殺伯淵·仲宣于流所，籍其家，國人冤之．○仲宣聞德麟等至，知不免，仰天誓曰，“予審無罪．若有罪伏刑，天不變色，若無罪枉死，天必動威”．及死，天果大雷電以風，邑人異之．○又殺濤·甫·軫·季淵·南貴·淑卿·琳，梟首于市，幷籍濤·軫家．杖石璘·承順·曼殊·毅·貴·希甫，配戍卒．子淵·仲淵·得禧·廉，放歸田里．天吉亦斃獄中．濤門生進士十餘人，隨至門外，護屍，有李悰者，抱屍入川，洗其血，解衣衣之，裹以簟，網其頭而懸之，再拜而去．時人義之:節要轉載].97)

[→[成石璘], 進同知□□[~~密直~~]司事．[楊]伯淵之獄起，辭連[成]石璘，杖百七配咸安戍卒．蒙宥從便，封昌原君，賜端誠翊祚佐理功臣號:列傳30成石璘轉載].98)

---

97) 이 사건은 열전27, 楊伯淵에 보다 상세하게 기록되어 있고, 이에 관련된 인물들의 기록으로 다음이 있다. 여기에서 金濤의 門人 중에 李悰은 고려 말에 南原府使로 재직하다가 倭賊의 기습을 받았을 때 邑吏 梁瑞麟의 犠牲에 의해 생명을 부지할 수 있었던 인물로 추측된다.

- 열전18, 柳璥, 曼殊, “辛禑時, 爲密直副使, 楊伯淵獄起, 辭連曼殊, 杖配合浦戍卒”.
- 열전24, 洪仲宣, “楊伯淵之獄起, 辭連仲宣, 乃遣版圖判書表德麟·典法判書柳蕃等殺之, 籍其家, 國人冤之. 仲宣聞德麟等至, 知不免, 仰天誓曰, ‘予實無罪, 予死, 天必動威’. 及死, 天果大雷電以風, 邑人異之”.
- 열전24, 金濤, “楊伯淵之獄起, 濤逮繫, 被榜掠, 絶復蘇者三, 遂誣服. 殺之, 梟首于市, 籍其家. 濤初對獄官曰, ‘我死不足惜, 殺一無辜, 反受其殃’. 獄官皆惕然知其寃. 及死, 門生進士十餘人, 隨至門外護屍. 有李悰者, 抱屍入川, 洗其血, 解衣衣之, 裹以簟網其首而懸之, 再拜而去, 時人義之. 子自知·汝知·致知·學知”.
- 『신증동국여지승람』 권39, 南原都護府, 人物, “梁瑞麟, 府吏也. 倭寇奄入, 府使李悰避寇馬蹶, 瑞麟以其所乘馬, 換騎而代死. 事聞旌閭”.

98) 이때 守侍中·兵馬都統使·判司平巡衛府事 崔瑩이 司平巡衛府에서 同知密直司事 成石璘을 評決할 때 評事官에게 照律을 命하자, 評事官 唐誠이 案律하여 가볍게 처리하려다가 崔瑩과 다투었다고 한다.

- 『태종실록』 권26, 13년 11월, “己卯[3日], 恭安府尹致仕唐誠卒. 誠, 浙江明州人. 元季避兵東來, 初爲征東行省掾史, 行省罷, 以中郞將爲司平巡衛府評事, 通曉律令, 遇事敢言. 時當國者惡成石璘不附己, 誣以罪下獄, 掖兵馬都統使崔瑩, 將置極刑, 誠言罪不至死, 瑩不聽. 誠固爭不能得, 遂取律文投地, 謂瑩曰, ‘都統先律文而生乎? 抑律文先都統而出乎? 都統乃何以一己之見, 而捨律文乎? 瑩以誠徑, 直不怒, 我太祖亦營救石璘, 乃得減死”.
- 『獨谷集』권下, 哭唐府尹誠, “公[成石璘]於戊午年[己未年], 罹讒在縲絏, 唐公爲司評府評事, 都統使崔瑩使評事照律. 唐公考案覈實從輕, 崔公大怒, 使之改照律, 唐公投律於前曰, ‘以罪案律, 律旣如此, 今乃改律, 律先於公歟, 公先於律歟’, 遂不從”. 여기에서 戊午年(우왕4)은 己未年(우왕5)의 오류일 것이다.
- 『세종실록』 권19, 5년 1월 甲午[12日], 成石璘의 卒記, “其秋[禑王5年], [楊]伯淵以讒被誅, [成]石璘亦配咸安”.
- 『獨谷集』行狀, “戊午夏, 稱輸誠佐命功臣, … 秋, 楊元帥被讒誅, 讒逮公, 貶于咸安, 己未夏[~~辛酉夏~~], 召還, 拜同知密直司事”. 여기에서 시기 정리에 오류가 있었던 것 같고[繫年錯誤], ~~添字~~와 같이 고쳐야 옳게 될 것이다.

[某日], 倭寇樂安郡.

[某日], 遣永寧君王彬如北元, 賀郊祀·改元.

[某日], 前判三司事孫洪亮卒, [年九十三], 贈諡[謚]靖平.[99)]

[某日], [版圖判書]李子庸還自日本, 九州節度使源了俊[今川了俊], 歸被虜人二百三十餘口, 獻槍劍及馬.[100)]

[某日], 倭入武陵島[鬱陵島], 留半月而去.

[某日, 倭留蔚州, 刈稻黍爲粮, 侵及機張·彥陽, 掃地無遺. [慶尙道上元帥]禹仁烈募兵戰于東萊縣, 斬七級:節要轉載].

[→賊入蔚州, 刈禾爲糧, 侵及機張, 仁烈募兵, 夜戰于東萊, 斬七級:列傳27禹仁烈轉載].

[丁巳[23日], 梅介井水, 沸:五行1轉載].

[某日, 慶尙道按廉使河忠國·全羅道按廉使鄭牧里[鄭履], 仍番:慶尙道營主題名記·錦城日記].

八月[甲子朔[大盡,癸酉], 太白犯軒轅:天文3轉載].[101)]

· 『세종실록』 권150, 지리지, 密陽都護府, "唐誠, 浙江明州人, 元季避兵東來. 自國初專掌事大吏文, 官至恭安府尹, 賜籍貫于府".

· 『신증동국여지승람』 권26, 밀양도호부, 人物, "唐誠, 浙江明州人, 元末避兵東來. 自本朝初, 專掌事大吏文. 官至恭安府尹, 命以本府爲其籍貫".

이 시기의 評決에서 判司平巡衛府事 崔瑩의 獨斷이 많이 찾아지고 있다(열전26, 崔瑩). 또 唐誠은 元末에 병란을 피해 고려에 와서 征東行省의 掾史가 되었다가 司平巡衛府(巡軍萬戶府의 後身)의 評事가 되었다. 그는 密陽을 본관으로 하사받았는데, 단종·세조 연간에 通事로 활약한 唐夢璋의 父로 추측된다. 또 唐夢璋과 비슷한 시기에 통사였던 梅佑도 중국인 출신인데, 그의 祖父 君瑞가 고려에서 征東行省 巡軍萬戶府 提控[行省提控]에 이르렀다고 하며 본관을 忠州로 하사받았다고 한다(『세종실록』 권84, 21년 2월 2일). 이 忠州 梅氏는 中國의 濟南(現 山東省 歷城縣)에서 건너왔다고 한다(『대동운부군옥』 권3, 梅, 姓氏, 忠州梅氏).

99) 孫洪亮의 年齡은 다음의 자료에 의거하였다. 또 孫洪亮(1287∼1379)의 遺墟碑는 경상북도 안동시 一直面 松里里 267-1에 있고, 墓所는 明津里에 있다고 한다(경상북도 문화재자료 제67호, 徐周錫 1995년 32面).

· 『歸鹿集』 권16, 靖平公遺墟碑, "… 辛禑五年己未七月, 公卒, 年九十三, 官至推誠保節佐理功臣·三重大匡·判三司事·上護軍·直誠君, 贈諡靖平公".

100) 李子庸은 『고려사절요』 권31에는 李自庸으로 되어 있으나 오자이다.

[庚午7日, 始霜, 草葉皆槁, 終日北風:五行1恒寒轉載].

[壬申9日, 熒惑犯輿鬼:天文3轉載].

[癸酉10日, 晴:追加].[102)]

[辛巳18日, 寒露. 太白犯西蕃上將. 熒惑入輿鬼:天文3轉載].

[甲申21日, 書筵, 韓山君·知書筵事李穡, 政堂文學·同知書筵事權仲和進講論語泰伯篇, '危邦不入, 亂邦不居, 天下有道則見, 無道則隱, 邦有道, 貧且賤焉, 耻也, 邦無道, 富且貴焉, 耻也':追加].[103)]

[丙戌23日, 書筵, 韓山君李穡進講論語泰伯篇, '不在其位, 不謀其政'八字:追加].[104)]

[戊子25日, 太白犯右執法:天文3轉載].

[某日], 倭寇餘美縣, 又寇隨·郭二州.

[某日], 以前雞林尹金光富爲合浦都巡問使慶尙道都巡問使兼元帥.[105)]

[某日], 遼東都司~~遼東都指揮使司~~移咨都評議使司曰,[106)] "近聞, 納哈出遣人, 經由哈

---

101) 甲子에 朔이 탈락되었다. 또 이날[此日] 韓山君 李穡이 光巖寺에 놀러갔는데, 날씨는 맑았던 것 같다(『목은시고』 권18, 八月初一日, 游光巖, 夜歸就枕, 頹然達旦).

102) 이는 『목은시고』 권19, 八月初十日, "夜冷狸奴近, 天晴燕子高"에 의거하였다.

103) 이는 다음의 자료에 의거하였는데, 十一日은 二十一日 또는 廿一日의 誤字일 것이다. 李穡이 8월에 지은 詩題에서 날짜가 表記된 것은 朔日, 10日, 中秋前日, 中秋, 11日, 23日의 順序임을 통해 11日은 21일의 誤字임을 알 수 있다(李益柱 2008년a). 또 이때 李穡은 書筵에서의 輪對[轉對]를 위해 宮闕 가까운 곳에 위치한 辭房에 머물고 있었다고 한다.
· 『목은시고』 권19, 八月十一日~~廿一日~~, 開書筵, 臣穡·臣仲和進講, '危邦不入, 亂邦不居. 天下有道則見, 無道則隱. 邦有道, 貧且賤焉, 耻也. 邦無道, 富且貴焉, 耻也'. 退而志之.
· 『논어』, 泰伯第8, "子曰, 篤信好學, 守死善道. 危邦不入, 亂邦不居. 天下有道則見, 無道則隱. 邦有道, 貧且賤焉, 耻也. 邦無道, 富且貴焉, 耻也".
· 『목은시고』 권19, 紀事, 以書筵轉對, 在辭房聞笛, 人家近故也.

104) 이는 다음의 자료에 의거하였다.
· 『목은시고』 권19, 二十三日, 講不在其位, 不謀其政八字.
· 『논어』, 泰伯第8, "子曰, 不在其位, 不謀其政(현재 그 地位에 있지 아니하면, 그 지위에 따른 일을 의논, 처리할 수 없다)".

105) 金光富는 純誠輔理功臣·奉翊大夫·雞林府尹兼管內勸農·都兵馬使로서 前年(戊午, 우왕4) 3월 24일에 赴任하여 이해의 3월 1일에 임기가 滿了되었으나 倭賊으로 인해 3월 14일 雞林府管內의 阿火驛에 도착해 있다가 4월 1일에 上京하였다고 한다(『동도역세제자기』). 또 그가 임명된 合浦都巡問使는 慶尙道都巡問使兼元帥의 別稱일 것이다(→是年 9월 某日).

106) 移咨는 『고려사절요』 권31에는 移牒으로 되어 있는데(盧明鎬 等編 2016년 768面), 모두 對等한

刺[哈剌]·雙城, 潛往高麗行禮. 胡主帖古思台帖木兒[~~脫古思帖木兒~~]亦遣使馳驛, 前往高麗會議, 公務切詳, 本國累嘗[~~嘗累~~]遣使, 賓貢我朝, 臣禮旣施, 異謀難畜. 納哈出等雖差人, 潛往本國, 豈意復與交通, 可將胡使差人押送, 以表忠誠. 不然, 則姦宄自昭, 後悔無及".

[某日], 以知密直司事池湧奇爲全羅道元帥[~~都元帥兼都巡問使~~].[107]

[某日, 慶尙道□[上]元帥禹仁烈·[慶尙道元帥兼都巡問使]裴克廉·[安東都護府使兼兵馬使]朴修敬·兵馬使吳彦, 擊倭于泗州, 大破之, 斬四十三級:節要轉載].[108]

[→[慶尙道上元帥禹仁烈,] 又與克廉·朴修敬·彦, 擊倭于泗州, 大破之, 殺獲百四十餘人. 禑遣典理判書鄭南晋, 賜仁烈等諸將酒. 是戰也, 有韓加勿者, 力戰斬五級, 遂沒於陣, 都堂賻其妻子, 米十五碩, 布百五十匹:列傳27禹仁烈轉載].

[某日, 流乳媪張氏于砥平縣. 時政堂文學許完·同知密直□□[司事]尹邦晏, 托張, 謀去內宰樞林堅味等, 事敗. 張常在禁中, 公受賄賂, 多行不法. 禑嘗數往妃所, 張曰, "禮, 君王必擇日, 御妃嬪. 今何如野狗綏綏乎?". 至是, 臺諫幷劾不敬之罪, 流之. 斬完·邦晏等, 語在崔瑩傳←9월에서 옮겨옴].

[→先是, 政堂文學許完·同知密直□□[司事]尹邦晏, 使其妻, 依張氏譖禑, 請去內宰樞林堅味·都吉敷. 禑命堅味等歸私第, 禁出入. 堅味等, 奔告[門下侍中]慶復興·[守侍中]李仁任·[判三司事]崔瑩曰, "完等欲殺吾二人, 以及諸公, 禍將作矣". 完等矯旨召瑩, 瑩恐禍及, 率麾下兵, 與復興·仁任等, 會興國寺, 集百官·耆老, 議請鞫張氏.[109] ○禑趣召瑩, 瑩辭曰, "今一國臣民觖望, 上若從衆意, 臣將入見". 禑曰, "卿被疾, 累日不朝, 思一見之, 且欲問觖望事". 瑩欲入謁, 諸相止之曰, "姦人在內, 不可輕進, 公去□[則]此軍必亂, 軍亂, 國不靖矣". 瑩從之. 於是, 兩府·臺諫, 俱詣闕, 請下張氏

官署 사이의 往來文書[平行文書]이기에 어느 쪽도 무방하다. 그렇지만 몽골제국 이래 移咨(移文, 移送咨文의 略稱)가 사용되었고, 이 시기에 고려왕조도 對外關係에서는 前者를 사용하였다.

107) ~~添字~~는 『금성일기』에 의거한 것이며, 池湧奇[池用奇]는 9월에 赴任[下界]하였다고 한다.
· 열전27, 池湧奇, "遷知密直司事, 又爲全羅道元帥".

108) 朴修敬은 奉翊大夫(從2品上)로서 是年 6월 安東大都護府使로 부임하여 明年(우왕6) 1월에 遞任되었다(『안동선생안』).

109) 이때 韓山君 李穡도 참여하여 判三司事 崔瑩으로부터 전후의 사정을 청취하였던 것 같다.
· 『목은시고』 권19, 興國寺大街, 宰樞·諸君會坐竣命, 判三司□[事]公與僕言其所以, 蓋請上退乳母也.

按治. 禑不聽, 瑩等囚張氏族黨康侑權·元順·元甫等, 鞫之. ○禑怒洩張氏言, 下宦者鄭鸞鳳獄, 召復興及[贊成事]睦仁吉曰, “予爲人主, 不能救一乳媪乎? 其釋勿治”. 瑩等請益堅, 禑, 下完·邦晏獄, 命瑩罷兵曰, “卿欲禦何賊, 擁兵不來耶? 卿嘗自謂累代忠臣, 忠心安在?”. 瑩曰, “臣若赴召, 兵士必從, 引兵詣闕, 則臣罪當誅. 且臣豈不欲進死闕下, 恐非上意, 故不敢爾. 臣身雖微, 所係甚大, 若死於姦人之手, 國家危矣”. 又率臺諫·重房, 請黜張氏, 禑乃送張氏于仁任家, 請勿殺, 削國大夫人爵. 瑩等詣闕, 謝. ○門下評理金庾謂瑩曰, “以臣抗君, 無乃不可乎?”, 瑩怒白禑, 下庾獄. ○張氏, 常在禁中, 公受賄, 多行不法. 禑嘗數往妃所, 張氏曰, “禮, 君王必擇日, 御妃嬪, 今何如野狗綏綏乎?”. 至是, 臺諫幷劾不敬罪, 流之, 斬[許]完·[尹]邦晏·康侑□[~~權~~]·元順·元甫, 杖流[金]庾于合浦. 又斬張氏養女壻孫元美:節要轉載].[110)]

[→禑乳媪張氏有罪, 百官請下獄, 禑使人問於后曰, “古亦有出乳母者乎?”. 后曰, “豈可以古今有無論. 但因時制宜耳”. 百官固請, 禑不聽, 后曰, “豈可使一女之故, 令擧國觖望”. 召張氏, 趣下獄. 張氏在禑前不出, 后怒命輦, 欲幸別宮, 禑由是, 竟出張氏:列傳2忠肅王明德太后洪氏轉載].

[→政堂文學許完·同知密直□□[~~司事~~]尹邦晏, 使其妻, 依禑乳媪張氏, 譖內宰樞林堅味·都吉敷請去之. 禑命堅味等歸私第, 禁出入. 堅味等奔告瑩及復興·仁任曰, “完等欲殺吾二人, 以及諸公, 禍將作矣”. 夜, 完等矯旨召瑩者再三, 瑩恐禍及己, 率麾下兵, 與復興·仁任等, 會興國寺, 大陳甲兵, 集兩府百官耆老, 議請鞫張氏. 禑趣召瑩, 瑩辭曰, “今有擧國觖望事, 上若從衆意, 臣將入見”. 禑曰, “卿被疾, 累日不朝, 思一見之, 且欲問觖望事”. 瑩欲入, 諸相止之曰, “奸宄在內, 不可輕進. 公去則此軍必亂, 軍亂, 國不靜矣”. 瑩從之. 兩府·臺諫詣闕, 請下張氏按治, 禑不聽, 瑩等囚張氏族黨康侑權·元順·元甫等, 鞫之. 禑怒以爲, 宮中事, 非兩府·臺諫所知, 必因宦寺而洩. 下宦者鄭鸞鳳獄, 李得芬·金實勒歸私第. ○令瑩罷兵曰, “卿欲禦何賊, 擁兵不來耶. 卿嘗自謂累代忠臣, 忠心安在?”. 瑩曰, “臣若赴召, 兵士必從, 引兵詣闕, 則臣罪當誅. 且臣豈不欲進死闕下. 恐非上意, 故不敢爾. 臣身雖微, 所繫甚大, 若死於姦人之手, 國家危矣”. 禑默然有間, 召復興·仁吉入, 禑泣曰, “此女養我, 卽吾母也. 子之於親, 豈不欲其生也. 卿等旣以我爲君, 我獨不能救一

---

110) 이때 金庾에 관한 기사가 그의 열전에 있다. 또 이 기사에서 ~~添字~~가 탈락되었을 것이다[康侑權].
· 열전27, 金庾, “轉門下評理. 乳媪張氏之獄起, 庾責崔瑩抗君, 瑩怒白禑, 杖流合浦, 未幾釋之”.

乳媪乎? 其釋勿治". 復興亦垂淚, 無如之何. 禑使人問太后曰, "古亦有黜乳母·者乎?". 太后曰, "豈可論古今有無, 當因時制宜耳". 復興·仁吉對亦如太后言, 禑不聽. 臺省·百官請鞫張氏, 又不聽, 密使人語大司憲禹玄寶曰, "可率百官以退". 玄寶曰, "臣雖退, 百官必不從, 請速下張氏". 百官具張氏罪, 奏太后, 太后曰, "豈可以一女之故, 令擧國觖望乎? 趣張氏出". 張氏入禑前不出, 禑亦不忍. 太后謂禑曰, "我欲徙別宮, 不聞此事". 遂命輦將出. 禑意解, 乃送張氏于仁任家, 諭令不殺, 削國大夫人爵. 瑩詣闕謝曰, "殿下去邪不疑, 臣敢不喜. 獨責臣爲不忠, 臣實觖望". 禑曰, "事急, 不覺失言, 深悔之". 門下評理金庾謂瑩曰, "以臣抗君, 無乃不可乎?". 瑩怒, 白禑下庾獄, 流合浦. 臺諫·重房上疏力爭, 乃流張氏, 斬[許]完·[尹]邦晏·[康]侑權·[元]順·[元]甫及張氏養女壻上護軍孫元美. 杖流元美兄知春州事元迪, 尋[明年正月]斬張氏:列傳26崔瑩轉載].

[辛卯[28日], 雨雹←9월에서 移動해옴].[111]

[→八月辛卯[28日], 雨雹:五行1雨雹轉載].[112]

[○太白犯大微[太微]左執法:天文3轉載].

[癸巳[30日], 大霧, 咫尺不辨人:五行3轉載].[113]

[○狐鳴于毬庭:五行2轉載].

[是月丁亥[24日], 律宗通度寺住持·辯智大師月松, 奉其寺慈藏所得釋迦如來頂骨一·舍利四·緋羅金點袈裟一·菩提樹葉若干, 至京謁門下評理李得芬:追加].[114]

---

111) 乳母 張氏가 유배된 것은 8월 24일에 이후에 발생하였고(→是月, 是月丁亥[24日]의 脚注), 그 다음의 기사인 辛卯가 8월 28일이므로 9월에 수록되어 있는 이 기사를 8월로 옮겨왔다.

112) 上記의 記事가 8월로 이동해온 事由의 하나이다.

113) 이날 일본의 교토에서 전날 밤부터 비가 내리다가 오전 9시 이후 무렵 개였던 것 같다(『愚管記』 제23, 康曆 1년 8월, "卄九日癸巳, 自夜雨降, 巳剋屬霽").

114) 이는 다음의 자료에 의거하였는데, 添字와 같이 고쳐야 옳게 될 것이다. 또 通度寺 舍利에 대한 조선시대의 형편도 찾아진다.

· 『목은문고』 권3, 梁山通度寺釋迦如來舍利之記, "洪武十二年己未秋八月卄又四日, 南山宗通度寺住持·圓通無礙辯智大師沙門臣月松, 奉其寺歷代所藏慈藏入中國所得釋迦如來頂骨一·舍利四·毗羅[緋羅]金點袈裟一·菩提樹栾若干至京, 謁門下評理李得芬曰, '月松自歲乙卯, 蒙」上恩住是寺, … 遂奉以來'. 李公有微疾羔靡客, 聞舍利至, 躍然起曰, '舍利至吾家乎?, 慶幸之極, 身已平復矣', 將入白于」內, 會張氏之難[亂]作, 不果者一月, 贊成事臣睦仁吉·商議臣洪永通啓于」上前」太后·謹妃, 皆致慶瞻禮,以」太后又施銀盂·寶珠, 命內侍·參官朴乙生奉安于松林寺. 李公重修是寺, 設落成故也., …".

[某日, 醴泉君權漢功夫人蔡氏忌齋, 前侍中廉悌臣設齋於水精寺, 李穡與邦臣兄弟·諸甥, 參焉:追加].115)

[是月己卯16日, 韓山君李穡撰'普濟尊者語錄'後序:追加].116)

[是月, 釋僧俊·万恢, 以其師幻菴混修之命, 重刊'護法論'于忠州靑龍寺:追加].117)

[是月頃, 以韓仲賢爲羅州牧判官, 尹商發爲谷州副使:追加].118)

[九月,流乳媼張氏于砥平縣.時,政堂文學許完·同知密直尹邦晏,托張,謀去內宰樞林堅味等,事敗,張常在禁中,公受賄賂,多行不法,禑嘗數往妃所,張曰,禮,君王必擇日,御妃嬪,今何如野狗綏綏乎.至是,臺諫幷劾不敬之罪,流之,斬完·邦晏等,語在崔瑩傳.

· 『懶庵雜著』, 娑婆教主釋迦世尊金骨舍利浮圖碑, "… 而已, 唯嶺南通度寺神僧慈藏, 古所安釋迦世尊金骨舍利浮圖, 頗多神驗, 竟使千門人善, 又令一國興仁, 可謂世之尊寶也. 不幸至萬曆二十年, 日本海兵入國之南, 焚之蕩之, 億兆爲魚肉, 禍及浮圖. 其寶將爲散失, 悶鬱之際, 適蒙僧大將惟政, 領兵數千, 盡心守護得宗全, 然政不無後慮, 故以金骨舍利二函, 密似乎金剛, 使病老安焉. 病老感受欲安之, 然病老竊念金剛近水路, 後必有此患, 安金剛非長久計也. 向海兵之撥浮圖, 全在金寶, 不在舍利也. 取寶後視舍利如土也, 然則不若寧修古基, 而安焉云云, 卽以一函, 還付于政. 政然基計, 受函卽還古基, 而安鐘焉. 其一函則病老自受持, 謹人太白山, 刱建浮圖靜, 獨力無何. 命門人智正·法蘭之輩, 幹其事使安種, 二禪子至誠廣募, 不數月, 鍊浮圖而安之. 美矣其功德, 蓮經壽量品中已開列, 余何贅焉".

· 『태조실록』 권9, 5년 2월 庚戌22日, "佛頭骨捨利·'菩提樹葉經', 舊在通度寺, 因倭寇移置開城留後司松林寺, 遣人取來".

115) 이는 다음의 자료에 의거하였다. 醴泉君 權漢功의 夫人 蔡氏(李穡의 妻祖母)의 忌日은 8월 하순인데, 是日은 不分明한 『목은시고』의 月次를 판단하는데, 하나의 잣대[基準]가 될 수 있다.

· 『목은시고』 권19, 醴泉君夫人蔡氏忌齋, 廉侍中悌臣設行於水精寺, 僕與廉相兄弟·諸甥, 親登南峰, ….

116) 이는 『懶翁和尙語錄』序에 의거하였는데(서울대학 도서관 1966년 55面, 筆者 未確認), 이 佛典은 1363년(至正23, 공민왕12)의 板本을 再刊한 것 같다. 또 下記 內容의 앞에 수록된 本文은 『목은문고』 권9, 普濟尊者語錄後序이다.

· 序, "… 弟子名覺玗·覺然·覺卞,校讎舊本, 將繡之梓, 求予序, 故略書如此, 蒼龍己未八月旣望, 韓山君李穡序".

117) 이는 다음의 자료에 의거하였다(~~誠庵博物館~~ 所藏, 보물 제702호, 國立中央圖書館 1970년 85面 ; 千惠鳳 1985년 145面, ~~東洋文庫~~ 所藏, 稻葉岩吉 1932年 ; 張東翼 2004년 715面).

· 『護法論』, 卷末題記, "宋丞相張天覺護法論一篇,殆萬餘」 言,釋僧俊,以幻菴普濟大禪師之命,」 重刊于忠之靑龍寺,既訖携墨本,」 求予跋其尾,予觀其辭,率不可解,」 然喜闢韓歐氏·孫歐氏,吾所師也,吾」 實駭焉,雖然,五濁惡世,爲善未必」 福,爲惡未必禍,非佛何所歸哉,嗚」 呼,護法□論於宜其盛行於世也.蒼龍己」 未仲秋初吉韓山君李穡跋.」 ~~募緣衲~~僧俊」 ~~影助~~釋万恢」". '蒼龍己未'以前의 本文은 『목은문고』 권13, 跋護法論에 수록되어 있다.

118) 이는 『금성일기』와 다음의 자료에 의거하였다.

· 『목은시고』 권19, 送門生尹商發赴官谷州.

辛卯[8月28日]雨雹→8월로 옮겨감].

九月[甲午朔大盡,甲戌], [丙申[3日], 霧塞:五行3轉載].[119)]

[某日, 倭寇班城縣, 登確山頂, 樹柵自保. [慶尙道上元帥]禹仁烈·[安東道兵馬使]朴修敬·[兵馬使]吳彦, 合圍攻克之, 斬馘三十四級:節要轉載].[120)]

[某日], 倭寇丹溪·居昌·冶爐等縣, 至□[~~于~~]嘉樹縣,[121)] [慶尙道元帥兼]都巡問使金光富與戰, 敗死.

[某日, 設藏經道場于康安殿:追加].[122)]

[某日], 移置海印寺所藏歷代實錄及經史諸書于善州得益寺.[123)]

[戊申[15日], 烏川君鄭思道卒, 年六十二. 諡文貞:追加].[124)]

[某日], 以李乙珍爲忠州·丹陽道兵馬使, 張伯淵爲淸州兵馬使, 分領諸將卒, 以備倭寇.

[某日, 宰樞·諸君會興國寺, 議某事, 韓山君李穡有故不參:追加].[125)]

---

119) 이날 교토에서 비가 내렸던 것 같은데, 時刻에 어떤 착오가 있었던 것 같다(『愚管記』제23, 康曆 1년 9월, "三日丙申, 自夜前雨降, 未剋以後屬霽").

120) 이와 같은 기사가 열전27, 禹仁烈에도 수록되어 있다.

121) ~~添字는~~『고려사절요』 권31에 의거하였다. 또 嘉樹縣은 조선 초에 三嘉縣(현 경상남도 陜川郡 三嘉面)으로 改稱되었다(『태종실록』 권28, 14년 12월 壬申[1日] ; 『세종실록』 권150, 지리지, 三嘉縣).

122) 이는 다음의 자료에 의거하였는데, 이 法席[道場]은 9일[重九] 이후에 개최되어 20일(權漢功의 忌日) 이전에 파하였다.
- 『목은시고』 권19, 藏經法席罷日, "康安殿上法筵張, 龍象[僧侶]奔馳會十方, …".

123) 이보다 3년 후인 1382년(우왕8) 6월 이후 慶尙道體覆使 趙浚이 得益寺 大藏殿의 懸板을 보았다고 한다(『송당집』 권1, 道過善州, 偶入得益寺[注, 大藏殿板上, 有先祖題名, 感歎不已, 因題一絶]).

124) 이는 「鄭思道墓誌銘」에 의거하였는데, 『목은시고』 권20, 月城君□[鄭]思道挽詞는 이해[是年] 11월 27일(庚申)의 앞에 수록되어 있다.

125) 이는 다음의 자료에 의거하였는데, 分發[分撥]은 都評議使司의 朝報가 配布 以前에 그 抄錄[小紙]을 먼저 該當 官署나 官員에게 急하게 發給하는 문서[傳令]를 指稱한다.
- 『목은시고』 권19, 分發請會議興國寺, 無馬不能赴.
- 『효종실록』 권4, 1년 6월 乙酉[3日], "上御晝講, 講'書傳舜典', 講訖, … 上曰, '試官見分發耶?' [注, 朝家凡事, 各司下人書於小紙, 送於官員, 謂之分發], 對曰, 雖果見之, 而有妨於傳通, 故不敢數數見之矣".

[某日], 倭寇山陰·晋州·泗州·咸陽.[126]

[□□□~~是時頃~~, 倭寇晋州, 晋州戶長鄭滿如京. 賊闌入所居里, ~~鄭萬妻~~崔携諸子避匿山中. 崔年方三十餘, 貌且美, 賊得而欲汚之, 露刃以脅. 崔抱樹拒, 奮罵曰, “死等耳, 與其見汚而生, 寧死義”. 罵不絶口. 賊遂害之, 虜二子以去. 子習甫六歲, 啼號屍側, 襁褓兒猶匍匐就乳, 血淋漓入口尋死:列傳34鄭滿妻崔氏轉載].[127]

[某日], 遣使西海·楊廣等道, 簽水軍, □圤備[慶尙·全羅道:節要轉載]倭寇.

[某日], 以前崇敬尹李元瑄爲楊廣道上元帥.

[丙辰23日, 玄陵忌日, 設齋筵于諸寺社:追加].[128]

[庚申27日, 熒惑犯軒轅, 凡四日:天文3轉載].

[冬]十月甲子朔大盡,乙亥, [某日], 梨花.

---

126) 이때 咸陽에 거주하던 判事 閔瑾(權仲達의 壻, 李穡의 同壻)의 家屋이 倭賊에게 擄掠되었던 것 같다. 이 소식을 李穡이 聽取한 시기는 11월 7일에서 12일 사이이다.

- 『목은시고』 권20, 聞咸陽大姨夫閔判事家, 爲倭奴所劫.

127) 이는 다음의 자료를 전재하였다.

- 열전34, 烈女, 鄭滿妻崔氏, “崔氏, 靈巖郡士人仁祐之女. 適晋州戶長鄭滿, 生子女四人, 其季在襁褓. 辛禑五年, 倭寇晋州時, 滿如京. 賊闌入所居里, 崔□氏, 携諸子避匿山中. 崔□氏, 年方三十餘, 貌且美, 賊得而欲汚之, 露刃以脅. 崔□氏抱樹拒, 奮罵曰, 死等耳, 與其見汚而生, 寧死義. 罵不絶口. 賊遂害之, 虜二子以去. 子習甫六歲, 啼號屍側, 襁褓兒猶匍匐就乳, 血淋漓入口尋死. …”.
- 『태종실록』 권25, 13년 2월 丙辰7日, “命旌表孝子節婦之門, … 慶尙道都觀察使報, … 晋州戶長鄭滿妻, 崔仁祐之女也. 歲己未, 倭寇晋州. 崔□氏遇賊, 賊欲汚之, 崔□氏守節不從, 賊怯之以刃, 崔□氏遂罵賊, 賊卽殺之”.
- 『세종실록』 권8, 2년 5월 甲戌7日, “禮曹啓, 晋州吏鄭習, 烈女之子, 雖非三丁一子, 許赴雜科試, 以奬節義, 勉勵風俗, 從之. 習母崔氏, 靈巖士人仁祐女也. 適晋州戶長鄭滿, 生子女四人, 其季在襁褓, 洪武己未, 倭賊寇晋州, 闔境奔竄, 時滿因事如京. 賊闌入里閭, 崔□氏年方三十餘, 且有姿色, 抱携諸息, 走避山中. 賊四出驅掠, 遇崔□氏露刃以脅, 崔□氏抱樹, 而拒奮罵曰, 死等爾, 汚賊以生, 無寧死義. 罵不絶口, 賊遂害之. 斃於樹下, 賊虜二息以去. 時習甫六歲, 啼號屍側, 襁褓兒猶匍匐就乳, 血淋漓入口, 尋亦斃焉. 後十年己巳, 都觀察使張夏以聞, 乃命旌門, 蠲習吏役, 習乃學風水之術, 赴雜科試”.
- 『湽谿集』 권7, 題烈婦崔氏傳後, “崔氏, 晋州戶長鄭滿妻, 洪武己未倭陷晋州, 露刃怯崔氏, 欲汚之, 崔遂罵賊不從, 死之. 其後觀察使張夏上其事, 旌門, 免子習鄕役云, 郊隱鄭以吾嘗作傳”.

128) 이는 다음의 자료에 의거하였다.

- 『목은시고』 권19, “九月二十三日, 玄陵忌旦, 無從赴齋筵, 獨坐有感”.

戊辰[5日], 大霧.

己巳[6日], 雨, 木冰.[129]

[某日, 以江南進獻使·前政堂文學李茂芳爲門下評理. 以書廣通菩提禪師塔碑功, 復三重大匡·韓山君·知書筵事李穡爲三重大匡·政堂文學·右文館大提學·領藝文春秋館事兼成均館大司成, 大匡·上黨君韓脩復爲簽書密直司事:追加].[130]

[某日, 政堂文學李穡·簽書密直司事韓脩, 具冠帶, 行禮合坐于都堂:追加].[131]

[□□[是日]], 禑移居梨峴新闕, 本柳芳係[柳方啓]家也.[132]

[→是日, 扈駕移御永安宮, 故宰臣柳方啓舊宅. 至晩, 太后[明德太后]·謹妃移御: 追加].[133]

[某日], 禑出花園, 視花木. 內宰樞具先王所乘輅, 請乘. 禑曰, "吾聞學乘馬, 未聞學乘車". 遂却之.

[某日], 詣太后殿, 上壽曰, "予今幼冲, 國家粗安, 惟太后德是賴. 以楸洞闕, 遠太后殿, 故罷之, 徙居于此. 如蒙訓誨, 敢不敬聽".

[某日, 宰樞合坐於寶源庫:追加].[134]

[某日, 政堂文學李穡等宰臣, 考閱進獻馬于宰樞所:追加].[135]

---

129) 이때에 다음의 詩文이 만들어진 것 같다.
- 『목은시고』 권20, 夜雨大作, 呼燈賦此, "冬雨如春雨, 簷聲夢忽回, …".

130) 이는 다음의 자료에 의거하였다.
- 『목은시고』 권20, "江南進獻使李宰相[李茂芳]加官, 故有宰批, [李]穡與韓簽書[韓脩], 以玄陵碑故, 皆復舊職, 明當謝恩, 有感發詠".
- 「韓脩墓誌銘」, "己未[禑王5年]冬, 以書光巖碑功, 復簽書".
- 『목은시고』 권8, 韓簽書在光巖書碑, 僕不能往觀, 聊述所懷.
- 『목은시고』 권22, 兩朝文學歌幷序, "… 己未冬, 復拜政堂□□[文學], 力疾隨行, 不敢請退, 同列不忍視, 請于上免職, 未幾, 又拜封君之命".

131) 이는 『목은시고』 권20, 具冠帶, 行禮合坐에 의거하였다.

132) 여기에서 柳芳係는 柳方啓가 옳을 것이다(→공민왕 12년 11월 7일).

133) 이는 다음의 자료에 의거하였다.
- 『목은시고』 권20, 是日, 扈駕移御永安宮, 故宰臣柳方啓舊宅, "詩文省略"[注, 是日, 監封入貢物色]·至晩, 太后·謹妃移御.

134) 이는 다음의 자료에 의거하였다.
- 『목은시고』 권20, 合坐寶源庫, 庫故政丞韓公諱渥故宅, 先王所嘗御, 而穡初拜密直□□[提學]處也, 今十七年矣, 復來合坐於此, 有感于懷, 吟成一首. 여기에서 ~~添字~~가 추가되면 더 좋을 것이다.

[某日], 遣門下評理李茂方~~李茂芳~~·判密直□□司事裴彦, 如京師, 進歲貢.[136] 上陳情表曰,[137] "□□□~~臣某言~~, 臣生十歲, 臣父臣顓暴薨, 祖母洪卽命臣居喪次, 主喪事, 臣但知哀號, 不知所爲, 未幾, 群臣奉祖母之命, 請臣權署國事, 臣雖欲辭避, 其道無由. 群臣具表文, 請臣署名, 入奏天子, 乞賜先臣謚諡號幷臣爵命. 歲月逾邁, 迄今未蒙明降, 臣雖愚蒙, 豈不恐懼. 私心自念, 亡父能知天命所歸, 擧國內附, 降年不永, 奄爾淪逝. 叛臣金義, 盜殺使臣, 奔于北方. 祖母既老, 臣又幼弱, 時之多艱, 未有若是之甚者. 不賴」聖天子保全之惠, 將何以圖存哉, 此所以奉表瞻望, 日俟~~竢~~德音之至也. 陪臣德符, 回自京師, 欽奉」聖旨, 伏讀流汗, 跼天蹐地, 若無所容. 祖母洪謂群臣曰, '吾孫年幼, 必不能別白事宜, 群臣又難自達, 妾當上表敷奏'. 是用, 差陪臣□□□□□□□~~重大匡·門下贊成事~~李茂方~~李茂芳~~·□□□□□□□□~~匡靖大夫·門下評理~~裴彦等, 賫擎祖母表文, 幷管領金三十一斤四兩·銀一千兩·白細布五百匹疋·黑細布五百匹疋·雜色馬二百匹, 赴京. 伏望陛下~~云々~~, 錄先臣歸附之功, 察祖母窮迫之情, 賜先臣謚諡, 命臣襲爵. 歲貢之物, 亦容小邦, 不拘定數, 隨力所辦以獻. 則先臣含笑地下, 迪我子孫, 世爲聖朝藩輔, 臣之至願也, 臣之至幸也. 伏惟,」聖鑑採納. ~~臣某不勝陨越之至~~, ~~謹奉表陳乞以」聞~~, ~~臣某誠惶誠恐~~, ~~頓首々々~~, ~~謹言~~".

○王太后表曰,[138] "故高麗國王王顓母太妃妾, 竊聞, 自古帝王, 臨御海內外, 萬邦蒼生, 共惟臣妾. 男爲臣, 女爲妾, 其類雖殊, 其性則同, 其勢雖殊跦, 其情則親. 故曰匹夫·匹婦, 不獲自盡, 民主罔與成厥功, 今妾勢窘事迫, 不過號天而已. 陛下卽天也, 而視聽自我民, 天不言, 而陛下代之言. 此妾之所以觸冒天威, 而罄竭所蘊也. 妾生十六歲, 事先臣王燾, 生二子, 長曰禎, 次曰顓, 禎之子曰昕, 曰眡, 相次襲位, 而皆早天無後. 顓最後立, 事妾盡孝道, 國人悉~~實~~知之, 天地悉鑑~~實監~~之. 及陛下卽位, 顓能知天命有歸, 樂於內附, 陛下亦知其忠矣. 不幸短命, 暴亡致疑, 傳言失眞, 聞于天聽, 陛下怒之, 誠是矣. 雖然其亡也暴, 故致人疑耳, 非有他故也. 若其殺使之賊金義, 在途聞顓之薨, 卽生姦計, 欲立瀋王爲王, 逃入胡地, 至今不敢還國, 則本國之不與也, 明矣. 妾又聞, 興滅國, 繼絶世, 聖人之大政也. 況國未至於

---

135) 이는 『목은시고』 권20, 宰樞所考閱進獻馬에 의거하였다.

136) 李茂芳은 12월에 應天府(南京)에 들어가 黃金 100斤·銀 1萬兩을 바쳤지만, 明이 貢物이 約束과 같지 않다고 却下시켰다(『명태조실록』 권128 ; 『續文獻通考』 권29, 土貢考).

137) 이 表는 『목은문고』 권11, 陳情表인데, ~~添字~~는 이에 의거하였다.

138) 이 표는 『목은문고』 권11, 王大妃陳情表인데, ~~添字~~는 이에 의거하였다. 여기에서 王太后와 王大妃는 조선시대의 表記方式일 것이고, 당시에는 太后로 表記하였을 것이다.

滅世, 未至於絶乎? 今禑以顓遺孤, 權署國事, 表請贈謚[諡]·襲位, 已有年矣. 妾與國人, 無大無小, 日夜瞻望, 以竢德音, 而猶未降也. 陛下爲天地, 於天地之間, 洋洋乎發育萬物, 各得其性, 而獨小邦, 不霑王化, 妾實痛之, 妾實痛之. ○又念, 小國濱海, 隣於倭國, 日與爲敵, 故其執政, 皆爲將帥, 居中者少, 以半入朝, 恐致踈[疏]虞. 儻[倘]或倭賊得志, 豈非小邦之不幸, 朝廷之所慮哉. 小國地薄, 不產金銀, 中國之所知也. 馬有二種, 曰胡馬者, 從北方來者也, 曰鄕馬者, 國中之所出也. 國馬如驢, 無從而得良焉, 胡馬居百之一二, 亦中國之所知也. 近因倭寇[賊], 損傷殆盡. 布匹[疋], 雖出於國中, 然數至於萬, 誠難充辦. 遼東流移民戶, 見行出榜[牓]招集. 妾自少, 未嘗妄言, 況敢欺天乎? 妾生於大德戊戌[忠烈24年], 行年八十又二, 朝[旦]暮當辭盛代. 誠不忍亡兒顓, 一心向化之美, 泯而不彰, 煢煢孤孫, 無以立於世. 是以, 犯禮法, 披心腹, 以冀陛下一悟. 陛下哀之恕之, 賜先臣之謚[諡], 降世爵之命, 收歲貢之詔, 使小邦, 私圖其宜, 時節獻土物, 永永遵守. 則妾當安心待盡, 而亡兒顓, 亦當圖所以報恩, 於冥冥之閒矣. 妾以□厂婦人, 享其二子三孫, 相繼榮養, 一旦遇急難, 不能有所別白於聖明之世, 將何以見先臣於地下乎. 今人有十[千]金之產, 尙欲傳之子孫, 無所墜失, 況一國乎? 況老牛舐犢之情乎? 妾臨表涕泣, 不知所云".[139]

[丙子[13日], 判密直司事裵彥, 用伴夜發程, 宰樞將餞行, 守侍中李仁任追不及, 回:追加].[140]

[某日[丁丑14日], 宰樞設讌, 稱觴上壽, 賀新宮. 新宮近接於永安宮也:追加].[141]

[戊寅[15日], 月當食, 密雲不見:天文3轉載,[142] 天陰微雨, 午後晴, 無分發:追加],[143]

---

139) 이상의 두 表文은 李崇仁과 權近이 7월에 起草하여 韓山君 李穡에게 潤文을 청했던 것 같다.
- 『목은시고』 권18, 昨日, 子安[李崇仁]·可遠[權近]修北方表章, 請予潤色, 病餘茅塞, 吟成一首, 將以舒堙鬱也.

140) 이는 다음의 자료에 의거하였다.
- 『목은시고』 권20, 十月十三日, 判密直□□[司事]裵公彥, 用伴夜發程, 宰樞將餞行, 左侍中[守侍中李仁任]追不及獨回, 穡於十川路上遇侍中, 回至合坐所, 吟成一首.

141) 이는 다음의 자료에 의거하였는데, 이날[此日]은 13일과 15일 사이에 있고, 前後의 詩文을 통해 볼 때 14일(丁丑)인 것 같다.
- 『목은시고』 권20, 宰樞設讌, 稱觴上壽, 賀新宮也. "新宮密邇永安宮, 俯視閭閻面雄勢, …".

142) 이날 일본에서도 월식이 예측되었으나 비가 내려서 관측되지 않았다고 한다. 이날은 율리우스曆의 1379년 11월 24일인데, 월식에 관련된 각종 정보가 없다(渡邊敏夫 1979年 486面).

143) 이는 다음의 자료에 의거하였는데, 分發은 9월 某日의 脚注에서 설명하였다.
- 『목은시고』 권20, 十五日午後, 日光穿漏, 南窓明甚·無分發, 獨坐詠悔.

[某日], 遣□[門下]贊成事睦仁吉·密直副使睦子安·梁濟, 捕倭于全羅道.[144] [先是, 仁吉, 在廟堂颺言曰, “倭賊侵掠州郡, 吾等在此飽食, 略不愧恥, 可謂有人乎”. [守侍中李]仁任怒其言逼己, 出之:節要轉載].

[→辛禑時, [睦]仁吉與李竴·李竱爭田有隙, 欲中傷之, 及池奫伏誅, 仁吉誣構爲奫黨, 繫巡軍獄, 尋釋之. 仁吉, 嘗在都堂, 揚言曰, “倭賊肆侵掠, 吾輩在此飽食, 略不愧恥, 可謂有人乎”. [守侍中李]仁任怒其言逼己, 乃遣仁吉, 擊倭于全羅道:列傳27睦仁吉轉載].[145]

[□□[是時], 宰樞各出半當一名, 助戰].[146]

戊子[25日], 雷.[147]

[某日], 三司左使權仲和·門下評理曹敏修, 相宅于檜巖, 以書雲觀言, 道詵所謂左蘇, 卽此地, 故也.[148]

[某日, 賜給田, 納玄陵元堂廣通普濟寺:追加].[149]

[某日, 女眞千戶差來官, 進獻土物, 上出御花園八角殿, 受其禮:追加].[150]

壬辰[29日], 大霧, 凡七日.

十一月[甲午朔小盡,丙子], [庚子[7日], 細雨, 正午晴:追加], 禑獵于[白岳]新京.[151]

---

144) 이때 睦仁吉은 門下贊成事[二相]·助戰都元帥로서, 睦子安과 梁濟는 密直副使·元帥로서 함께 11월에 羅州牧에 들어왔다가 12월에 上京하였다(『금성일기』).

145) 이와 관련된 자료로 다음이 있는데, 이때 睦仁吉의 나이가 七旬이었다고 한다.

- 『목은시고』 권20, 睦二相與諸元帥發行, 予以脚無力, 不能騎, 闕於拜送, 獨吟二首, “睦相威稜始丙申[恭愍5年], 忠肝義膽動朝臣, 自言垂老更一戰, 誰識行年今七旬, …”.

146) 이는 다음의 자료에 의거하였다.

- 『목은시고』 권20, 有感, [注, 宰樞各出半當一名, 助戰, 僕無可出者].

147) 이와 같은 기사가 지7, 五行1, 水, 雷震에도 수록되어 있다. 또 이날은 일본의 교토[京都]에서 맑았다고 한다(『迎陽記』, 康曆 1년 10월, “廿五日[戊子], 晴”).

148) 이와 관련된 자료로 다음이 있다.

- 『목은시고』 권20, 東門合坐, 餞曺五宰[曹敏修]·權左使[權仲和], 相視檜巖山水, “… 自古有書名六錄, 在今何處的三蘇, …”.

149) 이는 『목은시고』 권20, 賜給田, 納玄陵願堂廣通普濟寺에 의거하였다.

150) 이는 다음의 자료에 의거하였다.

- 『목은시고』 권20, “女眞千戶差來官, 進獻土物, 上出御花園八角殿, 受其禮”.

151) 이와 관련된 자료로 다음이 있는데, 이를 통해 日辰과 氣象을 추가하였다.

[某日], 以慶尙道□士元帥禹仁烈爲合浦都巡問使慶尙道都巡問使.

[某日, 守侍中李仁任, 設太后解厄水陸齋:追加].[152]

[庚申27日, 熒惑入軒轅:天文3轉載].

[某日, 定遼衛催發流移民:追加].[153]

[某日, 頒賜祿牌:追加].[154]

[是月頃, 以林冲潘爲永州副使:追加].[155]

十二月癸亥朔大盡丁丑, [丁卯5日, 忠穆王忌辰, 設齋龜山寺, 宰樞入眞庭下, 肅拜而退:追加].[156]

[某日], 杖宗簿副令李義, 流于楊廣道內廂, 流□□門下贊成事商議梁伯益于昌寧, 以義與張氏謀事, 伯益知而不告也.

[甲戌12日, 謹妃禑王妃生辰, 宰樞進手帕·別膳. 旣罷, 政堂文學李穡與三司左使權仲和, 奉敎撰定府名, 日晩未上:追加].[157]

乙亥13日, 雷, 地震.[158]

· 『목은시고』 권20, 初七日, 上幸新京, 臣穡留司, 以病不能望行色, 俯伏吟哦, 因成一首·是日正午, 日光穿漏, 西南始晴, 行幸之際, 鷹犬效才, 天顔怡懌, 盖可想也. ….

152) 이는 다음의 자료에 의거하였다.

· 『목은시고』 권20, 有感, "詩文省略", [自注, 左侍中設太后解厄水陸齋]·左侍中請撰水陸齋疏語.

153) 이는 다음의 자료에 의거하였다. 여기에서 '定遼衛가 재촉하여 流移文을 發送하다'가 어떤 의미인지는 알 수 없으나 詩文의 내용을 보아 '流移文'은 '流移民'의 오자일 가능성이 있다.

· 『목은시고』 권20, 合坐, "… 四海一家天下平, 山耕澗飮是蒼生, 鴨江豈限人來去, 兩岸如今屬大明[注, 定遼衛催發流移文流移民"].

154) 이는 다음의 자료에 의거하였다.

· 『목은시고』 권20, 吾友鄭可宗, 以內府副令召之, 得三司祿牌, 則封倉後, 故不得受祿, 持牌求予語, 因題小詩以與之.

155) 이는 『영천선생안』에 의거하였다.

156) 이는 다음의 자료에 의거하였다.

· 『목은시고』 권20, 臘月初五日, 忠穆王忌辰也, 設齋龜山寺, 宰樞入眞庭下, 肅拜而退. 臣穡因有所感.

157) 이는 다음의 자료에 의거하였다.

· 『목은시고』 권21, "十二日, 謹妃生辰, 宰樞進手帕·別膳. 旣罷, 政堂文學李穡與三司左使權仲和, 奉敎撰定府名, 日晩未上".

[某日], 以同知密直□□[司事]慶儀爲西京元帥.

[某日], 禑宴□□[共身]李琳及琳母李氏·妻洪氏于禁中, 賜洪氏卞韓國大夫人印.[159) 琳等旣出, 禑與宦官, 張樂極歡. 尋正色曰, "古人有言, 人惟求舊, 衣必求新, 今臣寮在予左右, 言予得失, 交修啓沃, 雖有讒說, 予不信也. 向者, 張氏詆我撻我, 有國以來, 困辱妖物之手, 莫我若也. 幸賴憲府[司憲府]糾摘, 妖物遠竄, 宮中稍安. 外有耆年·碩德, 圖議庶政, 內與爾等, 酣酒以樂, 亦何妨乎?".

[某日], 納哈出遣人, 遺[獻]鷹及羊.[160)]

[某日], 憲府[司憲府]上疏曰, "張氏本侍婢, 冒稱乳媼, 濫干恩寵. 嘗與池奫, 交通謀亂, 又與楊伯淵·洪仲宣·金濤等相應, 情跡暴露, 餘悉伏辜, 張氏幸免. 今又送腹心元順于許完·尹邦晏通謀, 事覺, 完等已就典刑, 獨張氏流外. 今聞李義·兪甫, 相與結黨, 欲令張氏還京, 乞誅張氏, 以絶禍根".

[辛巳[19日], 月犯左角:天文3轉載].

[丁亥[25日], 熒惑犯軒轅, 凡五日:天文3轉載].

[壬辰[30日], 驅儺, 司平巡衛府備巡警:追加].[161)]

[是年, 以倭寇, 長興府流寓羅州牧鐵冶縣:追加].[162)]

[○倭寇之侵入尤劇, 蔚州民靡孑遺, 其後爲知州者, 賫印信挈吏數口, 僑寓雞林城:追加].[163)]

---

158) 이와 같은 기사가 지7, 五行1, 水, 雷震에도 수록되어 있다. 또 이날은 일본의 교토[京都]에서 눈이 많이 내렸다고 한다(『迎陽記』, 康曆 1년 12월, "十二日[乙亥], 雪降四五寸").

159) ~~添字는~~ 『고려사절요』 권31에 의거하였다.

160) ~~添字는~~ 『고려사절요』 권31에서 달리 표기된 글자이다.

161) 이는 다음의 자료에 의거하였는데, 『고려사』에서 구나[驅儺, 大儺]의 設行이 기록되어 있는 것은 1116년(예종11) 12월 30일의 1件 뿐이다.
- 『목은시고』 권21, 驅儺行, [注, 聞之, 敬書上送史官], "… 司評有府備巡警, …".
- 『태종실록』 권28, 14년 12월 己亥[30日], "始以除夜驅儺. 上曰, '除夜前日驅儺, 是本朝舊俗, 有乖古文. 今後除夜日初昏始行, 至夜半而止, 永爲式'. 仍令中外周知".

162) 이는 『세종실록』 권151, 地理志, 長興都護府 ; 『신증동국여지승람』 권37, 長興都護府, 古跡, 皇甫城 ; 『동문선』 권76, 中寧山皇甫城記 ; 지11, 지리2, 長興府, "後因倭寇, 僑徙內地"에 의거하였다.

163) 이는 『신증동국여지승람』 권22, 蔚山郡, 古跡, 古邑城에 의거하였다.

[○以文州任內龍津鎭, 析置縣令:轉載].[164)]

[○龍城君趙暾請歸老於龍津縣, 允之. [子]仁沃欲從行, 暾力止之曰, "吾家遭時危疑, 先祀之存, 僅如毫髮. 過蒙玄陵眷顧, 一門以全, 位至封君. 汝兄弟官皆顯達, 百無所報, 若等無以老夫爲念, 致力王室, 猶在吾側也":列傳24趙暾轉載].[165)]

[○以[判密直司事]沈德符爲知門下府事·上護軍, 尋加商議會議都監事:追加].[166)]

[○以[前左正言]尹紹宗爲典校寺丞:追加].[167)]

[○以[朝奉郎·試典寶都監判官]柳觀爲通直郎·典儀寺丞:追加].[168)]

[○以吳惟精爲知寧海府事:追加].[169)]

庚申[禑王]六年, [用當該年干支],[170)] 明洪武十三年, 北元天元二年, [西曆1380年]

1380년 2월 7일(Gre2월 15일)에서 1381년 1월 25일(Gre2월 2일)까지, 354일

[春]正月癸巳朔[小盡,戊寅], 放朝賀.

[某日], 斬□□[~~乳媼~~]張氏, 傳首于京.[171)]

[是時, 還砥平縣監務官爲廣州任內. 砥平縣乃乳媼張氏之鄕也:地理1廣州砥平

---

164) 이는 지12, 지리3, 龍津縣, "後屬文州. 辛禑五年, 析置縣令"을 전재한 것이다.

165) 原文의 冒頭에는 "[禑王]五年, 歸老龍津"으로 되어 있다.

166) 이는 다음의 자료에 의거하였는데, 潤文이 필요한 字句로 되어 있다.
- 『동문선』 권117, 沈德符行狀, "… 己未還國, 拜知門下事[~~知門下府事~~]·上護軍, 是年, 拜知門下事[~~知門下府事~~]·商議會議都監事·上護軍".

167) 이는 다음의 자료에 의거하였다.
- 『태조실록』 권4, 2년 9월 己未[17日], 尹紹宗의 卒記, "僞朝己未, 起爲典校寺丞, 遷典儀副令, 藝文應敎".

168) 이는 『夏亭集』 行狀에 의거하였다.

169) 이는 『영해선생안』에 의거하였다.

170) 韓山君 李穡은 이해[是年]의 중국 연호를 사용하지 아니하고 干支로 表記하였다(『목은문고』 권3, [功德山]潤筆庵記, "庚申秋八月初吉記").

171) ~~添字~~는 『고려사절요』 권31에 의거하였다.

縣轉載].[172]

[戊戌6日, 雨水. 明德太后洪氏薨. 前夕太后執禑手曰, “我國傳世之久, 將五百年. 大抵人君, 多不聽臣僚所言, 願王稽大義決大事, 必咨侍中慶復興·守侍中李仁任·判三司□事崔瑩及諸相, 愼勿觸情直行. 又君擧必書,[173] 不可數出郊野, 以事遊觀”:節要·列傳2忠肅王明德太后洪氏轉載].

[某日], 以右常侍朴永忠爲公州道兵馬使, 禮儀判書皇甫琳爲全羅道兵馬使, 以安東□道元帥兵馬使朴修敬爲慶尙道都巡問使.[174]

[某日], 永寧君王彬賫詔, 還自北元.

[某日], 禑馳馬于男山.

[某日, 以三司左尹李復始爲慶尙道按廉使, 李士廉爲全羅道按廉使, 金震陽爲西海道按廉使, 朴宜中爲交州道按廉使:慶尙道營主題名記·錦城日記].[175]

[某日, 以通憲大夫·羅州牧使梁有珍爲奉翊大夫·羅州牧使:追加].[176]

[是月癸巳朔, 高麗貢不如約, □□明帝, 以詔問之曰, “曩元之馭宇, 運未百年而天命更, 朕代元爲君, 臨御十有三載, 四夷入貢, 惟三方如舊. 獨爾東夷, 固恃滄海, 內弑其王, 外構民禍, 貢不如約, 必三韓之地有爲, 故若是歟. 命使往問, 叛服不常, 將欲何爲?”:追加].[177]

---

172) 原文에는 다음과 같이 되어 있다.
- 지10, 지리1, 廣州牧, “砥平縣, 本高句麗砥峴縣. 新羅景德王, 改今名, 爲朔州領縣. 顯宗九年, 來屬. 辛禑四年, 以乳媼張氏之鄕, 置監務. 後禑王5年?罷之”.

173) 君擧必書는 공양왕 2년 3월 某日의 脚注에서 典據를 제시하였다.

174) 이때 朴修敬은 安東府使兼安東道兵馬使로서 경상도도순문사에 승진한 것 같고(『안동선생안』), 皇甫琳은 全州府使兼全州道兵馬使에 임명된 것 같다(『목은시고』 권27, 奉謝前主皇甫兵馬使, 送鹿脯).

175) 李復始는 여름철에 韓山君 李穡에게 그의 祖父 李某의 詩集을 올렸던 것 같다. 또 이때 朴宜中은 交州道에, 金某는 西海道에 파견되었던 것 같다.
- 『목은시고』 권22, 夏日坐讀李艾谷詩集, 其孫慶尙道按廉使左尹復始, 辱書惠, 欣然題一首, 以寄.
- 『목은시고』 권22, 得西海道金按廉尊·魚代書致辭 ; 권24, 得西海按廉金震陽書, 云送乾鹿. 然塩州鮒魚, 又所欲者, 因賦一首以寄.
- 『목은시고』 권23, 奉謝交州道朴廉使宜中會長, 送乾腊, 因求崖蜜·野物之惠 ; 권24, 得交州廉使朴會長崖蜜·五味子, 詩以致謝走筆. 여기에서 會長은 製述業의 壯元及第者의 모임인 龍頭會의 長을 指稱한다.

176) 이는 『금성일기』에 의거하였다.

177) 이는 『명태조실록』 권129, 홍무 13년 1월 癸巳朔을 전재하였는데, 이와 같은 기사도 『명태조문집』

二月[壬戌朔大盡,己卯], [某日], [門下評理]李茂方[~~李茂芳~~]·[判密直司事]裴彦, 至登州而還. 茂方等, 至遼東, 都司[遼東都指揮使司]奏省府, 臺官欽奉聖旨, “所貢既不如約, 陪臣不至. 爾中書差人, 詣彼發遣, 來使回還, 須如前約, 方許來貢”.

[□□[~~庚午9日~~], 北元遣禮部尙書時剌問[~~時剌問~~]·直省舍人大都閭□[來], 冊禑爲大尉[~~太尉~~]. 禑率百官郊迎.

[→二月初九日[~~庚午~~], [北元]使來, 開讀冊太后詔, 頒降主上太尉宣命, 仍賜鷹馬:追加].[178)]

[某日, [同知密直司事兼]大司憲禹玄寶等, 誣劾贊成事睦仁吉陰畜異志, 削職, 籍其家, 而流之:節要轉載].

[→[禑王]六年, 大司憲禹玄寶等, 誣劾[贊成事睦]仁吉陰畜異志, 削職遠流, 籍其家. 尋卒于貶所:列傳27睦仁吉轉載].

[某日], 倭寇[晋州牧]永善縣.

[某日], 有人, 自遼東來言, “遼東訓兵, 欲攻納哈出”. 乃遣判事崔鄲·副正安天吉于西北面, 覘之.

[某日], 門下評理朴普老卒, 贈謚[諡]敬烈.

[某日], 倭寇寶城郡, 入富有縣.

[某日], 以洪仁桂爲江界□[道]元帥, 崔元沚爲泥城安撫使.

[壬午[21日], 白氣如彗, 見于東北方:五行2轉載].

[丁亥[26日], 日珥:天文1轉載].[179)]

에서 찾아진다. 이 詔書는 當時 고려와 명의 관계가 순탄하지 않았기에 제때 전달되지 못하였던 것 같고, 이와 유사한 내용의 禮部 咨文이 3년 후인 1383년(우왕9, 홍무16) 11월 고려 측에 전달되었다(『고려사』 권135, 열전48, 우왕 9년 11월 某日).

· 『明太祖文集』 권8, 問高麗貢不如約, “曩元之馭宇, 運未百年而天命更, 朕代元爲君, 臨御十有三載, 四夷入貢, 惟三方如舊. 獨爾東夷, 固恃滄海, 內弑其王, 貢不如約, 外構民禍, 必三韓之地有爲, 故若是歟. 命使往問, 叛服不常, 其故爲何, 故玆勅諭, 想宜知悉”(張東翼 1997년 371面).

178) 이는 다음의 자료에 의거하였다. 또 이 시기의 전후에 고려가 北元과 긴밀한 관계를 유지하고 있었는데, 이는 天元帝[益宗] 脫古思帖木兒[Tugus Temur]가 高麗人 出身의 昭宗妃 權氏(權謙의 女)의 아들로 추측할 수 있는 하나의 端緖가 될 수 있다.

· 『목은시고』 권21, 二月初九日, 使來, 開讀冊」 太后詔, 頒降」 主上太尉宣命, 仍賜鷹馬, 臣穡以病不獲與於舞蹈之列, 俯伏吟成一首.

179) 이날 일본의 교토에서 비가 내렸다고 한다(『愚管記』 제24, 康曆 2년 2월, “廿五日丁亥, 雨降”).

[戊子27日, 赤氣見于西方, 光如炬:五行1轉載].

[某日, 葬明德太后于令陵, 諡曰恭元:列傳2忠肅王明德太后洪氏轉載].[180)]

三月壬辰朔小盡,庚辰, [庚子9日, 月犯軒轅:天文3轉載].[181)]

[某日], 倭寇順天松廣寺.

[某日, 守侍中李仁任·贊成事林堅味, 忌侍中慶復興清直, 托以嗜酒不視事, 訴于禑, 流清州. 又杖流復興所善門下評理薛師德·密直副使表德麟·判書判事鄭龍壽·李乙卿·王伯·中郎將羅興俊. 師德·乙卿死于道:節要轉載].[182)]

[某日], 禑獵于城東.

[翼日], 禑王, 又獵于伯顏郊, 判三司事崔瑩等驅獸而前, 禑射中之.

[某日], 以韓邦彦爲安州道元帥.

[某日], 遣密直副使文天式如北元, 賀節日, 謝册命.

[某日], 倭寇光州及綾城·和順二縣, 遣楊廣道都元帥崔公哲[·洪仁桂:追加]·金用輝·李元桂·金斯革·鄭地·吳彦·閔伯萱[·王賓:追加]·王承寶·都興, 禦倭于全羅道.[183)]

[某日], 以前判門下府事尹桓爲門下侍中, [安宗源爲政堂文學, 開城尹柳珣爲密直:追加].[184)]

---

180) 原文에는 "二月, 葬令陵, 諡曰恭元"으로 되어 있다. 또 令陵은 失傳되어 현재 어디에 있는지를 알 수 없다.

181) 東亞大學本에는 庚子 앞에 五月로 되어 있으나 誤字이다[重出].

182) 이때 侍中 慶復興의 형편은 다음과 같다.

- 열전24, 慶復興, "禑王六年, 國家聞遼東欲攻納哈出, 慮其掠我界, 遣人覘之. 還言遼東摠兵已出師, 都堂亟會議, 復興醉又不至. 仁任·林堅味, 忌復興清直, 訴以嗜酒不視事, 流清州. 又流門下評理薛師德·密直副使表德麟·判事鄭龍壽·裴吉·李乙卿·王伯·上護軍薛懷·摠郎薛群·薛拳·中郎將羅興俊等, 皆復興酒徒也. 師德·乙卿道死".

  이때 鄭龍壽의 관직이 『고려사절요』 권31에는 判書로 되어 있으나 判事의 오류일 것이다. 그는 1392년(태조1) 8월 20일 開國功臣으로 책봉될 때 判司僕寺事임을 통해 볼 때 後者가 옳을 것이다(『태조실록』 권1, 1년 8월 己巳20日).

183) 이때 崔公哲은 助戰都元帥로서 元帥 金用輝·李元桂·鄭地·吳彦·王承寶·都興, 그리고 이 기사에서 탈락된 元帥 洪仁桂·王賓 등과 함께 4월에 羅州牧에 들어왔다고 한다(『금성일기』).

184) 이는 韓山君 李穡의 詩文에 의거하였다(『목은시고』 권21, 賀柳開城拜密直, 賀安簽書新拜政堂·長子拜密直).

[丙辰25日, 熒惑犯轅軒:天文3轉載]. [是日, 禁酒:追加].185)

[是月, 韓山君李穡撰 '大方廣佛圓覺修多羅了義經' 跋:追加].186)

[是月頃, 以匡靖大夫裴彥爲雞林府尹兼管內勸農·都兵馬使:追加].187)

[春某月, 以簽書密直司事韓脩爲重大匡·淸城君:追加].188)

[○以添設奉翊大夫·禮部判書河允潾爲奉翊大夫·順興府使:追加].189)

[夏]四月辛酉朔大盡,辛巳, [甲子4日, 雨:追加].190)

[某日], 遣崇敬尹周誼如遼東, □移咨曰, "小邦事大之禮, 不曾有缺, 欽蒙聖慮

---

185) 이때부터 禁酒[酒禁]이 있었는데, 그 이유는 알 수 없지만 飢饉으로 인한 春窮과 관련이 있을 것이다. 여기에서 李寶林(李齊賢의 孫)을 宗孫이라고 稱한 것은 座主의 孫(宗伯의 子)라는 意味가 있을 것이다.

· 『목은시고』 권22, 昌和政堂安宗源與宗孫鷄林君李寶林, 携酒見訪云, 酒禁限卄五日, 是以來慰耳, ….

· 『목은시고』 권22, 酒禁限卄五日, 送酒如送人, 忿袂之際, 一東一西, 背之而走, 雖其相逢有期, ….

186) 이는 다음의 자료에 의거하였다(보물 제1518호, 郭丞勳 2021년 521面).

· 『大方廣佛圓覺修多羅了義經』(圓覺經), 권말간기, "靑龍三月日,推忠保節同德贊化功臣·前重大匡·政堂文學·右文館大提學·領藝文春秋館事兼成均館大司成·上護軍韓山牧隱李穡跋.」 志道, 禪哲, 志祥, 勝海麳.」 募緣 志峯, 覺海,」 安德, 白夫, 筵芝, 金阿乙加勿,」 李延, 朴波豆, 龍月, 台月,」 檢校中郞將 李元奇,」 奉常大夫·前開城少尹 吳称佶,」 奉翊大夫·前版圖判書 咸石柱,」 通憲大夫 鄭乙珎,」 功德主 正順大夫·前判典儀寺事□□□」".

187) 이는 『동도역세제자기』에 의거하였다.

188) 이는 「韓脩墓誌銘」, "明年禑王6年春, 封淸城君, 階重大匡"에 의거하였다.

189) 이는 『동문선』 권121, 河允潾神道碑銘에 의거하였다. 또 韓脩와 河允潾의 轉職은 4월 某日 尹桓이 門下侍中에 임명된 것과 같은 날짜[日辰]일 것으로 추측된다.

190) 이는 다음의 자료에 의거하였는데, 이해[此年]의 '夏初甲子'는 4월 4일이다.

· 『목은시고』 권21, 夏甲子雨, "小雨庭中數點來, 夏初甲子謂何哉. 身閑未必心閑了, 大有今年問幾回".

· 『朝野僉載』 권1, "長安二年九月一日, 太陽蝕, 突厥默啜賊到並州, 至十五日, 夜月蝕盡, 賊兵突厥退盡. 俗諺云, '棗子寒鼻, 孔懸樓閣, 却種'. 又云, '蟬鳴螃喚, 黍種糕糜斷'. 又諺云, '春雨甲子, 赤地千里. 夏雨甲子, 垂乘船入市. 秋雨甲子, 禾頭生耳. 冬雨甲子, 鵲巢下地, 其年大水[四庫全書本]'.

· 『談苑』 권2, "江南民言, '正旦晴, 萬物不成', … '春雨甲子, 赤地千里. 夏雨甲子, 乘船入市者, 雨多也. …"[四庫全書本].

· 『구당서』 권6, 본기6, 則天皇后, 長安 2년, "秋九月乙丑□朔, 日有蝕之, 不盡如鉤, 京師及四方, 見之".

· 『신당서』 권4, 본기4, 則天皇后, 長安 2년, "秋九月乙丑朔, 日有蝕之. 壬申8日, 突厥寇忻州. 己卯15日, 突厥請和".

憂恤，特降詔旨，許以三年一聘．近年以來，朝貢不通，盖因孫內侍身故·金義叛逆事，孫內侍，本國若害之，則當及延院使~~前元院使延達麻失里~~一行，豈止此官．金義逃入胡地，不敢還國，則本國之不干，衆所共知．向使沈德符等，同來使臣，到來觀察，曲直自照，使臣亦旣不至，李茂方李茂芳半塗而回．如此事情，不能上達，負屈莫伸．竊見，都司遼東都指揮使司見處東藩重任，儻若朝廷必使小邦受罪，豈不可憐．乞加詳察，特爲辨明，俾小邦，復遵原奉詔旨，許容陪臣入朝．始終欽蒙聖恩，世世子孫，永爲臣妾”．誼周誼至遼東，都司遼東都指揮使司飛報朝廷，帝命執誼至京師．

[某日]，以密直柳珣爲漢陽道都兵馬使兼漢陽尹,[191] 判三司事崔瑩兼海道都統使，三司左使趙仁璧爲江陵道上元帥．[瑩，白禑曰，“臣任事旣多，又都統海道，臣恐不堪．且今戰艦纔百艘，戍卒僅三千．臣若行師，當用兵萬餘，倉廩匱竭，何以供億”．禑曰，“備禦事劇，不獲已，以卿兼之，其無固辭．且以吾國軍需，餉萬餘兵，誠難矣，請卿用三千，使一當百”．瑩曰，“臣已老，不得以時上謁，今幸進見，請陳一言．願殿下，操心惕厲，□□□□~~無或豫怠~~，百姓安危，皆繫上心□□~~如何~~”:節要轉載].[192]

[丁丑17日，日暈:天文1轉載].

[甲申24日，亦如之~~日暈~~:天文1轉載].

[丁亥27日，雨:追加].[193]

[庚寅30日，熒惑入大微~~太微~~西蕃上將:天文3轉載].

[是月頃，以陳義貴爲永州副使:追加].[194]

五月辛卯朔小盡,壬午，[乙未5日，端午，宰樞觀擊毬，結棚臨廣陌，凡擊毬者，皆上所落點，非此莫敢與，是以宰相亦出擊．□□~~是日~~，韓山君李穡與上黨君韓握至市傍，遇信平君某，登市樓共寓目焉:追加].[195]

---

191) 이 시기에 密直 柳珣는 韓山君 李穡을 방문하였는데, 여기에서 ~~添字~~와 같이 고쳐야 옳게 될 것이다(『목은시고』 권22, 柳南京來訪, ~~珣~~珣·送柳密直出尹漢陽府).

192) 이 기사는 열전26, 崔瑩에도 수록되어 있는데, ~~添字~~는 이에 의거하였다.

193) 이는 다음의 자료에 의거하였다.

· 『목은시고』 권23, “四月卄六日，西隣吉昌君，會客領門下□□~~府事~~谷城公，門下侍中·漆原公，居中面南，… 明日有雨，喜而歌之”.

194) 이는 『영천선생안』에 의거하였다.

195) 이는 다음의 자료에 의거하였는데, 信平君은 누구인지를 알 수 없다.

○禑欲觀石戰戲，知申事李存性諫曰，“此非上所當觀”. 禑不悅，使小竪毆存性，存性趨出，禑取彈丸射之. 國俗於端午[時，市井:節要轉載]無賴之徒，群聚通衢，分左·右隊，手瓦礫相擊，或雜以短梃，以決勝負，謂之石戰.[196)]

[丙申6日，雨:追加].[197)]

[某日]，倭賊百餘艘寇結城·洪州.

[丁酉7日，熒惑入大微太微西蕃上將:天文3轉載].

[□□是廿，右代言徐鈞衡，掌國子監試成均館試，禑欲觀詩賦題，鈞衡不從曰，“場屋試題，不可外洩”.

[○右代言徐均衡，取李汝良等九十九人:選擧2國子試額轉載].[198)]

[→五月七日丁酉，晴，右代言徐鈞衡考閱進士卷進呈，上出御便殿拆封，命內侍

· 『목은시고』 권23, “端午日，宰樞觀擊毬，結棚臨廣陌，凡擊毬者，皆上所落點，非此莫敢與，是以宰相亦出擊. 予與上黨君至市傍，遇信平君，登市樓共寓目焉”.

196) 端午에는 여러 가지의 演戲가 設行되었는데, 石戰도 그중의 하나일 것이다. 일반적으로 鄕村의 石戰은 1월 15, 16일에 실시되어 최근세까지 이어졌고, 筆者도 幼年에 實見한 적이 있다. 1580년(선조13) 2월 이래 경상도관찰사에 임명된 洪聖民(1536~1594)이 견문한 慶州 石戰은 다음과 같았다고 한다.

· 『신증동국여지승람』 권24, 安東大都護府, 風俗, “石戰，每年正月十六日，府內居人以中溪分爲左右，投石相戰，以決勝負. 庚午中宗5年討倭時，募爲先鋒，賊不敢前”.

· 『신증동국여지승람』 권30, 金海都護府, 風俗, “好石戰，每歲自四月八日，兒童群聚，習石戰于城南. 至端午日，丁壯畢會，分左右，豎旗鳴鼓，叫呼踊躍，投石如雨，決勝負乃已. 雖至死傷無悔，守令不能禁. 庚午中宗5年征倭時，以善投石者爲先鋒，賊兵不能前”.

· 『영조실록』 권117, 47년 11월 甲寅18日, “上因畿伯所奏殺獄事，敎曰，此後場市角觝毆打，無論殺人與否，自其官嚴杖一百. 曾聞平壤，上元日石戰云，杖打猶然，況石塊乎? 分付關西，一體嚴禁，京中端午角觝，元日石戰，分付捕廳，犯此者從重決棍”.

· 『拙翁集』 권6, 石戰說, “去年，按嶺南，巡到鷄林府，在月正旬望，夜有聲喧聒街巷，若鬪若戰，達曙猶不止. 問之人，曰，邑俗之有石戰，古也，此邑之人，每於月元，隊左右，角彼此，手以石，石以戰，衆石交投，雨下霰集，惟雌雄是決，限月盡乃已. 捷則辦一年之吉，否則凶，其所以力于戰，而不知止者，一年之吉凶，動其心也. 方其戰也，…”.

197) 이는 다음의 자료에 의거하였다.

· 『목은시고』 권23, “端午日，宰樞觀擊毬，… 明日有雨，喜而歌之”.

198) 李汝良은 李震相(1818~1886, 承熙의 父)의 15代祖라고 한다. 또 이때 沈孝生(知錦州事 仁立의 子)이 成均試에 합격하였다고 한다.

· 『寒洲集』 권36, 十五代祖考高麗左正言府君墓誌, “… 生諱汝良，天資剛直，文學贍博，洪武庚申禑王6年，生員壯元，同年大闡，陞禮務佐郎”.

· 『태조실록』 권14, 7년 8월 己巳26日, 沈孝生의 卒記, “僞朝庚申，中成均試”.

寫榜唱名:追加].[199]

[某日], 禡醉遊花園, 結綵棚張樂.

[庚子10日, 夏至. 點軍色點軍於演福寺:追加].[200]

[某日], 領三司事~~判三司事~~崔瑩領諸元帥, 出屯東·西江, 備倭.[201] [□~~時~~命諸衛伍員·十將及諸君·宰樞之品從, 從軍:追加].[202]

[→判三司事兼海道都統使崔瑩與諸將出屯東·西江以備倭, 瑩得疾, 諸將曰, "公之疾劇矣". 瑩曰, "將軍將兵出外, 豈可以疾爲念?". 醫進藥, 却之曰, "吾旣老, 死生有命, 何必服藥求生?":列傳26崔瑩轉載].

[癸未~~癸卯~~13日, 日暈:天文1轉載].[203] [是日, 頒祿倉官, 以點軍色貼給祿, 故有不得祿者:追加].[204]

---

199) 이는 다음의 자료에 의거하였다.
 · 『목은시고』 권23, "五月初七日, 徐承制~~右代言徐鈞衡~~考閱進士卷進呈, 上出御便殿拆封, 命內侍寫榜唱名, 穡以困不能往觀盛事, 吟成一首".

200) 이는 다음의 자료에 의거하였다.
 · 『목은시고』 권23, "五月十二日, 朝食時, 得點軍色公緘, 云今月十日, 演福寺點軍, 逆數三日, 將責咎誰歟, 國之大事如此, 可乎哉".
 · 『목은시고』 권23, 點軍色貼, 左倉給諸君·宰樞祿, 前此所未聞也, 故志之.

201) 領三司事 崔瑩은 判三司事 崔瑩의 오류일 것이다. 이때 崔瑩은 判三司事이고, 領三司事는 曲城君 廉悌臣이었고, 같은 해 8월에 崔瑩의 관직이 判三司事로 나타나고 있다.
 · 『목은시고』 권26, 進紫門遇鄭令公暉·韓政堂父子皆欲還, 予曰, '見入直官員, 然後退家如何?' 於是, 再入則李那回出, 傳受肅拜, 賜巵酒. 若曰, '海寇之如此, 卿等老人之德也'. 趨出, 歷謁領三司曲城君廉悌臣, 侍中漆原君尹桓, 守侍中·廣平君李仁任, 判三司□事·鐵原君崔瑩, 賀平賊, 至晩乃歸.
 · 『목은시고』 권25, 判三司事, 領諸元帥, 追倭賊, 將啓行, 僕以病難於騎馬, 悧然吟成一首, "腹心堅實瓜牙長, 國脈和平國體强, 蓮幙笙簫臨戰陣, 鐵城府院崔瑩振朝綱, 一身篇鉞虹霓氣, 萬古丹青日月光, 病發不時深閉戶, 想看風彩爍扶桑".

202) 이는 다음의 자료에 의거하였다.
 · 『목은시고』 권23, 送家童赴軍舡, 因作短歌.
 · 『목은시고』 권23, 諸衛五員~~伍員~~·十將, 諸君·宰樞之品從, 承都堂行下, 皆放還. 吾家品從, 在沈公舡, 蒙其照顧, 其言云.

203) 5월에는 癸未가 없고, 이 기사와 연결된 甲辰(14일)의 前日이 癸卯이므로, 癸未는 癸卯의 오자로 추측된다. 또 이날(癸卯, 17일) 일본의 교토[京都]에서 비가 내렸다고 한다(『迎陽記』, 康曆 2년 5월, "十八日癸卯, 雨降").

204) 이는 다음의 자료에 의거하였다.
 · 『목은시고』 권23, 僕臥病以來, 自念厚祿, 故官所致, 於是乞致事, 甚又封君, 至于今受祿, …

[某日], 刑巫蠱者六人.

[某日], 禑以賊退, 與判三司事崔瑩酒, 召還. [□時以都堂牒, 諸衛伍員·十將及諸君·宰樞之品從, 皆放還:追加].

[甲辰14日, 亦如之日暈:天文1轉載].

[丁未17日, 熒惑入右掖門:天文3轉載].

[戊申18日, 熒惑又犯右執法:天文3轉載].

[己酉19日, 亦如之熒惑犯右執法:天文3轉載].

[辛亥21日:追加],[205] 憲府司憲府上䟽曰, "□一. 我祖宗皆設書筵, 講論理道, 涵養氣質, 薰陶德性, 以爲理國之本. 上昇王遵祖宗之法, 當殿下之在潛邸也, 命二大臣, 以爲師傅, 朝夕講習, 其慮深遠. 及殿下卽位之初, 日開書筵, 擧國欣懽, 近來全廢講讀, 中外臣民, 莫不觖望. 願殿下, 復開書筵, 日與老成大臣, 講論理國安民之道. 報平之禮, 所以聽政布令, 實祖宗成憲, 先代君王, 奉行惟謹. 近代停廢不行, 非徒有虧祖宗之良法, 亦使軍國機務, 多所淹滯. 願自今, 勿廢報平之禮.

[□一. 各領員將, 專爲宿衛·防禦而設, 近來, 不考勤慢, 皆給其祿, 故或有安坐食祿, 以致宿衛單寡, 請自今, 考其勤怠給祿:節要轉載].[206]

[□一. 朝會□□禮儀, 國之大事, 故自非雨雪及大故外, 未嘗放朝, 近來, 每令停罷, 及至上國使命迎送, 不得已之朝會, 則百官不知班次, 亂行失序, 朝班不肅. 請自今, 一月兩衙日, 勿許放朝:節要轉載].

[→辛亥, 憲府司憲府上䟽曰, "朝會禮儀, 國之大事, 近來, 凡諸朝會, 每令停罷, 及至上國使命迎送等, 不得已朝會. 百官不知班次, 亂行失序, 朝班不肅. 請自今, 雨雪及大故外, 一月兩衙, 勿許放朝":禮9一月三朝儀轉載].

[□一. 凡大辟, 必三覆奏, 君臣同議斷決者. 乃先王之成憲, 而今中外官吏, 斷大辟, 皆不奏聞擅決, 遂致無辜殞命. □□□□感傷和氣, 請自今, 中外大辟, 所在官吏,

---

庚申五月十三日, 頒祿倉官, 以點軍色貼給祿, 故僕不得受, 實合素心, 詩以紀之.

205) 이날의 日辰은 네 번째 건의 사항에 수록되어 있다.

206) 이 기사에서 各領員將에 관련된 기사는 다음과 같다.

· 지34, 식화3, 祿俸, "古者, 各領員將, 專爲宿衛防禦而設, 近來不考勤慢, 皆給其祿, 故員將安坐食祿, 以致宿衛單寡. 請自今, 考其勤王事者, 給祿".

具報都堂，擬議以聞施行:刑法1職制·刑法2恤刑轉載].[207)]

[→凡大辟，必三復奏，君臣同議斷決者，乃先王之成憲．而今中外官吏，斷大辟，皆不奏聞擅決，遂致無辜隕命，感傷和氣．請自今，中外大辟，所在官吏，具報都堂，擬議以聞":節要轉載]．○禑納之．

[某日]，取及第李文和等．禑賜乙科三人馬，又以文和，李琳之孫女壻，賜紅鞓.[208)]

---

207) 이의 原文은 다음과 같지만, 添字와 같이 校定, 補完되어야 좋을 것이다(蔡雄錫 2009년 562面 ; 東亞大學 2012년 19책 622面).

- 志38，刑法1，職制，"[禑王]六年六月[五月]，憲府上疏曰，'凡大辟，必三覆奏，君臣同議斷決者．乃先王之成憲，而今中外官吏，斷大辟，皆不奏聞擅決，遂致無辜殞命，□□□□[感傷和氣]．請自今，中外大辟，所在官吏，具報都堂，擬議以聞施行'，從之".
- 지39，형법2，恤刑，"六年五月，憲府上疏曰，'凡大辟，必三復奏，君臣同議斷決者，乃先王之成憲．而今中外官吏，斷大辟，皆不奏聞擅決，遂致無辜殞命，感傷和氣．請自今，中外大辟，所在官吏，具報都堂，擬議以聞施行" 禑納之"．上記 記事의 添字는 이에 의거하였다.

208) 이와 관련된 기사로 다음이 있다. 또 이때 東堂試의 製述業은 初場，中場，終場의 3일에 걸쳐 施行되었던 것 같다(『목은시고』 권23，初場放榜日，中場日，中場放榜日晩吟，想棘圍第三場).

- 지27，선거1，科目1，選場，"[禑王]六年五月，瑞城君廉興邦知貢擧，密直使朴形同知貢擧，取進士，□□[某日]，賜李文和等三十三人·明經六人及第".
- 『목은문고』 권10，伯中說，贈李壯元別，"今庚寅科壯元李文和伯中，將覲親于鄕，請予言，且曰，伯中字說，未蒙先進之敎，願受一言以行，…".
- 『목은시고』 권22，今庚申年，東堂監試主司，皆與僕親厚，知貢擧廉東亭[興邦]，從僕習擧業，且姻親也．同知貢擧朴密直[形]，先君門生，稱僕則曰宗伯．監試々員徐承旨[鈞衡]，同年[徐穎]之子，其習擧業也，亦以其所爲文，求是正，吾老矣，病也久矣，獲覩盛事，自幸之甚，吟成一首.
- 『목은시고』 권24，至正癸巳四月，… 今數科矣，糜費不爲少[小]，言者又非之，請如己酉[恭愍18年]科，□□□[無設宴]．旣而又以今庚申年主司，皆有親在堂，當獻壽．於是，成均試員徐承旨[右代言徐鈞衡]，以父母在鄕里[大丘]，故請如癸巳[恭愍2年]．以廉公·朴公，皆侍親側，依舊規設禮宴.
- 『목은시고』 권24，東堂放榜，以病不能往觀· 賀權執經登第．權執經(仲達의 孫)은 李穡의 妻姪이다.
- 『정종실록』 권3，2년 1월 乙亥[10日]，韓尙質의 卒記，"前藝文春秋館太學士韓尙質卒．尙質，淸州人，高麗相脩之子．登庚申第，性聰敏，歷揚中外，皆有成績".
- 『汲古遺稿』，廣州李氏世系，"六世祖諱之直，字伯平，登庚申文科，…官至刑曹·右參議·寶文閣直提學".

이때 [郎將]李文和·[典廐署丞]李之直·[佐郎]韓尙質(乙科3人)，[典法佐郎]成守恒·[別將]崔寧·[進士]李鷩·[進禮門判官]辛靖·[典農寺丞]金益偉·[生員]吳蒙乙·[部將]權執經(丙科7人)，[進士]李竪基·[散員]宋子郊·[新進士]李汝良·[別將]李作·[慶順主薄]高安勝·[郎將]鄭恂·[進士]閔汝翼·[糾正]權湛·[進士]金常·[別將]崔濊·[生員]尹相·[生員]朴希賢·[進士]柳謙·[進士]張至和·[郎將]崔云嗣·[郎將]徐坐·[生員]安省·[進士]李陽實·[郎將]金子孟·[糾正]洪寶·[生員]金雅·[前散員]金部·[生員]王章(同進士23人)이 급제하였다(『登科錄』；『前朝科擧事蹟』，朴龍雲 1990년 ; 許興植 2005년). 또 지공거 廉興邦과 함께 1353년(공민2) 4월 成均館試에 합격했던 洪敏求(44歲)는 낙제하였다(『목은문고』 권13，跋愚谷諸先生送洪進士詩卷→1353년 4월 某日 成均試의 脚注).

[某日], 以不能禦倭, 杖流全羅道助戰□[士]元帥崔公哲·楊廣道都巡問使安翊, 斬其都鎭撫二人.

[乙卯[25日], 小暑. 故監察執義許邕妻李氏卒, 年七十六:追加].[209]

[某日], 以典理判書金斯革爲楊廣道都巡問使.

[是月丙辰[26日], □□□[~~洪武帝~~]詔勅諭遼東都指揮使司曰, "五月二十五日[~~乙卅~~], 得奏知高麗周誼至遼東, 朕觀其來, 咨知東夷之詐, 將以構大禍也. 此來, 豈誠心哉, 爾等鎭戍邊方, 不能制人, 將爲人所制矣. 且高麗朝貢, 前已違約, 朕嘗拘其使, 詰責之後, 縱其歸令當如約, 則事大之心. 其庶幾乎, 使旣還, 未聞有敬畏之心, 乃複懷詐, 令誼作行人, 假稱計事. 此非有謀而何. 前元庚申君[順帝], 嘗索女子於其國, 誼有女入於元宮, 庚申君出奔, 朕之內臣得此女以歸, 今高麗數以誼來使, 殊有意焉. 卿等不可不備, 毋使入窺中國也. 勅至, 當遣誼至京, 別有以處之":追加].[210]

六月[庚申朔小盡,癸未], [某日], 禑微行, 至冶家, 取鍛具, 置冶禁中. 其主奔告[判三司事]崔瑩, 瑩囚之, 乃詣闕, 請勿置冶. 禑怒命近臣, 毆其主.

[某日], 以吳彦爲楊廣道助戰元帥. 彦, 嘗奪人財穀, 送于其家, 凡五十駄. 時之爲帥者, 貪汚多若是.

[某日], 倭寇井邑縣, [全羅道都]元帥池湧奇, 擊之.[211]

[某日], 禑始出報平廳, 聽政, 謂諸相[~~宰相~~]曰,[212] "凡爲王者, 必受命天子者, 當之. 今予猶未受命, 委政耆舊, 聽其所爲. 然予默察其政, 雜然無統, 甚孤予委任之意. 自今以後, 每月初二日·十六日, 各司之長, 親啓所職. 予當課其能否".[213] [又

---

209) 이는 다음의 자료에 의거하였는데, 시기에 차이가 있다. 이날 그는 율리우스曆으로 1380년 6월 28일(그레고리曆 7월 6일)에 해당한다.
- a 『雙梅堂篋藏集』 권25, 江陽郡夫人李氏墓誌銘, "… 年七十六, 以洪武十三年五月二十五日卒, … 次曰繼道, 前通直郎·雞林判官".
- b 『신증동국여지승람』 권31, 丹城縣, 孝子, "許繼道, [許]邕之子, 仕至開城少尹, 洪武癸亥[16年], 母歿, 廬墓三年. 時海寇方熾, 繼道未嘗一日離於側. 事聞旌閭".(a)

210) 이는 『명태조실록』 권131, 홍무 13년 5월 丙辰의 내용을 전재하였다.

211) 이때 池湧奇는 全羅道都元帥兼都巡問使였고, 12월에 上京하였다(『금성일기』).

212) ~~添字~~는 『고려사절요』 권31에서 달리 表記된 글자인데, 後者가 옳을 것이다.

213) 國王의 聽政[視朝]이 初2日과 16日로 결정된 것은 1370년(공민왕19) 12월 12일이었다.

謂贊成事洪永通曰, "任用耆舊, 欲聞嘉猷, 卿在予側, 何無一言?. 永通, 汗出不能對":節要轉載].[214)]

[某日], 帝以五月初四日甲午, 雷震謹身殿, 頒詔赦天下.[215)]

[某日], 三司右使石文成卒.

[某日], 禑率贊成事林堅味子檄等小豎, 馳馬于男山.

[某日], 禑移居開城尹權鎬第.

[戊辰9日, 流星出南方, 經大微太微垣, 南向乾方, 大如斗, 分爲四:天文3轉載].

[壬申13日, 太白入大微太微西蕃:天文3轉載].

[丙子17日, 鵩入宮:五行1轉載].

[某日, 祭酒權近, □□□□掌升補試, 取洪尙彬等百十人:選擧2升補試轉載].

[某日, 諫官右司議大夫李崇仁等上疏曰, "□¯. 有功而賞, 人必相勸, 無功而賞, 人必相沮. 故傳曰, 賞一人, 而千萬人勸.[216)] 然則賞典, 不可輕以與人也. 國家土田賜牌, 本以待有功, 近來, 冒受賜牌, 占田太多者有之. 乞令有司, 根究推刷. 功不在, 累次稱下, 南幸·興王·癸卯三等者, 收其田, 雖在三等之例, 其所占, 過元數者, 收其贏數, 以充軍需. 仍乞功臣之號, 除有功外, 宜重惜之:食貨1功蔭田柴轉載].

[□¯. 守令遷代大速, 雖得其人, 未見其効. 請倣三載考績之法, 滿三年, 方許遞代, 令按廉殿最以聞, 如有政迹尤著者, 不次擢用:選擧3選用守令轉載].

[□¯. 興師動衆, 不能無弊. 故遣將帥, 宜有節制. 國家已於各道, 置三元帥, 一道之任, 宜專委三元帥. 近來一有小寇, 三元帥外, 別遣諸元帥·諸兵馬使, 非惟委任不專, 卒無成功, 往返之閒, 民受其苦. 乞自今, 令本道之任, 專委三元帥, 隨其成敗, 以明賞罰. 仍乞各道元帥, 依六道都巡察使軍目統率本道軍官, 毋得奪占, 以致紛擾:兵1五軍轉載].

---

214) 이와 같은 기사가 열전18, 洪子藩, 永通에도 수록되어 있다.

215) 明太祖 朱元璋은 5월 4일(甲午) 벼락이 謹身殿에 떨어지자, 5일(乙未) 大赦를 내렸다(『명사』 권2, 본기2, 太祖2, 洪武 13년 5월 甲午, 乙未).

216) 이 구절은 다음의 자료에 의거하였던 것 같다.
- 『六韜』 권3, 龍韜, 將威22, "賞一人, 而萬民悅者".
- 『建炎以來繫年要錄』 권75, 紹興 4년 4월 辛巳, "古者, 賞一人, 而千萬人勸".

[□⁻. 設官分職, 各有攸當. 故先王, 置內侍府, 以待中官, 是爲令典, 不可改也. 乞復置此官, 將中官之小心謹愼者, 隨品轉用, 毋與朝官.[217] 不聽:選擧3宦寺轉載]. [先是, 王罷內侍府:百官2內侍府轉載].[218]

[□⁻. 近年, 官爵眞添相雜, 其謝牒, 但有堂後署, 而無印信, 恐後日, 必有假濫. 乞東班, 典理司, 西班, 軍簿司, 各令印信署給":選擧3選法轉載].

[→李崇仁, 轉右司議大夫, 與同僚上疏曰, "從諫人君之美德, 故書曰, 惟木從繩則正, 后從諫則聖.[219] 殿下春秋鼎盛, 國家多故, 正當勵精求理之時也. □⁻, 近日, 憲司請開書筵, 卽賜兪允, 群臣喜慶, 以爲聖學日進. 當日與老成大臣, 講論治道, 終始惟一, 不可怠忽. 先王克謹天戒, 不敢遑寧故, 詩曰, '敬天之怒, 無敢戲豫, 敬天之渝, 無敢馳驅'.[220] 又曰, '無曰高高在上, 日監在玆'.[221] □⁻, 竊聞, 近日書雲觀上言, 乾文有變, 是天仁愛殿下而譴告也. 宜減膳徹樂, 恐懼修省. 上以答上天仁愛之心, 下以慰群臣顒望之情. 守令民之司命, 苟非其人, 民受其害. 民之憔悴, 莫甚此時, 乞令兩府·臺諫·六曹, 各擧所知, 擧非其人, 罪及擧主. □⁻, 近來, 遷代大速, 雖得其人, 未見其效. 須倣三載考績之法, 滿三年方許遞代. 令按廉, 殿最以聞, 如有政績尤著者, 不次擢用. □⁻, 興師動衆, 必有其弊故, 遣將帥宜有節制. 國家已於各道, 置三元帥, 一道之任, 宜專委三元帥. 近來一有小寇, 三元帥外, 別遣諸元帥·諸兵馬使, 非惟委任不專, 卒無成功, 往返之間, 民受其苦. 乞自今, 本道之任, 專委三元帥, 隨其成敗, 以明賞罰. 仍乞各道元帥, 依六道都巡察使軍目, 統率本道軍官, 毋得奪占, 以致紛擾. □⁻, 設官分職, 各有攸當, 故先王置內侍府, 以待中官. 是爲令典, 不可改也. 乞復置此官, 將中官之小心謹愼者, 隨品轉用, 毋與朝官. 設險守國, 先王之制, 故孟子曰, '天時不如地利'.[222] □⁻, 近來海寇大熾, 侵至畿甸, 中外城郭, 頹圮不修, 民無所據, 流移莫禁, 盜益深入. 乞內自都城, 外至沿邊州郡, 各令有司, 以時修築, 務要堅固, 使民安業. □⁻, 且有功而賞, 人必相勸,

---

217) 여기에서 朝官은 常參[常參官]을 가리키는 것 같다(→의종 5년 윤4월 17일의 脚注).

218) 原文에는 "辛禑罷之"로 되어 있다.

219) 이 구절은 『서경』, 說命上(僞古文), "傳說復于王曰, 惟木從繩則正, 后從諫則聖"을 인용한 것이다.

220) 이 구절은 『시경』, 大雅, 生民之什, 板, "敬天之怒, 無敢戲豫, 敬天之渝, 無敢馳驅"를 인용한 것이다.

221) 이 구절은 『시경』, 周頌, 閔予小子之什, 敬之, "無曰高高在上, 陟降厥士, 日監在玆"를 인용한 것이다.

222) 이 구절은 『맹자』, 公孫丑章句下, "孟子曰, 天時不如地利, 地理不如人和"를 인용한 것이다.

無功而賞，人必不服．國家土田之賜，本以待有功，近來冒受賜牌，占田太多者有之．乞令有司，根究推刷，其不盡與南幸·興王·癸卯三等功者，收其田．雖在三等之例，其所占過其數者，收其贏數，以充軍須．功臣之號，除有功外，亦宜重惜．□̄，近因倭寇諸道，貢賦大半未納，百官之俸，歲減一歲．崇敬府·尙瑞寺[□□□]及興福·崇福·典寶三都監，已無所職，但糜廩祿，乞皆革罷.[223] □̄，近來官爵眞添相雜，其謝牒，但有堂後署而無印信，恐後日必有假濫．乞東班則典理司，西班則軍簿司印信署給":列傳28李崇仁轉載].

是月，京城饑，布一匹，直米五升.

[是月己巳[10日]，故檢校大司成崔瀣忌日，其壻判書權某，設齋供養僧徒，鄕俗也．韓山君李穡助祭需，而參齋會:追加].[224]

[秋]七月[己丑朔[大盡, 甲申]，雨，凉甚:追加].[225]

辛卯[3日]，太白晝見，經天.[226]

癸巳[5日]，亦如之[太白晝見，經天].

[某日]，典獄署令金德生，僞造檢校告身十五通，事覺杖之.

乙未[7日]，以生辰，宥二罪以下．[曲城府院君廉悌臣·韓山君李穡等諸君，入闕進手帕，行禮拜，飮宣賜酒，趨出:追加].[227]

[某日]，信州監務申英乙，嘗爲國贐錄事，盜官物，事覺杖之，屬典法爲隷.

---

223) 여기에서 尙瑞寺(尙瑞司의 誤字→창왕 즉위년 9월)는 이 建議로 인해 폐지된 興福·崇福·典寶의 三都監과 같이 職事가 없었던 어느 官署의 誤字일 것이다.

224) 이는 다음의 자료에 의거하였는데, 判書 權某는 崔瀣의 둘째, 또는 셋째의 壻인 것 같다.
- 『목은시고』 권24, "六月十日，拙翁忌旦，其壻權判書齋僧，鄕俗也，僕略以助儀與席，歸而志之".
- 『가정집』 권11. 崔瀣墓誌銘, "… 君再取，先取檢校評理潘永源之女，生一女．適士人池㷔，後取通禮門祗候蔡興之女，生二女，皆幼，無子".

225) 이는 다음의 자료에 의거하였다.
- 『목은시고』 권24，前月立秋，故七月初一日，稍凉甚，"七月初頭雨滿堂，立秋前月倍生凉，…".

226) 이날 일본의 교토[京都]에서도 밝았다고 한다(『迎陽記』，康曆 2년 7월，"三日[辛卯]，晴").

227) 이는 다음의 자료에 의거하였다.
- 『목은시고』 권24，七月初七日，主上殿下誕日也，曲城府院君爲首，諸君進手帕，[韓山君李]穡從其後，行禮拜，飮宣賜酒，趨出．….

[某日], 全羅道□士元帥池湧奇, 與倭戰于鳴良鄕, 奪所俘百餘人.

[丁酉9日, 微雨:追加].[228]

[戊戌10日, 月暈, 外紅內靑:天文3轉載].

[乙巳17日, 三角山墨嶺中峯崩:五行3轉載].

[某日], 以典法判書權季容爲楊廣·全羅道察理使, 前判典農寺事黃希碩爲體覆使.

[某日], 禑遣宦者李得芬, 讓判三司事崔瑩曰, "有民社, 然後爲國, 今使倭寇, 侵掠至此, 何也? 我當親征". 瑩曰, "臣請往擊之".

[某日], 倭寇西州~~瑞州~~. 又寇扶餘·定山·雲梯·高山·儒城·[木州:追加]等縣, 遂入雞龍山.[229] □~~時~~婦女·嬰兒, 避賊登山者, 多被殺獲. 楊廣道元帥金斯革擊, 走之.

[某日], 倭掠靑陽·新豊·鴻山而去.

[某日, 雉嶽山僧敬田, 中天台選, 歸其鄕原州:追加].[230]

[某日], 北元遣使□來, 頒赦, 納哈出使人亦來.[231]

[某日], 倭寇錦·沃二州, 又寇咸悅·豊堤等縣.[232]

[某日], 奉加恩縣陽山寺太祖眞, 移安于順興□□□~~龍泉寺~~, 避倭寇也.[233]

---

228) 이는 다음의 자료에 의거하였다.
- 『목은시고』 권24, 七月初九日, 天明有微雨, 秋凉身健, "曉雨蕭疎擁小樓, …".

229) ~~添字~~는 『고려사절요』 권31에 의거하였고, 木州는 다음의 자료에 의거하였다.
- 『목은시고』 권24, 聞倭人寇木州.

230) 이는 다음의 자료에 의거하였다.
- 『목은시고』 권24, 原州釋敬田, 中天台選, 歸其鄕, 求詩.

231) 이때 北元의 使臣에 관련된 자료로 다음이 있다.
- 『목은시고』 권24, 昨, 詔使入城, 僕方臥病, 未知其何事也, 因題一首, "記得當年讀詔時, 省堂高處俯旌旗, …".
- 『목은시고』 권25, "北使頒明詔, 東人感舊恩, 海山多雨露, 氷雪一乾坤, 忠義何嘗廢, 分崩可忍言, …".

232) 이때 倭賊이 錦州에 침입한 것과 관련된 자료도 찾아진다(『목은시고』 권25, 聞倭寇在錦州).
- 『신증동국여지승람』 권33, 樓亭, "暎碧樓, 在客館東. 南秀文記, 郡, 古進禮縣也 … 洪武庚申禑王6年, 燬于倭寇, 城邑丘墟"(이는 『敬齋遺稿』 권1, 錦山暎碧樓記에 인용됨).

233) 陽山寺는 현재의 경상북도 聞慶市 加恩邑 院北里 曦陽山에 위치한 鳳巖寺의 別稱이고(『신증동국여지승람』 권29, 聞慶縣, 佛宇, 鳳巖寺), 太祖의 眞影은 順興府 龍泉寺로 移安되었다.
- 『신증동국여지승람』 권25, 豊基郡 佛宇 龍泉寺, "高麗太祖眞, 在聞慶加恩縣陽山寺, 辛禑禑王五年因避倭寇, 移安于此".

甲寅26日, 隕霜,

[乙卯27日, 亦如之隕霜:五行1轉載].

[某日], 禑令小竪, 坑坎後苑, 紿知申事李存性陷之. 日以此等戲爲樂.

[□□□是時頃, 禑欲以陪僕賤者爲近臣, 以問判三司事崔瑩, 瑩曰, "小人得官, 必縱恣, 不可授". 乃止:列傳26崔瑩轉載].

[某日], 禑欲出獵, 守侍中李仁任·判三司事崔瑩等止之, 禑曰, "吾素不好鷹犬, 諸相實導之也. 且卿等好遊畋, 能飛過, 不蹂禾稼耶?".

[某日, 以摠郎全五倫爲慶尙道按廉使, 崔恕爲全羅道按廉使:慶尙道營主題名記·錦城日記].[234]

[是月丁巳25日, 故侍中李齊賢忌日, 其子堉設齋席於圓明寺. 門生韓山君李穡·前簽書密直司事鄭公權亦參法席:追加].[235]

[是月, 倭侵居昌縣掠奪, 倭賊欲汚郎將金洵妻崔氏, 崔氏固拒不從, 爲其所害:追加].[236]

[是月甲午6日, 遼東都指揮使潘敬·葉旺遣人, 送高麗禮儀判書周誼至京師. 賜以冬夏襲衣, 上勅敬等曰, "朕觀高麗之爲東夷, 其性習雖未詳於他書, 而備載於漢·唐·宋諸史可驗也. 其巧詐多端, 叛服不常, 當漢·隋·唐·宋治平之時, 未嘗不爲邊患, 以招征伐. 今其逆賊旣弑其君, 又詭殺朝使. 未幾, 乃遣使飾, 非可謂信乎. 前者, 不令來朝, 彼乃堅請入貢, 及與之約, 又不如約, 其狀顯然. 今爾等手握雄師, 戍邊遼左, 不思制人之術, 而萌爲人所制之機, 果何智哉. 高麗旣不如約, 卻其使,

---

· 『湖陰雜稿』 권1, 觀省錄, 宿聞慶, 與同年金鍊卿夜話, 書贈[注, 陽山寺在屬縣加恩, 爲嶺南巨刹].

234) 全五倫은 이후 韓山君 李穡으로부터 詩文을 받았고, 그가 이색에게 보낸 銀魚가 8월 15일 中秋에 도착하였던 것 같다. 또 그는 10월 중순에 이색에게 生鮑와 紅柹를 보내 안부를 물었다.
· 『목은시고』 권25, 有感一首, 示伯至全五倫廉使·奉謝慶尙廉使送銀魚.
· 『목은시고』 권26, 謝慶尙按廉全摠郎生鮑·紅柹之惠.

235) 이는 다음의 자료에 의거하였다.
· 『목은시고』 권25, 二十九日, 益齋侍中忌旦也, 與同年鄭簽書公, 赴圓明齋席, 宋同年又在子堉之列, 雖與於座, 不可以同年目之, 則門生二人耳, ….

236) 이는 다음의 자료에 의거하였다.
· 『신증동국여지승람』 권31, 거창군, 烈女, "崔氏, 郎將金洵妻也. 洪武庚申七月, 倭寇本縣, 執崔氏欲汚之, 固拒不從, 爲其所害. 表其閭曰節婦之里".

彼當復以禮成, 遣其國之有名望者來朝. 庶幾, 事大之誠, 可以孚於朕衷. 今又以虛文飾詐, 入我邊守, 雖曰, 其性輕薄. 然亦深有機焉. 爾等不止之, 於邊擅令入城, 又擅令同周誼來者先歸, 此必諸將甚中奸誘賄賂動搖矣. 朕思之, 他日爾等爲彼所害, 又非淺淺也. 自今無令擅入吾境, 如有來者, 止之於邊, 首將不許其見縱, 有貢賦亦止於邊, 不許入獻聽, 彼自爲爾等勿違, 以干憲度":追加].[237)]

[庚子[12日], □□□[洪武帝], 詔留高麗使者周誼于京師, 而遣其通事先還, 且勅遼東都指揮使潘敬·葉旺曰, "禦邊之要, 務在深思, 所以深思者 必欲審勢度宜, 匪張威武孰使懷恩, 恩威得宜, 庶幾制人. 而不制於人. 前者, 高麗不能如約, 假稱計事, 遣人詣遼, 以覘中國. 今留周誼于朝, 歸其通事, 爾等宜縱. 此人賫誼書歸, 更約必以禮來, 若復妄遣人至, 就邊止還, 物令入境, 高麗昔在漢隋唐, 時或降或叛, 侵擾邊疆, 若輕與之交, 久則必以奇貨, 招誘戍兵. 故昔人雖不明, 爲扞禦, 而必寶其邊地者, 以此也. 今縱與其來, 亦不可不備也":追加].[238)]

八月己未朔[小盡,乙酉], 遣海道元帥羅世·[西海道元帥]沈德符·[副元帥]崔茂宣, 以戰艦百艘, 追捕倭賊.[239)]

[庚申[2日]:追加], 禑獵于城南, 凡五日.[240)] 以宦者李得芬·金實爲守城元帥, 身佩弓矢, 臂鷹而出, 使宦官小竪, 胡歌胡笛, 彈琴擊鼓, 以從. 知申事李存性, 獨不弓矢, 禑怒罰之.

[→八月初二日, 親幸觀稼, 韓山君李穡瞻望不及:追加].[241)]

---

237) 이는 『명태조실록』 권132, 홍무 13년 7월 甲午의 내용을 전재하였다.

238) 이는 『명태조실록』 권132, 洪武 13년 7월 庚子의 내용을 전재하였다. 또 이 기사는 『명태조문집』 권9, 諭遼東都司指揮潘敬·葉旺勑(2通) 중의 後者이지만, 字句에 出入이 있다.

239) 이날의 日辰이 己未朔인 것은 明日이 2일(庚申)인 것을 통해 알 수 있다. 또 이해에 倭賊이 戰艦 1,000艘를 거느리고 韓半島 南部地域에 쳐들어 와서 龍安, 鎭浦에 진격하였다고 하며, 이때 沈德符는 樓船 40艘를 거느리고 참전하였다고 한다.
- 『동문선』 권117, 沈德符行狀, "庚申, 倭寇以戰艦千艘侵我南鄙, 所過殘滅靡遺, 諸將皆不能禦, 轉鬪至龍安·鎭浦, 其勢甚張. 僞主命公將樓船四十, 往討之, 公略無懼色, 一擧盡滅, 自是倭寇不復跳梁".

240) 五日은 『고려사절요』 권31에는 六日로 달리 표기되어 있다.

241) 이는 다음의 자료에 의거하였다.
- 『목은시고』 권25, 八月初二日, 親幸觀稼, 韓山君李穡瞻望不及, 吟成一首.

[壬戌[4日], 月犯太白·熒惑:天文3轉載].

□□[~~某日~~], 禑又欲如木村之野, [守侍中]李仁任諫曰, “若向木村, 必過玄陵, 過而不奠, 可乎? 所奠之物, 豈可猝辦, 且奠當禮服, 將如之何”. 禑以問[判三司事]崔瑩, 瑩對亦然, 乃止.

乙丑[7日], 謹妃生子, 命名昌, 宥一罪以下.

[某日, 曲城府院君廉悌臣·吉昌君權適·韓山君李穡·淸城君韓脩等入闕, 內官金實傳內旨, 賜酒. ○漆原君·侍中尹桓與諸宰樞, 又請曲城君·吉昌君·韓山君·淸城君之合坐所, 旣至又小酌. 旣俱至移御所, 勞修理官, 又至旻天觀, 正殿盖瓦將畢矣, 勞其監役官, 而各散:追加].[242)]

[某日, 大駕還, 入御新宮, 卽命還時御所:追加].[243)]

[某日], 禑登殿戱, 有窺者, 輒執而杖之.

[戊辰[10日], 倭船五百餘隻泊於全羅道鎭浦:追加].[244)]

[辛未[13日], 秋分. 命淨事色, 醮開福神于闕庭:禮5雜祀轉載].

[某日], 倭寇公州, [楊廣道元帥]金斯革擊, 斬四級.

[某日], [海道元帥]羅世·[西海道元帥]沈德符·[副元帥]崔茂宣等, 擊倭于鎭浦, 克之, 奪所虜三百三十四人.

[→倭賊五百艘, 入鎭浦口, 以巨絙相維, 分兵守之. 遂登岸, 散入州郡, 恣行焚掠, 屍蔽山野, 轉穀于其船, 米棄地厚尺. 羅世·沈德符·崔茂宣等, 至鎭浦, 始用茂宣所製火砲, 焚其船, 煙焰漲天, 賊燒死殆盡, 赴海死者亦衆. 賊盡殺所俘子女, 山積, 所過波血. 唯三百三十餘人, 自拔而來. 賊脫死者, 趣沃州, 與登岸賊合, 焚利

---

242) 이는 다음의 자료에 의거하였는데, 이날 諸君의 入闕은 王子의 誕生과 관련이 있을 것이다[賀禮].
· 『목은시고』 권25, 昨與柳巷孟雲先生, 陪曲城府院君·吉昌君詣大內, 內官金實傳內旨, 賜酒. 侍中尹漆原與諸宰樞, 又請谷城郡·吉昌君之合坐所, 僕與孟雲隨之, 旣至又小酌, 旣俱至移御所, 勞修理官, 又至旻天觀, 正殿盖瓦將畢矣, 勞其監役官, 而各散.

243) 이는 다음의 자료에 의거하였는데, 原文에는 駕字와 上字의 앞에 一字를 비워서 敬意[恭敬]를 表示하였다.
· 『목은시고』 권25, 晩起, 聞今日□[大]駕回, 喜而有作·伏聞上入御新宮, 喜躍有作·明日, 聞入御新宮, 卽命駕還時坐所.

244) 이는 『경주호장선생안』, 倭寇擊退記에 의거하였다.

山·永同縣:節要轉載].[245]

[→時賊五百艘, 入鎭浦口, 維舶, 分兵守之. 登岸散入州郡. 恣行焚掠, 屍蔽山野, 轉穀于其舶, 米棄地厚尺. 世等至鎭浦, 用茂宣所製火炮, 焚其船, 烟焰漲天, 賊守船者, 燒死殆盡, 赴海死者亦衆. 世等遣鎭撫獻捷, 禑喜賜鎭撫銀各五十兩, 百官陳賀:列傳27羅世轉載].[246]

[→倭賊五百艘, 入鎭浦口, 以巨絙相維, 分兵守之, 遂登岸, 散入州郡, 焚掠. 羅世·沈德符等, 至鎭浦, 用火炮, 焚其船, 賊守船者, 燒溺殆盡. 賊窮怒益盛, 盡殺所俘子女山積, 所過波血, 唯三百三十餘人自拔而來. 守船賊脫死者, 趣沃州, 與登岸賊合, 焚利山·永同縣, 殺永同監務:列傳39邊安烈轉載].

[某日], [楊廣道元帥]金斯革追捕餘賊于林川, 斬四十六級.

[□□[是時], 倭入鎭浦, 侵掠州郡. 縣令皮元亮與廉君利·高允德等謀, 樹柵縣南, 石棧乘高, 累石六所, 候其入, 欲下石碎之. 賊覘其有備, 莫敢近, 遂遁去, 一境賴以安:追加].[247]

[癸酉[15日], 中秋, 天陰雨, 午後晴. 夜天又陰, 深夜月明:追加].[248]

[甲戌[16日], 望, 晴:追加].[249]

---

245) 이때 침입했던 왜적에 대한 기사로 다음이 있다. 또 이는 『태조실록』 권1, 總書, 우왕 6년 8월에도 수록되어 있으나 事實의 順序에 문제가 있다.

· 『신증동국여지승람』 권2, 京都下, 文職公署, "軍器寺, 在西部皇華坊. 掌造兵器, 火藥庫在昭格署洞, 紫門監在闕內. … 鄭以吾'火藥庫記', 軍器副正崔君海山語余曰, '吾先君嘗患倭寇之陸梁難制, 思水戰火攻之策, 求焰硝煎用之術. 唐人李元, 焰硝匠也. 公遇之甚厚, 竊問其術, 使家僮數人私習, 試其效, 然後建白于朝. 越洪武十年丁巳[禑王3年]十月始設火㷁都監, 煎取焰硝, 且募唐人之來寓而打造戰艦, 公又監督, 然皆以公危是擧也. 倭寇自全羅·忠淸道大至, 時方洶懼, 使三元帥沈德符·羅濇[羅世]及我先君將樓船八十艘, 備火㷁·火炮, 逆擊於鎭浦, 燒其船三十艘, 殺其魁孫時剌, 洪武十三年庚申八月是也".

246) 이때 韓山君 李穡도 戰捷을 청취하였던 것 같다(『목은시고』 권25, 聞官軍得倭舡).

247) 이는 다음의 자료에 의거하였다.

· 『신증동국여지승람』 권39, 龍潭縣, 古跡, "石棧, 在縣東北二里. 麗季, 倭入鎭浦, 侵掠州郡. 縣令皮元亮與廉君利·高允德等謀, 樹柵縣南, 石棧乘高, 累石六所, 候其入, 欲下石碎之. 賊覘其有備, 莫敢近, 遂遁去, 一境賴以安".

248) 이는 다음의 자료에 의거하였다.

· 『목은시고』 권25, 十五日·中秋日陰雨, 祈晴則天自晴, …·午後天果晴, 喜之甚, ….

249) 이는 다음의 자료에 의거하였다.

· 『목은시고』 권25, 昨索酒, 欲謁霽亭先生[李達衷], 遣人候之, 則拜塚未回, 夜天又陰, 興盡坐寐, 旣

[乙亥[17日], 知申事李存性傳旨, 命韓山君李穡, 撰進'成均館修造碑':追加].

[丙子~~18日~~, 韓山君李穡進紫門, 謝恩肅拜:追加].[250)]

[某日], 禑出遊里巷, 射狗. 自是, 射殺雞犬, 日以爲常, 城中雞犬幾盡.

[某日], 倭焚黃澗·禦侮·中牟·化寧·功城·青利等縣, 遂焚尙·善二州. [→遂焚尙州:節要轉載].[251)]

[→[倭,] 又焚黃澗·禦侮二縣, 又寇中牟·化寧·功城·青利等縣, 焚尙州, 留七日置酒. 全羅道元帥池湧奇麾下裴儉, 自募請往覘賊, 諸元帥許之. □[及]儉至, 賊欲殺之, 儉曰, "天下無殺使之國. 我國諸將, 領精兵無筭, 戰則必克, 然盡殲汝等, 何益? 汝等宜占居一邑, □□[若何]?". 賊曰, "是給我也. 汝國誠欲活我, 豈奪我舟楫耶? 吾亦計之熟矣." 飮儉以酒, 遂以鐵騎衛送. 賊掠得二三歲女兒, 剃髮剖腹淨洗, 兼奠米酒祭天. □[賊]分左右, 張樂羅拜. 祭畢, 掬分其米而食, 飮酒三鍾, 焚其兒, 槍柄忽折. 卜者曰, '吾等留此, 必敗'. 即引軍趣善州:列傳39邊安烈轉載].[252)]

[某日, [海道元帥]羅世·[西海道元帥]沈德符·[副元帥]崔茂宣等還, 禑賜金各五十兩, 裨將鄭龍·尹松·崔七夕等, 銀各五十兩:節要轉載].[253)]

覺, 明月滿窓. … 及旦取曆觀之, 則十六日之下, 註曰望, 又喜之深, 昨日之不幸, 天也, 月必望而圓, 々則明之至, 欣然志之.

250) 17일과 18일의 기사는 다음의 자료에 의거하였다.
- 『목은시고』 권25, 知申事~~李存性~~傳旨, 命臣穡撰進泮宮修造碑·明日, 進紫門, 謝恩肅拜, 歸而自詠.
- 『목은시고』 권26, 八月十八日, 知申事李存性傳旨, 撰進泮宮修造碑文, 臣竊念先王聖德興學校, 今上遹追先志, 甚盛擧也. 然興學校, 在於敎養, 今也, 生徒散而學官罕至, 殆爲茂草, 臣欲措辭, 未得其要, 因循至今, 不能緘默, 吟成一首.

251) 이때 倭賊이 尙州牧에 침입하자 官軍은 大院山을 遮斷하였고, 咸昌縣이 포위되어 있었다고 한다. 또 倭賊에 의해 尙州의 官舍[官屋]와 民家[民廬]가 모두 불탔다고 한다.
- 『목은시고』 권25, 紀聞, "賊犯尙州牧, 兵遮大院山, 咸昌圍在內, 元帥重乘間, …".
- 『양촌집』 권14, 尙州風咏樓記, "… 庚申之歲, 倭寇侵犯, 官屋民廬盡罹兵燹".
- 『태조실록』 권1, 總書, 우왕 6년 8월, "倭入尙州, 置酒六日, 燔府庫".

252) 이와 같은 기사가 『고려사절요』 권31에도 수록되어 있는데, ~~添字~~는 이에 의거하였다.

253) 이들 三元帥의 凱旋에 대한 자료로 다음이 있다. 또 이후 崔茂宣의 行蹟은 高麗의 年代記에 수록되어 있지 않아 알 수 없으나 1395년(태조4) 4월 19일에 檢校參贊門下府事로 逝去하였다고 한다. 이날은 율리우스曆으로 1395년 5월 8일(그레고리曆 5월 16일)에 해당한다.
- 『목은시고』 권25, 聞羅·沈·崔三元帥舟師回, 病不能郊迓 ; 聞諸將入城,病不能卽進致賀 ; 歷謁三元帥, 賀立功, 歸而獨詠.
- 『태조실록』 권7, 4년 4월, "壬午[19日], 檢校參贊門下府事崔茂宣卒. 茂宣, 永州人, 廣興倉使東洵之子. 性巧慧多方略, 喜談兵法. 仕前朝, 官至知門下府事. 嘗曰, '制倭寇莫若火藥, 國人未有知

[→[羅世等,] 及還, 大設雜戲迎之, 賜世等金各五十兩, 裨將鄭龍·尹松·崔七夕等, 銀各五十兩:列傳27羅世轉載].

[→[沈德符,] 轉知門下□[~~府~~]事, 復爲西海道元帥. 與羅世等, 擊倭于鎭浦獻捷, 禑厚加賞賜:列傳29沈德符轉載].

[某日, 宰樞率百官肅拜, 賀世子生也, 旣退, 而諸君肅拜, 耆老府院君皆不至, 韓山君李穡, 以三重大匡故, 立於行頭, 禮畢而退:追加].[254]

[某日, 倭焚善州:節要轉載].

[某日], 昌城君成士達卒.[255]

[某日, 密陽君孫某卒:追加].[256]

[某日], 遣使, 徵兵于楊廣·西海道.

[某日], 啓稟使周誼在京師, 寄書都堂曰, "誼五月初四日, 到遼陽, 遼陽飛報朝廷, 遂致□[京師], 誼七月初五日入見, 帝命縛誼, 幽于天界寺數日. 中官·本國人尙寶

者'. 茂宣每見商客, 自江南來者, 便問火藥之法. 有一商以粗知對, 請置其家, 給養衣食, 累旬諮問, 頗得要領. 言於都堂欲試之, 皆不信, 至有欺誑. 茂宣, 積以歲月, 獻計不已, 卒以誠意感之, 乃許立局, 以茂宣爲提調官, 乃得修鍊火藥. 其具有大將軍·二將軍·三將軍·六花石砲·火砲·信砲·火㷁·火箭·鐵翎箭·皮翎箭·蒺藜砲·鐵彈子·穿山五龍箭·流火·走火·觸天火等名. 旣成, 觀者莫不驚嘆. 又訪求戰艦之制, 言於都堂, 監督備造. 及庚申[禑王6年]秋, 倭寇三百餘艘, 至全羅道鎭浦, 朝議崔公火藥, 今可試矣. 乃命爲副元帥, 與都元帥[~~西海道元帥~~]沈德符·上元帥[~~海道元帥~~]羅世, 乘船齎火具, 直至鎭浦. 寇不意有火藥, 聚船相維, 欲盡力拒戰, 茂宣發火具盡燒其船. 寇旣失船, 遂登岸, 劫掠全羅以至慶尙, 還聚于雲峰. 上[李成桂]時爲兵馬都元帥, 與諸將殲盡無遺. 自爾倭寇漸息, 乞降者相繼, 濱海之民, 復業如舊. 雖由上德應天之所致, 茂宣之功, 亦不小矣. 至國初, 以年老未見用, 上念其功, 授檢校參贊, 及卒, 上嗟悼, 賻以厚. 歲辛巳[太宗1年], 追贈議政府右政丞·永城府院君. 子海山, 茂宣臨卒, 以一卷書屬其夫人曰, '待兒長, 以此與之'. 夫人藏之甚密, 及海山年十五稍識字, 出而與之, 乃火藥修鍊之法. 海山, 學其法見用, 今爲軍器少監".

254) 이는 다음의 자료에 의거하였다.
- 『목은시고』 권25, 宰樞率百官肅拜, 賀世子生也. 旣退, 而諸君肅拜, 會府院君皆不至, 穡以三重□□[大匡], 故不獲讓, 立於行頭, 禮畢還家, 愧汗未已, 吟成一首.

255) 成士達의 逝去에 관련된 자료로 다음이 있는데, 아직 父母가 生存해 있었던 것 같다. 成士達은 1341년(충혜왕 후2, 辛巳) 8월의 成均試에서 1등으로 합격하였기에, 그때의 同年인 韓山君 李穡이 壯元으로 呼稱하였다.
- 『목은시고』 권25, 哭易菴成壯元[士達], "辛巳公侯出異人, 壯元風采照簪紳, … 只憐地下猶含恨, 白髮高堂有老親".
- 『목은시고』 권26, 九月二十二日, 葬我進士壯元成易菴于城南, ….

256) 이때 서거한 密陽君 孫某는 누구인지를 알 수 없다(『목은시고』 권25, 谷孫密陽君).

監丞崔安至, 訊其事由. 誼對曰, '凡朝廷所需, 不如約者, 盖我小邦, 地僻民稀, 物產尠少, 未易辦耳. 今聖恩, 海涵春育, 萬邦咸寧, 如不憐我小邦, 雖誅一誼, 亦何濟哉?', 中官遂以誼言入奏. 明日, 帝召誼, 御札示誼曰, '彼東夷, 易施輕詐, 往來肆毒, 果是求安者耶? 必欲根禍於將來者歟. 誼再拜扣頭', 對曰, '小邦豈敢肆毒? 其貢不如約者, 非忠誠不至, 實民貧而物不備也'. 帝震怒, 復示誼曰, '曩者, 弑其主, 中國已與絶交, 有勑諭, 高麗限山隔海, 似難聲教, 使彼自爲, 爾乃詭詐多端, 數來願聽統屬, 及至約以效貢, 姑定常貢之例, 以爲驗. 却乃弗從, 果願統屬者歟? 抑姦詐現然歟'. 於是, 命校尉, 將誼而出, 仍使監之. 又明日, 復遣崔安, 謂誼曰, '爾既來此, 必不得歸. 爾令通事先往, 取貢如前約'. 復諭誼, '前所需馬一千, 已貢若干, 今再取輳作一千. 明年, 金一百斤·銀五千兩·布五千匹·馬一百, 以爲常貢之例, 則赦爾東夷, 殺使蔡斌及內使內侍孫某之罪'. 帝命如是, 誼敢傳達, 惟諸相國, 量之".[257)]

[某日], 倭侵京山府薪谷部曲.[258)]

[□□是時, 裵氏, 京山府八莒縣人, 三司左尹仲善女也, 適郎將李東郊. 辛禑六年, 倭賊逼京山, 闔境擾攘, 無敢禦者. 東郊, 時赴合浦帥幕未還, 賊騎突入裵氏所居里. 裵負其兒, 至所耶江, 江水方漲, 度不能脫, 投水. 賊至岸, 持滿注矢曰, "而來可免死". 裵□氏顧罵賊曰, "何不速殺我? 我書生女, 嘗聞烈女不更二夫, 我豈汚賊者耶?". 賊射之中其兒, 引滿又語如前, 竟不出遇害:列傳34轉載].[259)]

[戊寅20日, 雞林府尹兼都兵馬使裵彥, 以倭賊追逐, 出軍:追加].[260)]

[某日, 以我太祖李成桂爲楊廣·全羅·慶尙道都巡察使, 贊成事邊安烈爲都體察使,

257) 이때 明에 의해 제시된 明年의 歲貢量 중에서 銀과 布는 前年의 그것에 비해 半減된 것이다(→ 우왕 5년 3월 某日).

258) 薪谷部曲은 『慶尙道地理志』, 星州牧官에는 薪谷所[注, 所一, 薪谷]로 달리 표기되어 있다(李貞信 2013년 84面).

259) 이는 다음의 자료를 전재하였다. 이에서 八莒縣(縣 大邱市 北區 漆谷地域으로 朝鮮後期에 漆谷都護府의 관할지역)은 洛東江의 동쪽에 있었던 京山府의 任內이다. 또 이 기사는 添字와 같이 고쳐야 옳게 될 것이다.

- 열전34, 烈女, 李東郊妻裵氏, "裵氏, 京山府八莒縣人, 三司左尹仲善女也, 適郎將李東郊. 辛禑六年, 倭賊逼京山, 闔境擾攘, 無敢禦者. 東郊, 時赴合浦帥幕, 未還, 賊騎突入裵氏所居里. 裵□氏負其兒, 至所耶江, 江水方漲, 度不能脫, 投水. 賊至岸, 持滿注矢曰, 而爾來可免死. 裵□氏顧罵賊曰, 何不速殺我, 我書生女, 嘗聞烈女不更二夫, 我豈汚賊者耶. 賊射之中其兒, 引滿又語如前, 竟不出遇害".

260) 이는 『동도역세제자기』, "庚申四月二十日到任, 八月二十日, 倭賊追逐助戰"에 의거하였다.

以副之，~~評理~~王福命·~~評理~~禹仁烈·~~三司右使~~都吉敷·~~知門下府事~~朴林宗·~~商議~~洪仁桂·~~密直~~林成味及
~~□我太祖庶兄-陟山君~~李元桂爲元帥，皆受□我太祖節度，~~各賜馬二匹~~:節要轉載].[261]

[甲申26日，師出至長湍，□有白虹貫日，占者'以爲戰勝之兆'. 賊自鎭浦之敗，攻陷郡縣，奮肆殺奪，賊勢益熾. 三道沿海之地，蕭然一空. 自有倭患，未有如此之比:節要·天文1轉載].[262]

[某日]，禑出後苑，命放群馬，令左右捕之，輒賜捕者.

[丙戌28日?]，倭屠咸陽.[263]

[丙戌28日，倭駐咸陽仇火沙斤乃驛. ~~三道~~元帥裵克廉·京元帥金用輝·全羅道都元帥兼都巡問使池湧奇·元帥吳彦·元帥鄭地·慶尙道都巡問使朴修敬·雞林府尹兼都兵馬使裵彦·元帥都興·前雞林府尹兼都兵馬使河乙沚□等擊之，敗績. 修敬·裵彦死之，士卒死者五百餘人，~~賊勢益熾~~:節要轉載].[264]

---

261) 이 기사는 열전39, 邊安烈 ;『태조실록』 권1, 總書, 우왕 6년 8월에도 수록되어 있는데, ~~添字~~는 이에 의거하였다. 또 이와 관련된 자료로 다음이 있다.

- 『목은시고』 권25, 判三司事崔瑩，領諸元帥，追倭賊，將啓行，僕以病，難於騎馬，茫然吟成一首.
- 『목은시고』 권25, 竊聞有旨，留判三司事崔瑩，李商議成桂·邊四宰安烈□及諸元帥啓行，穡病作，未果拜送，悵然用前韵.

262) 이 기사는 지1, 天文1의 "甲申，有白虹貫日"과 『고려사절요』 권31의 내용을 결합시킨 것이다. 또 '三道' 이하의 기사는 열전39, 邊安烈에도 수록되어 있다.

263) 咸陽郡이 倭賊에 의해 屠戮된 날은 28일(丙戌, 율리우스曆은 9월 27일, 그레고리曆 10月 5日) 또는 29일(丁亥)로 比定할 수 있으나 前者일 것이다. 또 이 기사는 열전39, 邊安烈에도 수록되어 있다. 이때의 痕迹은 16세기 전반까지 人民들에게 傳해지고 있었던 것 같다.

- 『신증동국여지승람』 권30, 咸陽郡, 山川, "霜山，在郡西二十里. 群巖競秀，狀若劍鋩. 山下有一洞府，洪武庚申征倭時藏兵之所". 城郭, "~~邑城~~，古邑在郡東二里. 洪武庚申，廨舍爲倭寇所焚，遂移治于文筆峯下，築土爲城. … ~~沙斤山城~~，在郡東十七里沙斤驛北，石築，周二千七百九十六尺，高九尺，內有三池. 庚申歲，監務張群哲失其城守，爲倭賊所屠，廢而不修. 成宗朝修築". 樓亭, "學士樓，在客館西偏，崔致遠爲太守時所登賞，故名. 後爲倭兵所焚，移邑治時，樓亦移構而仍名焉".
- 『신증동국여지승람』 권30, 咸陽郡, 驛院, "沙斤驛，在郡東十六里. … 辛禑六年，倭船五百艘泊鎭浦，寇三道，燒尙州府庫，經京山，駐沙斤驛. 三道元帥裵克廉等九將與戰于驛東三里許，敗績，朴修敬·裵彦二元帥死之，士卒死者五百餘人，川水皆赤，至今號血溪. 由是賊勢益熾，遂屠郡城，向南原，駐引月驛，爲我太祖所殲".

264) 이와 같은 기사가 열전39, 邊安烈에 수록되어 있는데, 그중에서 金用輝는 延世大學本에서 金明輝로 되어 있으나 오자일 것이다(孫曉 等編 2014年 3831面). 또 이 날짜[日辰]는 『동도역세제자기』에 의거하였는데, 裵彦은 輸誠宣力功臣·匡靖大夫·雞林府尹兼管內勸農·都兵馬使로서 이해의 4월 20일에 到任하였다. 또 이해의 6월 中旬 羅世·沈德符·崔茂宣 등이 지휘하는 高麗軍으로부터 鎭浦에서 火砲攻擊을 받아 大敗한 왜적이 楊廣道·慶尙道地域의 각지를 蹂躪하다가 고려군의 추격을 받아 智異山으로 들어가려고 하였던 것 같다. 裵彦은 8월 20일 追擊戰에 참여하여

[○太白犯心星:天文3轉載].

[丁亥29日晦, 寒露. 亦如之太白犯心星:天文3轉載].

[是月某日, 權漢功妻醴泉君夫人蔡氏忌旦, 其孫壻代言柳惠芳夫人權氏設齋于水精寺, 韓山君李穡參法席:追加].[265]

九月戊子朔大盡,丙戌, [某日, 判門下府事·曲城府院君廉悌臣以下宰樞, 會宰樞所, 議進獻事, 韓山君李穡外, 諸君皆不至. 宰樞, 命各司長官進, 諭其意, 使與佐貳, 擬議呈來:追加].[266]

[丙申9日, 以重九, 重房諸將, 祭奠報恩寺聖殿眞. 是時, 親禦軍護軍申夏, 送醮酒於韓山君李穡第:追加].[267]

[某日], 禑率群少, 馳馬後苑, 或手自飛索, 以羂馬, 無所不爲.

[某日], 禑升殿上, 手瓦礫擊人, 又入後苑, 與上護軍文達漢·知申事李存性, 習射, 取存性笠, 爲的.

28일 咸陽에서 戰歿하였는데, 戰歿地는 沙斤驛舍의 북쪽에 위치한 작은 城砦[堞]였던 것 같다. (『竹下集』 권2, 漫興[注, 沙斤郵舘北有古堞, 麗朝三元帥死戰之地], 1770年作).

이때 왜적이 경상도의 여러 지역을 蹂躪하자 慶尙道都巡問使[合浦元帥] 朴修敬[朴修慶]·京元帥 金用輝[金用暉]·雞林府尹 裵彦 등을 위시한 여러 兵馬使들이 추격전에 나섰고, 그 과정에서 朴修敬·裵彦 등을 위시하여 雞林出身의 前中郞將 李乙明·鄭臣富·記官 金越·崔良·金憲·營記官 吉夫·將校 李太 등이 戰死하였다고 한다(『경주호장선생안』, 倭寇擊退記). 그리고 添字는 『태조실록』 권1, 總書, 우왕 6년 8월에 의거하였다.

265) 이는 다음의 자료에 의거하였는데, 柳惠芳의 夫人 權氏(權仲達의 2女)는 李穡의 妻兄이다.
· 『목은시고』 권25, 醴泉君夫人蔡氏忌旦, 柳承制惠芳夫人設齋于水精寺, 僕往參焉. ….

266) 이는 다음의 자료에 의거하였는데, 添字와 같이 고쳐야 옳게 될 것이다. 또 이의 日辰은 9일[重九] 이전이다.
· 『목은시고』 권25, "旣至宰樞所, 諸君皆不至, 判門下□□府事曲城府院君以下, 諸位皆在, 所欲議者, 進獻事也. 進各司長官, 諭其意, 使與左貳佐貳, 擬議呈來. 於是, 略設堂食, 不問所議如何, 微醉而歸".

267) 이는 다음의 자료에 의거하였는데, 이 詩文에서 尊崇을 표기하기 위해 段落을 바꾸고, 文字를 올리고(祖字), 一字를 비웠다(帝字). 이를 통해 볼 때 開京의 報恩寺에 太祖 王建의 御眞을 봉안한 眞殿이 있었던 것 같고, 重房의 諸將이 每年 삼짓날[三三], 9월 9일[重九]에 醮祭를 올렸던 것 같다.
· 『목은시고』 권25, 伏蒙重房諸將送報恩寺」祖眞殿醮酒兩甁. 示其外曰, 奉常大夫·親禦軍護軍申夏謹封, 臣穡在」殿庭飮福, 慶幸之至, 吟成一首, "眞殿深沉擁鬱蒼, 三々九々集重房, 帝觴每歲分餘瀝, 朋酒今年別有光, …".

[癸卯[16日], 月蝕:天文3轉載].[268)]

[某日], 以密直副使裴克廉爲慶尙道都巡問使.

[某日], 倭焚雲峯縣.

[→倭攻南原山城,[269)] 不克退, 焚雲峯縣. 屯引月驛. 聲言, "將穀馬于光之金城, 北上. 中外大震:節要轉載].[270)]

[→賊遂屠咸陽, 又攻南原山城, 不克退, 焚雲峯縣, 屯印月驛, 聲言, "將穀馬于光之金城, 北上." 中外大震:列傳39邊安烈轉載].

[某日], 禑與內竪, 夜, 至密直□[副]使柳濴第, 索其室女.[271)] 濴曰, "臣之有女, 國人所知, 若行聘禮, 臣敢不從". 是夜, 禑五至其第, 竟不得, 濴卽榮也.

---

268) 이때의 月蝕은 『고려사』에서 사용된 다섯 번[5次]의 事例 중의 하나이다(→충숙왕 6년 12월 16일). 이날 일본에서도 월식이 예측되었다(康曆二年具注曆). 이날은 율리우스력의 1380년 10월 14일이고, 월식 현상이 심했던 때의 世界時는 18시 19분, 食分은 0.09이었다(渡邊敏夫 1979年 486面).

269) 南原山城은 현재의 全羅北道 南原市 山谷洞에 위치한 蛟龍山城(蛟龍山石城, 全羅北道記念物第9號)으로 추측되고 있다(申榮勳 1962년 ; 李相勳 2012년).
- 『선조실록』 권46, 26년 12월 壬子[3日], "備邊司啓曰, '前日全羅監司李廷馣狀啓, 道內山城看審, 則南原蛟龍山城·潭陽金城山城·順天乾達山城·康津修仁山城·井邑笠巖山城, 皆天設之險, 臨亂避患, 莫過於此. …".
- 『자치통감』 권21, 漢紀13, 武帝元封 5년(BC106), "冬, 上[武帝]南巡狩, 至于盛唐, 登灊天柱山, 親射蛟江中, 獲之[師古曰, 蛟, 龍屬也. 郭璞說其狀云, 似蛇而有脚, 細頸有白嬰, 大者數圍, 卵生, 子如二石大甕, 能呑人]".

270) 光之金城은 光州之金城의 축약으로 추측되는데, 光州는 현재의 光州廣域市이고, 金城은 潭陽縣의 金城山城을 指稱할 것이다(『신증동국여지승람』 권39, 潭陽都護府, 古跡, 現 全羅南道 潭陽郡 金城面 山城里에 위치, 史蹟 第353號).
- 『白沙集』 권2, 潭陽金城, "在府北十五里, 剛泉山一脊, 西張而爲金城, 不知何代所創. 按歷代兵要云, 麗末, 阿只拔都聲言將穀馬于光州之金城, 註云, 今在潭陽府. 俗傳, 我太祖[李成桂], 自南原踰雲峯, 聞賊勢甚盛, 與諸將謀曰, '萬一蹉跌, 當退保金城', 未詳是否. 東西南三門, 爲受敵之地, 由潭陽以上者, 路出山脊, 一線百轉, 盤廻六七里, 始達南門, 南門之外, 兩傍皆絶壑. …".
- 『旅菴遺稿』 권4, 金城補國寺重建記, "金城, 在原栗古縣北, 今肆潭陽府, 城不知何代所創, 而按'歷代兵要', 麗季, 倭酋阿只拔都聲言, '將穀馬于金城', 註云在今潭陽, 世傳我太祖自南原踰雲峯, 聞賊勢甚盛, 與諸將謀曰, '萬一蹉跌, 當退保金城', 以此觀之, 城之設盖久矣".
- 『谿谷集』 권2, 血巖銘幷序, "雲峯縣治之東十里所, 荒山之下溪水上, 有大磐石, 闊可數丈, 石色紫赤, 糢糊然如漬血狀. 世傳太祖康獻大王, 克倭寇于此, 獲阿只拔都, 血流石上不滅云. 是役也, 奮聖武而殲劇賊, 東土奠安, 王業肇基, 宜其有靈異蹟焉. 天啓三年[仁祖1年]冬十有一月, 臣維奉使過此地, 敬爲之銘. …".

271) 㳫字는 『고려사절요』 권31에 의거하였다. 또 柳濴(崔瑩의 妻姪)의 初名은 柳榮이었다(열전26, 崔瑩→우왕 7년 7월 某日의 脚注).

[戊申21日:推定], 我太祖贊成事李成桂與諸將, 擊倭于雲峯, 大破之, 餘賊奔智異山.[272]

[→我太祖贊成事李成桂, ~~見千里之間, 僵尸相接, 爲之惻然, 不能寢息,~~ 與邊安烈等至南原, ~~距賊百二十里.~~ 三道元帥裴克廉等來謁于道, 莫不懽悅. □我~~太祖休馬一日, 將以厥明戰,~~ 諸將咸曰, “賊負險, 不若俟其出與戰”. □我太祖慨然曰, “興師敵愾, 猶恐不見賊, 今遇賊不擊可乎?”, 遂部署諸將軍. ○詰朝誓而東, 踰雲峯, 距賊數十里, 至荒山西北, 登鼎山峯. □我太祖見道, 右險徑曰, “賊必出此, 襲我後矣, 我當趣之”. 諸將皆由坦途進, 望見賊鋒銳甚, 不戰而却. 時日已昃矣, □我太祖既入險, 賊奇銳果突出. □我太祖以大羽箭二十射之, 繼以柳葉箭射之, 五十餘發, 皆中其面, 莫不應弦而斃. 凡三遇, 鏖戰殲之. 地又泥濘, 彼我俱陷其中, 相顚仆, 及出, 死者皆賊, 我軍不傷一人. ○於是, 賊據山自固, □我太祖指揮士卒, 分據要害, 使麾下李大中~~禹臣忠·李得桂·李天奇·元英守·吳一·徐彥·陳中奇·徐金光·周元義·尹侍佚·安升佚~~等十餘人, 挑之. □我太祖仰攻之, 賊出死力, ~~臨高~~衝突, 我軍分北奔北而下.[273] □我太祖顧謂將士曰, “堅控轡, 勿使馬蹶”. 既而, □我太祖復使吹螺, 整兵, 蟻附而上, 衝賊陣. 有賊將引槊, 直趨太祖後, 甚急, 偏將李豆蘭躍馬, 大呼曰, “令公視後, 令公視後”. □我太祖未及見, 豆蘭, 遂射殪之. □我太祖馬, 中矢而仆, 易乘, 又中仆, 又易乘. 飛矢中□我太祖左脚, □我太祖抽矢, 氣益壯, 戰益急, 軍士莫知□我太祖傷. 賊圍□我太祖數重, □我太祖與數騎, 突闉圍而出. 賊又衝突□~~我太祖前~~, □我太祖立殪八人, 賊不敢前. □我太祖誓指天日, 麾左右曰, “怯者退, 我且死賊”. 將士感厲, 勇感氣百倍, 人人殊死戰, 賊植立不動. ○有一賊將, 年纔十五六, 骨貌端麗, 驍勇無比. 乘白馬, 舞槊馳突, 所向披靡, 莫敢當. 我軍稱阿只拔都, 爭避之. □我太祖惜其勇銳, 命豆蘭生擒之, 豆蘭白曰, “若欲生擒, 必傷人”. 其人至於面上~~著甲冑~~, 皆被堅甲~~護項面甲~~, 無隙可射. □我太祖曰, “我射兜牟·頂子, 兜牟落, 汝便射之”, 遂躍馬射之, 正中頂子. 兜牟纓絶而側, 其人急整之, □我太祖即射之, 又中頂子, 兜牟遂落, 豆蘭便射殺之.[274] ○於是, 賊挫氣, □我太祖挺身奮

---

272) 이날을 21일(戊申)로 추정하는 것은 勝捷이 22일(己酉) 開京에 도착하였기 때문이다.

273) 分北(분배)는 열전39, 邊安烈에는 敗北하여 도망하는 것[敗逃]을 指稱하는 奔北(분배)로 되어 있는데, 後者로 고쳐야 옳게 될 것이다.

- 『후한서』 권74上, 袁紹列傳第64上, “… 曹操見沮授謂曰, ‘分野殊異, 遂用圮絶, 不圖今日, 乃相得也’. 授對曰, ‘冀州失策, 自取奔北 授知力俱困, 宜其見禽’. 操曰, …”.
- 『자치통감』 권4, 周紀4, 赧王 36년(BC279), “田單令城中人食, 必祭其祖先於庭, … 燕軍大駭, 敗走. 齊人殺騎劫, 追亡逐北[胡三省注, 亡, 逃亡也. 北, 奔北也. 逃亡者追之, 奔北者逐之. 楊倞曰, 北者, 乖背之名, 故以敗走爲北. 毛晃曰, 人道面南偝北, 北者北也, 故古以堂北爲北, 背亦偝也. 以敗走爲北者, 取偝之而走耳]”.

擊, ~~賊衆披靡,~~ 銳鋒盡斃. 賊痛哭, 聲如萬牛. 棄馬登山. 諸軍乘勝馳上, [~~歡呼~~]鼓譟, 震[天]地. 四面崩之, 遂大破之. 川流盡赤, 六七日色不變, 人不得飮, 皆盛器候澄, 久乃得飮. 獲馬一千六百餘匹, 兵仗無算. 遣知印金鞠報捷, 禑喜遣密直使印元寶, 賜宮醞慰之, 授鞠郞將, 賜馬一匹. ○初, 賊十倍於我, 唯七十餘人, 奔智異山. □[我]太祖曰, "~~賊之勇者, 殆盡矣.~~ 天下未有殲敵之國", 遂不窮追. 退而大作軍樂, 陳儺戲. 軍士皆呼萬歲, 獻首級山積. 諸將懼治不戰之罪, 叩頭流血乞生. □[我]太祖曰, "在朝廷處分", 又曰, "賊之勇者殆盡矣", ~~笑謂諸將曰, "擊賊固當如是"~~. 諸將咸服[之]. ○時被虜[~~擄~~]者, 自賊中還言, "阿只拔都, 望見□[我]太祖置陳[陣]整齊, 謂其衆曰, '觀此兵勢, 殊非往日諸將之比, 今日之事, 爾輩宜各愼之'. 初, 阿只拔都, 在其島, 欲不來, 衆賊服其勇銳, 欲爲主, 固請而來. 諸賊酋每進見, 必趨跪, 軍中號令, 皆進退[~~悉主之~~]". ○是行也, 軍士帳幕柱, 皆[欲]易以竹, □[我]太祖謂曰, "竹輕於木, 便於致遠, 然亦民家所植也. 且非吾裝齎舊物, 不失舊[物], 而還足矣". 軍士敬服, 咸棄之. □[我]太祖所至, 不犯秋毫, 皆類此. 東寧[无羅]之役, □[我]太祖獲其將處明不殺, 處明感恩, 每見矢痕, 必嗚咽流涕, 常[~~終身~~]隨時左右. 是戰也, 處明居馬前, 力戰立功. 時人稱之:節要轉載].[275]

[□□[是時], [版圖判書~~鄭夢周~~,] 從我太祖[贊成事李成桂]擊倭雲峯:列傳30鄭夢周轉載].[276]

---

274) 이에 기록된 倭將 阿只拔都[아기 바투루]를 安藝國(安芸國, 아키노쿠니, 現 廣島縣의 西部地域)의 海賊으로 비정한 견해도 있다(田村洋幸 1962年). 또 『태조실록』 권1, 總書, 우왕 6년 8월에는 兜牟[투구]가 兜鍪로 달리 표기되어 있다. 또 이때 李成桂는 평소 자신이 携帶하고 다니던 彤弓(동궁, 朱漆弓)으로 阿只拔都를 제압하였다는 기록도 있다.

· 『여유당전서』詩集권1, 注, 過全州, "… 天威驚萬衆, 廟貌肅千秋[注, 全州有肇慶廟·慶基殿]. 玉蹬生雲氣, 彤弓想月遊[太祖常御彤弓羽箭]. …".

· 『여유당전서』詩集권2, 讀荒山大捷碑, "… 螳螂可敬蛙可式, 阿只拔都奇男兒. 人年十五眇小耳, 窓笛堪吹竹堪騎. 敢與虯髯作頡利, 越海萬里專旌麾. 彤弓百步落鬉苴[注, 太祖常御彤弓, 嘗與佟豆蘭較藝, 射落罌苴], 負樹發箭爭安危. …".

275) 이 기사는 열전39, 邊安烈 ;『태조실록』 권1, 總書, 우왕 6년 8월에도 수록되어 있는데, ~~添字~~는 이에 의거하였다.

276) 이보다 먼저 鄭夢周는 6월부터 痢疾에 걸려 30餘日 고생하다가 7월 21일 川寧縣 道美寺에 寓居하고 있던 李集으로부터 편지를 받았다고 한다. 또 이 시기에 軍官 徐彦이 雲峯縣 藥山에서 왜적을 격파하였지만 歸還 중에 殉職하였다고 한다. 그리고 雲峯縣監 朴光玉에 의해 1577년(선조10) 8월 荒山大捷碑(혹은 雲峯大捷碑, 현재 全羅北道 南原市 雲峯邑 花水里 八良峙에 위치)가 건립되었다고 한다(『桑楡集』권상, 過雲峯大捷碑 ;『河陰集』 권2, 題雲峯荒山大捷碑, 次下在鳳城[~~求禮縣~~]時作, 1623年頃, 국립부여박물관 2018년 207面). 또 이 大捷碑의 殿閣을 管理하던 華嚴寺에 雲峯碑殿僧將이라는 職責이 있었던 것 같다(『華嚴寺事蹟』, 本寺秩, 1677年).

· 『遁村雜詠』附錄, 答遁村書, "七月二十一日, 忽奉佳章, 讀之再三, … 僕[鄭夢周]自六月, 患痢疾, 將三十日矣, 比來小愈, 幸亦照及, …".

[己酉22日, 持雲峯戰捷者, 至合坐所來云, 諸元帥圍倭賊於雲峯旦月驛之野, 盡殲滅之. 而韓山君李穡詣紫門, 則李那海出傳, 上受肅拜, 賜巵酒, 若曰, "海寇之如此, 卿等老人之德也":追加].277)

- 『鰲峯集』 권1, 我太祖大王平阿只拔都于雲峯, 回軍時, 率從事官鄭圃隱□等諸公, 登全州萬景臺, 置酒高會, 都事周博, 先吟此事, 因次其韻.
- 『海東雜錄』 권4, 徐彦, "年二十八, 從我太祖, 戰于雲峯藥山, 大破倭兵, 未還, 歿于轅門, 因瘞于山下, 辛禑命贈版圖判書".
- 『佔畢齋集』詩集권7, 八羅峴[注, 高麗史, 雲峯要害處是, 庚申禑王6年, 倭寇踰此屯荒山, 爲我太祖所殲].
- 『점필재집』시집권7, 荒山[注, 在雲峯縣引月驛西北二里. 我太祖捷處也, 至今樵者斫古樹, 多得矢鏃, 戰時流血滿溪澗, 七日色不變].
- 『栢潭集』 권4, 雲峯東軒韻, [注, 荒郵, 指引月驛, 乃聖祖李成桂破阿只拔都之處].
- 『白沙集』 권2, 南原蛟龍山城, "在府西七里, 爲山無祖宗, 斗起野中有兩峯, 北曰密德, 南曰福德, 冪山爲城, 西峻東低, … 俗傳, 唐將劉仁軌所築, 我太祖李成桂嘗駐軍于此, 與賊戰破之. 舊有軍倉, 民常受糶, 往在七十年前, 移置府內云. 考之勝覽, 仁軌所築, 卽是本府治所, 俗傳似誤. 按舊史, 太祖與邊安烈, 軍南原踰雲峯, 射殪阿只拔都, 所謂軍南原, 疑卽此地".
- 『東園集』 권3, 荒山大捷之碑, "萬曆三年宣祖8年秋, 全羅觀察使朴啓賢馳啓曰, '雲峯縣之東十六里有荒山, 寔我太祖康獻大王, 大捷倭寇之地也, 年代流易, 地名訛舛, 行路躊躇指點, 有不能辨認, 誠恐千百世之後, … 謹案, 麗季, 國步鮠瓱, 島夷乘之, 屠城燒邑, 殺人盈野, 所過波血, 千里蕭然, 殲咸陽, 炎雲峯, 屯引月, 聲言縠馬北上, 中外大震. 太祖李成桂發南原, 踰雲峯抵荒山, 登鼎峯之上, 相視形便, 指授犄角, 盡銳奮擊, 十倍之賊, 不終日而蕩除. …"(『조선금석총람』하, 785面 所收).
- 『於于集』後集권6, 遊頭流山錄(1611년 作), "3月己巳29日晦, … 午憇雲峯荒山碑殿. 萬曆六年宣祖11年, 朝廷用雲峰守朴光玉牒, 始議立碑, 命大提學金貴榮記, 礪城尉宋寅書, 判書南應雲篆. 昔麗朝末, 倭將阿只拔都擧大衆寇嶺南, 所向無堅壘. 其國有緯書曰, '到荒山敗死', 山陰有黃山, 以此避其路, 間道趨雲峯. 時我太祖康獻大王李成桂, 徼荒山之隘, 大敗之. 至今故老指石窠, 謂建旗古跡. 蓋提單師, 敵難當之賊, 以肇我無疆之基, 豈但天命人謀兩得之. 度其地勢, 正扼湖嶺咽喉, 夫控隘得便, 乃兵家寡敵衆之道也".
- 『炊沙集』 권1, 題雲峯大捷碑, [注, 舊無碑, 當宁時, 雲峯縣監朴光玉恐其事迹, 久而湮滅, 爲請於朝, 竪碑而紀之, 朝廷許之. 政丞金貴榮撰碑文, 總若干言, 守護之人, 復其役, 居其傍焉. 余李汝馩以碧沙馬官察訪, 路經碑下者數次, 丁未宣祖40年四月廿九日, 又自家鄕還復過, 感而題之]". 여기에서 添字는 필자가 추가하였는데, 李汝馩(1556∼1631)이 碧沙道察訪에 재직한 시기는 1606년(선조39) 전후의 1년이었다.
- 『樊巖集』 권3, 八良峙[注, 我太祖大捷碑在此] ; 권5, 次八良峙感吟, 是太祖大王鏖倭古地.

277) 이는 다음의 자료에 의거하였는데, 여기에서 31년 동안 人民들이 倭賊으로 고난을 심히 겪었다는 것은 1350년(충정왕2, 庚寅)으로부터 是年(1380년, 우왕6)까지 31년에 걸쳐 倭賊의 侵入을 계속 받았음을 가리키는 것이다.

- 『목은시고』 권26, 門生鄭達蒙, 以事至合坐所, 見持捷書者來云, 諸元帥圍倭賊於雲峯旦月驛之野, 盡殲□滅之, 喜而來報. 予躍然曰, '宗社威靈, 吾王之德, 吾相之功如此, 殘生可保無事矣'. … ; 進紫門, 遇鄭令公暉, 韓政堂父子, 皆欲還, 予曰, '見入直官員, 然後退家如何'. 於是, 再

[庚戌[23日], 玄陵上賓之日, 韓山君李穡不得分發, 無由陪位助祭:追加].[278]

[○淸原府院君慶復興卒於淸州, 諡貞烈:節要轉載].[279]

[辛亥[24日], 順興府使河允潾卒, 年六十:追加].[280]

[某日], 以□[世]子昌有疾, 釋囚.

[是月某日, 韓山君李穡奇書判事李子脩, 以大藏緣化比丘請也:追加].[281]

[癸丑[26日], 韓山君李穡, 設齋於聖居山某寺, 薦其母逡陽縣君·咸昌郡夫人金氏:追加].[282]

[是月, 以[匡靖大夫]尹虎爲元帥兼雞林府尹·管內勸農·都兵馬使:追加].[283]

[是月頃, 都堂設宴於闕門大街, 餞別遣明啓稟使權仲和·李海·閔中理等, 且慶賀捕倭軍船諸將羅世·沈德符·崔茂宣等凱旋:追加].[284]

入則李那□[海]出傳, □[士]受肅拜, 賜巵酒, 若曰, '海寇之如此, 卿等老人之德也'. 趨出, 歷謁領三司□[事]·曲城君[廉悌臣], 侍中·漆原君[尹桓], 守侍中·廣平君□[李仁任], 判三司□[事]·鐵原君□[崔瑩], 賀平賊, 至晩而歸, "三十一年揚海波, 水村山郭困東倭, 宵衣旰食勞心久, 春種秋收失業多, …". 鄭達蒙은 1369년(공민왕18) 6월 李仁復과 李穡의 門下에서 同進士 第1人으로 급제한 인물이다.

278) 이는 다음의 자료에 의거하였다.
- 『목은시고』 권26, 廿三日, 玄陵上賓之日也, 臣穡無分發, 末由陪位助祭, 茫然吟成一首.

279) 이날 淸原君 慶復興의 逝去와 관련된 자료로 다음이 있다. 이날은 율리우스曆으로 1380년 10월 21일(그레고리曆 10월 29일)에 해당한다.
- 『목은시고』 권26, 聞淸州慶侍中仙去, 悲悼之至, 長言拜哭 ; 慶侍中挽詞, 復興.

280) 이는 『동문선』 권121, 河允潾神道碑銘에 의거하였는데, 이날은 율리우스曆으로 10월 22일(그레고리曆 10월 30일)에 해당한다.

281) 이는 다음의 자료에 의거하였는데, 이의 日辰은 9일[重九] 이전이다.
- 『목은시고』 권25, 寄甫城李子修[李子脩]判事, 大藏緣化比丘請也.

282) 이는 다음의 자료에 의거하였는데, 通憲大夫 崔某는 누구인지를 알 수 없다.
- 『목은시고』 권26, "廿五日[壬子], 入聖居山, 明日[癸丑26日], 設齋薦先妣, 回至山臺巖, 韓柳巷[脩]設食以迓, 門生崔通憲亦在, 晩而還家, … 恐遂遺佚, 追賦數首, 廿七日[甲寅]也".

283) 이는 『동도역세제자기』에 의거하였는데, 尹虎를 餞別한 詩文이 24일(辛亥)에 작성되었던 것 같다(『목은시고』 권26, 奉送尹密直赴雞林). 또 그는 明年 1월 韓山君 李穡에게 詩文과 文魚(章魚, octopus)를 올렸던 것 같다(『목은시고』 권28, 東京尹公見和前韻, 仍送文魚, 走筆奉答).

284) 이는 다음의 자료에 의거하였는데, 이때는 9월 28일 이후에서 10월 초순으로 추측된다. 또 大司徒 熙菴(俗姓은 趙氏)은 三藏法師 義旋(趙仁規의 子)의 弟子인데, 이들은 惠宗[順帝]으로부터 官銜·法號를 받으면서 다이투[大都]의 高麗寺에 住錫하였다. 그중에서 熙菴은 1368년(지정28) 윤7월 惠宗이 上都로 蒙塵할 때 고려에 귀환하였고, 우왕 때에 判天台宗事에 임명되었다. 그리고 啓稟使는 明에 파견될 예정인 權仲和·李海·閔中理(閔瑾의 子, 李穡의 妻甥) 등이고, 諸將은 鎭浦에서 倭賊의 軍船을 격파한 三元帥일 것이다.

[冬]十月[戊午朔小盡,丁亥], [己未[2日], 雉入禁中:五行1轉載].

[某日], [啓稟使]周誼還自京師.

[某日], 以密直副使閔伯萱爲西京道副元帥.

[某日], 禑率林檄等, 持竿黏雀于閭巷, 炙于墻下而啖之. 禑不視事, 日與群少, 馳聘閭里, 擊殺雞犬, 宰相·諫官, 莫有規諫者.

[某日, [天陰:追加], 我太祖[贊成事李成桂]·□□□□□□[~~邊安烈等諸將~~], 振旅而還, ~~判三司事~~崔瑩率百官, 設綵棚雜戲, 班迎[~~東郊~~]天壽寺門前.[285] □[我]太祖望見下馬, 趨進再拜, 瑩亦再拜, 前執□[我]太祖手, 揮涕曰, "非公, 孰能爾耶". □[我]太祖[~~頓首~~]謝曰, "謹奉明公指揮, 幸而得捷, 予何功焉. 此賊勢已挫矣, 儻若復肆, 吾當受責". 瑩曰, "公乎, 公乎, 三韓再造, 在此一擧, 微公, 國將何恃". □[我]太祖讓不敢當. 禑賜□[我]太祖及邊安烈, 金各五十兩, 王福命以下諸將, 銀各五十兩. 皆辭曰, "將帥殺賊, 職爾, 臣何敢受". □[我]太祖威名益著, 倭賊虜[~~擄~~]國人, 必問, "李[我~~太祖舊諱~~]萬戶今在何處?". ~~不敢近太祖之軍, 必伺~~間, 乃入寇:節要轉載].[286]

[□□[~~是時~~], 官不籍兵, 諸將各占爲兵, 號曰牌記. 大將若崔瑩·邊安烈·池龍壽·禹仁烈等, 幕僚士卒, 有不如意者, 詬罵無所不至, 或加榜棰, 至有死者, 麾下多怨望. □[我]太祖[贊成事李成桂], 性稟嚴重簡默, 平居常閉目而坐, 望之凜然, 及至接人, 渾是一團和氣, 故人皆畏而愛之. 其在諸將中, 獨禮接麾下, 平生無誶語, 諸將麾下, 皆願屬者:追加].[287]

辛未[14日], 雷電.

· 『목은시고』 권26, 將謁熙菴大司徒, 出柳洞入水金巷口, … 又上西嶺, 而下長大泉洞, 出大街, 回視省門, 鞍馬盛集, 盖都堂餞金陵啓稟使, 且爲捕倭軍船諸將, 飮至也.

285) 開京의 동쪽에 위치한 天壽寺의 門前은 東南地域을 往來하는 賓客을 迎送하는 곳으로 이용되었으나 朝鮮初에 天壽寺가 驛館인 天壽院으로 用度가 변질되었던 것 같다.

· 『신증동국여지승람』 권4. 개성부상, 驛院, "天壽院, 在城東, 卽天壽寺古址也. 成化丙申[成宗7年], 留守李芮構亭於院傍吹笛峯下, 因記之曰, '余嘗聞高麗[恭愍王代]舍人崔斯立有詩云, 天壽門前柳絮飛, 一壺來待故人歸. 眼穿落日長程畔, 多少行人近却非. 竊以謂天壽門是高麗五百年迎賓送客之地也'. …".

286) 이 기사는 열전39, 邊安烈에도 수록되어 있는데, ~~添字~~는 이에 의거하였다. 이들 諸將의 凱旋을 기린 詩文도 찾아진다(『목은시고』 권26, 諸將入城 ; 諸元帥入城矣, 予以天陰病作, 不能進謁).

287) 이는 『태조실록』 권1, 總書, 우왕 6년 8월에 의거하였는데, 原文의 冒頭에 있는'高麗末'을 是時로 고쳤다.

壬申15日, [小雪]. 雷.288)

[甲戌17日, 文書監進色, 以答上國歲貢事, 請坐韓山君李穡, 然其間尙有咨決都堂, 然後可以措辭者, 條具以呈:追加].289)

[某日, 晩雨:追加].290)

丙子19日, 霧.

[○以版圖判書鄭夢周爲密直提學:列傳30鄭夢周轉載].291)

[某日], 禑率林檄等, 擊雞犬于閭里, 里人不知而罵之, 禑走避. 又獵于佛日寺之野.

[某日], 倭焚金海府.

[是月某日, 韓山君李穡呈狀宰樞所, 乞免官家賜田收稅, 纔可得:追加].292)

[是月頃, 以奉翊大夫鄭南晋爲安東大都護府使:追加].293)

---

288) 以上 14일과 15일의 내용은 지7, 五行1, 水, 雷震에도 수록되어 있다.

289) 이는 다음의 자료에 의거하였는데, 이는 8월 某日 明에 체재하고 있던 啓稟使 周誼가 都堂에 보내온 書狀에 담긴 明의 要求에 대한 對處, 그 결과에 의한 答書의 作成에 대한 記錄인 것 같다. 또 文書監進色에 대한 자료도 찾아진다.

· 『목은시고』 권26, 十七日, 文書監進色, 以呈省辭請坐, 然其間尙有咨決都堂, 然後可以措辭者, 條具以呈, 三色設點心, 又蒙宣醞, 微醉而歸, "金陵千字握乾樞, 歲貢初徵東海隅, 主少國疑誰執咎, 民稀地薄物難敷, 朝中羣彦將陳乞, 病裏苦生亦被呼, …".

· 『신증동국여지승람』 권2, 京都下, 文職公署, "承文院, 在弘禮門外. 掌事大·交隣文書, … 李淑瑊題名記, 承文院爲事大設也, 而欽降詔勅之是藏. 其職掌有吏文·寫字, 而又有書契, 爲交隣也. 在麗朝稱文書監進色, 置別監. 後朝鮮初改稱文書應奉司, 置使·副使·判官, 而皆以他官帶, 無定額".

· 『삼봉집』 권2, 書應奉司壁[注, 按麗朝置文書應奉司, 爲事大設也. 即我朝承文院□世].

290) 이날 새벽부터 비가 내린 것 같다(『목은시고』 권26, 晩雨, "曉天簷溜滴來多, …").

291) 鄭夢周가 密直提學에 임명된 月次는 그가 廣州 川寧縣(現 京畿道 驪州市)의 李集(初名은 李元齡)에게 보낸 편지에 의거하여 유추하였다.

· 『둔촌일기』附錄, 與遁村書, "別後懸渴多也, … 僕於今月十九日, 超拜密直提學, 深懼亢滿, 日夜不安, 惟先生想察此意, 餘冀滿滿珍重, 只此, 鄭夢周再拜. 十一月二十四日, 崔鄲之女之母族, 亦眞兩班也. 余聞之三寸李敬之判書".

· 『목은시고』 권28, 昨偕淸城君韓孟雲脩, 携酒訪鄭圃隱, 賀拜密直也. 遇今政堂禹公玄寶同往, … "共賀新提學, 逢辰佐我君, …". 이 시문은 우왕 7년 1월에 제작되었다.

292) 이는 다음의 자료에 의거하였는데, 軍須問題로 인해 겨우 許諾을 받았던 것 같다.

· 『목은시고』 권26, 賜田乞免官家收稅, 狀呈宰樞所, 去後漸汗未已.

· 『목은시고』 권27, 賜田輸漕人將行, 坐吟一首, "聖恩周徧大如天, 老物猶蒙賜土田, 摠裁聯名許蠲貸, 軍須案籍敢遷延, … 更戒家童勿侵擾, 墾荒吾欲待來年"(11月 2日 作).

· 『목은시고』 권27, 賜田收租回一首.

十一月丁亥朔大盡,戊子, [戊子2日, 大雪. 微雪, 俄而風大起:追加].[294]

[某日], 左司議□□~~大夫~~白君寧等上跪曰, "殿下年甫十歲, 嗣承大統, 先王遽弃群臣, 南北多虞, 人心動搖, 朝夕莫保社稷之危, 甚於累卵. 殿下, 能以幼冲之年, 遵奉太后明德太后之訓, 謹守法度, 尊師好問, 日與將相大臣, 開經筵, 講論修身理國之道. 至於威儀動作之間, 不失尺寸, 四方之使, 莫不嗟嘆, 歸語其國曰, 聰明英偉, 他日大太平主也. 由是, 覬覦之徒, 不敢生心, 父老懽忻, 以望維新之化. 天地祖宗, 實如實監, 佑我殿下, 早降元子, 以紹祖宗之緖, 實三韓萬世之福也. 殿下於此, 安可不爲子孫萬世計耶. ○自今年正月以來, 道路流言, 殿下頗與兒輩, 留心鷹犬, 馳馬後苑. 臣等始聞之, 以爲殿下卽位之初, 年方幼冲, 尙不如此, 況今春秋已長, 宮闈已備. 惟當作爲大經大法, 明示萬世, 豈容如此. 萬一有之, 皆兒輩所爲耳. 近者, 殿下日與頑童, 捨儀衛, 出遊閭巷, 宿衛之士, 但守空闕而已. 路人見龍顔不知, 以爲無賴少年, 至有犯淸塵者. 三韓之人, 無貴賤老少, 莫不觖望, 相告曰, '主上何爲, 至於此哉?'. 大臣·百官, 皆仰屋竊嘆, 但畏天威, 不敢開口. 夫人主一身, 生民之休戚, 社稷之存亡, 繫焉. 故言則左史書之, 動則右史書之, 一言之非, 取笑四方, 一動之失, 貽患萬世, 可不愼哉? 以殿下聰明, 豈不知今日所爲, 不合於先王之道也. 其不顧天下之非笑而爲之者, 必非殿下之意也. 由小人之輩, 進言曰, '今當國家多難之日, 雖以人主之尊, 不可不習武也'. 以此邪說, 上惑聖聽, 殿下不察, 以爲此輩, 眞愛我也, 遂乃深信而行之. ○夫以堂堂盛朝, 將相士卒, 各奮忠義, 凡有所向, 靡不摧挫, 豈必殿下親自馳馬試勇, 然後能保社稷哉. 躍馬撫劒, 匹夫之勇也, 好之不已, 必至於敗身, 殿下何學焉. 昔, 漢昌邑王, 馳騁田獵, 王吉諫而不聽, 及至爲帝, 不改其行, 輕出無節. 時方久陰, 夏侯勝諫曰, '皇之不極, 厥罰常陰'.[295] 又不聽, 終致傾覆, 爲天下笑. 殿下, 受太祖四百六十餘年之社稷, 三韓億兆之命, 懸於殿下之一身. 萬一馬逸顚蹶, 其於宗廟·社稷何?. 洪範有之, 曰'狂恒雨若'. 今

---

293) 이는 『안동선생안』에 의거하였다.

294) 이는 다음의 자료에 의거하였는데, 大雪은 11월의 첫 번째 節氣(24節氣 중의 21節氣)이다. 이날은 太陽이 黃道의 255°에 이르는 至点의 日辰인데, 그레고리曆으로 12월 6日~8日에 해당한다. 이해[是年]의 이날[是日]은 율리우스曆으로 1380년 11월 28일(그레고리曆 12월 6일)이었다.
- 『목은시고』 권27, 十一月初二日, 微雪飄空不下地, 俄而止, 風大起, 入室靜坐, 吟成一首.

295) 이 구절은 다음의 자료를 인용한 것 같다.
- 『한서』 권75, 夏侯勝列傳濟45, "… 乃~~夏侯~~勝問, 勝對言, '在~~洪範傳~~曰, 皇之不極, 厥罰常陰. 時則下人有伐上者', 惡察察言, 故云臣下有謀".

自孟冬以來，連月淫雨[淫雨]，天之眷眷於殿下，而欲其改過遷善者，明白切至矣．伏望，殿下上念天心，下察輿情，爲社稷萬世計，放黜頑童，無復輕擧．親御報平廳，聽斷萬機，日開經筵，詳延老成，講論治道，成就聖學．如有行幸，則一遵祖宗故事，必待中嚴外辦，百官序立，天仗整齊，淸道而後行”．○禑不聽．

[某日]，禑與[賜]承旨徐鈞衡馬一匹．

辛卯[5日]，霧．

[某日]，禑欲學鑄鏡，召鏡匠．

[某日，韓山君李穡遣人，以紙十三幅，送書雲觀長房，抄曆日:追加].[296]

[癸卯[17日]，虹見:五行1虹霓轉載]，[冬至，遣知申事李存性·代言潘福海于韓山君李穡第，傳旨撰表文，仍賜酒果:追加].

[甲辰[18日]，韓山君李穡入闕，謝恩:追加].[297]

[□□[是月]]，禁賊使安吉祥病死□[於]日本，押物·中郞將房之用還，探題將軍□[遣]五郞兵衛等使，偕來，獻土物．

十二月[丁巳朔大盡,己丑]，[某日]，禑遊黃丙沙洞，遇美女，携入民家，淫[淫]之．又嘗奪密直李種德妓妾梅花，淫[淫]于路傍人家，尋納宮中．禑遊戱晝夜，聞人有女，輒突入奪之．

[某日]，遣門下贊成事權仲和·禮儀判書李海,[298] 如京師，貢金三百兩·銀一千兩·

---

296) 이는 다음의 자료에 의거하였다. 여기에서 李穡이 書雲觀에서 筆寫한 曆日은 支配層에게 頒賜되는 曆日이 아니라 農耕[種蒔, 播種]을 위한 農曆으로 추측된다. 곧 전근대 사회에서 기층민들이 사용했던 月次의 大小, 朔望, 24節氣를 정리한 후 陰陽·五行·圖讖에 의거하여 吉凶·忌諱·播種 등을 追記한 13張의 月曆[달력]을 가리키는 것 같다(→문종 6년 3월 13일의 脚注).
· 『목은시고』 권27, 以紙十三幅, 送司天長房, 抄曆日, “提調·提點忝書雲, 幾對龍安讀秘書, 老病幽居親種蒔, 細分宜忌望諸君”.

297) 17일과 18일의 記事는 다음의 자료에 의거하였는데, 17일(癸卯)은 이해의 冬至이다. 이날은 율리우스曆으로 1380년 12월 13일에 해당한다.
· 『목은시고』 권27, 冬至日, 知申事李存性·代言潘福海, 傳旨撰表文, 仍以賜酒果. 明日, 詣內謝恩, 退而自詠.

298) 이때 權仲和(李穡의 妻叔)의 行裝이 매우 簡單하여 다른 使臣에 비해 超然하였던 것 같다. 또 이때 孔俯가 각종 書狀[呈文]을 제술하기 위해 隨行員으로 참여하였던 같은데, 이에서 四宰는 權仲和가 출발한 후 승진하였던 결과이다.
· 『목은시고』 권27, 問庸夫[權仲和]五宰出東門, 途中腹藁·行李, 飄然超物.

馬四百五十匹·布四千五百匹, 請謚[謚]承襲. 請謚[謚]表曰,[299] "聖君恤典, 易名示終, 孝子至情, 顯親爲重, 肆當呼籲, 宷極凌兢. 伏念, 臣否運之逢, 嚴顔奄弃[棄], 上表請謚[謚]. 瞻企[跂]今爲七年, 對影撫躬, 悲傷則如一日, 玆殫悃愊, 益切悚惶. 伏望, □□[皇帝]陛下, 察外夷布列之雖多, 如先臣歸附者有幾, 特頒茂渥, 以慰貞魂. 臣謹當與祖考, 爲一心, 幸釐箕域, 傳後昆於萬世, 永作漢藩".

○請承襲表曰,[300] "天臨在上, 敷施生物之仁, 情動乎[于]中, 顒望分茅之命, 玆當呼籲, 宷切兢惶. 伏念, 臣□[某]爰從弱齡, 已値否運, 徘徊對影, 恨未由兄友弟恭, 怵惕存心, 庶無墜父作子述. 故再陳襲爵之請, 而上達向化[嚮化]之誠, 自始至今, 益勤無怠. 歲律已七周之久, 星軺無一介之來, 瞻企[跂]未涯, 敷陳以表, 志願所在, 神明共知. 伏望,」□□[皇帝]陛下, 記先臣歸附之初, 愍小國危疑之際, 不責旣往, 而許自新. 特頒綸綍之音, 俾守箕裘之業, □[冊]臣謹當旣飽以德, 保釐靑社之群生, 永終是圖, 拜獻華封之三祝. ~~臣無任瞻」天戀~~, ~~聖激切屛營之至~~, ~~謹奉表陳乞以」聞~~, ~~臣某誠惶誠恐~~, ~~頓首々々~~, ~~謹言~~".

[□□[先是], 大明督進歲貢金銀·馬匹·細布, 侍中尹桓等議, 自宰相至庶人, 出布有差以辦. [判三司事崔]瑩曰, "今士民多故, 生業不遂, 又令出布, 其弊不貲. 且徵求無厭, 豈能盡從. 宜先遣使, 請減貢額, 不得已然後爲之":列傳26崔瑩轉載].

[某日], 禑以[守侍中]李仁任生日, 至其第, 張樂酣飮, 至夜乃罷, 與[賜]馬二匹.[301]

[某日], 憲府[司憲府]上疏曰, "惟我先王, 宵衣旰食, 惕厲寅畏, 日與大臣, 講論理道. 出入起居, 罔敢或輕, 必諏日擇方, 整備儀衛, 然後行. 近年以來, 倭寇侵陵, 國家多難, 大元近居北鄙, 大明屯兵遼瀋, 朝夕覘我事情, 將然之患, 不可測. 正殿下兢畏勵精, 非禮勿動之時也. 而日率群少, 輕出遊戲, 閭巷險隘, 無所不至. 恐有顚蹶之虞, 不測之變也". 禑覽疏, 頗慙悔, 欲讀書, 令進通鑑一部.

[癸酉[17日], 大寒. 赤氣見于西方:五行1轉載].

[某日, 下宰批, 以判三司事崔瑩爲守侍中, 洪永通爲判三司事, 其次諸位, 以次陞:追加].[302]

· 『목은시고』 권27, 孔伯共[孔俯]來過云, 將赴四宰行幕, 書呈文.

299) 이 표는 『목은문고』 권11, 請贈謚表인데, ~~添字~~는 이에 의거하였다.

300) 이 표는 『목은문고』 권11, 請承襲表인데, ~~添字~~는 이에 의거하였다.

301) ~~添字~~는 『고려사절요』 권31에 의거하였는데, 長房은 執務所를 가리키는 것 같다.

302) 이는 다음의 자료에 의거하였는데, 判三司事에 임명된 洪永通은 崔瑩의 후임자였던 것 같다. 또

[某日, 以廉廷秀爲代言, 李鍾學爲典儀副令:追加].303)

[是月頃, 以通直郞李誾爲雞林府判官兼勸農·防禦使:追加].304)

[是年, 始築安東·星州邑城:追加].305)

[○林州管內藍浦縣, 因倭寇, 人物四散:地理1藍浦縣轉載].

[○又置宮闕都監:百官2宮闕都監轉載].

[○罷興福都監·典寶都監·崇福都監:百官2興福都監轉載].

[○忠惠王妃禧妃尹氏薨:列傳2忠惠王妃禧妃尹氏轉載].

[○龍城君趙暾卒, 年七十三. 子仁璧屢立戰功, 官至三司左使:列傳24趙暾轉載].

[○□以文牒錄事王裨馬弱, 守侍中李仁任與之駿馬:列傳39李仁任轉載].

[○禑錄瑩功, 賜鐵卷, 敎曰, "盖聞武王卽位, 肇頒報功之典, 太公受封, 卽有賞功之語. 矧又功疑惟重, 堯·舜之理, 所以爲後世之不可及歟. 惟卿實我世臣, 卿之祖先, 事我先王, 文章政事, 咸有可觀. 卿高爽之資, 剛毅之氣, 卓冠一時, 有光前烈, 故其武功, 無與爲比. 庚寅以來, 水陸禦賊, 始以智勇, 聞于中外. 我先考選充侍衛, 日見親信, 超授護軍. 逆賊趙日新作亂, 卿扞禦有功. 及天子詔先考募勇士, 卿上體先考之心, 血戰江·淮之間, 名聞中國, 顯揚國美. 紅賊闌入西鄙, 卿爲先鋒, 克捷有功, 又與諸將, 收復京都, 復安社稷. 先考以興王寺爲行宮, 逆賊金鏞潛令金守, 夜半入宮, 殺害臣僚, 卿忘身奮忠, 悉除兇黨. 逆賊崔濡誣奏天子, 奉德興君, 廢先考, 領兵入界, 卿承命, 往督諸將, 克成大功. 耽羅哈赤, 殺官吏以叛, 卿奉命

宰批는 宰相을 임명한 批目(혹은 政批, 都目狀)이라고 할 수 있는데[讀], 이들은 모두 中原에서 사용된 用語[漢語, 成語]는 아닌 것 같다.

· 『목은시고』 권27, "聞宰批下, 崔判三司事瑩拜守侍中, 諸位以次陞, 力疾謁崔侍中 , 已出, 諸宰樞有坐庭中待公回者, 僕與其下, 吟成一首".

· 『목은시고』 권27, 謝判三司事洪令公見訪, 永通.

303) 이는 다음의 자료에 의거하였는데, 이들 詩文은 우왕 7년 1월에 작성되었다.

· 『목은시고』 권28, 賀廉代言, 廷秀·李鍾學新授典儀副令, 今日肅拜.

304) 이는 『동도역세제자기』에 의거하였다.

305) 이는 다음의 자료에 의거하였다.

· 『경상도속찬지리지』, 安東道, 安東府, "邑城, 石築, 洪武庚申, 始築, …", 尙州道, 星州牧, "邑城, 洪武庚申, 土築, …".

徂征，殲厥巨魁，秋毫不犯，民獲按堵．及予卽位以來，倭賊益張，民之多難，甚於前日．卿躬先赴敵，破賊鴻山，燒船西海，挫敵立威，所向無前．昇天府之戰，密邇京邑，宗社安危，在於呼吸．卿節度諸軍，賊雖下岸，跬步卽潰，城中安焉，不知有賊．楊伯淵·洪仲元潛謀結黨，欲危社稷，卿奮義，一掃逆類，其功之重，可勝言哉．觀今將帥之中，戰多而功大，惟卿一人而已．又況盡忠奮義，尊主庇民，宰相中眞宰相矣．田民賞賜，通例也，然卿之淸白，出於天性，必固辭不受故，但賜鐵卷，以玉爲軸，表異數也．嗚呼，功大而賞微，予實歉焉．卿或有犯，雖至於九，終不之罪，至於十犯，亦當末減．子孫亦如之，後之君臣，尙體予意":列傳26崔瑩轉載]．

[○以元乙忠爲延安府使:追加]．306)

[○以黃淑眞爲知寧海府事:追加]．307)

[○以南誾爲社稷壇直:追加]．308)

[○以安純爲行廊都監判官，純，年十:追加]．309)

辛酉[禑王]七年，[用當該年干支]，明洪武十四年，北元天元三年，[西曆1381年]

1381년 1월 26일(Gre1월 26일)에서 1382년 1월 14일(Gre2월 2일)까지，354일

[春]正月丁亥朔大盡,庚寅，放朝賀．

[某日]，禑畋于東郊，又登殿屋上．

[壬辰6日，赤氣見于南方:五行1轉載]．

[癸巳7日，晴，以人日，賜祿牌:追加]．310)

306) 이는 『연안부지』에 의거하였다.

307) 이는 『영해선생안』에 의거하였다.

308) 이는 『태조실록』 권14, 7년 8월 己巳26日, 南誾의 卒記에 의거하였다("僞朝庚申，拜社稷壇直").

309) 이는 다음의 자료에 의거하였다.
· 『敬齋遺稿』 권1, 安純墓誌銘, "公諱純, … 庚申, 公年十歲, 以蔭補行廊都監判官".

310) 이는 다음의 자료에 의거하였다.
· 『목은시고』 권27, 人日, "人日今年好, 春光遍八垓, 祿牌天上墜, 倉鑰洞中開, 淸曉驅車去, 黃昏載米來, …".

[丙申10日，韓山君李穡·淸城君韓脩·守侍中李仁任·贊成事邊安烈·商議林堅味·商議王安德·三司右使都吉敷等參拜玄陵:追加].[311]

[某日，前政堂文學姜君寶卒，諡文敬:追加].[312]

[某日，日本使者入城:追加].[313]

[某日，從侍中尹桓·侍中崔瑩·侍中李子松·吉昌君權適·晋川君姜蓍，會議都堂，爲入貢海路也:追加].[314]

[某日，以慶尙道按廉使全五倫·全羅道按廉使崔恕，仍番:慶尙道營主題名記·錦城日記].[315]

二月丁巳朔小盡,辛卯，[戊午2日，日珥:天文1轉載].[316]

[己未3日，驚蟄．西南北方，赤氣如血，騰空:五行1轉載].[317]

[某日]，以朴林宗爲西京都巡問使.

311) 이는 다음의 자료에 의거하였다.
- 『목은시고』 권27，正月初十日，廉東亭興邦招僕與韓柳巷脩，拜玄陵．至則李二相仁任·邊三宰安烈，·林商議堅味·王商議安德·都右使吉敷·柳判事·金崇敬，行事已畢，入謁堂頭，設茶，….

312) 이는 다음의 자료에 의거하였는데, 君輔는 君寶의 오자일 것이다.
- 『목은시고』 권27, “哭姜政堂, 君輔君寶”.
- 『세종실록』 권26, 6년 10월 庚申6日, 姜筵의 卒記, “議政府左議政致仕姜筵卒. 筵, 晋州人也. 鳳山君謚文敬公, 君寶之子”.

313) 이는 다음의 자료에 의거하였다.
- 『목은시고』 권27，聞昨日々本使者入城.

314) 이는 다음의 자료에 의거하였다.
- 『목은시고』 권27，從漆原侍中·鐵原侍中·公山侍中·吉昌君·晋川君，會議都堂，爲入貢道路也，“朝覲天庭大禮存，保全國海聖心溫，… 水路連天天似幕，舡窓納月月臨樽，…”.

315) 이때 全五倫의 職銜은 慶尙道按廉使兼監倉·安集·勸農使·轉輸提點形獄兵馬事·奉常大夫·軍簿摠郎이며(『大般若波羅密多經』跋，禑王 7년，大谷大學 所藏 ; 張東翼 2004년 717面)，崔恕는 軍須別監을 兼任하였다고 한다(『금성일기』). 그런데 한산군 이색이 5월 초(端午節 以前)에 지은 시문에 의하면 慶尙道按廉使는 金某로 되어 있는데, 金某가 全某의 誤字일 가능성이, 아니면 全五倫은 어떤 사유로 인해 교체되었을 가능성이 있다.
- 『목은시고』 권29，寄金按廉二首，“自笑迷儒術，人□□□經，伽耶山色秀，千里眼中靑，…” ; 金按廉送茶適至.

316) 이날 일본의 교토에서 흐렸다고 한다(『愚管記』제25, 康曆 3년 2월, “二日戊午, 陰”).

317) 이날 교토에서 비가 내렸다고 한다(『愚管記』제25, 康曆 3년 2월, “三日己未, 雨降”).

[某日], 禑畋于西郊.[318]

[某日], 以李仁任爲門下侍中, 崔瑩△爲守侍中.

[→禑王七年, ~~崔瑩,~~ 拜守侍中. 贈其父純忠雅亮廉儉輔世翊贊功臣·壁上三韓三重大匡·判門下事·領藝文春秋館事·上護軍·東原府院君,　 母智氏爲三韓國大夫人:列傳26崔瑩轉載].

[某日], 禑移居<u>院使</u>前資政院使<u>金光壽</u>~~金光秀~~第,[319] [前侍中<u>廉悌臣</u>·尹桓, 韓山君李穡·清城君韓脩扈駕:追加].[320]

[某日], 以南秩爲慶尙道□□□□~~上元帥兼~~都巡問使.[321]

[某日], 倭焚寧海府.

[丙寅10日, 月暈, 色白:天文3轉載].

[辛巳25日, 太白·歲星相犯:天文3轉載].

癸未27日, 日有黑子.

[某日], 遣使, 賑慶尙·<u>全羅道饑</u>.[322]

[某日], 禑畋于長湍.

[乙酉29日晦, 亦如之太白·歲星相犯:天文3轉載].

[是月頃, 以宋子校爲安東大都護府司錄兼參軍事:追加].[323]

三月[丙戌<u>朔</u>大盡,壬辰, 太白·歲星相犯:天文3轉載].[324]

---

318) 이때 守侍中 李仁任, 政堂文學 廉興邦 등이 扈從하여 觀獵하였던 것 같다.
- 『목은시고』 권28, 病中未有扈駕觀獵, 吟成短律, 馳一騎奉呈李二相馬前, 幸與廉政堂並轡一覽, 如蒙分惠所餘, 亦所不辭也.

319) 院使 金光壽는 金光秀의 誤字일 것이다(→공민왕 3년 1월 22일).

320) 이때 禑王이 離宮에 옮겨 간 것과 관련된 자료로 다음이 있다.
- 『목은시고』 권28, 與瑞麟淸城君, 隨曲城·漆原兩侍中, 扈駕移御, 歸而獨吟二首.

321) 이때 南秩의 職銜은 慶尙道上元帥兼都巡問使·推誠翊衛<u>保理</u>~~輔理~~功臣·重大匡·宜春君이었다(『大般若波羅密多經』跋, 禑王 7년 ; 張東翼 2004년 717面).

322) 이 기사는 지34, 食貨3, 水旱疫癘賑貸之制에도 수록되어 있다.

323) 이는 『안동선생안』에 의거하였다.

324) 丙戌에 朔이 탈락되었다.

[戊子[3日], 晴, 踏靑節:追加].[325)]

[己丑[4日], 淸明. 晴, 獐入城:五行2轉載].

[庚寅[5日], 二獐入城:五行2轉載].[326)]

[某日], 禑火獵于東郊, 次壺串, 放群馬, 手飛索, 以羂之.[327)]

[某日], [門下贊成事]權仲和等至遼東, 都司[遼東都指揮使司]以歲貢不滿定額, 却之, 乃還.[328)]

[某日], 以門下評理羅世爲東江都元帥, □□[門下]贊成事黃裳爲西江都元帥, 沿江要衝, 皆置元帥, 以備海寇, 凡十五所.

[某日], 倭寇江陵道, 遣簽書密直□□[司事]南佐時·密直副使權玄龍, 擊之. 時是道大饑, 備禦甚疏, 遣同知密直□□[司事]李崇, 率交州道兵, 以助之.[329)]

[甲午[9日], 日暈:天文3轉載].[330)]

戊戌[13日], 大雪二日.[331)]

---

325) 3일과 4일의 氣像은 다음의 자료에 의거하였다.
- 『목은시고』 권28, 踏靑歌一首, [注, 僕與柳巷[韓脩], 皆領兒一] ; 明日[4日], 又吟一首.

326) 原文에는 "[禑王]七年二月己丑[4日], 獐入城, 庚寅[5日], 二獐入城"으로 되어 있으나 二月은 三月의 오자이다.

327) 壺串(호곶)은 臨津縣 高浪浦 근처의 長源亭과 인접한 牧場地로서 風景이 좋은 곳[勝地]이었던 것 같다.
- 『신증동국여지승람』 권12, 長湍都護府, 山川, 壺串郊, "在府南三十五里, 有牧場, 周四十二里. 辛禑起樓于此, 又作樓船劇其侈大, 名曰奉天船, 張水戲, 盤遊無度, 嘗乘醉, 不脫衣冠, 騎馬入水". 여기에서 '盤遊無度'는 '지나치게 宴樂에 빠져 限度가 없었다'는 의미이다.
- 『尙書』, 五子之歌(僞古文), "太康尸位, 以逸豫滅厥德, 黎民咸貳, 乃盤遊無度, 畋于遊洛之表, 十旬弗反. …".
- 『湖陰雜稿』 권5, 長浦廢離宮, "往日畋遊洛表同, 至今殿壓蛟宮. … 長源·壺串相鄰近, 今古荒亡一望中" ; 九月晦日, 還到高浪浦開船, 至長浦觀離宮故址, ….

328) 權仲和의 歸還과 관련된 자료도 찾아진다(『목은시고』 권28, 晩勞傭夫四宰迴自遼東).

329) 이때 韓山君 李穡도 倭賊이 東海岸으로 侵入해오자 江陵道元帥가 급히 출진한 사실을 청취하였던 것 같다. 또 李崇(李嵒의 2子)은 당시의 名弓이었다고 한다.
- 『목은시고』 권28, 聞倭賊犯寧海, 趣江陵道元帥啓行.
- 『태조실록』 권6, 3년 12월, "辛巳[16日], 檢校侍中李崇卒. 官庇葬事, 諡安靖. 崇, 固城人, 門下侍中巖[嵒]之子, 性淳厚, 恭愍朝, 以善射稱".

330) 이날 일본의 교토에서 비가 조금씩 내리다가 저녁에 개였다고 한다(『愚管記』제25, 永德 1년 3월, "八日甲午, 小雨, 及晩霽").

331) 이와 같은 기사가 지7, 五行1, 水, 雨雪에도 수록되어 있다. 이때 눈이 내린 것은 다른 자료에서도 확인된다. 또 교토에서 12일(戊戌)은 맑았으나 13일(己亥)은 비가 내렸다고 한다.

[○以[前郎將兼諄論博士]劉敬爲承奉郞·司設署令:追加].[332)]

[己亥[14日], 月掩左角:天文3轉載].

[庚子[15日], 月食, 旣:天文3轉載].[333)]

[某日], 全羅道饑, 民多餓死, 諸戍卒及人民, 逃散過半. [守侍中]崔瑩請蠲濱海州郡三年租稅, 從之.

[→全羅道按廉□[使]報□[曰], "民多餓死, 諸戍卒及人民, 逃散過半". [守侍中]崔瑩議請蠲濱海州郡三年租稅, 從之:食貨3災免之制轉載].

[某日, 宰樞合坐所, 招致諸君, 議各司諸事:追加].[334)]

[某日, 禑欲出遊, [守侍中]崔瑩進諫曰, "今饑饉荐臻, 民不聊生, 又農務方興, 不可盤遊無度, 以病民也". 禑曰, "吾先祖忠肅王, 亦好遊豫, 吾之出遊, 獨不可乎?". 瑩曰, "先王之時, 民安歲登, 遊豫無妨, 今日之遊, 臣知其不可". 禑然之:節要轉載].[335)]

[某日, [守侍中]崔瑩, 請蠲濱海州郡三年租稅, 從之:節要轉載].

[乙巳[20日], 穀雨. 以[簽書樞密院事]鄭公權爲政堂文學:追加].[336)]

[某日], 復營壽昌宮.

[某日], 倭寇松生·蔚珍·三陟·平海·寧海·盈德等地, 焚三陟縣. 江陵道副元帥南佐時, 報倭入三陟·蔚珍, 欲取吾斤·沓谷兩倉之穀, 不克而退, 今徵聚飢民, 守之爲

· 『목은시고』 권28, 三月十四日, 鷄鳴, 聞呼女奴收庭雨中麥, 曉來雪在屋尾, 望山則皆白, 因記癸巳歲[恭愍2年]淸明日, 在韓山詠雪, 今廿九年矣. 淸明後十餘日杏花已開, 而又見雪, 未知後當如何也, 吟成一首以誌.

· 『愚管記』제25, 永德 1년 3월, "十二日戊戌, 晴, … 十三日己亥, 雨降".

332) 이는 「劉敞政案」, "洪武十四年三月十三日, 批承奉郞·司設署令"에 의거하였다.

333) 이때 明에서는 3월 14일(己亥)에 월식이 있었다고 하며(『명태조실록』 권136, 홍무 14년 3월 己亥, "夜, 月食"), 일본에서는 이날(庚子, 日本曆으로 14일) 월식이 있었다고 한다. 또 이날(庚子)은 율리우스曆의 1381년 4월 9일이고, 월식 현상이 심했던 때의 世界時는 12시 28분, 食分은 1.22이었다(渡邊敏夫 1979年 486面).

· 『續史愚抄』28, 永德 1년 3월, "十四日庚子, …今夜, 月蝕, 皆旣, 凡幸他所間無蝕之例云".

334) 이는 다음의 자료에 의거하였다.

· 『목은시고』 권28, 合坐所, 招諸君各司議事, 穡隨行進退, 自愧無所裨益, 默藁一首.

335) 이와 같은 내용이 열전26, 崔瑩에도 수록되어 있으나 자구에 출입이 있다.

336) 이는 다음의 자료에 의거하였다.

· 『목은시고』 권28, 奉賀圓齋[鄭公權]拜政堂[注, 三月二十日作].

難, 請發倉賑饑, 至秋還之.

[某日], 江陵道助戰元帥報, 交州道簽兵, 皆羸弱不可用, 其步兵, 今已放遣, 請除烟戶軍, 先簽閑散官, 且令朔方道騎兵二百來助, 從之.

[壬子27日, 亦如之日暈:天文1轉載].

[○流星南出, 至東北隅:天文3轉載].

[某日, 流宦者·贊成事李得芬于雞林·前同知密直□□~~司事~~睦忠于安東, 籍得芬家, 又黜其假子宦者鄭鸞鳳等二十人. 得芬貪饕納賄, 奪人土田, 又與忠, 毁侍中李仁任·守侍中崔瑩故也:節要轉載].

[→宦官李得芬, 位至贊成事. 貪饕納賄, 多行不義. 與同知密直□□~~司事~~睦忠, 讒毁李仁任·崔瑩, 宰樞·臺省會議, 白禑曰, "得芬, 嘗提調普源庫, 收田稅入其家, 又奪養賢庫田, 使不得養士. 多斂人財, 奪土田. 又嘗迎侍元子於其家, 私改乳母, 以結私黨, 是非人臣所得爲也. 僭亂之禍, 自此萌矣". 禑然之, 流得芬于鷄林, 籍其家, 黜假子宦者鄭鸞鳳等二十人, 又流忠于安東. ○先是, 睦仁吉奪養賢田庫~~養賢庫田~~, 在延安府者百餘結, 仁吉死, 得芬又奪之. 至是, 成均館上䟽, 請復屬養賢庫, 從之:列傳35李得芬轉載].[337]

[某日, ~~門下評理兼~~大司憲安宗源等上言, "自古宦寺擅權, 必至誤國, 故我祖宗擇臣僚有德行者, 給事左右, 宦官不過數人, 以備宮闈洒掃, 未嘗授以文武官爵. 及先王卽位之初, 亦遵古制, 其後宦寺夤緣, 乘間用事, 廣樹朋黨, 卒有崔萬生之禍, 可勝嘆哉. 逮至殿下, 李得芬, 但以先代微勞, 位至贊成□事, 招權納賂, 讒毁朝臣, 中外臣庶, 莫不切齒. 幸賴睿斷, 遠竄于外, 然其徒黨, 尙多濫受官爵, 虛費祿俸, 無補國家, 將來之禍, 實爲可慮. 請依祖宗舊制, 擇聰敏者不過十人, 以備宮內使令, 餘悉罷黜":節要轉載].[338]

[甲寅29日, 領門下府事·漆原府院君尹桓設讌, 領三司事·曲城府院君廉悌臣, 守

337) 여기에서 養賢田庫는 養賢庫田의 오류인데, 처음 『고려사』를 乙亥字로 조판할 때 活字의 前後가 바뀐 事例이다.

338) 安宗源은 前年(庚申, 우왕6)에 政堂文學商議兼大司憲에 임명된 후(安宗源墓碑銘), 이때 門下評理兼大司憲이었던 것 같다.
· 열전22, 安軸, 宗源, "未幾, 封興寧君. 尋以門下評理, 復兼大司憲, 賜純誠補祚功臣號. 與同僚上䟽言, 自古宦寺擅權, …".

侍中·鐵原府院君崔瑩曲坐, 吉昌君權適·前平章政事康舜龍·二相李子松·海平府院君尹之彪·前政堂文學韓脩·李六宰·知門下府事成汝完·韓山君李穡相次, 宰臣尹某·前政堂文學廉興邦·密直柳某, 又折而面北. 尹桓與前榮祿大夫·資政院使金光秀面東, 三侍中風采照世, 而諸公陪侍如畵中:追加].[339]

[是月, 韓山君李穡餞送懶翁弟子僧□乳等, 摹印出大藏經于海印寺:追加].[340]

339) 이는 다음의 자료에 의거하였는데, 이들은 당시 政界의 元老들이다. 여기에서 李六宰, 尹令公, 柳密直 등은 분명치 않지만 李穡과의 관련시켜 볼 때, 後二者는 前雞林尹 尹虎, 密直使 柳珣로 추측된다. 또 康舜龍(康允成의 子, 權漢功의 壻)과 金光秀가 띤 官職은 그들이 몽골제국에서 仕宦할 때의 官銜이다.

· 『목은시고』 권29, 三月廿九日, 領門下·漆原府院君設讌, 領三司·曲城府院君, 守侍中·鐵原府院君曲坐, 吉昌君·康平章·李二相·尹海平·韓政堂·李六宰·成知門下相次, 而穡居其次, 尹令公·廉東亭·柳密直, 又折而面北. 主人與金院使面東, 三侍中風采照世, 而諸公陪侍如畵中, 退而錄之.

340) 이는 다음의 자료에 의거하였는데, 懶翁惠勤의 弟子인 승려 □乳[□乳上人]가 海印寺에서 大藏經을 어떻게 印出[摹印]하였는가를 알 수 없다. 또 □乳는 法名의 첫째 글자를 알 수 없으나 權近과 交遊했던 乃乳禪師일 가능성이 있고(『양촌집』 권7, 次韻留別乃乳禪師), 이 시기에 해인사에 파견되어 印經한 睡菴(혹은 睡庵)이 그의 法號일 가능성이 있다.

· 『목은시고』 권28, 送懶翁弟子印大藏海印寺.

· 『목은문고』 권10, 雪牛說, "乳上人者, 普濟□□[尊者]之徒也, 印大藏經與焉, 讀大藏經亦與焉, 貌淸行完, 爲衆中秀, 普濟[懶翁], 以雪牛命之, 有以也. …". 여기에서 普濟尊者는 懶翁惠勤에게 내려진 徽號(혹은 尊號)이다.

· 『陶隱集』 권2, 淸涼長老傳睡菴書, "忽見然禪者, 云從海印來, 袖中書札出, 世上笑談開, 宴坐翻經子, 良緣閱劫灰, 相違僅咫尺, 問法日千回".

한편 1457년(세조3) 6월 대장경 전체 50部를 印出하는데, 楮紙(漢麻, 楮皮로 製造) 345, 386卷, 墨 6,125挺[丁], 黃蠟 440斤[觔], 胡麻油 100斗[㪷], 作業期間 5個月 등이 필요했고, 그 외에 印刷作業을 위한 舍宇를 造成해야 했고, 造紙工·造墨工匠·專門僧侶·供役丁夫의 動員, 그리고 이들을 위한 諸般 食料品·器皿의 調達과 같은 인적, 물적 자원이 필요하였다고 한다(『세조실록』 권8, 3년 6월 壬子[20日], 戊午[26日] ; 권9, 9월 甲申[23日], 吳容燮 2005년 ; 崔然柱 2019년). 또 대장경의 인출은 明年(1458년, 세조4, 戊寅) 윤2월에 起役하여 4월에 終了하였던 것 같다(『伽倻山海印寺古籍』, 印大藏經五十件跋, 1458년 6월 金守溫 撰).

· 『梅溪集』 권4, 海印寺重創記(1491년), "… 我世祖惠莊大王, 中興王業, 萬機之暇, 留意釋道, 思欲洪揚竺敎[竺敎], 普濟羣生. 天順戊寅[世祖4年], 命僧竹軒等, 就本寺, 印大藏經五十件, 又命惠覺尊者信眉·燈谷學祖等往視之. 藏經之堂隘且陋, 仍命本道監司, 稍增舊制, 措四十餘間". 여기에서 燈谷學祖는 慧覺尊者(혹은 惠覺尊者) 信眉의 제자로서 直指寺에 주석하였던 승려이고(『연산군일기』 권49, 9년 4월 戊戌[2日]), 竹軒은 1460년(세조6, 庚辰) 봄에 海印寺의 住持로 재직하면서 이곳을 방문한 姜希孟(1424~1483)을 맞이했던 인물이다(『私淑齋集』 권1, 歲庚辰春, 與一菴南遊, 到伽倻山海印寺, 留一日, …).

· 「海印寺重修記」(1490년 學祖 撰), "… 去戊寅年間[世祖4年], 我世祖大王命敬差官臣尹贊·□□[鄭垠]等, 印出大藏經五十件, 一則流布諸山, 一則備於交隣, 但藏經國用不小, 而板堂窄而漏, 仍令慶尙道材木重創五十餘間, 病其窄而營之. …"(南權熙 2002년 199面). 여기에서 添字는 『세조실록』 권8, 3년 6월 26일(戊午)에 의거하였다.

[是月頃, 以奉翊大夫金希善爲羅州牧使:追加].[341]

[春某月頃, 琅城君信庵·優婆塞李邦直·僧覺演等開板'禪宗永嘉集', 備置忠州靑龍寺:追加].[342]

[夏]四月丙辰朔小盡,癸巳, [某日, 門下侍中崔瑩將巡海豊郡, 使騎招韓山君李穡, 設夕飯, 仍酬唱:追加].[343]

[庚申5日, 立夏:比定],[344] 守侍中李仁任, 設送酒會,[345] 於昇天府之軍營, 招韓山君李穡, 穡趨行, 途遇前政堂文學韓脩, 偕行, 又遇二相李子松. 至營, 前政堂文學廉興邦·政堂文學禹玄寶·密直柳某, 繼至. 韓脩邀李穡夕飯, 玄寶與柳某, 皆同飯, 以異味相侑. 旣而李仁任與軍官, 畨罷而來, 大作樂, 盛酒饌, 送酒, 夜中而止. 穡畏露宿, 至廉興邦之父田庄:追加].

---

341) 이는『금성일기』에 의거하였다.

342) 이는『禪宗永嘉集』, 末尾刊記에 의거하였다(雅丹文庫 所藏, 보물 제641호, 南權熙 2002년 100面, 學習院大學 所藏 末松保和資料 9box에 判讀文이 있는데, 刊記의 排列과 내용에 차이가 있다).
· 刊記, "… 現有情同脫生滅諸惑, 時蒼龍辛」酉春月 日,重大匡·琅城君信庵,」閑閑居士西原李邦直,覺演謹誌,」淡如, 覺訥, 李仁麟刀,」忠州靑龍寺留板,」成化八年夏六月金守溫跋」".

343) 이는 다음의 자료에 의거하였다.
·『목은시고』 권29, 崔侍中將巡海豊郡, 使騎來招曰, '聯句一夕如何', 予喜甚, 操筆便題一首.

344) 이날을 筆者가 庚申立夏로 比定한 것은 高麗初 以來 이 時点까지의 날짜[日辰]를 아라비아 숫자로 換算하여 24節氣를 정리해 본 경험에 의한 것이다. 곧 역대의 帝王들은 政務가 中止되는[休假가 實施되는] 節氣에 闕內에서 각종 法會나 小宴[曲宴]을 設行하거나 寺刹에 幸次하여 設齋하였고, 또 風光이 좋은 절기에는 出幸, 遊宴하는 경우가 많았던 것을 念頭에 두었다. 이는 臣僚들의 경우에도 마찬가지였을 것인데, 出幸을 좋아했던 毅宗·禑王과 같은 경우는 無時無刻으로 출행, 酒宴을 베풀었기에 이 범주에 해당되지 않는다. 또 이러한 行事는 忌日, 雨天, 諸般事情로 인해 1~2일 順延, 停止(혹은 遲延)되는 경우도 있었지만, 常式(혹은 常規)은 아니었다.

345) 이때 旱魃로 인해 禁酒令이 시행될 豫定이었던 것 같다. 黃封은 宋代에 甁口를 누른색의 綿布[黃羅絹, 黃羅帊] 또는 黃紙로 密封하였기에 酒를 黃封, 黃封酒라고 指稱하였다고 한다.
·『목은시고』 권29, 乙巳門生, 以酒食來, 亦因酒禁也 ; 金大諫來訪云,昨日上官禁酒,故無黃封,旣去,吟得三首六友也 ; 昨同韓淸城脩, 歷謁廣評侍中不遇, 鐵城侍中水飯, … 至上黨君宅小酌, 禁前法釀也, 同辭止三爵, 茗飮而歸.
·『東坡全集』 권14, 岐亭五首幷序(三首), "君家蜂作窠, 歲歲添漆汁, 我身牛穿鼻, 卷舌聊自濕, 二年三年過, 君此行眞得得, 愛君似劇孟, 叩門知緩急, 家有紅顔兒, 能唱綠頭鴨, 行當隔濂見, 花霧輕冪冪, 爲我取黃封, 親拆官泥赤, 仍須煩素手, 自點葉家白 …".
·『註東坡先生詩』 권21, 岐亭五首幷引, "… 爲我取黃封, 親拆官泥赤[注, 京師官法酒, 以黃紙或黃羅絹冪甁口, 名黃封酒], …".

[翌日辛酉6日, 韓山君李穡與廉興邦, 晨飯還營, 則酒饌盛於前, 判三司事洪永通奉宣醞來勞. 是日, 重房補昇天府池之堤, 故重房又設盛饌, 旣罷, 穡與興邦·禹玄寶·五宰林堅味·三司右使都吉敷·判密直司事柳某·光陽君李茂芳·密直金某還京:追加].[346)]

[辛酉6日, 白氣如布, 貫月:五行2轉載].[347)]

[壬戌7日:追加], 攝事于諸陵, 獻官闕. 以堂後□官柳謙·錄事鄭修, 遺忘不告都堂也.

[→壬戌, 攝事于諸陵, 獻官皆不至:禮3吉禮大祀轉載].

[癸亥8日:比定], 都人以釋迦生日, 張燈, 禑欲微服徒行觀燈,[348)] 下馬, 僕人牽退少遲, 禑手策馬踶, 傷其面. 憲府司憲府以內乘別監邊伐介等, 掌廐馬, 不能調習, 而又非時進馬, 至使上驚動, 請罪之. 乃杖流伐介等五人. [時內乘畏憲府, 不敢非時進馬, 故禑頻奪人馬, 乘以出遊. 於是, 詣闕者, 皆匿其馬:節要轉載].

[甲子9日, 月暈:天文3轉載].

[○獐入城, 日官奏, "按秘記云, '獐入國中, 其國亡'. 願小心修省, 毋事遊畋": 五行2轉載].

[某日, 置田民辨僞都監:節要轉載].[349)]

[某日, 以前政堂文學廉興邦爲門下評理:追加].[350)]

---

346) 이는 다음의 자료에 의거하였는데, 여기서 密直 柳某와 金某, 判密直司事 柳某는 누구인지를 알 수 없다.

· 『목은시고』 권29, 承守侍中招而作, 盖公設送酒會於升天府昇天府之軍營也 ; 途遇韓政堂偕行, 又遇李二相. 至營, 廉東亭·禹政堂·柳密直繼至. 韓政堂邀僕夕飯, 禹與柳皆幙於韓公之次, 同飯, 以異味相侑. 旣而守侍中與軍官, 苗罷而來, 大作樂, 盛酒饌, 送麴生, 夜中而止. 僕畏露宿, 廉東亭携至乃翁田庄. 晨飯還營, 則酒饌盛於前, 判三司事奉宣醞來勞. 是日, 重房補升天府昇天府池之堤, 故重房又設盛饌, 旣罷, 與東亭·禹政堂·林五宰·都右使·柳判樞·李光陽·金密直還京, ….

347) 이날 일본의 교토에서 맑다가 오전 11시 무렵에 雷鳴이 있고 비가 조금 내렸으나 곧 개였다고 한다(『愚管記』제25, 永德 1년 4월, "六日辛酉, 晴, 午剋雷鳴小雨, 卽又霽").

348) 이날 韓山君 李穡도 二相 李子松의 초청으로 그의 弟 密直 某를 위시한 賓客들과 함께 觀燈하였다고 한다.

· 『목은시고』 권29, 李二相使其弟密直公, 招僕同觀燈, 至則盛賓客, 具酒饌, 鷄鳴而罷, 小歇, 吟得一首.

349) 이와 관련된 기사로 지31, 百官2, 田民辨正都監, "辛禑七年, 又置"가 있다.

350) 이는 다음의 자료에 의거하였는데, 이날 政目이 발표되었던 것 같다.

· 『목은시고』 권29, 東亭復入都堂, 詩以陳賀, "龍頭今在廟堂中, 只有鴻樞圃隱公鄭夢周, 最喜東亭

己巳[14日], 雨雹.[351]

[某日], 倭自智異山, 逃入無等山, 樹柵圭峯寺巖石閒, 三面峭絶, 唯小逕緣崖, 僅通一人. 全羅道都巡問使李乙珍, 募敢死士百人, 乘高下石, 以火箭焚其柵, 賊窘墜崖, 死者甚衆. 餘賊走海, 竊小船而遁. 前少尹羅公彦, 以快船, 追及盡殺之, 擒十三人.[352]

[辛未[16日], 亦如之[月暈]:天文3轉載].

[壬申[17日], 亦如之[月暈]:天文3轉載].

[○日暈:天文1轉載].

[庚辰[25日], □□□□□□□□□[~~遣祈雨行香使鄭公權~~], 禱雨于演福寺:五行2轉載].[353]

[辛巳[26日], 亦如之[禱雨于演福寺]:五行2轉載].

[壬午[27日]:追加], 以旱慮囚.[354]

[→壬午, 以旱錄囚:五行2轉載].

[○有氣如煙, 生于演福寺金堂東角:五行2轉載].

[癸未[28日], 又禱于群望:五行2轉載].

[○[有氣如煙]又生西角:五行2轉載].

五月[乙酉朔大盡,甲午], [丙戌[2日], 雨:五行2轉載].[355]

拜評理, 定敎黃閣振文風. …" ; 昨日, 同韓柳巷[脩], 歷謁新除宰樞, 旣訖則謁耆老諸令公, ….

351) 이와 같은 기사가 지7, 五行1, 水, 雨雹에도 수록되어 있다.

352) 李乙珍은 全羅道元帥兼都巡問使로 3월에 全羅道에 들어왔다[下界](『금성일기』).

353) ~~添字~~는 5월 2일의 脚注에 의거하였다.

354) 이때 韓山君 李穡도 비가 내리지 않음을 걱정하였다.

· 『목은시고』 권29, 悶雨歌一首·微雨題六言三首·欲雨不雨, 作何哉嘆.

355) 이날 교토에서 흐렸다고 한다. 이날의 비[雨]에 대해 韓山君 李穡도 기뻐하였다.

· 『愚管記』제25, 永德 1년 5월, "二日丙戌, 陰".

· 『목은시고』 권29, 天未明有雨, 屋漏霑衾, 驚喜作幸哉歌, "我屋不足修, 我衾不足惜, 快哉今日雨, 驚喜欲跳躅, …", [注, 祈雨行香使, 其任最難, 故雖累日不成, 或未半日而雨, 誠不誠歟, 幸不幸歟. 今之得雨也, 實吾同年鄭政堂爲其使, 僕喜之又喜, 爲同年喜私也, 爲國家喜公也, 方其未得雨也, 作何哉嘆, 及其得也, 作幸哉歌, 何哉於前, 幸哉於後, 吾情之箸也. 錄呈圓齋[鄭公權], 庶其亮之, 其不歸功於圓齋者, 盖圓齋行香而已, …].

[某日, 元帥南佐時等討江陵倭賊, 凱旋:追加].[356)]

[己丑5日, 端午. 主上殿下, 憂念兵荒, 民多流亡, 方致仄席, 弭灾之志, 宰相上體聖心, 禁群飮, 發倉賑財, 故於是日, 亦破擊毬. 而端午日擊毬, 前例也, 若子弟習馳騁, 私聚爲樂, 不禁:追加].[357)]

[○是日, 如前例, 城內各處行石戰. 午前, 馬市川邊, 徒衆未集, 則空無人. 省門前, 有石戰, 而道阻不能觀戰. 善竹大道, 又有石戰, 韓山君李穡·政堂文學廉興邦·判書權季容等, 登南山東麓以觀, 時雨降, 爭石戰者, 至衣裳沾濕, 亦不邺也. 尋季容曰, "遠而視之, 不若近之詳", 於是, 穡·興邦等, 至善竹水邊, 登小樓視, 至暮穡等, 散而歸:追加].[358)]

[庚寅6日, 白氣如布, 貫月:五行2轉載].[359)]

[癸巳9日, 日暈:天文1轉載].

[○月暈:天文3轉載].[360)]

[某日], 倭寇伊山戍, 楊廣道都巡問使吳彥, 戰却之, 斬八級, 擒一人.

[某日], 海道萬戶崔七夕, 私放軍三十餘人, 以其糧, 送于家. 事覺下獄.

[某日], 雞林元帥尹虎, 斬倭十一級.[361)]

---

356) 이는 是月 5日에 행해진 石戰의 脚注358에 의거하였다.

357) 이는 다음의 자료에 의거하였다.

· 『목은시고』 권29, 端午日擊毬, 前例也.」 主上殿下, 憂念兵荒, 民多流亡, 方致仄席, 弭灾之志, 宰相上體聖心, 禁群飮, 發倉賑財, 故於是日, 亦破擊毬. 臣穡感激之至, 吟成一首以志. 若其子弟習馳騁, 私聚爲樂, 必不禁也, 誰能招我共觀乎.

358) 이는 다음의 자료에 의거하였다.

· 『목은시고』 권29, 同閔判書·權判書, 拜外舅姑墳墓, 入城欲觀石戰, 馬市川邊, 則空無人. 時南元帥南佐時出敵江陵倭賊凱旋. 同往候之, 至省門, 遇石戰, 道阻而回, 善竹大道, 又有石戰者, 將等南山東麓以觀, 方其未集也, 入任判事家小歇, 及其作也, 廉東亭亦至, 遂等以觀之. 雨至衣裳沾濕, 亦不邺也. 權判書邀至其家設食, 旣又曰, 遠而視之, 不若近之詳, 於是, 至善竹水邊登小樓, 李商議松軒·文班主又至, 石戰一交於樓下, 觀戰於是足矣, 日且暮, 各散而歸.

359) 이날 교토에서 흐리고 때때로 비가 조금씩 내렸다고 한다(『愚管記』제25, 永德 1년 5월, "六日庚寅, 陰, 時々小雨").

360) 이날 교토에서 흐렸다고 한다(『愚管記』제25, 永德 1년 5월, "九日癸巳, 陰").

361) 尹虎는 純誠翊祚功臣·匡靖大夫·雞林元帥兼府尹兼管內勸農·都兵馬使로서 前年(庚申, 우왕6) 10월 12일에 到任하여 明年(壬戌, 우왕8) 2월 22일 判厚德府尹에 임명되어 上京하였다(『동도역세제자기』).

[某日], 遣判典農事李龜哲于西北面, 刺探定遼衛事變.

[某日], 京都有一尼, 自稱彌勒, 人皆信之, 爭施米布. 憲司杖, 流之.

[某日], 宥二罪以下.

[某日], 書雲觀言, 旱旣太甚, 請禁屠殺·罷土木之役.

[某日], 安東□[道]兵馬使鄭南晉擊倭, 斬十六級.[362)]

[某日], 倭寇寧海府.

[某日, 合坐所招耆老·閑良, 會議事明之事宜:追加].[363)]

[壬寅[18日], 以旱, 鑿城中池. 又禱雨于演福寺:五行2轉載].

[甲辰[20日], 巷市:五行2轉載].

[庚戌[26日], 獐入城:五行2轉載].

[壬子[28日]:追加], 遣密直提學張夏及判事[判典醫司事]楊宗眞, 禱雨于開城大井. 是日, 雨. 與[賜]夏廐馬.

[→壬子, 遣密直提學張夏及判事楊宗眞, 禱雨于開城大井. 是日, 雨:五行2轉載].[364)]

[某日], 三司右使柳淥卒.

[□□[是月], 京城饑, 布一匹, 直米三四升:五行3轉載].

○慶尙道高靈郡饑, 弃兒滿路, 餓死者不可勝計.

[是月頃, 以[朝奉郎]朴禧爲安東大都護府判官, 姜思敬爲羅州牧判官, 徐淑爲永州副使:追加].[365)]

---

362) 鄭南晉은 奉翊大夫·安東府使兼安東道兵馬使로서 前年(庚申, 우왕6) 11월에 부임하여 이해의 9월에 遞任되었다(『안동선생안』). 또 이때 안동부 관내의 雙碧樓가 倭賊에 의해 소실되었던 것 같다.
· 『滄溪集』 권2, 次雙碧樓韻幷序, "樓, 初李君瑤所建, 洪武辛酉[禑王7年], 遭倭火焚蕩, 癸酉[太祖2年]田君平遠, 遂改之, …".

363) 이는 다음의 자료에 의거하였다.
· 『목은시고』 권29, 合坐所招耆老·閑良, 會議事大事宜, 旣罷, ….

364) 이날 교토에서 흐렸다고 한다(『愚管記』 제25, 永德 1년 5월, "廿八日壬子, 陰").

365) 이는 『안동선생안』; 『금성일기』; 『영천선생안』에 의거하였는데, 徐淑의 赴任時期는 前例에 따라 유추하였다.

六月乙卯朔小盡,乙未, [某日, 鷹揚軍上護軍兼兵曹判書李元富卒, 年五十一:追加].[366]

[甲子10日, 月犯房星:天文3轉載].

[某日], 憲府司憲府言, "僧徒多依近幸, 受上押願文, 横行中外. 願自今, 如有夤緣受押者, 罪之. 且州郡吏, 苟避鄕役者多, 請除中科擧·立軍功外, 勿許免鄕". 禑納之.

[某日], 倭寇庇仁縣.

[某日], 以密直鄭地爲海道元帥~~副元帥~~.[367]

[某日], □以安東□道兵馬使鄭南晋·體覆使黃希碩, 捕倭. 禑與酒及馬.[368]

[某日], 禑畋于延福亭.

[某日], 倭焚永州.

[某日], 倭船五十艘至金海府, 圍山城, 慶尙道都巡問使兼上元帥南秩擊, 却之. 秩又戰于寧海·蔚州·梁州·彥陽等處, 凡五合, 斬八級.

[某日], 以前密直使池湧奇爲楊廣·全羅·慶尙道助戰元帥.[369]

[某日], 海道□副元帥鄭地病, 以門下評理商議沈德符代之.

[某日], 禑奪騎人馬出遊, 時內乘畏憲府司憲府. 不敢非時進馬, 故禑頻奪人馬. 於是, 詣闕者, 皆匿其馬.

[某日], 知門下府事商議李靭卒. 贈謚諡翼孝.

[某日], 倭寇蔚珍縣, 江陵道副元帥權玄龍與戰中槊, 遂奮擊敗之, 斬二十級, 獲馬七十匹.

---

366) 이는 다음의 자료에 의거하였는데, 李元富의 인적사항을 알 수 없으나 詩文을 통해 볼 때 李仁任의 一族인 같지만 確定할 수 없다.

· 『목은시고』 권30, 哭李鷹揚, 元富, "昆仲聯翩一世豪, 鷹揚上將冠兵曹, 傷心落日玄陵遠, 齒漸稀踈鬢二毛, 人生五十一春風, 得失悲歡夢已空, 身後傳家有兄子, 九泉應謝侍中公, …".

367) 鄭地의 열전에는 우왕 8년에 海道元帥가 되었다고 되어 있는데, 이는 『고려사』의 편찬자가 卽位年稱元法을 踰年稱元法으로 고치면서 잘못 計算한 결과일 것이다. 또 鄭地는 이때 元帥가 아니라 副元帥였다(열전26, 鄭地, "禑王八年, 爲海道□副元帥"→우왕 9년 1월 某日, 『금성일기』).

368) 이 기사는 5월 某日에 鄭南晋이 倭賊의 16馘을 바친 것에 褒賞한 조처일 것이므로 ~~添字~~가 추가되어야 할 것이다.

369) 이와 관련된 기사로 다음이 있다.

· 열전27, 池湧奇, "禑責湧奇不能禦倭, 杖其都鎭撫. 尋進密直使, 罷. 起爲楊廣·全羅·慶尙道助戰元帥".

[某日], 禑奪騎人馬, 出遊, 手執鐵杖, 遇狗擊殺之, 一日所殺, 或至二十餘.

[某日], 料物庫及諸倉庫告罄, 因倭寇與旱灾, 未納貢賦故也.

[某日], 禑乘醉, 馳馬于龍首山, 墮馬輿還. [守侍中崔瑩泣諫曰, "忠惠王好色, 然必以夜, 不使人見, 忠肅王好遊, 然必以時, 不使民怨. 今殿下遊戲無度, 以致墮馬傷體, 臣等備位宰相, 不能匡救, 何面目見人". 禑曰, "自今改之":節要轉載].[370)]

[秋]七月甲申朔小盡,丙申, [某日], 倭寇金海府.

[某日], 慶尙道按廉□使報, "倭入丑山島, 欲寇安東等處, 甫州普門社所藏史籍, 請移內地". 遣史官, 移置忠州開天寺.[371)]

庚寅7日, 以禑生辰, 宥一罪以下.

[某日], 禑集群妓宮中, 爲長夜之樂. 自是, 殆無虛日.

[某日], 倭寇固城縣, 慶尙道都巡問使兼上元帥南秩與戰, 斬八級.

[某日], 濟州人飄泊上國境. 時大明疑我從北元, 見囊中書, 有紀洪武年號, 喜, 厚慰遣還.

[某日], 遣前判事李希椿于楊廣·交州道, 監造戰艦.

[某日], 遣副正鄭連于定遼衛, 以探事變.

[癸卯20日, 禱雨于演福寺, 徙市:五行2轉載].

[乙巳22日, 月掩鎭星:天文3轉載].

辛亥28日, 大雨.

[→癸亥~~辛亥~~28日, 大雨水, 溺死者多:五行2轉載].[372)]

[○歲星入羽林, 至于九月:天文3轉載].

[某日, 都堂閱火桶都監火藥, 與防禦都監軍器:兵1五軍轉載].

---

370) 이와 같은 내용이 열전26, 崔瑩에도 수록되어 있으나 字句에 차이가 있다.

371) 이해의 慶尙道按廉使는 春夏番[春夏等]은 全五倫, 秋冬番[秋冬等]은 朴德祥인데(『경상도영주제명기』), 7월은 交替期여서 누구인지를 把握하기 어렵다.

372) 癸亥는 辛亥의 오자일 것이다.

[某日, 以朴德祥爲慶尙道按廉使, 諫議大夫安某爲楊廣道按廉使, 摠郞許祖爲全羅道按廉使:慶尙道營主題名記·錦城日記].[373]

[是月, 群烏東來, 其飛蔽天, 集進鳳·龍首等山. 又至社稷壇, 旬日而止. 命書雲觀, 禳之:五行1轉載].

八月癸丑朔小盡,丁酉, [某日], 禑令群妓奏樂, 與布一百五十匹.

[某日], 抄坊里人及京畿丁夫, 修城門.

[某日], 頒祿未贍, 自七品以下, 皆給以布.

[→頒祿. 舊制頒祿, 必以七月七日, 今因倭寇, 貢賦不至, 至是始頒. 然宰相之俸, 不過數斛, 七品以下, 只給布子:食貨3祿俸轉載].

[某日], 宦者朴元常, 導禑作十六天魔樂. 憲司上疏, 斥之.[374]

[某日], 禑畋于新京.

[某日], 書雲觀請移都. 於是, 議徙漢陽.

[壬戌10日, 熒惑·輿鬼犯積尸.:天文3轉載].

[丁卯15日, [中秋:追加]. 熒惑入輿鬼, 犯積尸. 自七月, 歲星入守羽林:天文3轉載], [入夜雨, 至曉洒不休:追加].[375].

---

373) 楊廣道按廉使 安某와 添字는 다음의 자료에 의거하였는데, 이 詩文은 8월에 작성된 것 같다.
· 『목은시고』 권30, 送中道按廉使安諫議·送全羅道按廉使許摠郞.

374) 十六天魔樂은 '十六天魔舞의 樂曲'인 것으로 추측되는데, 後者는 1354년(至正14, 공민왕3) 惠宗[順帝]의 命에 의해 按舞되었다고 한다(『원사』 권43, 본기43, 순제6, 지정 14년, 是歲). 그렇지만 王建(767~830推定)의 「宮詞」에 '十六天魔舞袖長'이라는 구절이 있음을 보아 唐代부터 있었던 것 같다(王頲 2005年).
· 『說郛』 권110上, 元氏掖庭記(末尾), "帝惠宗在位久, 怠于政事, 荒于游宴, 以宮女一十六人按舞, 名爲'天魔舞'. 首垂髮數辮, 戴象牙冠, 身披纓絡·大紅銷金長裙襖, 各執加巴剌般之器. 又宮女十一人, 練槌髻勒帕常服, 或用唐巾窄衫. 所奏樂用龍笛·頭管·小鼓·箏·琴·琵琶·笙·胡琴·響板, .每宮中讚佛, 則按舞奏樂. 帝又于內院造龍船, 首尾長一百二十尺, 廣二十尺, 上有五殿.龍身幷殿宇俱五采金裝, 日于後宮海子內游戲. 船行則龍首尾眼爪皆動. 又自製宮漏, 約高六七尺, 爲木櫃, 藏壺其中, 運水上下. 櫃上設四方三聖殿, 櫃腰設玉女捧, 時刻籌. 時至, 輒浮水而上. 左右列二金甲神人, 一懸鐘, 一懸鉦, 夜則神人, 自能按更而擊".
· 『少室山房筆叢』甲部, 丹鉛新錄2, 天魔隊, "天魔舞, 亦唐時樂, 王建宮詞, 十六天魔舞袖長, 不始元末也".

375) 여기에서 追加된 事實은 다음의 자료에 의거하였다.

[戊辰16日, 大風拔木:五行3轉載].[376]

[某日, 京城物價踴貴, 商賈爭利錐刀. 守侍中崔瑩疾之, 凡市物, 令京市署, 評定物價, 識以稅印, 始許買賣, 無印識者, 將鉤脊筋殺之. 於是, 懸大鉤於署, 以示之, 市人震慄. 事竟不行:食貨2市估轉載].[377]

九月壬午朔大盡,戊戌, [某日], 倭寇永州·瑞州.

[己丑8日], 禑獵于郊, 聚牧馬, 手飛索, 以羂之.[378]

[某日], 以中外官印制, 無等, 改鑄之.

[某日], 慶尙道都巡問使兼上元帥南秩擊智異山餘倭, 斬四級, 幷獲馬十六匹.

[癸巳12日, 熒惑犯軒轅.:天文3轉載].

[丙申15日, 晴:追加].[379]

[庚子19日, 辰星入軒轅大星, 北隔一尺餘:天文3轉載].

[辛丑20日, 熒惑入軒轅大星:天文3轉載].

[某日, 以三重大匡·政堂文學李穡爲三重大匡·領藝文春秋館事·韓山君, 知申事盧嵩爲密直提學:追加].[380]

· 『목은시고』 권30, 中秋雨, “共愛仲秋月, 恩河溢素波, 倘嫌雲點綴, 況値雨雱沲, …” ; 有感, “夜雨連明洒不休, …”.

376) 이때 교토에서 15일(丁卯)은 맑다가 밤에 바람이 불고 비가 내렸으나 곧 흐렸고, 16일(戊辰)은 맑았다고 한다.

· 『愚管記』제25, 永德 1년 8월, “十五日丁卯, 晴, 入夜風吹雨降, 卽又屬霽, … 十六日戊辰, 晴”.

377) 이와 같은 내용이 열전26, 崔瑩에도 수록되어 있으나 字句에 출입이 있다.

378) 이날이 8일(己丑)임은 다음의 자료에 의거하였는데, 한산군 이색은 禑王의 出獵을 ‘君主가 秋收를 두루 살펴보는 것[省斂, 巡視]’으로 記載하였다.

· 『목은시고』 권30, 重九前一日, 呈柳巷韓脩 ; 伏値」主上殿下省斂南郊, 無由陪侍, 吟成一首 ; 重九日, 寄班主.

· 『맹자』, 梁惠王章句下, “齊宣王見孟子於雪宮, 王曰, ‘賢者亦有此樂乎?’ 孟子對曰, … 天子適諸侯曰巡狩, 巡狩者, 巡所守也. … 春省耕而補不足, 秋省斂而助不給”.

379) 이는 다음의 자료에 의거하였다.

· 『목은시고』 권30, 九月十五日夜, 柳巷招飮, 對月泛菊.

380) 이는 다음의 자료에 의거하였는데, 이때 李穡은 政堂文學에서 퇴직하여 封君號와 館職만을 지닌 散官이 된 것이다.

· 『목은집』연보, 洪武十四年辛酉, “九月, 拜三重大匡·領藝文春秋館事·韓山君, 功臣號如故”.

[某日, 王還宮, 韓山君李穡欲迓郊外, 無及:追加].[381)]

[某日, 文書監進色招韓山君李穡請坐, 至則都堂又遣人來招穡:追加].[382)]

[甲辰[23日], 玄陵忌日, 設齋于王輪寺, 曲城君廉悌臣·漆原君尹桓·吉昌君權適, 行禮」靈殿, 韓山君李穡隨其後行禮. 禮畢, 宰樞所邀入僧房, 設食:追加].[383)]

[某日, 韓山君李穡, 從惠民局衆官索藥, 爲奴病:追加].[384)]

[是月, 領三司事廉悌臣·門下評理廉興邦一族寫成'大般若波羅密多經'·'放光般若經'·'持心梵天所問經'等編:追加].[385)]

· 『大般若波羅密多經』跋, "蒼龍辛酉九月日, 推忠保節同德贊化功臣·三重大匡·領藝文春秋館事·韓山君李穡跋"(張東翼 2004년 717面).

· 『목은시고』 권30, 賀門生盧嵩配密直提學.

· 『태종실록』 권28, 14년 8월 甲辰[4日], 盧嵩의 卒記, "… [嵩,] 官至知申事, 出納惟允. 時僞主[禑王]盤遊無節, 一日命駕適野, 會大雨川漲, 嵩力陳禍福, 涕泣而諫, 主乃還, 時人嘉其勁直".

381) 이는 다음의 자료에 의거하였다.

· 『목은시고』 권30, 昨日, 迓無及于嶠外, 歸而困臥, 晨興有感.

382) 이는 다음의 자료에 의거하였다.

· 『목은시고』 권30, [文書]監進色請坐, 至則都堂又來招, 水飯而歸.

383) 이는 다음의 자료에 의거하였다.

· 『목은시고』 권30, 玄陵忌旦, 設齋王輪寺, 曲城·漆原·吉昌, 行禮」靈殿, 穡隨其後, 宰樞所邀入僧房, 設食, 歸而志之.

384) 이는 다음의 자료에 의거하였다.

· 『목은시고』 권30, 從惠民局衆官索藥, 爲奴病也.

385) 이는 다음의 자료에 의거하였는데, 이와 같은 기록이 『放光般若經』 권20, 『持心梵天所問經』 第1에도 수록되어 있다(高野山金剛峰寺 所藏, 水原堯榮 1931年 696面 ; 每日新聞社 1977年 128面 ; 張東翼 2004년 718面). 이 자료는 大谷大學 所藏本인 『法苑珠林』卷末刊記에도 수록되어 있다고 하는데, 引用된 內容이 적절하지 않다(郭丞勳 2021년 525面 ; 國立文化財研究所 2008년c 6面 ; 朴鎔辰 2012년b).

· 『大般若波羅密多經』 권59, 題記, "門下評理廉仲昌父,語予曰,興邦,事」玄陵,由進士,至密直,典貢士極儒者榮,所以」圖報之靡所不爲也,」如來一大藏敎,萬法具擧,三根齊被,無」明,無先後,革凡成聖之大方便也,是」以,歸崇日多,流布廣如吾者,亦幸印」出全部焉,所以追」玄陵冥福也,同吾心,助以財者,雖甚衆,吾父」領三司事曲城府院君,吾母」辰韓國大夫人權氏,吾室之義父」判門下漆原府院君尹公,前判書朴公,」出錢尤最多,幹玆事,化楮爲紙,化紙爲」經,捐其財,盡其力者,華藏大禪師尙聰,」陽山大禪師行齊,寶林社主覺月,」禪洞社主達劒,又與吾同志者也,將誌」諸卷末,以告後之人,幸子無辭,穡曰,吾」先人文孝公,事」玄陵潛邸,及卽位,穡由及第,至政堂,圖報」之至,亦化大藏一部矣,吾二人者,心同」事又同焉,故不辭,蒼龍辛酉九月日」推忠保節同德贊化功臣·三重大匡·領」藝文春秋館事·韓山君李穡跋.」同願慶尙道上元帥兼都巡問使·推誠翊衛保理功臣·重大匡·宜春君南秩,」同願慶尙道按廉使兼監倉安集勸農使轉輸提點形獄兵馬事·奉常大夫·軍簿摠郞全五倫,」同願江州道兵馬使·奉翊大夫·晋州牧使兼管內勸農防禦使朴葳,」幹善道人智正,」

[是月頃, 以奉翊大夫李希陵爲安東大都護府使, 朝奉郎羅謙爲安東大都護府判官:追加].[386)]

[冬]十月壬子朔大盡,己亥, 日食.[387)]

[某日], 憲府司憲府言, 變怪屢見, 禍患可畏, 請夙興夜寐, 恐懼修省. 不聽.

[某日], 禑畋于江陰縣, 宴樂達曙, 賜奏樂人布一百匹.[388)]

辛酉10日, 大霧.

[壬戌11日, 三司副使尹龜生妻崔氏卒, 年六十五:追加].[389)]

[某日], 豊儲倉告匱.

[某日], 禑率宦官二三人, 夜二鼓, 踰宮墻而出. 直宿諸臣, 不知所之, 大驚. 俄而禑還.

[丁卯16日, 月掩鎭星天文3轉載].

[某日], 倭寇臨河縣.

壬申21日, 彗見于氐, 長丈餘, 十五日乃滅.[390)]

同願道人惪宗,」 同願禪洞社道人達劒,」 同願寶林社道人覺月,」 同願陽山寺住持·廣智圓明妙悟無碍大禪師行齊」 同願華藏寺住持·行解相應圓悟大禪師尙聰」 同願文化郡夫人柳氏,」 同願奉翊大夫·前禮儀判書·進賢館提學朴僯,」 同願推忠秉義同德燮理翊贊功臣·壁上三韓」 三重大匡·判門下事·上護軍·漆原府院君尹桓,」 同願辰韓國大夫人權氏,」 同願忠誠守義同德論道保理功臣·壁上三韓」 三重大匡·領三司事·上護軍·曲城府院君廉悌臣,」 平壤郡夫人趙氏,」 大功德主,忠勤翊戴贊化功臣·匡靖大夫·門下評」理兼成均大司成·藝文館大提學·上護軍廉興邦」".

386) 이는『안동선생안』에 의거하였다.

387) 이날 明에서도 일식이 있었고(『명태조실록』 권139 ; 『명사』 권2, 본기2, 太祖2, 洪武 14년 10월 壬子), 일본에서도 관측되었다. 이날은 율리우스력의 1381년 10월 18일이고, 開京에서 일식 현상이 심했던 시간은 12시 26분, 食分은 0.47이었다(渡邊敏夫 1979年 313面).

· 『목은시고』 권30, 日蝕有感.

· 『愚管記』제25, 永德 1년 10월, "□□□□一日壬子, 夕霽, 月蝕正現".

· 『續史愚抄』28, 永德 1년 10월, "一日壬子, 日蝕, 陰雲不見, 暦曰, 午未剋當蝕".

388) 이때 한산군 이색은 禑王의 出獵을 省斂으로 記載하며 기뻐하였다.

· 『목은시고』 권30, 聞省斂之喜 ; 伏値□大駕出西郊, 以病不能從, 吟成一首.

389) 이는 「尹龜生妻崔氏墓誌銘」 (『목은문고』 권19)에 의거하였는데, 이날은 율리우스暦으로 1381년 10월 28일(그레고리暦 11월 5일)에 해당한다.

390) 이날 교토에서 21일(壬申)은 비가 내렸고 22일(癸酉) 새벽에 혜성이 관측되었던 것 같다.

[某日], 遣門下評理金庾如京師, 賀正.[391)]

[某日], 禑畋于江陰縣, 令女妓·樂師, 奏樂徹夜. 與布百匹.[392)]

[某日, 倭寇潘南縣. 楊廣·全羅·慶尙道助戰元帥池湧奇·全羅道元帥兼都巡問使李乙珍, 與戰却之, 獲一艘焚之, 斬九級. 賊投水死者, 亦多:節要轉載].[393)]

[乙亥24日, 熒惑犯大微太微西蕃上將天文3轉載].

[○山猪入時坐宮南邊:五行1豕禍轉載].

[丁丑26日, 熒惑入大微太微西大陽門:天文3轉載].

[是月, 大師惠謙與門下侍中崔瑩重修衿川縣安養寺殿宇. 是年七月, 瑩移牒楊廣道按廉使, 减軍租供其費, 徵丁夫執其役. 謙傾囊褚之讎, 隨檀越之喜, 得米豆布若干, 起工. 至是月落成. 上遣內侍朴元桂降香:追加].[394)]

十一月[壬午朔小盡,庚子, 晴:追加].[395)]

癸未2日, 雷.[396)]

· 『愚管記』제25, 永德 1년 10월, "卄一日壬申, 雨降, 卄二日癸酉, 晴, … 卄五日丙子, 晴陰不定, 朝間小雨, 自去卄二日晩, 彗星出東方, 光芒長一丈五六尺許云々, … 卄七日戊寅, 晴, 今晩見彗星, 光芒誠長, 曆應以來雖見, 及不如今度之光芒, 長驚目考也, 可恐々々".

391) 이해의 4월 明에 파견될 인물로 四宰 權仲和가 物望에 올랐으나 그는 母親이 80歲임을 이유로 本職을 辭職하였다고 한다.

· 『목은시고』 권29, 權四宰仲和爲親辭職, 盖避使事也, 親年八十, 而有萬里之行, 其爲懷抱可知已, 則其今日辭職之發於眞情, 又可知已. 然久不允, 在於君相, 是天也, 天可必乎, 大作短歌, 歸之於命而已. 이는 4월에 제작되었다.

· 『목은시고』 권30, 金五宰將赴金陵 ; 耆老會, 餞金五宰江南之行, 五宰盛設餞饌, 大作樂, 盡歡而罷. 이는 10월 初旬에 제작되었다.

392) 이때 한산군 이색은 禑王의 出獵을 詩文으로 기재하였다(『목은시고』 권30, 伏想郊宮有作).

393) 池湧奇는 9월에 全羅道에 들어왔고, 李乙珍은 3월에 들어왔다[下界](『금성일기』). 또 이와 같은 기사가 열전27, 池湧奇에도 수록되어 있다.

394) 이는 『도은집』 권4, 衿州安養寺塔重新記에 의거하였다(『신증동국여지승람』 권10, 衿川縣, 佛宇에 인용됨).

395) 이날은 淸明하였던 것 같다.

· 『목은시고』 권30, 仲冬朔日有詠, "仲冬今又至, 何日我方歸, 寂寂歲將晩, 紛紛人已非, 長星猶吐燄, 列宿揚輝, 坐想黃驪路, 柴扉向釣磯".

396) 이와 같은 기사가 지7, 五行1, 水, 雷震에도 수록되어 있다. 또 이때 교토에서 2일(癸未)은 맑았으나 3일(甲申)은 흐리고 저녁에 비가 내렸다고 한다(『愚管記』제25, 永德 1년 11월, "二日癸未,

[乙酉4日, 霧:追加].[397]

丙戌5日, 震雷, 雨雹.[398]

[某日], 遣密直使~~密直副使~~李海如京師, 獻馬九百三十三匹.[399]

[某日], 以前典工判書崔賢進爲水原·富平道兵馬使.

[某日], 海陽萬戶土音不花遣人, 獻鷹. 禑悅.

[某日], 倭寇保寧縣.

[某日], 靜州吏丘閑石·元錴·李松壽等,[400] 叛入遼瀋境, 誘民屯聚爲賊, 入寇昌州.

[某日], 倭寇密城郡, 知兵馬事李興富斬三級.[401]

[乙未14日, 八關小會, 雨:追加].

[丙申15日, 大會日, 曉雪:追加].[402]

[某日], 禑, 夜遊閭里, 路遇徼巡官, 追射之. 自是, 日與倡妓·宦竪, 遊戲無度, 連宵不寐, 好晝寢, 日暮乃興.

[是月初旬, 韓山君李穡, 依其妻之言, 錄綿紬價, "穡, 昔在大都獨七房. 以寢席一張, 五升布三疋, 買生絹廿尺, 又五疋, 買絹一疋, 至正已丑歲也~~忠定1年~~. 當時, 若鄕綿紬四十尺, 直五升布四疋而已. 今則絹一疋, 直布七十疋, 綿紬四十尺, 直布三十疋, 衣服安得如舊哉":追加].[403]

晴, … 三日甲申, 陰, 夕雨下").

397) 이는 다음의 자료에 의거하였다.
· 『목은시고』 권30, 牧翁[注, 十一月初四日], "… 江山寂々天逾逈, 日月明々霧乍收, …".

398) 이와 같은 기사가 지7, 五行1, 水, 雷震에도 수록되어 있다. 또 이때 교토에서 5일(丙戌)은 맑았으나 6일(丁亥)은 아침에 흐리다가 맑았다고 한다(『愚管記』제25, 永德 1년 11월, "五日丙戌, 晴, … 六日丁亥, 晴, 朝間陰").

399) 密直使는 密直副使의 잘못인데, 李海는 明年 4월 某日에 密直副使였다.

400) 李松壽는 『고려사절요』 권31에는 李松守로 되어 있다(盧明鎬 等編 2016년 779面).

401) 이때 한산군 이색도 倭賊이 慶尙道에 침입한 소식을 들었다(『목은시고』 권30, 李判官展來自安東, 言倭賊又來). 이때 李展은 安東府의 判官은 아니었다(『안동선생안』).

402) 14일과 15일은 다음의 자료에 의거하였다.
· 『목은시고』 권30, 種德副樞, 送八關改服茶食 ; 大會日, 賦曉雪, "… 近間雨傘防霑濕, 最喜天心漸順常".

403) 이는 다음의 자료에 의거하였다.
· 『목은시고』 권30, 錄婦言幷序, "昔在獨七房. 以寢席一張, 五升布三疋, 買生絹廿尺, 又五疋,

十二月辛亥朔大盡,辛丑, [丙辰6日, 月暈:天文3轉載].[404)]

壬戌12日, 以謹妃生日, 宥二罪以下.

[某日], 延山府人任加勿爭財, 殺其兄軍器少尹鳳起及妻孥, 乃囚加勿于獄.

[某日], 禑納謹妃宮人釋婢, 寵愛之, 書雲副正盧英壽之女也. 英壽威遠縣人, 初爲忠惠王女長寧公主媵臣.

[某日], 門下評理金庚·密直副使李海至遼東, 不納. 乃還.

[是月乙丑15日, □□明帝, 敕諭遼東都指揮使潘敬等曰, "前爾奏云, 高麗入貢如約, 觀卿處置甚合事宜. 高麗奸臣李仁□任簒弑其主, 臣民畏其黨衆, 而屈從之, 今幾年矣. 曩者, 中國之君, 以力服之者有焉, 以德懷之者有焉. 如高麗之奸頑, 德不能懷, 惟威之畏, 故前人以力得之, 其爲生民之禍, 亦甚矣. 雖有時而懷德待之, 以禮旋複詭詐, 竊發背叛不常, 累代兵征, 蓋以此也. 今李仁□任雖云願聽約束, 未知臣節, 久將何如. 卿與諸將其愼之, 高麗貢獻但一物, 有不如約, 卽卻之境上, 固守邊防, 毋被其誑":追加].[405)]

[冬某月, 以普愚普虛爲國師:追加].[406)]

[是年, 以泰州管內撫·渭二州. 析置撫·渭二州:轉載].[407)]

[○又置賑濟色:百官2救濟都監轉載].

[○城門都監發五部丁夫, 修都城, 未幾頹壞. 判三司事崔瑩怒曰, "都監員多, 不能監檢, 若此耶". 遂劾尹順等, 罷遣丁夫:列傳26崔瑩轉載].

買絹一疋, 是至正己丑歲忠定1年也. 若鄉綿紬四十尺, 直五升布四疋而已, 今則絹一疋, 直布七十疋, 綿紬四十尺, 直三十疋, 衣服安得如奮哉. 其言悲惋, 聞之不能不動于中, 直述以觀盛衰".

404) 이날 교토에서 전날 밤이래 눈이 내리다가 아침에 이르러 그쳤던 것 같다(『愚管記』제25, 永德 1년 12월, "五日丙辰, 晴, 夜來雪降, 至朝止").

405) 이는 『명태조실록』 권140, 홍무 14년 12월 乙丑을 전재하였다.

406) 이는 「楊州太古寺圓證國師塔碑」에 의거하였다.

407) 이는 다음의 자료를 전재한 것이다.

· 지12, 지리3, 泰州, "析置撫·渭二州".

· 『세종실록』 권154, 지리지, 泰川郡, "洪武十四年辛酉, 析置撫·渭州".

[○禑賜瑩田, 敎曰, “往歲, 倭賊深寇楊廣·全羅, 卿能指揮諸將, 焚賊舡於鎭浦. 復有雲峯之捷, 功大如山, 帶礪難忘. 嘗屢賜土田, 卿皆弃不收稅, 今賜父墓傍近高陽縣田二百三十結·長源亭田五十餘結”. 瑩, ~~辭以倉廩虛竭不受~~:列傳26崔瑩轉載].[408]

[○因倭寇, 漕路不通, 宰相之俸, 不過數斛, 門下侍中李仁任不受曰, “以予之祿, 頒諸尉正諸衛校尉·隊正.” 仁任縱肆貪饕, 瘠公肥私, 致祿俸不給, 顧行小惠, 以釣虛名, 時人譏之. 旣而辭職, 不允:列傳39李仁任轉載].

[○召前三司左尹~~金九容~~爲左司議大夫, 乃上書曰, “今倭冠倭寇侵擾, 四方受敵, 干戈未息, 民失其業, 飢饉流移, 貢賦·軍旅, 調發無地. 況變故屢興, 誠宜恐懼修省, 以答天心. 殿下輿居無節, 乘醉馳馬閭巷間, 若或一蹶, 恐致毁傷. 殿下縱自輕, 柰宗廟社稷何. 伏望, 念祖宗艱難之業, 察皇天譴告之心, 日接大臣, 講論治道, 出入威儀, 率由舊章”. 不聽:列傳17金九容轉載].

[○此年, 倭寇益烈, 城邑丘墟, 閭閻煨燼. 自是數年之間, 棄爲賊藪, 官吏寄寓於他州, 虎豕來捿于古里, 邊方無備:追加].[409]

[○以密直提學鄭夢周爲簽書密直司事:列傳30鄭夢周轉載].

[○以通直郎·典儀寺丞柳觀爲禮儀正郎:追加].[410]

[○以朴光遠爲知寧海府事:追加].[411]

[○判典校寺事趙云仡, 退居廣州古垣江村, 與慈恩僧宗林爲方外交. 重創板橋·沙平兩院, 自稱院主, 敝衣草屨, 與役徒同其勞. 過者, 不知其爲達官也:追加].[412]

---

408) 이에서 ~~添字~~는 1384년(우왕10) 3월 某日에 의거하였다.

409) 이는 다음의 자료에 의거하였는데, 이는 『신증동국여지승람』 권24, 寧海都護府 樓亭 西樓에 引用되어 있다.
- 『양촌집』 권11, 寧海府西門樓記, “… 爰自倭興, 日以衰替, 歲在辛酉, 其禍益烈, 城邑丘墟, 閭閻煨燼. 數年之間, 棄爲賊藪, 官吏寄寓於他州, 虎豕來捿于古里, 邊方無備”.

410) 이는 『夏亭集』行狀에 의거하였다.

411) 이는 『영해선생안』에 의거하였다.

412) 이는 다음의 자료에 의거하였다.
- 열전25, 趙云仡, “禑王六年, 乞退居廣州古垣江村, 重營板橋·沙平兩院, 自稱院主. 敝衣草屨, 與役徒同其勞, 過者不知爲達官也”.
- 『태종실록』 권8, 4년 12월 壬申5日, 趙云仡의 卒記, “… 再轉判典校寺事, 非其好也. 洪武辛酉, 退居廣州古垣江村, 與慈恩僧宗林爲方外交. 重創板橋·沙平兩院, 自稱院主, 敝衣草屨, 與役徒同其勞. 過者, 不知其爲達官也”.

[○奉順大夫·判司宰寺事許宗道卒:追加].413)

[○藝文應教尹紹宗, 以丁母憂, 居廬錦州, 服闋. 南方學者多從, 而受業追加].414)

[□□□是年頃, 門下贊成事邊安烈與贊成事林堅味·門下侍中李仁任, 提調政房, 同欲相濟, 凡工匠及有財者, 必先用之:列傳39邊安烈轉載].

[○尙州判官田理, 始築州城:追加].415)

壬戌[禑王]八年, 明洪武十五年, 北元天元四年, [西曆1382年]

1382년 1월 15일(Gre1월 23일)에서 1383년 2월 2일(Gre2월 10일)까지, 13개월 384일

[春]正月辛巳朔大盡,壬寅, [戊子8日, 月犯鎭星:天文3轉載].

[○演福寺井, 濁沸, 群魚鬪躍四日:五行1水變轉載].

[庚寅10日, 熒惑入大微太微:天文3轉載].

[辛卯11日, 月暈. 太白·歲星相犯:天文3轉載].

[辛丑21日, 鵂鶹鳴于時坐宮松樹:五行1轉載].

[某日, 轘前判事金克恭, 以徇諸道, 籍其家, 沒其妻孥, 流典校副令鄭矩·判事張子忠于遠地.416) ○初有投匿名書于門下侍中李仁任壻姜筮家云, "王之卽位, 不無嫌

---

413) 이는 「許邕妻李氏墓誌銘」에 의거하였는데, 許宗道는 許邕의 第3子이다. 또 허옹의 家系와 이들이 山淸縣 丹溪里에 定着한 것을 분석한 업적도 있다(朴勇國 2015년).

414) 이는 다음의 자료에 의거하였는데, 이 시기에 禑王이 尹紹宗에게 米 10石을 하사하였던 것 같다.
- 『태조실록』 권4, 2년 9월 己未17日, 尹紹宗의 卒記, "遷典儀副令, 藝文應敎. 辛酉禑王7年, 丁母憂, 居廬錦州, 服闋. 南方學者多從 而受業".
- 열전33, 尹紹宗, "… 改典儀副令·藝文應敎. 紹宗不顧產業, 家甚貧, 知申事李存性白禑, 賜米十碩".

415) 이는 다음의 자료에 의거하였는데, 이는 『신증동국여지승람』 권28, 尙州, 樓亭에도 인용되어 있다.
- 『양촌집』 권14, 尙州風咏樓記, "… 明年辛酉, 半刺田君理始築州城, 招輯遺民, 因舊基創別舘, 以待使命".

416) 鄭矩에 대한 기록으로 다음이 있으나 사실이 아닌 것 같다(a).
- a 『艮翁集』 권10, 靖忠祠上樑文, "高麗左諫議大夫·雪壑齋鄭公矩, 不仕我朝, 太宗李芳遠以舊誼, 累徵不至, 至賜劒責之, 後以賓禮諰見, 書健元陵碑額, 授寶文閣提學不拜, 賜第不處, 賜葬山遺命不葬, 卒諡靖節".

疑, 且甚無道, 曹敏修·林堅味·[門下贊成事]廉興邦·都吉敷·文達漢等, 謀去李仁任·崔瑩, 立定昌君瑤爲王". 克恭, 聞以語人, 其人以告堅味. 堅味, 意克恭所爲, 執而鞫之. 克恭, 不勝捶楚, 誣服. 獄官令克恭寫字, 與匿名書筆跡異. 仁任頗疑之, 然, 堅味必欲加罪克恭, 獄官不敢辨明, 遂殺之. 以子忠聞克恭言, 不告於國, 私告定昌君, 矩乃克恭壻, 故皆流之:節要轉載].

[→[禑王]八年, 有投匿名書於李仁任壻姜筮家云, "王之卽位, 不無嫌疑, 且甚無道, 曹敏修·林堅味·廉興邦·都吉敷·文達漢等, 謀去李仁任·崔瑩, 立定昌君瑤爲王". 前判事金克恭聞以語人, 其人以告堅味. 堅味, 意克恭所爲, 執而鞫之. 克恭, 不勝捶楚, 誣服. 獄官令克恭寫字, 與匿名書筆畫頓殊, 仁任頗疑之. 堅味必欲罪克恭, 獄官不敢辨白. 瑩曰, 克恭造虛事, 驚惑國家, 謀害大臣, 罪不容誅. 判事張子忠聞克恭言, 不告於國, 私告定昌君. 典校副令鄭矩爲克恭壻, 亦知而不告. 克恭則宜戮及妻孥, 矩·子忠可杖流. 使宦者金實白禑曰, "今欲族克恭, 願上勿禁. 定昌君亦不宜在朝, 請幷流之". 於是, 轘克恭以徇, 籍其家, 沒妻子爲奴婢. 流矩·子忠于遠地:列傳26崔瑩轉載].

[某日], 門下評理成元揆卒. 贈謚[譴]簡憲. □□[元揆], 性姦, 以能稱.

[某日], 遼東胡拔都率兵一千, 潛渡鴨江, 突至義州, 圍上萬戶張侶家,[417] 侶與其子思吉·思冲, 力拒之, 侶被創[被槍],[418] 二子俱中矢. 胡拔都奪侶財產及馬十五匹以去, 副萬戶崔元沚追擊, 斬二十餘級. 侶, 本[尙州]化寧人, 入鎭爲義州站吏, 能射御, 賂權貴, 得拜萬戶. 性貪而無知, 人心不附, 遂爲賊所輕.

[某日], 禑謁玄陵[恭愍王]·正陵[恭愍王妃], 遂畋于開城.

[某日, 以慶尙道按廉使朴德祥, 仍番, 崔丁智[崔灌?]爲全羅道按廉使:慶尙道營主題名記·錦城日記].[419]

· b 『태종실록』 권35, 18년 5월 丙辰[7日], "前議政府贊成鄭矩卒. 矩東萊人, 字仲常, 監察大夫良生之子. 中丁巳乙科第二人, 歷仕中外, 勤謹明敏, 所至有聲績, 又善隸草篆書. 戊寅, 上以靖安君兼判尙瑞司, 思得剛正不附麗者爲僚屬, 乃以矩爲判校書監事兼尙瑞少尹, 遂拜承旨兼尙瑞尹, 遷都承旨, 陞大司憲, 累轉至贊成. …".

417) 이때 張侶는 奉翊大夫·禮儀判書·上萬戶의 職銜을 가지고 있었던 것 같다. 그의 夫人인 龍彎郡夫人 康氏는 승려 覺持와 覺悟가 印度僧 指空, 普濟王師 懶翁惠勤의 舍利를 香山 安心寺에 봉안할 때 經費를 담당한 施主였다고 한다(『목은문고』 권3, 香山安心寺舍利石鍾記).

418) 被創은 被槍의 오자인데, 『고려사절요』 권31에는 옳게 되어 있다.

[□□是月], 賑慶尙·江陵·全羅道饑.[420)]

[是月頃, 以裴克廉爲元帥兼雞林府尹:追加].[421)]

二月辛亥朔大盡,癸卯, [甲寅4日, 月犯太白:天文3轉載].

[丁巳7日, 熒惑入大微太微:天文3轉載].

[某日], 以門下評理韓邦彦爲西北面都體察使兼安州道上元帥, 前知門下□府事商議金用輝爲都安撫使兼副元帥, 以備定遼衛兵.

[某日], 判書雲觀□事張補之等上書, 以變怪屢見, 請遷都避灾. 禑下其書都堂, 門下侍中李仁任執不可, 遂寢.[422)]

[→判書雲觀事張補之·副正吳思忠等上書言, "道詵密記有三京巡御之說. 今變怪屢現, 野獸入城, 群烏飛集宮中, 井沸魚鬪, 請移都避災". 禑下其書于都堂. 仁任執不可曰, "今勍敵在境, 覘我虛實, 不可徙深地示弱. 況又年饑, 倉廩罄竭, 而使行者贏粮, 居者失所, 其可乎? 且乘輿所至, 供億甚繁, 遷都之擧, 徒取民怨, 非久安之計也". 事遂寢:列傳39李仁任轉載].

[→時議遷都漢陽, 判三司事崔瑩曰, "讖書所載, 往事皆驗, 不可不信, 當速移都." 人皆重遷, 議遂寢:列傳26崔瑩轉載].[423)]

[己未9日, 以司設署令劉敬爲典儀主簿:追加].[424)]

[某日], 以德城君吳季南爲慶尙道都安撫使.[425)]

---

419) 崔丁智는 李成桂의 즉위 후에 곧장 유배된 禮曹摠郞 崔關이 後日 어떠한 事由로 인해 改書되었을 가능성이 있다.
 · 『목은시고』 권34, 送全羅道崔按廉, 名關.

420) 이와 같은 기사로 다음이 있지만, 그 시기는 二月로 되어 있다.
 · 지34, 식화3, 水旱疫癘賑貸之制, "禑王八年二月, 賑慶尙·全羅·江陵道饑".
 · 열전26, 崔瑩, "慶尙·江陵·全羅三道, 因倭寇失業, 民多餓死. 守侍中崔瑩令諸道, 置施與場, 擇慈良者主之, 出官米, 作糜粥賑之, 麥熟然後已".

421) 이는 『동도역세제자기』에 의거하였다.

422) 添字는 『고려사절요』 권31에 의거하였다.

423) 原文에는 이 기사가 1381년(우왕7)에 수록되어 있으나 이때[是時]가 옳을 것이다.

424) 이는 「劉敞政案」, "洪武十五年二月初九日, 批承奉郎·典儀主簿"에 의거하였다.

425) 吳季南은 그의 封君號를 통해 볼 때 貫鄕[土姓]이 德山縣 伊山인 것 같다(『세종실록』 권149,

[某日], 封釋婢[盧氏]爲毅妃, 父盧英壽爲大護軍, 母爲福安宅主. [盧氏, 本謹妃宮人釋婢也, 禑甚寵愛之:節要轉載].[426)]

[某日], 倭寇林州, [楊廣道]都巡問使吳彦擊之, 不克.

[癸亥[13日], 雨穀, 有似黑黍·小豆·蕎黍者. 王以問日官, 對曰, "謹按占書, 飢饉荐至, 人將相食之兆":五行1轉載].

[丁卯[17日], 月犯太白. 熒惑逆行, 入大微[太微]:天文3轉載].

[某日], 置盤纏色, 令大小文武官吏, 出馬匹及紵·麻布, 有差, 以備歲貢.[427)]

[某日], 禑給毅妃印, 以義順庫, 爲妃私藏.

[某日], 禑以□[世]子昌病, 宥二罪以下.

[癸酉[23日], 東北面進有角馬, 一曲一直, 長寸餘:五行1馬禍轉載].[428)]

甲戌[24日], 日有黑子, 大如雞卵, 凡三日.

[○狐入城:五行2轉載].

[丙子[26日], 日暈:天文1轉載].

[○有星孛[孛星]于北方:天文3轉載].

[某日], 有私奴無敵, 自稱彌勒化身, 伏誅.

[某日], 海陽萬戶金同不花, 遣其子夫耶介, 爲質.

[是月, 全羅道錦州, 有木結實, 色如粉, 狀如手指. 人以謂木實餠, 味不如餠:五行2轉載].

[○令臺省及各司, 擧可當外任者:選擧3選用守令轉載].

[是月頃, 以[奉翊大夫]李仲富[李忠富]爲安東大都護府使:追加].[429)]

지리지, 德山縣 ;『동국여지승람』 권19, 德山縣).

426) 添字는『고려사절요』 권31에서 달리 표기된 글자이다.

427) 이와 관련된 기사로 다음이 있다.
· 지31, 百官2, 盤纏都監, "辛禑八年, 又置盤纏色, 令大小文武官吏, 出馬疋及苧麻布有差. 以備朝廷歲貢".

428) 뿔이 있는 말[有角馬], 곧 角馬(Connochaetes)는 牛羚이라고도 부르는데, 一種의 大型 羚羊이다. 이는 動物의 分類學的으로 牛科의 狷羚亞科에 속하는 角馬屬에 해당한다.

429) 이는『안동선생안』에 의거하였는데, 李仲富는『고려사』에서 李忠富로 표기되었다(→우왕 9년 7월

[○前資政院使金光秀邀曲城君·前侍中廉悌臣， 漆原君·侍中尹桓， 及月城君鄭暉·吉昌君權適·前政堂文學韓脩·永寧君王彬·順興君王昇·政堂文學韓某及韓山君李穡，設盛饌作樂，而平章政事康舜龍坐主人之右．內官金實，院使之養子也，與內官某奉」兩殿宣醞以來，賓主拜飮，日黑而罷．既醒坐念，諸老皆受元朝恩命，院使事至正帝惠宗，長資政院，曲城累於朝，且爲郎中東省，漆原亦爲郎中，月城爲員外郎，吉昌爲王府斷事官，永寧賀正北庭，拜翰林承旨，順興亦入覲，拜右丞，少政堂韓某爲儒學提擧，韓山制科，供奉翰林，後爲郎中東省一年．曲城·漆原同年生，七十九歲，强健精敏，不少衰．月城少兩侍中一歲，吉昌少三歲，前政堂脩少五歲，未寧六十九，餘皆近六旬，韓山最少居末，然亦五十五歲焉:追加].[430]

閏[二]月辛巳朔小盡,癸卯，[431] [某日]，倭寇林州·扶餘·石城.

[癸未3日]，禑畋于南郊，禑與閹竪·內乘惡少輩，馳騖閭閻，擊殺雞犬，奪人鞍馬.[432]

某日).

430) 이는 다음의 자료에 의거하였는데, 添字와 같이 고쳐야 좋을 것이다.

· 『목은시고』 권31, 金光秀院使邀曲城·漆原兩侍中及鄭月城·權吉昌·韓政堂·永寧君·順興君·少韓政堂及穡，設盛饌作樂，而康平章坐主人之右．內官金實，主人之養子也，同一內官奉」兩殿仙醞宣醞以來，賓主拜飮，日黑而罷．既醒坐念，諸老皆受元朝恩命，院使事至正帝，長資政院，曲城累於朝，且爲郎中東省，漆原君亦爲郎中，月城爲員外，吉昌爲王府斷事官，永寧賀正北庭，拜翰林承旨，順興亦入覲，拜右承右丞，少韓政堂爲儒學提擧，穡僥倖世科制科，供奉翰林，後爲郎中東省一年，而中國聖人出矣．嗚呼，曲城·漆原同年生，七十九歲，强健精敏，不少衰．月城少兩侍中一歲，吉昌少三歲，老韓少五歲，未寧六十九，餘皆近六旬，穡最少居末，然亦五十五歲，參與盛會，豈非至幸，吟成一首，以自誇耀焉.

431) 이해[是年]의 北東아시아 3國의 閏月 編成이 日本은 1월, 高麗는 2월, 明은 3월로 차이가 있었으나 4개월에 걸쳐 月의 大小[大盡, 小盡]에는 차이가 없다. 고려왕조는 1301년(충렬왕27)부터 몽골제국의 曆日을 사용한 이래 前年(우왕8, 1382)까지 中原의 曆日과 同一하였지만, 이달[是月]에 차이를 보이고 있는 것이 주목된다. 이는 高麗末의 對外關係의 변화에 의한 것으로 추측되는데, 1377년(우왕3) 2월의 北元의 年號인 宣光의 採擇, 1378년(우왕4) 9월의 洪武年號로의 回歸, 1379년(우왕5, 北元의 天元1) 이래 이후 3년간 當該年度의 干支로 表記한 것 등과 관련이 있는 것 같다. 그러다가 是年에 洪武年號를 공식적으로 다시 채택했을 가능성이 있지만 그 月次가 기록되어 있지 않다. 그럼에도 閏月의 차이가 보이는 것은 以前의 3년간에 걸쳐 明의 曆日을 參考하지 아니하고 독자적으로 曆日을 제작하고 있었을 가능성이 있다. 이는 曆日의 改變은 어느 하루에 갑자기 이루어지는 것이 아니고, 몇 년에 걸친 事前의 準備가 필요하기 때문이다.

432) 이 시기에 巡邏가 제대로 행해지지 못해 惡少들이 夜間의 閭巷에 橫行하고 있었던 것 같다.

· 『목은시고』 권12, 昨晩，里中無賴子，射吾家所畜犬，拔其箭去之，及夜乃斃，哀之故誌之. 이것은 1378년(우왕4) 11월 14일 무렵에 일어난 일이다.

[→閏二月初三日，駕幸西南郊，觀獵而回:追加].433)

[某日]，海陽萬戶金同不花遣人，獻鷹，禑與衣服.

[某日]，禑獵于東郊. 禑嘗曰，"吾聞史官，記吾過失，若見則吾必殺之". 由是，史官不敢近.434)

[某日]，倭寇平海郡.

[某日]，海陽萬戶金同不花以所管人民來投，處之禿魯兀之地.

[某日，下批，以興寧君安宗源·判開城府事尹珍爲東堂知貢擧，上護軍李崇仁爲成均試員:追加].435)

[甲辰24日，門下侍中李仁任，請耆老諸公，設讌于興國里第，曲城君廉悌臣·漆原君尹桓·鐵城君崔瑩·韓山君李穡等諸老參宴:追加].436)

[某日]，日本歸被虜男女百五十人.

[□□是月]，無麥苗.437)

[是月頃，前安東判官李展爲永州副使:追加].438)

三月[庚戌朔大盡,甲辰，月暈. 熒惑犯大微太微右執法:天文3轉載].439)

[癸丑4日，闕內地中，有鬼嘯:五行1鼓妖轉載].

433) 이는 『목은시고』 권31，閏二月初三日，駕幸西南郊，觀獵而回를 轉載하였다.

434) 이때의 畋獵[田獵]에 관련된 것으로 추측되는 다음의 자료가 있다.
· 『목은시고』 권31，伏値」主上殿下觀獵南郊，病躬末由陪侍，愴然吟成一首，"天地扶神聖，邦家屬大平，非因講田獵，何以詰戎兵，…".

435) 이는 다음의 자료에 의거하였는데，~~添字~~와 같이 고쳐야 옳게 될 것이다.
· 『목은시고』 권31，東堂知貢擧，興寧君安公·判開城尹公·成均試員李崇仁落點狀下批下，穡聞之，以酒困不卽□製?，造門致賀，情不能已，吟成四首.

436) 이는 다음의 자료에 의거하였다.
· 『목은시고』 권31，閏月卄四日，廣評侍中，請耆老諸公，設讌于興國里第，晚歸高詠，"曲城漆原年最高，廣評·鐵城今二毛，四侍中公三達尊，諸老赫赫皆人豪，…".

437) 이 구절에서 是月이 탈락되었을 것이다.

438) 이는 『영천선생안』에 의거하였는데，이때 字가 止中이었던 것으로 추측되는 李展은 淸通城을 축조하였다고 한다(『동문선』 권77，永州城門樓記).

439) 庚戌에 朔이 탈락되었다.

[某日], 倭寇三陟·蔚珍·羽溪等縣.

[某日], 立毅妃府, 曰德昌, 拜[妃父]盧英壽爲密直使. 時毅妃, 寵傾後宮, 衣服·器皿, 奢麗之物, 過於謹妃. 由是, 其父亦榮顯, 不日封君, 氣焰燀赫.

[丁巳[8日], 上移御泉洞, 以故宰相許錭宅爲宮闕, 諸君·宰樞扈從:追加].[440]

[某日, 曲城府院君廉悌臣卒, 年七十九. ~~輟朝三日, 諡忠敬~~:節要轉載].[441]

[→北元遣使, 拜將作院使. 悌臣旣老, 國有大疑, 必與議, 盡言無隱, 位冢宰凡二十九年. 及疾, 禑遣中官, 賜宮醞藥餌, 悌臣具衣冠受之, 謂曰, "公善爲老臣言, 上之所以念及老臣者, 徒以臣嘗左右先君也. 臣今殆矣, 願上日愼一日, 惟永終是圖". 卒年七十九, 諡忠敬, 遺命三日而葬. 子國寶·興邦·廷秀, 皆登第. 興邦自有傳. 國寶封瑞城君,[442] 廷秀官至大司憲, 俱與興邦, 伏誅:列傳24廉悌臣轉載].

[某日], 倭寇寧越·禮安·榮州·順興·甫州·安東.[443]

[甲戌[25日], 雨, 以朴晋錄爲密直□□[副使?], 李子脩爲通憲大夫·判典儀司事, 柳從惠爲奉善大夫·試軍器少監·賜紫金魚袋:追加].[444]

---

440) 이는 다음의 자료에 의거하였는데, 이때 移御한 離宮이 毅妃의 德昌府로 추정된다.
- 『목은시고』 권31, 三月初八日,」主上殿下, 移御泉洞, 以故宰相許錭宅爲宮闕, 晩起盥櫛, 將赴諸君之列, 吟成一首.

441) 曲城君 廉悌臣이 逝去한 날짜는 알 수 없으나 3월 中旬에서 25일(甲戌) 이전일 것이다. 또 그의 職銜은 忠誠守義同德論道保理[輔理]功臣·壁上三韓三重大匡·領三司事·上護軍·曲城府院君이었다(→우왕 7년 9월 是月某日의 脚注).
- 『목은시고』 권31, 哭廉侍中 ; 因曲城喪, 三日不吟, 今乃吟成長句, "停朝三日輟吟哦, 只得傷心薤露歌, …".

442) 廉國寶는 1360년(공민왕9) 3, 4월 무렵 郞中으로 재직하면서 李穡과 교유하였던 것 같다(『목은시고』 권5, 次韻廉郞中試卷, 國寶).

443) 이때 倭賊이 榮州에서 수많은 人民을 殺傷하였던 것 같다.
- 『신증동국여지승람』 권25, 榮川郡, 孝子, "文載道, 洪武壬戌春, 倭賊數千寇本郡, 殺人甚衆. 載道負其父, 避匿山谷, 賊尋至, 射中其父. 載道拔鐮, 奮劍斬賊, 賊徒披靡, 父子得全. 事聞旌閭, 後官至□[知]平海郡事".

444) 이는 다음의 자료에 의거하였다(張東翼 1982년b ; 盧明鎬 等篇2 000년 95面). 또 李子脩(李子修, 生沒年 不明)의 墓所는 경상북도 安東市 西後面 鳴里에 있다고 한다(徐周錫 1995년 39面).
- 『목은시고』 권31, 三月廿五日, 喜雨三首·奉賀同年朴密直晋錄.
- 『眞寶李氏世譜遺事』, 洪武十五年李子脩朝謝牒.
- 『終天永慕錄草本』, 洪武十六年柳從惠朝謝牒(現 慶尙北道 安東市 豊川面 河回里 永慕閣 所藏, 寶物 第150號).

[丁丑[28日], 熒惑亦犯大微[太微]右執法:天文3轉載].

[是月, 壽寧公主王氏·壽延君王珪·礪城君宋壺山等開板'妙法蓮華經'追加].[445]

[夏]四月[庚辰朔[小盡,乙巳], 小滿. 太白犯五諸侯. 熒惑犯大微[太微]右執法:天文3轉載].

[○晴, [前散騎常侍]·上護軍李崇仁, □□□□□[掌成均館試], 取李升商等九十九人:選擧2國子試額轉載].[446]

[辛巳[2日], 禱雨于佛宇·神祠:五行2轉載].

[某日], 憲府[司憲府]劾慶尙道都巡問使[兼上元帥]南秩, 不能禦倭事. 下都堂, [門下侍中]李仁任與秩善, 止令安置宜寧縣.[447]

[丁亥[8日], 晴, 夜半細雨:追加], 禑夜出觀燈.[448]

[某日], 禾尺群聚, 詐爲倭賊, 侵寧海郡, 焚公廨·民戶, 遣判密直□□[司事]林成味·同知密直□□[司事]安沼·密直副使皇甫琳·前密直副使[前密直使]姜筮等,[449] 追捕之. 成

---

445) 이는 다음의 자료에 의거하였는데, 礪城君 宋壺山은 後日의 全羅道元帥 金宗衍(都僉議中贊 金深의 孫)의 丈人[妻父]이다(보물 제960호, 南權熙 2002년 87面, 101面 ; 郭丞勳 2021년 528面).

· 『妙法蓮華經』, 末尾題記, "右法華戒環解, 舊本字大帙重,」難於致遠, 學者患之久矣,釋歇了·」志祥有志法供養, 細書是解, 易重」爲輕, 以廣流布, 盖與月盖比丘」不異矣, 壽延君實相其事, 以助」以財者,甚衆,」具錄于后.嗚呼, 一」乘妙法, 在於經乎? 在於心乎? 覽」者無忽, 靑龍壬戌春三月望前」一日, 推忠保節同德贊化功臣·」三重大匡·韓山君·領藝文春秋」館事牧隱李穡跋,」壽寧公主王氏,」壽延君王珪,」金氏,」純誠翊衛功臣·重大匡·礪城君宋壺山".

446) 이때 李崇仁은 前散騎常侍로서 先妣의 服喪 중이어서 閑職인 上護軍을 띠고 있었던 것 같다(→창왕 1년 10월의 李崇仁에 대한 여러 彈劾疏). 또 이날의 日辰, 氣象, 李孟畇(李穡의 長孫)의 합격 등을 보여주는 자료로 다음이 있다. 또 李升商은 李達衷의 孫이고(『태종실록』 권25, 태종 13년 2월 6일), 李孟畇·李芳遠(十韻詩 第2名, 『前朝科擧事蹟』)·權遠(遇의 初名)·李陽昭 등도 합격하였다고 한다.

· 『목은시고』 권32, 成均試員李陶隱[崇仁], 以四月朔試士, 天甚晴, 擧子無避濕之患, 喜而吟成一首·喜聞孟孫孟畇中進士科.

· 『梅軒集』 권6, 梅軒先生[權遇]行狀, "大明洪武壬戌夏, 中司馬試第二名".

· 『靑泉集』 권4, 淸華洞記, "自余[申維翰]至漣, 朝暮與士民接, 輒詢耆舊名蹟, 僉曰, '李谷山高風, 視古嚴子陵[嚴光]何讓'. 公名陽昭, 居淸華洞, 洞在縣東七里, 麗末登進士, 與我太宗同榜, 在泮友善. …".여기에서 嚴子陵은 後漢代의 隱士 嚴光의 字이다.

447) 이와 같은 기사가 열전39, 李仁任에도 수록되어 있다.

448) 이날의 天氣는 다음의 자료에 의거하였다.

· 『목은시고』 권32, 四月初八日有感 ; 晴極 ; 同柳巷[韓脩]觀燈西峯, 豚犬輩亦來, 又至副樞[李種德]新居山上益佳, 歸途有細雨, ….

味等, 獻所獲男女五十餘人·馬二百餘匹. ○禾尺卽楊水尺□世.

[某日], 遣4宰·門下贊成事金庾, 五宰·門下評理洪尙載, 知密直□□司事金寶生·同知密直□□司事鄭夢周·密直副使李海·典工判書禮儀判書裵行儉等, 如京師, 進歲貢金一百斤·銀一萬兩·布一萬匹·馬一千匹.[450]

[某日], 禑畋于江陰.

[某日], 江陵道上元帥趙仁璧·副元帥權玄龍, 與倭戰, 斬三十級.

[某日], 西海道按廉使李茂獻所獲禾尺三十餘人·馬百匹. 諸道按廉□使·守令, 各獻所獲, 下巡軍鞫之. 斬其首謀者, 沒入妻孥·馬匹, 餘皆釋之. 都評議使司牒諸道按廉□使, 分置諸州, 比平民差役, 有不從令者, 斬之.

[某日, 流前評理梁伯益于遠州. 初, 忠惠王子釋器, 娵民家女生一子, 其子潛寓伯益田莊. 事覺, 流伯益, 髡其子送雞龍山, 陰使吏殺諸道:節要轉載].

[→釋器娵民家女, 生一子, 潛寓前評理梁伯益田廬. 事覺, 髡之, 置雞龍山, 未至, 陰使吏殺之, 流伯益:列傳4忠惠王王子釋器轉載].

[某日], 以密直副使李居仁爲慶尙道都巡問使, 密直副使尹有麟爲全羅道都巡問使.[451]

[某日], 倭踰竹嶺, 寇丹陽郡, 元帥邊安烈·韓邦彦等擊, 敗之. [斬八十餘級, 獲馬二百餘匹:節要轉載].[452]

[丙午27日, 禱□雨于朴淵及開城大井:五行2轉載].[453]

---

449) 이때 姜筮는 前密直副使가 아니라 前密直使일 것인데, 이는 그가 1337년(우왕3)에 密直副使에, 是年에 判密直司事에 임명되었다는 점을 통해 알 수 있다(→是年 末尾의 是年條).

450) 이때 金庾, 鄭夢周에 관한 기사로 다음이 있다. 또 典工判書는『고려사절요』권31에는 禮儀判書로 달리 표기되어 있다(盧明鎬 等編 2016년 780面).

·『목은시고』권32, 漆原侍中及諸老, 餞金四宰金陵之行, 歸而發咏, 名庾 ; 金四宰臨門告行二首 ; 李陶隱招飮, 送鄭圃隱赴京, 夜歸 ; 同諸公送鄭圃隱 ; 進獻使臣啓行, 穡以疾發, 不得送于野, 獨吟一首.

451) 尹有麟은 全羅道元帥兼都巡問使로 5월에 兵營에 到着[入營]하였다고 한다(『금성일기』).

452) 이와 같은 기사가 열전39, 邊安烈에도 수록되어 있다.

453) 이달에는 가뭄[旱]이 甚하였기에 添字가 추가되면 좋을 것이다. 또 15세기 후반 朴淵의 모습은 다음과 같았다고 한다.

·『목은시고』권32, 今天, "今天旱旣甚, 我農何以生, 千村有愁色, 百邑連嘆聲, …".

·『懶齋集』권1, 遊松都錄(1477년 3월), "甲申17日, … 到朴淵洞口, 洞自昔蒙翳, 人不得入, 今皆芟削, 遂成大路. 淵在天磨·聖居兩山之間, 兩山崒嵂對峙, 攢如劍戟, 望若畫圖, 山斷勢阻, 峭

[是月頃, 以奉翊大夫黃有龍爲羅州牧使:追加].[454]

五月己酉朔小盡,丙午, [辛亥3日, 夏至. 亦如之太白犯五諸侯. 熒惑犯太右執法:天文3轉載].

[壬子4日, 禱雨于山川:五行2轉載].

[甲寅6日, 月暈:天文3轉載].

[乙卯7日, 雨:五行2轉載].

[某日], 慶尙道陜州, 有一私奴, 自稱劒大將軍. 其徒一人, 稱抄軍將軍, 一人稱散軍將軍, 聚徒衆群, 行剽掠, 將殺其主及守令, 以作亂. 按廉使安景恭遣州軍, 捕斬之.[455]

[某日, 斬妖民伊金. 伊金, 固城民, 自稱彌勒佛, 惑衆曰, "我能致釋迦佛. 凡禱祀神祇者, 食馬牛肉者, 不以貨財分人者必死. 若不信吾言, 至三月日月無光矣". 又曰, "吾爲作用則, 草發靑花, 或木結穀實, 或一種再刈". 愚民信之, 爭施米帛金銀, 牛馬死則, 棄之不食, 有貨財者, 悉以與人. 伊金又曰, "吾勅山川之神, 悉送日本, 倭賊可易擒也". 於是, 巫覡尤加敬信, 城隍·祠廟撤去其神, 敬伊金如佛, 以祈福利. 無賴之徒, 從而和之, 自稱弟子, 轉相誣誑, 所至州郡守令, 或有出迎, 館之上舍者. 淸州牧使權和, 誘致之, 縛其渠首五人, 囚之. 於是, 都堂移牒諸道, 皆捕斬之. 前判事楊元格, 素信其說, 及是逃匿, 窮搜獲之, 杖流. 道死:節要轉載].[456]

壁陟絶, 削立千仞. 上有石潭, 瀦而爲淵, 廣可數十尺, 狀如鐵鑊, 水色澄碧, 其深不測, 而可鑑其底, 當心有石突起, 可坐數十人. 潭水溢爲瀑布, 落于絶壁, 宛若銀潢倒掛, 噴珠散雪, 喧豗岩洞, 聲如怒霆, 可怪可愕, 不可殫說. 耆之蔡壽嘆曰, '不知造物之至此也, 若不來觀, 眞瓮中之醯鷄耳'. 緣崖有虯松倒乘, 從者猿▦下窺, 髮竪魂悸不可近. 石上多志遊人姓名, 諺傳昔有朴姓儒, 吹笛淵上, 爲龍女所誘, 入潭不返, 其妻號泣, 投崖而死, 故上曰朴淵, 下曰姑母潭, 高麗文宗, 嘗登石上, 龍振其石, 李靈幹以祝法鞭龍, 淵水盡赤, 此卽潭心石也, 上數十步, 有石佛二軀坐巖竇, 東曰怛怛朴朴, 西曰弩盻夫得".

454) 이는 『금성일기』에 의거하였다.

455) 『경상도영주제명기』에 의하면, 이해의 春夏番[春夏等]按廉使는 前年(辛酉, 우왕7) 秋冬番按廉使 朴德祥이 連任[仍番]하였다고 한다.

456) 이와 같은 기사로 다음이 있다.

· 열전20, 權呾, 和, "權和, 辛禑時, 爲淸州牧使. 有固城妖民伊金, 自稱彌勒佛惑衆云, 我能致釋迦佛. 凡禱祀神祇者, 食馬牛肉者, 不以貨財分人者, 皆死. 若不信吾言, 至三月, 日月皆無光矣. 又云, 吾作用, 則草發靑花, 木結穀實, 或一種再穫. 愚民信之, 施米帛·金銀恐後, 馬牛死, 則棄之不食. 有貨財者, 悉以與人. 又云, 吾勅遣山川神, 倭賊可擒也. 巫覡尤加敬信, 撤城隍祠廟,

[某日], 取及第柳亮等.[457]

[某日], 倭寇永春縣.

[某日, [元帥]邊安烈·韓邦彦等, 擊倭于安東, 斬三十餘級, 獲馬六十匹:節要轉載].[458]

[己未[11日], 大雨:五行2轉載].

丁卯[19日], 太白晝見.

[某日], 倭寇淮陽府.

[丙子[28日], 前軍器少尹曹希參逢倭賊于京山府加利縣, 以身蔽母, 謂賊曰, "願殺

事伊金如佛, 祈福利. 無賴輩從而和之, 自稱弟子相誣誑, 所至守令或出迎舘之. 及至淸州, 和誘致其黨, 縛其渠首五人囚之, 馳報于朝. 都堂移牒諸道, 悉捕斬之. 判事楊元格信奉其說, 至是逃匿, 搜獲之杖流, 道死".

· 열전32, 鄭道傳, "… 尋有任便居住, 結廬三角山下講書, 學者多從之. 常以訓後生闢異端爲己任. 固城妖民伊金, 自稱彌勒, 惑衆曰, 若不信吾言, 至三月日月皆無光. 僧[大禪師]粲英曰, 伊金所言, 皆荒唐無稽, 其言日月無光, 尤爲可笑. 國人何信之如此. 道傳曰, 伊金·釋迦, 其言無異. 但釋迦遠言他生事, 人不知其妄, 伊金近言三月事, 虛妄立見耳. 僧嘿然".

457) 이와 관련된 기사로 다음이 있다.

· 지27, 선거1, 科目1, 選場, "[禑王]八年五月, 順興君安宗源知貢擧, 判厚德府事尹珍同知貢擧, 取進士, □□[某日], 賜柳亮等三十三人及第".

· 『태조실록』 권5, 3년 3월 癸亥[24日], 安宗源의 卒記, "… 壬戌, 知貢擧, 取柳亮等三十三人".

· 『태종실록』 권31, 16년 4월 甲子[2日], 柳亮의 卒記, "亮, 少卓犖不群, 爲儕輩所憚. 洪武壬戌, 年二十八, 以護軍[別將]辭職赴試, 中第一, 累遷判宗簿寺事". ~~添字~~와 같이 고쳐야 옳게 될 것이다.

· 『세종실록』 권19, 5년 3월 戊子[7日], 韓尙敬의 卒記, "西原府院君韓尙敬卒. 尙敬, 字叔敬, 淸州人, 文敬公脩之子也. 仕高麗, 拜司膳署令, 擢壬戌[禑王8年]文科第三人, 拜禮儀佐郞, 遷右正言, 歷典理正郞·藝文應教·工部摠郞·宗簿令. 歲壬申[昌王卽位年], 陞密直司右副代言".

· 「尹之彪墓誌銘」, "公之季子政堂公[尹珍]今嗣封, 其知貢擧也, 又取豚犬種善爲門生 …".

· 『양촌집』 권40, 李穡行狀, "… 公[李穡]三男, … 次曰種善, … 壬戌[禑王8年], 進士".

· 『세종실록』 권80, 20년 3월 戊戌[14日], "中樞院使李種善卒. □□[種善], 字慶夫, 韓山人, 穡之子也. 年十五, 中壬戌科, …".

이때 [前別將]柳亮·[前散員]張滋崇·[司膳署令]韓尙敬(乙科3人), [生員]李薈·[掌服署令]禹洪富·[生員]裵規·[新進士]李升商·[奉先庫判官]李之剛·[前厚德府錄事]崔關·[前參奉]鄭擢(丙科7人), [前別將]鄭悛·[前忠州判官]鄭肇·[前司宰注簿]金明善·[新進士]李伯全·[通禮門判官]辛權·[前別將]趙璞·[前進士]梁需·[新進士]權幹(改弘)·[厚德府判官]金澍·[散員]洪尙賓·[進士]卞昌秉·[典農寺丞]姜淮仲·[部將]都衍·[進士]尹莘老·[郎將]朴實·[前別將]李堂·[前掌服直長]權瑗·[內謁者監]邊顯·[新進士]趙暾·[郎將]李種善·[濟危寶副使]鄭尙·[前義盈直]許晐·[前別將]郭悰(以上同進士23人), 崔用淮·裵乙謙·池云立·張及·金浩文·宋居中·李寅·梁成祐·李乙和·南琴·崔興儒·金載·晋英茂·張漢·李由道·孫可權·李樵·李諧·耿緯·周備·邊濟·鄭光吉·金俊·鄭胖·郭子忠(恩賜25人) 등이 급제하였다(『등과록』; 『전조과거사적』; 朴龍雲 1990년; 許興植 2005년).

458) 이와 같은 기사가 열전39, 邊安烈에도 수록되어 있다.

我勿殺我老母". 竟被殺:追加].[459]

[是月, 取□□□[升補試]鄭龜晋等一百人:選擧2升補試轉載].[460]

[是月丁巳[9日], □□[明帝]敕諭遼東都指揮使潘敬等曰, "元地所覆, 載日月所照臨, 凡有民必有君主, 封疆之大小雖殊, 而治民之道, 則一也. 前者, 三韓之酋, 爲其臣所弑, 疊遣使來貢, 朕却之再三, 特以歲貢難之, 欲其止也. 今不止而固請, 欲以數年之獻, 合爲一歲之貢, 暗爲遇侮, 是生隙也. 朕觀東夷之人, 不懷恩而好構禍, 縱使暂臣, 亦何益哉. 爾守遼諸將, 固守我疆, 毋與較其細微, 聽彼自爲聲敎":追加].[461]

[□□□□[~~六月以前~~?], [守侍中崔]瑩欲造戰艦, 發諸道軍, 又募僧徒, 召語僧錄曰, "僧亦欲禦侮乎?" 曰, "僧所以安, 以國家無虞也. 國有變, 僧何獨安?". 瑩曰, "吾昔[恭愍22年10月]爲六道都統使, 大作戰艦八百餘艘, 欲掃清海寇. [23年1月,]不圖李海[李禧]等冒請先王, 分領其船, 卒以敗功, 孫光裕領江口船艦, 一遇倭賊, 燒毁殆盡. 今欲改造, 然方農月, 不可使民, 欲役以僧徒. 唐太宗征本國, 本國發僧軍三萬, 擊破之. 今若造戰艦禦寇, 功豈細哉?". 使司宰令李光甫造戰艦, 督役甚急, 人多怨咨. 不踰年, 造巨艦百三十餘艘, 分守要害. 自後, 倭寇稍息, 民反喜之:列傳26崔瑩轉載].[462]

---

459) 이는 다음의 기사에 의거하였다.
- 『경상도지리지』, 慶州道, 大丘郡, 壽城縣, "曹希參, 與母俱陷賊中, 賊欲害母, 希參代死全母. 松堂先生[趙浚]申聞建碑, 自製其文曰, 上卽位之九年壬戌五月丙子, 倭入寇, 少尹曹侯希參, 奉母奔加里縣江, 不及渡, 賊奄襲. 母望見希參曰, 吾老且病, 死無所恨, 汝速走. 希參泣曰, 棄母賊中, 隨走圖生, 可爲子乎, 不如死之, 遂與母伏草中. 賊至刺希參, 又欲刃其母, 希參顚倒匍匐, 以身蔽母. 泣謂賊曰. 願殺我, 勿殺我老母. 賊竟害希參, 其母得全, 上聞之悼甚, 旌表而彰善, 復家而厚恤. 馳告者誰. 體覆使·典法判書趙浚也, 立碑者誰, 差使官·大丘縣令房龍吉也, 時洪武十有午年九月日也".
- 『경상도속찬지리지』, 慶州道, 大丘都護府, 旌表門閭, "孝子曹希參旌門, 在任內壽城縣內里".
- 열전34, 孝友, 曹希參, "曹希參, 守城[壽城縣]人也, 累官軍器少尹. 嘗避倭寇, 扶其母, 將往京山府城. 行至加利縣東江, 無船不得渡. 賊追及之, 母謂希參曰, 吾老且病, 死無悔. 汝其走馬以免. 希參曰, 母在, 予何往. 遂與母匿田間. 賊獲之, 以槊刺希參, 又將害其母. 希參盡以弓馬貲產與賊, 以身蔽母云, "殺我, 勿害我母. 賊以劒擊希參殺之, 舍其母而去. ○辛禑時[8年], 體覆使趙浚馳書聞于朝, 遂立石紀事, 旌表之". 이 기사는 是年 6월 某日에 축약되어 있다.
- 열전34, 烈女, 李東郊妻裴氏, "□[後], 體覆使趙浚具事以聞, 遂旌表里門".

460) 이때 李原(李岡의 子)도 합격하였던 것 같다(『容軒集』연보, "壬戌[禑王8年], 先生十五歲, 中成均進士科").

461) 이는 『명태조실록』 권145, 홍무 15년 5월 丁巳를 전재하였다.

462) 李海는 李禧의 오자일 것이고(→공민왕 23년 1월 7일), 이와 관련된 자료가 찾아지는데 6월 某日

六月[戊寅朔[大盡, 丁未], 晴:追加].[463]

[某日], 宥二罪以下.

[某日], 禑如尙乘, 閱馬, 如惠妃殿, 如[密直使]盧英壽家. 自是, 尙乘及英壽·[門下侍中]李仁任家, 無日不至, 或一日九至設宴, 其他所往, 不可勝紀.

[→禑荒淫, 遊戲無度. 一日, 至仁任第, 適不在乃還, 仁任聞之, 獻良馬, 自後禑常至其第:列傳39李仁任轉載].

[某日], [門下贊成事]金庾等至遼東, 不納, 乃還.[464]

[某日, 韓山君李穡與文書監進色諸官, 謁門下侍中李仁任, 議某事:追加].[465]

[某日, 諫官鄭釐·[左司議大夫]朴宜中等上疏曰, "[近日憲司所申數事, 允合公論, 而殿下未盡兪允, 玆竭愚衷, 輒冒言之. 書曰, '明王奉若天道, □□□□[~~建邦設都~~], 樹后王群公[~~君会~~], 承以大夫師長. 不惟逸豫, 惟以亂民'.[466] 是以, 古之人君, 無輕民事而惟難, 無安厥位而惟危, 怵惕惟厲. 中夜以興坐以待旦, 自朝至于日中昃, 不遑暇食, 用咸和萬民, 奚暇爲逸豫哉. 我國家, 自祖聖創業已來, 列聖相承, 持盈守成. 殿下以明睿之資, 幼冲嗣位, 亦克持守, 九年于玆:列傳25朴宜中轉載]. 比年以來, 倭賊日熾, 深入爲寇, 殺掠人民, 焚毁盧舍, 州郡凋弊, 田野荒蕪. 加之水旱, 饑饉荐臻, 而餓殍相望, 倉廩虛耗, 而用度不足□□[~~天民~~]. 又草賊竊發, 私相屠戮, 人民離散, 父子不保, 禍亂之極, 莫此爲甚. 矧惟上國, 不許通好, 屯兵近境, 窺伺釁隙. 又況天灾·人妖·地怪, 與夫鳥獸·泉魚之異, 疊見譴告, 一國人民, [~~大小戰慄~~], 罔不憂

에 제작된 것이다(『목은시고』 권32, 聞上相觀戰艦江上, 三首).

463) 이는 다음의 자료에 의거하여 유추하였는데, 이날 李穡은 새벽에 乘船하여 南漢江을 따라 歸京하고 있었다.
- 『목은시고』 권32, 六月初一日曉, 過南政堂別墅, 至禿浦, 理碇索, 晩宿南京沙平津, ….

464) 이와 관련된 자료로 다음이 있다.
- 『목은시고』 권32, 同柳巷[韓脩]勞洪五宰[尙載]；歷訪江南廻還使臣金四宰[庾], 路阻不果, 鄭簽書[夢周]面謁, 金樞相[寶生]不遇, 李樞相[薾]面謁. 因至馬井, 謁二相[二宰李子松]·三宰, ….

465) 이는 다음의 자료에 의거하였는데, 방문의 목적은 明에 파견된 사신이 요동에서 回還했던 것에 對處한 陳情表의 작성을 의논하려고 하였던 것 같다.
- 『목은시고』 권32, 同[文書]監進色諸公, 謁廣評侍中.

466) 이 구절은 다음의 자료를 인용한 것이기에 ~~添字~~와 같이 고쳐야 옳게 될 것이다.
- 『서경』, 商書, 說命(僞古文)中, "惟說命總百官. 乃進于王曰, 嗚呼, 明王奉若天道, 建邦設都, 樹后王君公, 承以大夫師長. 不惟逸豫, 惟以亂民".

懼. ~~殿下,~~ 誠宜兢兢業業, 無敢逸豫, 廣延衆論, 以圖治安, 以消變異, 不可一日之或怠, 一事之或忽. 況可爲不急之務, 縱耳目之娛, 恣心志之欲, 而盤樂怠傲哉. [昔在有夏太康, 尸位以逸豫, 滅厥德, 厥弟五人述大禹之戒, 以作歌曰, '<u>訓有之</u>, 內作色荒, 外作禽荒, 甘酒嗜音, 峻宇雕墻, 有一於此, <u>靡</u>[未]或<u>不亡</u>'.[467] 大禹之訓, 如是其嚴, 而太康乃盤遊無度, 罔有悛心, 卒以不保. 商之太甲, 欲敗度縱敗禮, 伊尹訓<u>之曰</u>, '敢有恒舞于宮, 酣歌于室, 時謂巫風. 敢有殉于貨色, 恒于遊畋, 時謂淫風. 敢有侮聖言, 逆忠直, 遠耆德, 比頑童, 時謂亂風. 惟玆三風十愆, 卿士有一于身, 家必喪, 邦君有一于身, 國<u>必亡</u>'.[468] 太甲以是爲戒, 而克終允德, 爲商之令王. 夫太甲·太康之所以有聞者, 顧訓之行與不行耳. 先儒謂, 以此二訓, 揭之座隅, 銘之楹席, 若古聖人儼臨乎前, 則保國之金湯, 全生之藥石也. 伏望殿下, 以太甲爲法, 太康爲戒, 日以二訓, 三省于身:列傳25朴宜中轉載]. 願<u>徹</u>[輟]酒色歌舞之樂, 絶鷹犬遊畋之戲, 無侮聖言, 無逆忠直, 無遠耆德, 無比頑童, 崇素儉, 戒逸豫, 遠讒聽諫, 任賢去邪, 夙夜孜孜, 小心翼翼, 常以敬天勤民爲務, 則~~可以答上天立君之意~~, 可以勝祖考付托之重, 可以慰臣民期望~~之心~~, ~~而~~盈成之業, 可以永保矣". ○憲府亦諫, 皆不報:節要轉載].[469]

[某日, 文書<u>監進色</u>諸官訪韓山君<u>李穡</u>第, 議定遼衛吏文事:追加].[470]

[某日, 上護軍李崇仁訪韓山君<u>李穡</u>第, 議賀平雲南表事:追加].[471]

[某日], 倭寇~~靈山~~·慶山·大丘·花園縣·~~京山府~~·<u>雞林</u>等處. 又寇交州道淮陽府<u>通溝</u>縣.[472]

---

467) 이 구절은 다음의 자료를 인용한 것이기에 ~~添字~~와 같이 고쳐야 할 것이다.

·『書經』, 夏書, 五子之歌(僞古文), "… 其二曰, 訓有之, 內作色荒, 外作禽荒, 甘酒嗜音, 峻宇彫墻, 有一于此, 未或不亡".

468) 이 구절은 다음의 자료를 인용한 것이다.

·『서경』, 商書, 伊訓(僞古文), "制官刑, 儆于有位, 曰, 敢有恒舞于宮, 酣歌于室, 時謂巫風. 敢有殉于貨色, 恒于遊畋, 時謂淫風. 敢有侮聖言, 逆忠直, 遠耆德, 比頑童, 時謂亂風. 惟玆三風十愆, 卿士有一于身, 家必喪, 邦君有一于身, 國<u>必亡</u>".

469) 이 기사에서 ~~添字~~는 열전25, 朴宜中에 더 있는 글자이다.

470) 이는 다음의 자료에 의거하였다.

·『목은시고』 권32, 文書監進色諸公來, 議定遼移文.

471) 이는 다음의 자료에 의거하였다. 또 몽골제국의 殘餘勢力인 雲南行省의 梁王 把匝剌瓦爾密(Baljawarmir, 梁王 孛羅의 子)이 逝去한 것은 前年(홍무14) 12월 22일이었고(『명태조실록』 권140, 홍무 14년 12월 壬申[22日] ; 『명사』 권124, 열전12, 梁王<u>把匝剌瓦爾密</u>), 완전히 평정된 것은 是年 2월이었다(→是年 7월 某日의 脚注).

·『목은시고』 권32, 子安來, 議賀平雲南表.

472) 이때 왜적이 낙동강을 거슬러 北上하였다면 靈山을 경유하여 昌寧, 花園, 京山府, 大丘縣, 慶山

[→倭寇寧山, 郞將辛斯蕆挈家, 避亂. 至篋浦乘舟, 其子息及悅推挽之, 會夏潦水駃, 纜絶船著岸. 賊追及之, 殺舟中人殆盡, 斯蕆亦被害. 有一賊, 執辛氏下船, 辛不肯, 賊露刃擬之, 辛大罵曰, "賊奴殺則殺, 汝旣殺吾父, 吾之讎也. 寧死不汝從". 遂扼賊吭, 蹴而倒之. 賊怒遂害之, 時年十六. 體覆使趙浚上其事, 遂立石以旌:列傳34辛斯蕆女轉載].[473]

[己丑[12日]:追加],[474] 遣典法判書趙浚爲慶尙道體覆使. [時倭寇甚熾, 州郡騷然, 民皆奔竄山谷, 而國無紀綱, 將帥環視不戰, 賊勢日盛. 浚至, 號令嚴明, 諸將股栗, 連戰告捷, 一道之民, 賴以稍安:節要轉載].[475]

[→趙浚, 累遷典法判書. 時倭奴充斥, 慶尙道陷爲賊藪, 州郡騷然, 民皆奔竄山谷. 國無紀綱, 將帥玩寇, 環視不戰, 賊勢日盛. 都統使崔瑩擧浚爲體覆使, 浚至,

---

縣, 雞林府 등의 지역을 擄掠하였을 것이다. 이때 裵仲善의 딸이 왜적에게 피살되었던 京山府의 영역이 洛東江 동쪽의 花園, 大丘에 인접해 있었다.

473) 이는 다음의 자료에 의거하였는데, 그의 아들은 '及悅'이 아니라 及과 悅로 나누어서 읽어야 하겠다. 또 辛悅(?~1418)은 朔州道, 尙·晋州道의 兵馬節制使를 거쳐 判安邊府事에 이르러 재직 중에 서거하였다(『세종실록』 권2, 즉위년 11월 庚申[14日]).

- 열전34, 孝友, 辛斯蕆女, "辛氏, 靈山人, 郞將斯蕆女也. 辛禑八年, 倭賊五十餘騎寇靈山, 斯蕆挈家避亂. 至篋浦乘舟, 其子息及·悅推挽之, 會夏潦水駃, 纜絶船著岸. 賊追及之, 殺舟中人殆盡, 斯蕆亦被害. 有一賊, 執辛氏下船, 辛不肯, 賊露刃擬之, 辛大罵曰, '賊奴殺則殺, 汝旣殺吾父, 吾之讎也. 寧死不汝從'. 遂扼賊吭, 蹴而倒之. 賊怒遂害之. 時年十六. 體覆使趙浚上其事, 遂立石以旌".
- 『雙梅堂篋藏集』 권22, 雜著, 補逸, "孝女辛氏, 郞將斯蕆之女也. 盛沈毅有識度, 洪武壬戌六月, 倭賊五十餘騎入寇靈山, 斯蕆挈家避亂, 欲齊浦, 賊追之甚急, 斯蕆一家已在船矣, 二子息·悅推挽之, 會夏潦方盛, 水駃挽索絶, 船忽著岸. 賊追之, 射斯蕆殪, 登船又槍之. 執辛氏欲與俱去, 辛氏不肯, 賊露刃脅之. 辛氏罵曰, '賊奴能殺則殺我, 汝旣殺我父, 我死不汝從', 遂害之, 年二十矣. 時典法判書趙浚體覆倭賊, 具事牒史官, 且聞于朝. 朝議立石于靈山所居里以旌表之, 時軍事方殷, 供役者率不致意, 石刻不工, 恐不久漫滅. 後人有所未能盡知者, 故謹補其逸, 竊附辛氏家譜之末. 漢制鄕三老掌扁, 表貞女·義婦之門, 以興善行則祭之, 補逸不爲無據".
- 『武陵雜稿』別集권7, 故敎授辛君墓誌銘幷序, "君諱國鈞, 字和仲, 靈山人, 其五世祖斯蕆, 任麗季爲典工判書, 生女而烈, 有男五人, 其三曰悅, 官至節度使, …".

474) 이날의 日辰은 다음의 자료에 의거하였는데, 赤登樓는 忠淸道 沃川郡 梨山縣 赤登津의 赤登院에 있던 亭子이다(『세종실록』 권149, 지리지, 충청도 沃川郡 ; 『신증동국여지승람』 권15, 沃川郡, 樓亭, 赤登樓). 또 이날은 율리우스曆으로 1382년 7월 22일(그레고리曆 7월 30일)에 해당한다.

- 『松堂集』 권1, 壬戌夏, 倭入寇慶尙, 遂屠州軍, 六月十有二日, 承督戰之命, 題赤登樓.

475) 이와 관련된 기사로 다음이 있다.

- 『태종실록』 권9, 5년 6월 辛卯[27日], 趙浚의 卒記, "累遷至典法判書. 時朝政日紊, 倭寇充斥, 將帥畏縮. 壬戌六月, 兵馬都統使崔瑩, 擧浚監慶尙道軍. 浚至, 召都巡問使李居仁, 數其逗遛之罪, 斬兵馬使兪益桓以徇, 將佐股栗用命".

召都巡問使李居仁，數其逗遛之罪，斬兵馬使兪益桓．居仁及諸將股慄曰，“寧死敵，莫犯趙公威”．咸力戰告捷，一道賴安．浚又上書都堂，旌表孝子·烈女之死賊者:列傳31趙浚轉載].

[○先是，守城人[~~壽城縣人~~]曹希參，扶其母，欲避倭於京山府城，行至洛東江，無船不得渡．賊追及之，其母曰，“吾老且病，死無悔矣，汝其走馬以免”．希參曰，“母在子何往”，遂與母，伏於田間．賊欲刃其母，希參，以身蔽之，爲賊所害，母得以免．○京山府[八莒縣]人裵[氏，三司左尹尹]仲善之女[李東郊妻裵]，爲倭再逐，負其兒至所耶江，江水方漲．裵，度不能脫，投入水中，賊至江岸，持滿注矢曰，“爾來可免死”．女曰，“吾書生之女，嘗聞烈女不更二夫，之死不汝所辱”．賊射之，中其兒，賊引滿又語如前，竟不出遇害．○靈山人郞將辛斯蕆之女，年十六，爲賊所逐，隨父至江，乘船將渡，賊猝至，殺舟中人殆盡，其父亦被害．有一賊，執其女下船．女曰，“汝殺吾父，不共戴天之讎也．寧死不汝從”，遂扼賊吭蹴，而倒之，賊怒，遂殺之．○[慶尙道體覆使趙]浚上其事曰，“三人節孝如是，可旌其門，以勸來者”．遂立石，記其事:節要轉載].[476]

[癸巳[16日]，國師千熙[千禧]入寂於彰聖社，年七十六，僧臘六十三．謚眞覺國師:追加].[477]

[丙申[19日]，立秋，夜雨至平旦:追加].[478]

[戊戌[21日]，歲星貫月:天文3轉載].

[己亥[22日]，鎭星犯畢:天文3轉載].

[辛丑[24日]，月犯畢星．大流星亦從南墜:天文3轉載].

[某日，韓山君李穡，聞守侍中崔瑩辭職:追加].[479]

[丙午[29日]，夜半，批下:追加]，以[門下侍中]李仁任△[爲]領門下府事，[守侍中]崔瑩△[爲]領三司事，[判三司事]洪永通爲門下侍中，[二相]李子松△[爲]守門下侍中，[[密直]盧嵩爲知門下省事，

---

476) 守城은 壽城縣으로 고쳐야 옳게 될 것이다. 또 曹希參과 辛斯蕆의 딸에 대한 기록은 열전34, 孝友, 曹希參, 辛斯蕆女에도 수록되어 있다(→是年 5월 28일, 6월 某日). 그리고 李東郊의 夫人인 裵氏에 대한 기록은 열전34, 烈女, 李東郊妻裵氏에 수록되어 있다(→우왕 6년 8월 某日).

477) 이는 「水原彰聖寺眞覺國師大覺圓照塔碑」에 의거하였다. 또 이날은 율리우스曆으로 7월 26일(그레고리曆 8월 3일)에 해당한다.

478) 이는 다음의 자료에 의거하였다.
· 『목은시고』 권32, 十九日立秋·夜雨連明, “夜雨至平旦, 新凉滿大虛, …”.

479) 이는 『목은시고』 권32, 聞鐵原侍中辭位에 의거하였다.

權啓容·知申事潘福海爲密直副使:追加].[480] [先是, 以<u>盧嵩</u>爲同知密直司事兼大司憲. 一日, 王馳馬入<u>嵩</u>之園, 問此是誰家, 從者以實對, 策馬疾馳而出, 以<u>嵩</u>數諫盤遊, 心忌之:追加].[481]

[某日~~壬未~~30日?], 諫官<u>鄭釐</u>等上䟽曰, "人主一身, 萬化之源, 宗社之安危, 生民之休戚, 係焉. 古之人君, 克愼威儀, 非禮勿動, 有所行幸, 必備儀衛, 動必以時, 出必端門, 行必黃道. 殿下但率一二僕從, 晝夜馳聘閭巷. 竊念, 鑾車在前, 屬車在後, 猶恐有銜橛之虞, 况以一二僕從, 不限晨夜, 馳騖街曲, 萬有驚蹶之患, 其可悔乎? 矧今<u>南國</u>明屯兵近境, 倭賊深入州縣. 又有草賊竊發, 其<u>反閒</u>者,[482] 窺覘京都, 屢見獲焉. 由此觀之, 安知不有姦人刺客之變耶. 此擧國臣民, 所共寒心也. 伏惟, 殿下深慮, 動必以禮, 出入有節, 宗社幸甚". 禑不聽.

[秋]七月戊申朔小盡,戊申, [某日], 以<u>張夏</u>爲各道山城巡審使, <u>我太祖</u>李成桂以門下贊成事爲東北面都指揮使. 時~~女眞人~~胡拔都<u>虜掠</u>~~擄掠~~東北面人民而去, 以□我太祖世管其道軍務, 威信素著, 遣以慰撫□之.[483]

[甲寅7日, 以聖誕日, 漆原府院君尹桓, 領門下府事·廣平君李仁任, 領三司事·鐵原君崔瑩·吉昌君權適·載寧郡康舜龍·鈴平君尹珠·上黨君韓某·商山君金得齊·淸城君韓脩·韓山君李穡, 進紫門, 內官金實受手帕入, 有旨不受拜, 旣退, 入新宮周覽, 勞董役衆官, 而退:追加].[484]

---

480) 이와 관련된 기사로 다음이 있다.
- 열전39, 李仁任, "門下侍中李<u>仁任</u>辭職, 不允, 授領門下府事, 尋領三司事".
- 『목은시고』 권32, 廿九日夜半, 批下判三司事洪公~~永通~~·二相李公~~子松~~同拜侍中, 李廣評領門下□□府事, 鐵原領三司□府事, 餘以次升, 新入省者盧公嵩, 而入樞密者<u>權大夫</u>~~啓容~~·<u>潘知申事</u>~~福海~~而已.

481) 이는 다음의 자료에 의거하였다.
- 『태종실록』 권28, 14년 8월 甲辰4日, 盧嵩의 卒記, "壬戌禑王8年, 以同知密直□□司事, 兼大司憲. 一日, 僞主馳馬入嵩之園, 問此是誰家, 從者以實對, 策馬疾馳而出, 以嵩數諫盤遊, 主心忌之".

482) 反閒(反間의 正字)은 敵陣에 投入된 我軍의 諜者[spy]를 가리킨다.
- 『자치통감』 권4, 周紀4, 赧王 36년(BC279), "頃之, <u>昭王</u>薨, <u>惠王</u>立. <u>惠王</u>自爲太子時, 嘗不快於<u>樂毅</u>. <u>田單</u>聞之, 乃縱反間於燕[<u>胡三省</u>注, <u>孫子</u>五間, 有反間, 因其敵間而用之. 又曰, 敵間之間我者, 因而利之, 導而舍之, 故反間可得而用也]".

483) 이 기사는 『태조실록』 권1, 總書, 우왕 8년 7월에도 수록되어 있는데, ~~添字~~는 이에 의거하였다.

484) 이는 다음의 자료에 의거하였는데, 上黨君韓公은 누구인지를 알 수 없다.
- 『목은시고』 권32, "七月七日」 聖誕日也, 漆原府院君, 領門下·廣平君, 領三司·鐵原君·吉昌君

[某日, 都堂請漆原府院君尹桓, 領門下府事·廣平君李仁任, 領三司事·鐵原君崔瑩會議, 而前平章政事康舜龍·上黨君韓某·夏城君成汝完·陟山君朴元鏡·淸城君韓脩·韓山君李穡陪其後, 堂食而罷, 日昳雨:追加].[485]

[某日, 大雨:追加].[486]

[某日, 政堂文學鄭公權卒, [謚文簡:列傳19鄭公權轉載]. □□公權, 性恭儉謹厚, 居官以正. 時家廟制廢, 公權以祭器藏於別室, 當祭之日, 必手自滌之, 奠物務極蠲潔. 疾權姦用事, 常懷憤惋, 遂患背疽, 而卒:節要轉載]. [所著'圓齋集', 行于世. 子摠·拯·擢·持:列傳19鄭公權轉載].[487]

[某日], 帝明太祖平定雲南, 發遣梁王家屬, 安置濟州.[488]

[某日, 檜城君黃裳卒, 年五十五, 謚恭靖, 裳, 恭愍王避紅賊南幸, 裳從之, 爲交州江陵道都萬戶. 與安祐等, 收復京都, 策扈從收復功, 俱爲一等, 拜叅知門下政事, 賜推忠奮義翊贊功臣號. 尋陞贊成事罷, 封檜城府院君. 元以平紅賊功, 授奉訓大夫·經正監丞, 復拜贊成事, 加賜推忠奮義輔理翊贊功臣號. 辛禑時, 與諸將, 屢禦倭有勞. 裳以善射, 聞於天下, 元順帝惠宗, 嘗親引其臂觀之. 子允瑞:列傳27黃裳轉載].[489]

[某日], 禑遣密直司使柳藩如京師. 賀表曰, "大春秋之一統, 運啓中邦, 整雷霆之六師, 威加南極. 捷音遠播, 喜氣旁騰. 竊以虞書, 載有苗之征, 漢史記交趾之擊, 盖其執迷而干紀, 故乃聲罪而致討. 蕞爾雲南, 濱於海徼, 妄謂險遠之足恃, 敢肆跳梁而不恭, 爰出睿謀, 偉矣萬全之擧, 克平獷俗, 赫然一怒而安, 息馬投戈, 超今邁

權公·載寧郡康公·鈴平君尹公·上黨君韓公·商山君金公·淸城君韓公及穡, 進紫門, 內官金實受手帕入, 有　旨不受拜, 旣退, 入新宮周覽, 勞董役衆官, 而退".

485) 이는 다음의 자료에 의거하였다.
· 『목은시고』 권32, 都堂請漆原府院君, 領門下·廣平, 領三司·鐵原會議, 而康平章·韓上黨·成夏城·朴陟山·韓淸城與穡陪其後, 堂食而罷, 有雨八句.

486) 이는 다음의 자료에 의거하였다.
· 『목은시고』 권32, 大雨行, "今年大雨在今日, 霹靂助威來也疾, …".

487) 한산군 李穡도 鄭公權의 逝去를 슬퍼하였다(『목은시고』 권32, 聞圓齋辭世, 哭之 ; 公權之葬, 病不果會, 悲慨之餘, 又題一首).

488) 2월에 雲南이 平定되어 4일(甲寅) 天下에 詔書를 내렸고(『명태조실록』 권142), 4월 5일(甲申) 雲南을 평정하고 사로잡은 몽골제국의 梁王 把匣剌瓦爾密(把匣剌瓦兒密, Baljawarmir) 및 威順王子 伯伯(拍拍, Baibai) 등의 家屬을 高麗國 耽羅에 옮기고 伯伯에게 衣 1襲·馬 10匹을 하사하였다(『명태조실록』 권144).

489) 黃裳의 生年은 『목은시고』 권32, 哭同庚黃檜山에 의거하였다.

古. 玆盖陛下, 重華協德[協德], 光武同符. 告厥成功, 混車書寰宇之內, 屈此群醜, 置俘虜海島之中. 是宜氛祲之消, 益慰神人之望. 伏念, 臣幸逢昭代, 欣聞凱歌, 攝政鼇東, 雖阻駿奔之列, 陳詩美上, 聊申燕賀之誠".[490]

[甲戌[27日], 星見于晝, 夜, 瑞星見于西方:天文3轉載].

[某日, 憲府與書雲觀啓, "我國木性, 不宜服黃·白·赤色衣":輿服1冠服通制轉載].

[某日, 以典理惣郞呂克諲爲慶尙道按廉使, 宣允祉爲全羅道按廉使:慶尙道營主題名記·錦城日記].[491]

[是月, 宮中梨, 華:五行1轉載].

[○京城饑, 布一匹, 直米三四升:五行3轉載].

八月[丁丑朔大盡,己酉], 戊子[12日], 太白晝見. 彗星見太微東藩, 長丈餘.

[某日], 議定遷都漢陽, 諫官上疏止之. 不聽.

[→禑移都漢陽, [領三司事崔]瑩曰, "遷都, 欲以安國, 願殿下, 毋輕忽, 夙夜恐懼, 不墜先業":列傳26崔瑩轉載].

[某日], 有鄭賷者入定妃殿, 潛通侍女, 杖流延安府, 杖侍女黜之.

[辛卯[15日], 初夜陰, 而中夜月明如晝:追加].[492]

---

490) 이 賀表는 『동문선』 권32, 賀朝廷平雲南, 發遣梁王家屬, 安置濟州表이다. 또 韓山君 李穡은 柳藩을 위한 餞送詩를 지었다(『목은시고』 권33, 柳密直赴京, 穡適身困, 不克郊餞, 吟成一首).

491) 呂克諲은 『慶尙道營主題名記』에는 呂克湮로 되어 있으나 오자일 것이다. 또 明年(우왕3) 3월에는 경상도안렴사 呂克諲으로(禑王列傳), 5월에는 전라도안렴사 呂稱으로(지30, 兵2, 屯田) 각각 表記되어 있다. 또 이때 함께 안렴사에 임명된 柳某가 있는데, 어느 지역의 누구인지를 알 수 없다. 그리고 宣允祉는 倭賊을 피해 內地로 移居한 寶城郡民을 안정시켰다고 하는데, 보성군이 어디로 移住하였는지는 알 수 없다.

- 『목은시고』 권33, 題呂摠郞出按慶尙道詩卷, 名稱.
- 『양촌집』 권15, 送慶尙道按廉使呂[克諲]典理惣郞.
- 『세종실록』 권19, 5년 3월 己酉[28日], 呂稱의 卒記, "前左軍都摠制呂稱卒. 稱字中父, 慶尙道咸陽人, 仕高麗拜司憲糾正, 歷全羅道按廉使, 典法·典理摠郞, 出爲公·羅二州牧使. 及我朝, 拜楊廣·慶尙·全羅道漕轉副使".
- 『목은시고』 권33, 柳廉使惠酒·紙·席.
- 『신증동국여지승람』 권40, 寶城郡, 人物, "宣允祉, 郡因倭寇, 播遷僑居內地. 允祉爲按廉□[使], 鳩集安定郡人, 至今稱之".

492) 이는 다음의 자료에 의거하였다.

[壬辰[16日]:比定], 禑出正殿視事.[493]

[是日, 慶尙道體覆使趙浚巡視草溪縣:追加].[494]

[某日], 禑獵于新京[白岳].

九月[丁未朔小盡,庚戌], [某日], 白州守洪順上書曰, “南京鎭三角山, 火山也. 木性之國, 不宜爲都”. 禑不聽.

[某日], 賜宮女理裝布五千餘匹.

[某日], 命守侍中李子松留守. [[鐵城府院君]李琳·[領門下府事]李仁任·林堅味·[門下贊成事]廉興邦等, 從行. 各遣傔從, 所在成群, 奪民田盧, 無有紀極:節要轉載].

[→禑遷都漢陽, [領門下府事]李仁任及禑舅李琳, 堅味·廉興邦·都吉敷·李存性·崔濂等扈從, 各遣傔從, 所在成群, 奪民田廬,[495] 無有紀極:列傳39李仁任轉載].[496]

癸酉[27日], 禑至漢陽.[497]

[是月, 知永州事李展淸通城起役:追加].[498]

[秋某月, 慶尙道師旅饑饉, 民業蕩盡, 往往郡縣棄爲倭寇, 言之可爲於悒:追加].[499]

· 『목은시고』 권33, 中秋, 初夜陰, 而中夜月明如晝, 悔之何及, 姑待來年.

493) 이날의 날짜[日辰] 比定은 1380년(우왕6) 6월 某日 禑王이 每月 2일과 16일에 視務하겠다고 하였던 것을 考慮하였다.

494) 이는 다음의 자료에 의거하였다.

· 『송당집』 권1, 壬戌八月十六日, 寓宿草溪. 霽月欲上, 公館寂闃寞, ….

495) 田廬는 延世大學本에서 曰廬로 되어 있으나 오자이다(孫曉 等編 2014年 3815面).

496) 이때 한산군 이색은 교외[東門外]에서 迎送하였고, 淸城君 韓脩는 扈從하였다고 한다. 또 이색의 利川의 田畓을 탈취하려는 外戚[戚畹]이 있었다고 한다(『목은시고』 권33, 利川田, 有爭者).

· 『목은시고』 권33, 陪廣平領門下[李仁任]·權吉昌[遷]·鄭月城[暉]·康平章[舜龍]·李光陽[茂芳]·金洞山·趙密直琳, 迓駕東門外, 歸而獨吟. 여기에서 金洞山은 누구인지를 알 수 없다.

· 「韓脩墓誌銘」, “歲壬戌[禑王8年], 扈從南京”.

497) 이날은 율리우스曆으로 1382년 11월 3일(그레고리曆 11월 11일)에 해당한다.

498) 이는 『동문선』 권77, 永州城門記(李詹 撰)에 의거하였다. 이에서 知永州事는 李止中으로 기록되어 있는데, 이해의 守令이 李展이므로(『永陽志』 권2, 守官, 張東翼 1983년) 그의 字가 止中일 것이다.

499) 이는 『양촌집』 권15, 送慶尙道按廉使呂[克諲]典理惣郞에 의거하였다.

[冬]十月[丙子朔大盡,辛亥], [某日], 禑畋于郊.

[某日], 倭寇南原, 慶尙道助戰元帥·知兵馬事沈于老, 斬倭三級.

[某日, 倭船五十艘入鎭浦, 海道□[副]元帥鄭地擊走之, 追至群山島, 獲四艘:節要轉載].[500)]

[乙酉[10日], 海平君尹之彪卒, 年七十三:追加].[501)] [謚忠簡, 之彪, 性寬厚, 不立崖岸, 略通蒙古語. 子寶, [鷹揚軍]大護軍, 寶子可觀, 自有傳:列傳37尹碩轉載].[502)]

[丁亥[12日], 木稼:五行2轉載].

[是日, 韓山君李穡, 詣南京行宮, 肅拜, 歸東村民舍:追加].[503)]

[某日, 判書朴某卒, 年五十七:追加].[504)]

[某日, 判事趙天吉, 以阿剌吉酒, 訪韓山君李穡第:追加].[505)]

[某日], 禑被酒, 馳騁閭里, 墜馬傷面.

---

500) 이 기사는 열전26, 鄭地에도 수록되어 있다.

501) 이는 「尹之彪墓誌銘」에 의거하였는데, 이날은 율리우스曆으로 1382년 11월 15일(그레고리曆 11월 23일)에 해당한다.

502) 이는 다음의 기사를 전재하였는데, 添字는 「尹之彪墓誌銘」에 의거하였다.
- 열전37, 尹碩, "之彪, 官至知門下省事, 封海平君, 謚忠簡. 性寬厚, 不立崖岸, 略通蒙古語. 子寶, 大護軍, 寶子可觀, 自有傳".

503) 이는 다음의 자료에 의거하였다. 여기에서 密直副使 潘福海가 宣醞을 李穡에게 가져온 것은 12일 이후로 추정된다.
- 『목은시고』 권33, 到得務浦下岸, 宿南京同村旺心民舍, 明日詣行宮肅拜, 歸途有詠, 十月十二日也.
- 『목은시고』 권33, 潘密直賚宣醞來賜, 明日詣內謝恩, 歸而有作.

504) 이는 다음의 자료에 의거하였는데, 1324년(甲子, 충숙왕11)에 樵隱 李仁復의 문하에서 乙科 3人으로 급제했다는 判書朴某는 누구인지를 알 수 없다.
- 『목은시고』 권33, 昨聞朴判書契長卽世, 晩作挽詞, "老草門下第三人, 家敎薰陶氣味醇, 甲子更端俄屬纊, 戊辰居後獨霑巾, …".

505) 이는 다음의 자료에 의거하였는데, 阿剌吉酒는 몽골제국시기에 처음으로 製造된 蒸溜酒로 燒酒, 火酒, 白干으로도 불렸다(袁冀 2005年).
- 『목은시고』 권33, 西隣趙判事, 以阿剌吉來, 名天吉(이웃에 사는 判事 趙天吉이 阿剌吉을 가지고 방문하다).
- 『本草綱目』 권25, 穀4, 造釀類, 酒, 燒酒, "釋名, 火酒, 綱目, 阿剌吉酒[注, 飮膳正要]. 集解[注, 時珍曰, 燒酒, 非古法也, 自元時始創, 其法用濃酒和糟, 入甑烝, 令氣上, 用器承取滴露. 凡酸壞之酒, 皆可烝燒. 近時, 惟以糯米, 或粳米, 或黍, 或秫[秫], 或大麥, 甑熟和麴, 釀甕中七日, 以甑烝, 取其淸如水, 味極濃烈, 蓋酒露也. …]".

十一月[丙午朔小盡,壬子, 虹見:五行1虹霓轉載].

[癸丑8日, 冬至. 遣中官李匡韓山君李穡第, 賜唐飯·酒食:追加].506)

[甲寅9日, 星入日中:天文1轉載].

[○月掩歲星:天文3轉載].

[戊午13日, □月又犯畢星:天文3轉載].

[己未14日, 木稼:五行2轉載].

[某日, 韓山君李穡·淸城君韓脩·花山君權仲和三人, 詣大內問起居, 中官出賜酒, 拜飮:追加].507)

[某日, 韓山君李穡·花山君權公·前密直李某詣大內問起居. 都堂召議公事, 設堂食:追加].508)

[某日, 文書監進色諸官, 訪韓山君李穡第, 商量事大文字, 判書柳雲奉宣醞來, 拜飮而罷. 判書亦監進一員也:追加].509)

[某日, 正言徐某訪韓山君李穡, 請校閱表文提頭·圈點:追加].510)

[某日], 同知密直司事兼大司憲盧嵩等上疏曰,511) "近日, 殿下出遊, 入直辭·內府令李德時,512) 不以告百官·有司, 內乘金天守等, 進不調習之馬, 以致顚蹶, 請鞫其罪",

---

506) 이는 다음의 자료에 의거하였다. 여기에서 那衍(那延, noyan)은 宦官 李匡의 蒙古名인 것 같다.
· 『목은시고』 권33, 初八日, 冬至也. 韓淸城脩送斗粥幷蜜, 副樞李種德繼持至, 府尹又送來 ; 李匡那衍來, 賜唐飯·酒食.

507) 이는 다음의 자료에 의거하였다.
· 『목은시고』 권33, 同韓淸城·權花山詣內起居, 中官出賜酒, 拜飮而歸.

508) 이는 다음의 자료에 의거하였다.
· 『목은시고』 권33, "與花山君權公·前密直李公詣內起居, 都堂召議公事, 設堂食, 醉飽而歸".

509) 이는 다음의 자료에 의거하였는데, 柳雲은 前門下侍中 柳濯의 長子로서 大將軍을 역임한 武臣이다(열전24, 柳濯→공민왕 18년 10월 24일).
· 『목은시고』 권33, "監進諸公, 就僕商量事大文字, 柳判書雲奉宣醞來斯, 拜飮而罷, 判書亦監進一名也".

510) 이는 다음의 자료에 의거하였는데, 正言 徐某는 누구인지를 알 수 없다.
· 『목은시고』 권33, 表文提頭·圈點, 徐正言來請.

511) 盧嵩은 이해에 同知密直司事兼大司憲으로 임명되었다(『태종실록』 권28, 14년 8월 甲辰4日).

512) 入直辭에 대한 注釋으로 다음이 있다.
· 『增定吏文輯覽』 권2, "入直辭[注, 辭, 高麗官名, 宦官爲之, 如今之承傳色也(9面右9行)".

從之.

[○門下侍中洪永通·守侍中李子松等亦上言, “殿下, 醉輒馳馬, 臣等, 心常危懼, 今果顚躓致傷尊體, 乞自今, 端居九重, 戒遊畋, 愼酒色, 毋或輕動”. 禑不悅:節要轉載].[513)]

[某日], 禑如鷹揚軍上護軍李存性第曰, “予少好馳馬, 今尙不能自已”. 存性曰, “地方冰凍, 恐馬顚躓, 願爲宗社自重”. 禑不悅.

[某日], 遣同知密直司事鄭夢周·版圖判書趙胖, 如京師, 賀正. 仍進陳情·請諡謚·承襲表. 陳情表曰, “歲貢下之奉上, 天聰高而聽卑, 力或未周, 情在必達. 臣禑少而孤苦, 加以愚蒙. 處朝鮮山海之閒, 壤地褊小, 値日本干戈之際, 財賦凋殘. 雖懷事大之忠, 未徹燭微之鑑, 歲月逝矣, 日夕惕然. 伏望陛下, 記先臣翼翼之心, 憐孤臣煢煢之疚, 示敎條之寬大, 通行李之往來. 則臣謹當保一方之人民, 罔愆于度, 爲萬世之臣妾, 永觀厥成”.

○請諡謚表曰, “丕視功載, 雖舊不遺, 永言孝思, 惟親是顯, 玆殫悃愊, 庸浼高明. 竊以禮莫重於示終, 德莫加於懷遠, 此帝王之懿範, 而古今之恒規. 先臣顓, 於洪武七年, 薨逝之後, 累次上表請諡謚, 未蒙明降, 歲律悲於九更, 天聰敢於再瀆. 伏望陛下, 特頒恤典, 以慰貞魂, 則臣謹當率先考以移忠, 與東人而祝壽”.

○承襲表曰, “茅土之封, 帝王所以樹屛, 箕裘之業, 人子所以承家, 冒貢愚衷, 敢干聰聽. 伏念, 臣年方十歲, 喪我先臣, 對影無依, 悼歲月之徂逝, 撫躬自幸, 蒙天地之生成, 第錫命之尙稽, 肆傾心之益切. 伏望陛下, 以九經懷柔之道, 擧萬國封建之權, 俾臣之微, 纘父之服, 則臣謹當嘉與父老, 祝皇齡之萬年, 以至子孫, 修侯服於百世”.

[癸亥18日, 月犯輿鬼·積尸:天文3轉載].

[某日], 以天變屢見, 放輕繫.

[庚午25日, 以曹敏修△守侍中, 三重大匡·領藝文春秋館事李穡△~~三重大匡~~·判三司事·~~領藝文春秋館事·上護軍~~, ~~功臣號餘如故~~. 穡, 稱疾不視事:節要轉載],[514)] [姜蓍爲~~匡靖大夫~~·判厚德府事~~兼判典醫~~

513) 이와 같은 기사로 다음이 있다.

· 열전24, 李子松, “李子松, 進拜守門下侍中, 禑遷都漢陽, 命子松留守. 子松自松京來謁, 禑賜酒慰之曰, ‘留守松都, 庶事惟繁, 卿獨處之, 豈不難乎’. 禑墜馬傷, 子松與洪永通言, ‘殿下醉, 輒馳馬, 臣等心常危懼, 今果顚蹶, 致傷尊體. 願自今端居九重, 戒遊畋, 愼酒色, 毋或輕動’. 禑默然不悅”.

~~寺事~~·~~上護軍~~,[515] 同知樞密院事成石璘爲端誠翊祚佐理功臣·昌原君·寶文閣大提學[516]:追加].

[甲戌29日晦, 亦如之木稼:五行2轉載].

[是月, 永州淸通城工畢:追加].[517]

[○以黃益祥爲扶安縣安集別監:追加].[518]

[是月頃, 以柳克濟爲羅州牧判官:追加].[519]

十二月乙亥朔大盡,癸丑, [某日], 命守侍中曹敏修守松京.

[某日], 禑畋于郊. 至暮不返, 群臣失禑所之, 夜深乃還.

[乙酉11日, 木稼:五行2轉載].

[戊戌24日, 國師普愚普虛入寂:追加].[520]

[是月, 設折給都監, 以判開城□□~~府事~~朴形等, 爲別坐, 分給土田:食貨1經理轉載].

---

514) 이날은 11월 25일이고, 李穡은 "三重大匡·判三司事·領藝文春秋館事·上護軍, 功臣號餘如故"에 임명되었다(『목은집』연보).

· 『목은시고』 권33, 是月二十五日, 拜判三司之命, 同曹侍中肅拜, 歸而紀行.

515) 이때[冬] 姜蓍는 匡靖大夫·判厚德府事兼判典醫寺事·上護軍에 임명되었다(『양촌집』 권39, 姜蓍墓誌銘).

516) 이는 『獨谷集』行狀에 의거하였다.

517) 이는 『동문선』 권77, 永州城門記(李詹 撰)에 의거하였다.

518) 이는 『부안읍지』, 先生案에 의거하였다.

519) 이는 『금성일기』에 의거하였다.

520) 이는 「楊州太古寺圓證國師塔碑」에 의거하였는데, 普愚의 入寂을 달리 설명한 기록도 찾아지지만 誤謬일 것이다. 또 普愚가 三角山 重興寺에 居住했던 것을 기록한 것이 있고, 그에 관련된 중국측의 자료도 찾아진다. 그리고 24日(戊戌)은 율리우스曆으로 1383년 1월 27일(그레고리曆 1383년 2월 4일)에 해당한다.

· 『박통사언해』권上, "… 戊午冬示寂, 放舍利, 玄陵賜諡圓證國師, 封塔于重興寺之東, 以藏舍利. 玄陵卽恭愍王陵也".

· 『동국여지승람』 권3, 漢城府, 佛宇, "重興寺, 在三角山. 高麗僧普愚嘗住寺之東峯, 扁以'大古', 倣永嘉體作歌一篇. 及死, 李穡撰碑銘".

· 『補續高僧傳』 권13, 習禪傳, 石屋珙禪師傳, "淸珙, 字石屋, 蘇州常熟人, 俗姓溫, … 至正壬辰秋七月二十有一日, 示微疾, 夜中與衆訣, … 世數八十有一, 僧臘五十有四. 弟子普愚太古者, 高麗國人, 師說偈印可, 有金鱗上直鉤之句, 後歸, 王尊之, 以爲國師, 數道師德, 王甚渴仰, 及師化, 表達朝廷, 詔諡佛慈慧照禪師, 移文江浙, 請淨慈平山林公, 入天湖取師舍利之半, 館伴歸國, 建塔供養. 師有上堂法語, 山居偈頌, 緝本盛行于世".

[→置折給都監, 以宰樞七八人爲別坐, 分給土地, 以均田里:百官2折給都監轉載].

[是月頃, 以奉翊大夫朴葳爲雞林府尹兼管內勸農·都兵馬使, 金宗衍爲羅州牧使:追加].[521)]

[是年, 四月以後至九月, 知永州事李展, 與倭戰三十六次:追加].[522)]

[○下教褒奬孝子·前軍器少尹曹希參, 旌表而彰善, 復其家而厚恤:追加].[523)]

[○改東界福州爲端州安撫使:轉載].[524)]

[○以知門下府事沈德符爲西北面都巡問使兼平壤府尹:追加].[525)]

[○以姜筮爲判密直司事:追加].[526)]

[○以姜淮伯爲代言, 尋擢密直提學. 時淮伯年二十六:追加].[527)]

[○以左司議大夫金九容爲成均大司成, 尋爲判典校寺事:列傳17金九容追加].

[○以禮儀正郞柳觀爲典理正郞:追加].[528)]

---

521) 이는 『동도역세제자기』; 『금성일기』에 의거하였다.

522) 이는 다음의 자료에 의거하였는데, 永川副使[知永州事] 李展(공민왕 17년 及第者)은 1382년(우왕8) 3월에서 明年 4월까지 在職하였다(『영천선생안』; 張東翼 1983년). 또 이때 거의 6개월 사이에 36次에 걸쳐 倭賊과 攻防戰을 하였다고 하는데, 이를 통해 볼 때 永州에 침입했던 왜적은 퇴로가 차단되어 土賊化[土匪]되어 그 討伐에 어려움이 있었던 것 같다.

- 『동문선』 권77, 永州城門記, "壬戌春, 李候止中李展出知永州閱月, 倭入寇, 是後相繼呑噬, 凡三十六次. 永民皆渡江而西, 餬口以居, 無東意, …".
- 『자치통감』 권250, 唐紀66, 懿宗咸通 1년(860) 6월, "辛卯, 浙東東·南兩路軍圍剡城, 賊城守甚堅, 攻之, 不能拔, 諸將議絶溪水以渴之, 賊知之, 乃出戰. 三日, 凡八十三戰, 賊雖敗, 官軍亦疲. …".

523) 이는 『경상도지리지』, 慶州道, 壽城縣, 曹希參 ; 열전34, 孝友, 曹希參 등에 의거하였다. 曹希參에게 내려진 旌閭門은 조선시대의 大丘府任內 壽城縣 內里에 있었다고 한다(『慶尙道續撰地理誌』, 大丘都護府).

524) 이는 지12, 지리3, 福州, "辛禑八年, 改端州安撫使"를 전재한 것이다.

525) 이는 『동문선』 권117, 沈德符行狀에 의거하였다.

526) 이는 다음의 자료에 의거하였다.

- 『세종실록』 권26, 6년 10월 庚申6日, 姜筮의 卒記, "… 己未禑王5年, 密直副事使, 壬戌8年, 判密直司事, 甲子10年, 門下評理, …".

527) 이는 다음의 자료에 의거하였다.

- 『태종실록』 권4, 2년 11월 戊戌19日, 姜淮伯의 卒記, "壬戌年二十六, 拜代言, 是年, 陞奉翊□□大夫·密直提學".

528) 이는 『夏亭集』行狀에 의거하였다.

[○以洪台彦爲延安府使, 尋以白召代之:追加].[529]

[○以鄭天麟爲知寧海府事:追加].[530]

[○洛城君金先致, 退居尙州:追加].[531]

[仁同人 張東翼 校注, 增補].

529) 이는『연안부지』에 의거하였다.

530) 이는『영해선생안』에 의거하였다.

531) 이는 다음의 자료에 의거하였다.

- 『태조실록』 권13, 7년 3월 己巳[22日], 金先致의 卒記, "… 壬戌[禑王8年], 退居尙州. 丁丑[太祖6年], 赴京, 上老之, 賜米命還. 至是, 卒于家, 年八十一. 子三人, 鍾·銓·鈞".
- 열전27, 金先致, "退居尙州, [太宗七年]卒, 年八十一, 子鍾·銓·鈞".

『高麗史』卷四十七 世家卷四十七[卷百三十五 列傳卷四十八]

[輔國崇祿大夫·議政府左贊成·知集賢殿經筵春秋館成均事·世子賓客·臣金宗瑞奉敎撰]
正憲大夫·工曹判書·集賢殿大提學·知經筵春秋館事兼成均大司成·臣鄭麟趾奉敎修

禑王[辛禑] 三

癸亥[禑王]九年, 明洪武十六年, 北元天元五年, [西曆1383年]

1383년 2월 3일(Gre2월 11일)에서 1384년 1월 22일(Gre1월 30일)까지, 354일

[春]正月[乙巳朔[大盡,甲寅], 妖狐鳴于闕傍:五行2轉載].[1)]

[某日, 海道副元帥鄭地擊倭大破之, 賜金帶一腰·白金五十兩:節要轉載].[2)]

癸丑[9日], 納哈出遣文哈剌不花[~~文哈剌不花~~], 請尋舊好.

[某日], 禑如謹妃殿, 作儺戲.

[翼日, 禑以妓樂, 出遊. 時寒風甚烈, 禑手自吹笛, 謂妓輩曰, “手凍, 吹笛甚苦”.

[某日], [同知密直司事]夢周等至遼東, 都司[遼東都指揮使司]稱有勅不納, 止納進獻禮物. 勅曰, “天覆地載, 日月所臨, 爲烝民之主, 封疆. 雖大小之殊, 治民之道, 莫不亦然. 其盡大地之民, 亘古至今, 豈一主而善周育者也. 前者, 三韓酋長, 爲臣所弑, 弑後疊來. 奏朕臣貢如常, 却之再三, 不止. 特以歲貢難之, 必止, 今不止而固請. 乃以前數年零碎之貢, 合而爲數, 而暗爲愚侮. 然三韓之域, 奠於中國之東, 滄海之外. 朕觀我中國之書, 其方之人, 不懷恩而好構禍, 縱使暫臣, 亦何益哉? 爾守遼諸將, 固守我疆, 毋與較徵. 今以數年之物, 合而爲一. 稱爲如勅, 其意未誠. 符到之日, 仍前阻歸, 不許入境, 止許自爲聲教”.

[某日], 胡拔都來, 掠泥城, 中流矢走.

[某日], 門下府上書, 請還松京.[3)]

---

1) 乙巳에 朔이 탈락되었다.

2) 이는 열전26, 鄭地에도 수록되어 있다.

丁巳13日, 禑徒行, 如謹妃殿.

[某日], 禑出遊, 百官侍衛, 禑忌之, 馳馬還.

[某日], 遼東都司~~遼東都指揮使司~~移文曰, “高麗臣事大明, 不宜與納哈出通好. 今聞納哈出, 遣文哈剌不花~~文哈剌不花~~請好, 高麗厚禮以慰之, 其於臣事大明之意, 如何. 如欲免罪, 莫若檻送文哈剌不花~~文哈剌不花~~, 以効其誠. 不然, 雖有後患, 悔之何及?”.

[某日, 以柳克恕爲楊廣道按廉使, 呂稱爲全羅道按廉使, 崔資爲交州道按廉使, 慶尙道按廉使呂克諲, 仍番:錦城日記·慶尙道營主題名記].[4]

[是月戊午14日, □□~~明帝~~, 敕諭遼東都指揮使潘敬·葉旺曰, “卿等封至高麗賀正表, 知臘月中旬, 其使始至遼東, 安能及期到京, 其計之狡不過, 曰, 吾事大之禮已盡, 可以塞責矣. 其誠心安在哉, 卿等止其來使甚善, 今當諭之曰, 賀禮過期, 朝廷不納, 以明其罪”:追加].[5]

二月乙亥朔小盡,乙卯, 戊寅4日, 禑帶弓矢, 馳馬于郊.

翼日~~己卯~~5日, 王, 又畋于郊.

[庚辰6日, 木稼:五行2轉載].

[某日], 以僧混修爲國師, 粲英爲王師.[6]

[某日], 禑觀打魚于楊州.

[某日], 禑發漢陽, 時軍民甚苦暴露, 及行, 火其廬幕,[7] 以冀不復來也.[8]

---

3) 이와 관련된 자료로 『목은시고』 권33, 南京早春·朝議遷京이 있다.

4) 柳克恕와 崔資의 임명은 是年 3월 某日에 의거하였다.

5) 이는 『명태조실록』 권151, 홍무 16년 1월 戊午를 전재하였다.

6) 이때 粲英은 3월 乙丑(22일) 王師에, 混脩는 4월 1일(甲戌) 國師에 각각 책봉되었고, 그들의 處所에 사신이 파견되어 册封儀式이 擧行되었다고 한다(忠州億政寺故高麗王師諡大智國師塔碑銘 ; 忠州靑龍寺普覺國師塔碑銘). 그러므로 이날[某日]은 국사와 왕사의 임명이 이루어졌던 날짜일 것이다. 또 粲英은 1328년에 출생한 李穡과 同甲[同庚]이라고 한다.

· 『목은시고』 권6, 內願堂監主·判曹溪宗事英公, 號古樗, 居曰松月軒, 於予同庚故人也. 請題故賦此.

7) 여기에서 廬幕은 다음의 脚注와 같이 天幕, 穹廬을 가리킨다.

8) 이때 禑王의 還都에 관한 자료로 다음이 있다. 이 자료의 納鉢[nabo]은 契丹語에서 유래한 것인데, 捺鉢·剌鉢·納拔·納鉢·納寶(淸代에 巴納으로 改書) 등으로 表記되는 帝王의 狩獵·漁撈를 위한 行宮地이다(傅樂煥 1984年 ; 陳高華·史衛民 2010年 144面 ; 高井康典行 2019年). 이곳에는

[某日]，賜楊廣道按廉□[使]柳克恕·交州道按廉□[使]崔資，廐馬各一匹．克恕·資皆姦慧諂諛，善伺候人意，當禑之南遷，剝民膏血，窮極珍羞，賂遺權貴，以取媚悅，故賜之．

己丑[15日]，禑還松京，以宰臣朴原鏡[朴元鏡]第，爲時坐宮．設彩棚雜戲以迎，成均學生獻歌謠．[9] 禑曰，“學生何其少耶?”．[門下贊成事]廉興邦對曰，“往者，養賢庫充羨，能養諸生，故人爭入學，今匱乏不能養，故少”．禑曰，“其給豊儲倉米，養之”．

[某日]，禑宴群臣于花園，夜分乃罷．

[某日]，以[同知密直司事]柳曼殊爲慶尙道元帥兼合浦[慶尙道]都巡問使，[10] 羅世爲海道元帥[都元帥]．[11]

[某日，左司議□□[大夫]權近等上疏曰，“□[¯]．官爵所以命有德賞有功，故賢者在位，能者在職，而無功者不得濫受也．比年以來，四方兵興，國用虛耗，其有戰勝之功者，錢財不足，□□[而難]以盡賞，官爵[職]□□[有限]，□[而]難以盡授．□[故]先王[恭愍王]權設添

氈帳(天幕，穹廬，蒙古語의 斡魯朶)인 파오[蒙古包，Mongolian yurt]가 설치되어 있었다(→충렬왕 4년 7월 4일의 脚注)．이 氈帳은 조선시대에는 波吾達로 불리면서 國王과 王子가 畋獵，觀稼，休養을 위해 지방에 행차할 때 院館의 附近에 설치되었다．

· 『목은시고』 권33，扈駕道中·楓川納鉢·長湍納鉢·椒川納鉢．여기에서 楓川은 楊州 沙川縣 楓川原(楓川坪，『세종실록』 권7，2년 2월 己未[21日])，椒川은 長湍縣 大師峴洞 龍屯郊(龍遁郊) 인근의 椒川邊(『정종실록』 권2，1년 11월 戊子[22日]；『신증동국여지승람』 권12，장단도호부，山川，龍遁郊)으로 추측된다．

· 『文昌雜錄』 권6，“北人謂住坐處曰捺鉢，四時皆然，如春捺鉢之類是也，不曉其義．近者，彼國中書舍人王師儒來，修祭奠，余充接伴使，因以問，師儒答云，是契丹家語，猶言行在也”[四庫全書本]．

· 『灤京雜咏』권上，“納寶盤營象輦來，畵簾氈暖九重開，大臣奏罷行程記，萬歲聲傳龍虎臺[注，龍虎臺，納寶之也．凡車駕幸行宿頓之所，謂之納寶，如云納鉢”[四庫全書本]．여기에서 龍虎臺는 거란제국의 混同江 行宮[春捺鉢]을 가리키는데，韶陽川 行在所라고도 불렸는데，현재의 黑龍江省 西南部에 위치한 大慶市 肇源縣 新站鎭의 古城址 일대이다．

· 『요사』 권32，지2，營衛中，行營，“… 秋冬違寒，春夏避暑，隨水草就畋漁，歲以爲常．四時各有行在之所，謂之捺鉢”．

9) 이와 관련된 자료로 다음이 있다．

· 『목은시고』 권33，留都宰相，率百官，郊迎于禪興寺之東，成均諸生，進歌謠．

· 『목은시고』 권33，自東大門至闕門前，山臺雜劇，前所未見也．

10) 慶尙道元帥兼合浦都巡問使는 慶尙道元帥兼慶尙道都巡問使의 오류일 것이다．이는 우왕 9년 11월 某日 全羅道都元帥 池勇奇가 全羅道都巡問使에 임명되었음을 통해 알 수 있다．合浦에 慶尙道都巡問使營이 설치되어 있었기에 合浦都巡問使는 慶尙道都巡問使의 別稱이 되었던 것 같다．

11) 羅世는 海道都元帥로서 7월에 軍容檢點使 金守明과 함께 羅州牧 木浦에 들어와 碇泊하였고，이 해의 5월에는 鄭地가 海道副元帥였다(『금성일기』)．

職，而有定數，以賞其功，非有軍功□[者]，不敢虛以授之．是故，有功者，益以勸，而無功者不敢望．今者，添職大繁，至無其數，功否混淆，僥倖日開，至於工商賤豎，皆得冒受．故有功者雖得而不喜，無功者冒求而不止，官爵之賤，至如泥沙，此非細故也．況今國家，所賴以賞有功，縻人心者，唯官爵而已．官爵不重，人皆輕之則，後雖有功，何以賞之．且戰攻之士，豈望添設輕賤之職，以赴難測危亡之地乎？願自今賞功添設之職，一遵先王定數，除赴戰有功軍官外，勿許除授．女封宅主，僧封諸君法號，兩府外封君，皆係官爵輕賤，並許禁斷．[12)]

□[一]．國之安危，係乎州縣盛衰．比年以來，外方州縣吏輩，規免本役，稱爲明書業·地理業·醫□[業]·律業，皆無實材，出身免役，故鄕吏日減，難支公務．至於守令，無所役使，諸業出身者，退坐其鄕，恣行所欲，守令莫之誰何．是故[是以]，州縣僅存之吏，皆生覬覦之心，□□[~~臣等~~]竊恐州縣因此益衰．乞東堂雜業·監試，明經一皆罷之．[13)]

□[一]．傳曰，民者，邦之本也，財者，民之心也，[14)] 故失其心則民散，失其本則邦危．比年以來，征戰不息，水旱相仍，民有飢色，野有餓莩．加之一田，三兩其主，各徵其租，以割民心，所在官司，□□□□[按廉·察訪]□[使]，不能呵禁．□□□□[~~哀此煢獨~~]，□□□□[~~誰因誰極~~]，□□□□[~~邦本之危~~]，□□□□[~~莫此爲甚~~]，□□[~~臣等~~]，□□□□[~~每念至此~~]，□□□□[~~深爲痛心~~]，願自今，一依本國田法，京中版圖司，外方按廉□[使]斷決，使民蘇息，如有違者，痛行禁理．[15)]

□[一]．書曰，學于古訓，時惟立事，[16)] ~~又云，不學墻面，涖事惟煩~~，[17)] 故自古聖賢之君，未有不學而能理萬幾之政者也．殿下卽位之初，有志于學，首開書筵，國人相慶，以望大平，而近年以來，或作或輟，人皆觖望．願殿下不忘初志，復開書筵，或命大臣獻議，

---

12) 이 구절은 지29, 선거3, 添設에도 수록되어 있으나 添字와 같이 字句에 出入이 있다. 또 '女封宅主 以下'는 지29, 選擧3, 封贈에는 "女封宅主, 僧封諸君, 及□[兩]府外封君, 皆繫官爵輕賤, 並許禁斷"으로 되어 있다.

13) 이 구절은 지29, 선거3, 鄕職에도 수록되어 있으나 ~~添字~~와 같이 字句에 出入이 있다.

14) 이 구절은 다음의 자료에서 인용한 것이다.

· 『자치통감』 권228, 唐紀44, 德宗 建中 4년(783) 8월 丁未, "翰林學士陸贄上奏曰, … 人者, 邦之本也, 財者, 民之心也. 其心傷則其本傷, 其本傷則枝幹顚瘁矣".

15) 이 구절은 지32, 식화1, 租稅에도 수록되어 있는데, ~~添字~~는 이에 의거하였다.

16) 이 구절은 다음의 자료에서 따온 것이다.

· 『書經』, 說命下(僞古文), "說曰, 王, 人求多聞, 時惟建事, 學于古訓, 乃有獲".

17) 이 구절은 『書經』, 周官(僞古文)의 "不學墻面, 莅事惟煩"에서 따온 것이다.

或令左右講論, 以通經學義理之宗, 以觀古今理亂之變, ~~非禮勿視~~, ~~勿禮非聽~~, ~~勿禮勿言~~, ~~非禮勿動~~, 以副三韓臣民之望, ~~以動四國觀聽之心~~, ~~則實萬世無窮之福也~~":節要轉載].[18)]

[某日, 禑令~~王命~~, 東堂雜業·監試明經, 依舊施行, 鄕吏則三丁一子, 許赴試:選擧3鄕職轉載].

三月甲辰朔大盡,丙辰, [某日, 憲府上書曰, "本朝, 以從仕久近, 勞逸多少, 循資陞秩, 以賞功勞. 比來, 奔競成風, 名器日賤, 有勞者不敍, 無功者冒受. 願□□~~自今~~, 精加檢察, 循次敍用, 以明銓選之法. 守令, 近民之職, 尤不可不謹, 比來, 姦佞貪暴之徒, 附託權勢, 求爲守令, 恣行不法, □□□□~~憑公營私~~, □□□□~~塗炭生民~~, 州府郡縣, 日就凋弊. 願□□~~自今~~, 令臺省·六曹, 擧廉正□□~~寡欲~~, □□~~純良~~勤儉者, 分遣郡縣, 使都巡問使·按廉使, 黜陟賢否, 以明賞罰, 如有謬擧, 罪及擧主. □□□□~~黜陟不明~~, □□□□~~憲司糾理~~". 禑納之:節要·選擧3選法·選用守令轉載].[19)]

[某日, 禑如定妃殿. 自是, 往來甚數, 或不克入, 每至輒戲之曰, "予之宮人, 何不如母之顏色乎?":節要轉載].

[→辛禑卽位, 妃年少美而艶, 禑每戲之曰, "予後宮人, 何無如母氏者乎?":列傳2恭愍王妃定妃安氏轉載].

己酉6日, 禑馳馬於市, 有人走避, 禑追及, 以鐵如意擊之, 遂如惠妃殿.

[○狐鳴於花苑~~花園~~:五行2轉載].[20)]

[某日], 典理摠郞裵仲倫妻, 與族僧云珪通, 逃至延安府, 捕鞫之, 杖仲倫妻, 沒爲官婢, 云珪斃獄中.

[某日], 禑率林檄等十餘騎, 如惠妃殿, 又如密直使盧英壽第, 馳馬射狗, 又如安逸院, 院尼寺也.

[壬子9日:追加], 以旱禁酒.

[→壬子, □以旱禁酒:五行2轉載].

18) 이 구절은 열전20, 權晅, 近에도 수록되어 있는데, 첨자는 이에 의거하였다.

19) ~~添字~~는 지29, 선거3, 選法·選用守令에 의거하여 추가한 것이다.

20) 餘他에서는 모두 花園으로 되어 있음을 보아, 花苑은 花園의 오자일 것이다.

[某日], 前副正禹吉逢殺妻逃, 捕鞫之.

[某日], 慶尙道按廉□[使]呂克諲言,[21] “河陽·永州·報令·化令·河東等處, 有閑曠地, 請屯田, 以助軍餉”, 從之. 於是, 克諲奪人祖業田, 或奪耕牛, 民失其業, 怨讟旁興.

[某日], 禑如[領三司事]李仁任第.[22]

[某日], 前郎將鄭元甫, 嘗詐稱川寧安集□□[別監], 繫獄. 逃, 又稱居昌安集□□[別監], 赴任營私, 伏誅.

[某日, 左司議□□[大夫]權近等上疏曰, “從諫如流, 人君之美德, 責難於君, 臣子之忠義也. ~~書曰~~, 惟木從繩則正, 后從諫~~則聖~~.[23] ~~又曰,~~ 股肱惟人, 良臣~~惟聖~~.[24] 故爲人君者, 不可以不從諫, 爲人臣者, 不可以不責難. 此臣等所以敢冒天威, 仰瀆聰聽也. 古之人君, 深居九重, 躬攬萬幾, 日親賢士大夫, 以守至正. 至於出入之際, 必有警蹕之節, 徐驅而行, 塵不及軌, 前導後衛, 以辟行人故, 百姓但聞其聲, 不見其面. 君位以尊, 民心以敬, 戴之如天, 畏之如神. 今者殿下, 專事逸豫, 興居無節, 或晝或夜, 從以數騎, 馳騁道路, 百姓望見龍顏, 知之者, 驚駭失望, 以謂殿下何至此極也. 不知者, 以謂無賴豪俠之徒, 指而侮笑. 此臣等所以夙夜痛心, 深爲殿下惜之也. 而況人君一身, 與宗社爲體, 不重其身, 是不重其宗社也. 馳騁之際, 馬或驚倒, 危懼甚矣, 不審殿下, 何不自重. 縱不自重, 其柰宗社何. 昔者, 漢文帝將馳下峻坂, 袁盎諫曰, 馬驚車敗, 陛下縱自輕, 柰高廟太后何. 文帝嘉納故, 後世皆稱文帝之德, 以爲賢君. 殿下天資英邁, 過於文帝, 豈宜此事, 獨出其下. 此臣等所以敢言不諱, 以冀殿下之從之也. 天之有晝夜, 猶人之有動息也. 人君奉若天道, 一動一靜, 皆當法乎天也. ~~易曰~~, 嚮晦入~~宴息~~.[25] ~~傳曰~~, 人君動法於日, 出入有節, 言人君晝則動而爲政, 以法乎天之日出而爲晝也, 及嚮昏晦, 入居於內, 宴息其身, 以法乎天之日入而爲~~夜也~~.[26] 古之聖王, 昧爽丕顯, 坐以待旦, 辨色視朝, 以聽庶政, 至于日中昃, 所以法乎天日也. 故天愛人君, 降之遐福. 今者

---

21) 呂克諲은 摠郎으로 前年(壬戌, 우왕8) 慶尙道秋冬番[秋冬等]按廉使가 되어 이해의 春夏番按廉使에 連任[仍番]되었다(『경상도영주제명기』; 『惕若齋學吟集』권하, 送呂摠郎出按慶尙道). 한편 李穡은 이때 呂稱이 慶尙道按廉使가 되었다고 하였으나(『목은시고』 권33, 第呂摠郎出按慶尙道詩卷, 名稱), 呂稱은 이해의 全羅道春夏番按廉使였다(『금성일기』; 지36, 병2, 屯田).

22) 李仁任은 1382년(우왕8) 6월 某日 領門下府事에 임명된 후 곧 領三司事로 轉職하였다고 하는데(→是日의 脚注), 그 시기를 알 수 없어 是年부터 領三司事로 직위를 표기하였다.

23) 이 구절은 『서경』, 說命上(僞古文), “[傅]說復于王曰, 惟木從繩則正, 后從諫則聖”에서 따온 것이다.

24) 이 구절은 『서경』, 說命下(僞古文), “王曰, 嗚呼, [傅]說, 四海之內, 咸仰朕德, 時乃風, 股肱惟人, 良臣惟聖”에서 따온 것이다.

25) 이 구절은 『周易』上經, 隨, “象曰, 澤中有雷, 隨. 君子以嚮晦入宴息”에서 따온 것이다.

26) 이 구절의 出處를 알 수 없으나 유사한 내용으로 다음이 있다.

· 『신당서』 권180, 열전105, 李德裕, “… 時帝數出畋游, 暮夜乃還, 德裕上言, 人君動法於日, 故出而視朝, 入而燕息, 傳曰, 君就房有常節, 惟深察古誼, 毋繼以夜. 側聞五星失度, 恐天以是勤勤

殿下，夜遊晏起，其於法天法日之道何如．矧今四方兵興，饑饉荐臻，民業蕩盡，國勢將危，此誠殿下，夙夜憂勤，勵精爲治之時也．殿下不以爲意，夜遊晏起，耽樂於內，馳騁於外，玩細娛，忘遠慮．一朝如有緩急，將何以處之．臣等念此，深爲痛心．○又況耽樂以蕩其志，馳騁以勞其身，誠非怡養精神，以保天年之術．殿下春秋鼎盛，血氣未定，此亦不可不戒也．臣等愛君之心，不能不爲殿下惜之也．願自今無敢輕出，馳騁道路，方夜而寢，及朝而興，端居高拱，親近大臣，訪以時政得失，問以古今理亂，從容談笑，涵養德性，非法不道，非禮不行，日愼一日，雖休勿休．則殿下有從諫好善之美，而無蕩志勞身之憂，天位益尊，聖德益昌，宗社益重，人民益附，天命益新，王業益永，而隣國益慕之矣，實我三韓萬世無疆之福也”．○書上，禑命更書以進:節要轉載].[27]

[某日]，[門下侍中洪永通乞退:節要轉載]，以曹敏修爲門下侍中，林堅味△爲守門下侍中,[28] [三重大匡·判三司事·領藝文春秋館事·上護軍李穡爲三重大匡·韓山君·領藝文春秋館事，判厚德府事姜蓍爲門下評理商議:追加].[29]

[○是日頃，以典法判書趙浚爲密直提學:追加].[30]

[某日]，以守門下侍中林堅味及僉議評理?都吉敷·~~政堂文學?~~禹玄寶·李存性，提調政房．[故事，侍中掌銓注，及洪永通·曹敏修爲侍中，不得與焉．堅味專權故也:節要轉載].[31]

[→都吉敷，驟陞五宰．黨於李仁任·林堅味·廉興邦，久執政柄，受人賄賂，用捨顚倒:列傳39李仁任轉載].

[□□~~是時~~，林堅味姻族成守恒知平州□~~事~~，剝民營私，無所不至．秩滿還家，累重屬路．又爲鐵原府使．又李祥原者，以堅味子檄爲養子，得拜樞密~~密直~~:列傳39林堅味轉載].[32]

儆戒．詩曰，敬天之渝，不敢馳驅．願節田游~~敗游~~，承天意”．여기에서 添字로 고쳐야 옳게 될 것이다.

27) 이 구절은 열전20，權呾，近에도 수록되어 있는데，添字는 이에 의거하였다.

28) 이때 曹敏修는 門下侍中·判典理司事·上護軍·領孝思觀事·昌城府院君에，林堅味는 守門下侍中·判軍簿司事·上護軍·領景靈殿事·平原府院君에 임명되었던 것 같다(寧邊安心寺石幢之碑，金石總覽 519面；寺刹史料下 194面，248面←重複收錄)).

29) 이는 『목은집』年譜；『양촌집』 권39，姜蓍墓誌銘에 의거하였다.

30) 이는 다음의 자료에 의거하였다.
· 『태종실록』 권9，5년 6월 辛卯27日，趙浚의 卒記，“癸亥，拜密直提學”.

31) 이와 같은 기사가 열전39，林堅味에도 수록되어 있다.

32) 成守恒은 1380년(우왕6) 5월에 製述業에서 典法佐郎의 신분으로 丙科 1人에 급제한 인물이다. 또

[某日], 禑臂鷹, 畋于郊.

[乙丑[22日], 冊粲英爲王師, 賜法號:追加].[33]

[□□□[~~春某月~~], 時方春, 疾疫大興, 舟師物故大半. 有死海上者, 輒出陸以葬, 士卒無不感咽. [鄭]地有疾, 禑遣散騎[~~散騎常侍~~]河忠國齎酒問慰:列傳26鄭地轉載].

[夏]四月[甲戌朔[大盡, 丁巳]:追加], 禑□[以]封崇國師[混脩]·王師[粲英], 出花園, 遙禮之.[34]

[某日], 三司右使林成味卒, 贈謚[諡]忠簡.

[辛巳[8日], 月暈:天文3轉載].

[丙戌[13日], 亦如之[月暈]:天文3轉載].

[丙戌[13日]:五行2轉載], 以旱, 宥二罪以下.

[丁亥[14日], 陜州山城火, 延燒軍粮一千三百碩:五行1火災轉載].

[庚寅[17日], 禱雨于演福寺:五行2轉載].

[壬辰[19日], 西京元帥報, 有一牝馬死, 屠而視之, 孕一身二頭駒:五行1馬禍轉載].

[某日], 竹城君安克仁卒, 贈謚[諡]文定.

[某日], 取及第金漢老等.[35] 我太宗[李芳遠], 擢丙科第七人.

이 기사는 添字와 같이 고쳐야 옳게 될 것이다.

33) 이는「忠州億政寺故高麗王師諡大智國師塔碑銘」에 의거하였다.

34) 이날은 贊成事商議 禹仁烈이 宴晦菴에 파견되어 混脩를 國師로 책봉하였던 날짜이다(忠州靑龍寺普覺國師塔碑銘). 그래서 以를 추가하여야 문장이 옳게 될 것이다.

35) 이와 관련된 기사로 다음이 있다.

- 지27, 선거1, 科目1, 選場, "[禑王]九年四月, 門下評理禹玄寶知貢擧, 政堂文學李仁敏同知貢擧, 取進士, □□[~~某日~~], 賜金漢老等三十三人及第".
  이때 [前密直堂後官]金漢老·[前密直堂後官]沈孝生·[生員]金愔(乙科3人), [前郎將]李來·[判官]柳琰·[別將]尹珪·[署令]成溥·[前郎將]權文毅·[郎將]李藻·[成均進士]李芳遠(丙科7人), [進士]張子秀·[直長]朴簿·[新進士]鄭安道·[內侍]尹宗文·[參軍]李蟠·[前中郎將]金若時·[寺丞]鄭易·[司憲糾正[糾正]]李孟潘·[判官]辛鳳生·[進士]尹須·[主簿]吳陸·[生員]申包翅·[主簿]李云老·[前直長]權壎·[前別將]王廉·[進士]李次點·[進士]玄孟仁·[中郎將]安東·[進士]朴習·[進士]安希德·[進士]孫九成·[進士]尹思修·[進士]洪尙溥(同進士23人)가 급제하였다(『登科錄』;『前朝科擧事蹟』, 朴龍雲 1990년 ; 許興植 2005년). 또 이때 鄭復周가 급제하였다고 하는데, 鄭安道 또는 鄭易의 改名일 가능성이 있다.
- 『정종실록』 권6, 2년 11월 癸酉[13日], 禹玄寶의 卒記, "歲癸亥, 以門下贊成事, 知貢擧. 時上[太宗]登

[某日], 禑馳馬于東郊, 遊于佛日□寺野.

[某日], 禑觀石戰戲.

[是月, 知申事廉廷秀, □□□□□掌成均館試, 取禹洪命等九十九人, 明經六人:選擧2國子試額轉載].36)

[○取□□□升補試王畀等百九人:選擧2升補試轉載].37)

[是月頃, 以通直郎金南乙爲安東大都護府判官, 安處善爲知永州事:追加].38)

五月甲辰朔小盡,戊午, [丁未4日, 無雲而雨:五行2轉載].

[某日], 禑令成均館進四書, 讀論語數章, 卽輟.

[甲寅11日:五行2轉載] 禑如寶源庫祈雨壇, 親自擊鼓, 以禱.

丙科第七".

- 『태조실록』 권14, 7년 8월 己巳26日, 沈孝生의 卒記, "癸亥, 登乙科第二人, 由堂後積官至司憲掌令"
- 『태종실록』 권4, 2년 7월, "癸卯22日, 以李佇爲議政府贊成事, … 上以端·靑州人物, 不如他道爲憂. 都官正郎鄭復周言於李茂曰, '予若爲之, 則不日如他道矣'. 茂以啓, 上曰, '復周, 予之同年也. 自少知之'. 朴錫命曰, '勤儉可使者也'. 上曰, 試可乃已. 若職高則可爲察理使, 今職卑, 宜加中訓□□大夫, 知鏡城郡事兼知兵馬防禦事".
- 『태종실록』 권28, 14년 11월 乙丑26日, 尹珪의 卒記, "乙丑, 前敬承府尹尹珪卒. 珪, 坡平人, 版圖判書承禮之子, … 洪武癸亥中丙科同進士, 累官至正言. 自是遍歷六曹·臺諫, 以善隸草, 常帶尙瑞司職. 上以同年及第待之厚, 嘗謂知申事黃喜曰, 珪可任喉舌, 代言若有闕, 須以珪補之".
- 『拙翁集』 권10, 慕遠錄, 六代祖典法佐郞賜緋魚俗洪公, "公諱尙溥, 姓洪, 南陽人, … 至洪武十六年癸亥, 登文科同進士第二十三. 高麗之制, 丁科以下, 視年高下, 次第之. 公之詞賦, 淸新可愛, 而年少, 置之尾, 擢入藝文館爲檢閱".

36) 이때 試官 廉廷秀와 관련된 자료로 다음이 있는데, 添字와 같이 고쳐야 옳게 될 것이다(→원종 9년 4월 24일의 脚注). 또 이때 許稠·安純이 進士試[進士擧]에, 黃喜가 生員試[司馬試]에 합격하였다고 한다.

- 『목은시고』 권26, 門生掌試圖歌幷序, "… 距今癸亥禑王9年, 一百二十餘年一百十餘年, 而吾門生廉廷秀掌試成均, 醴泉政丞權公漢功之外孫也. 予以成均座主, 松亭金先生光載所留犀帶與之, 松亭所親受於醴泉者也. 吟成短歌, 老夫之至華也, 先進之餘烈也, 歌曰, …".
- 『敬齋遺稿』 권1, 許稠墓誌銘, "稍長, 受業于陽村權文忠公, 厲志力學, 中癸亥進士擧".
- 『敬齋遺稿』 권1, 安純墓誌銘, "癸亥, 中進士擧".
- 『保閑齋集』 권15, 黃喜墓誌, "癸亥, 中司馬試".

37) 이때 生員 吉再(31歲)가 進士試[司馬監試]에서 第4名으로 합격하였다고 한다.

- 『冶隱先生言行拾遺』卷上, 吉再行狀, "癸亥, 中司馬監試第四名".

38) 이는 『안동선생안』; 『영천선생안』("知州事安處善, 癸亥五月到, 改官號知州事")에 의거하였다.

[丙辰[13日], 夏至. 大雨:五行2轉載].

[某日], 禑冒雨出遊.

[某日], 前判事韓仲寶, 嘗安撫濟州, 矯旨縱欲, 下巡軍獄. 其弟上護軍仲良, 素與仲寶不友. 至是, 喜仲寶得罪, 疏其過惡, 投匿名書于李存性第, 幷下仲良獄, 並杖, 流邊地. [→杖流前判事韓仲寶·上護軍韓仲良于邊地. 仲寶嘗安撫濟州, 矯旨縱欲, 下巡軍獄. 其弟仲良, 素與仲寶不友, 喜其得罪, 疏兄罪惡, 投匿名狀于李存性第, 幷下仲良獄, 罪之:節要轉載].

[某日, 海道□[副]元帥鄭地擊倭于南海縣,[39] 大敗之. 時地所將戰艦, 僅四十七艘, 次羅州木浦. 賊船百二十艘大至, 慶尙沿海州郡大震. 合浦元帥柳曼殊告急, 地, 日夜督行, 或手自櫂, 櫂卒益盡力, 到蟾津, 徵集合浦士卒. 賊已至南海之觀音浦, 勢甚熾, 四圍而進. 地, 督進至朴頭洋, 賊以大船二十艘, 艘置勁卒百四十人爲先鋒. 地進攻大敗之, 焚賊船十七艘, 浮尸蔽海. 兵馬使尹松, 中箭死:節要轉載].[40]

[→[海道副元帥鄭]地師戰艦四十七艘, 次羅州木浦, 賊以大船百二十艘來, 慶尙道沿海州郡大震. 合浦元帥柳曼殊告急, 地, 日夜督行, 或自櫂, 櫂卒益盡力. 到蟾津, 徵集合浦士卒, 賊已至南海之觀音浦, 使覘之, 以爲我軍怯懦. 適有雨, 地, 遣人禱智異山神祠曰,[41] "國之存亡, 在此一擧, 冀相予, 無作神羞." 雨果止. 賊旗幟蔽空,

---

39) 添字는 『금성일기』에 의거하였다("海道副元帥鄭地, 五月分[今], 慶尙道長浦接戰倭賊, 捕捉上京").

40) 이와 관련된 자료로 다음이 있고, 觀音浦의 별칭은 長浦인 것 같다. 이곳은 현재의 慶尙南道 南海郡 古縣面 북쪽의 浦口로서, 李舜臣將軍이 倭軍을 大破하고 戰死했던 露梁海戰이 전개된 지역이라고 한다.

- 『신증동국여지승람』 권31, 南海縣, 山川, "觀音浦, 在縣北二十一里. 辛禑時, 元帥鄭地領舟師, 殲倭于此. 賊之不得志於我, 自此役始. 鄭以吾詩, 望雲山下望帆風, 東去西來舴艋通. 莫問英雄當日事, 至今人喜說元功".
- 『태조실록』 권6, 3년 9월, "甲寅[17日], 全羅道都觀察使趙璞報都評議使司曰, '到境來聞父老之言, 卒判開城府事鄭地, 始造戰艦, 能制倭寇, 長浦之捷·南原之勝, 功著一時, 卽今沿海之民, 復業如舊. 乞令旌表門閭, 以勸後世'. 使司轉聞, 允之".
- 『세종실록』 권1, 즉위년 9월 乙亥[28日], "京畿觀察使據左右道水軍節制使呈啓, '左右邊屬前萬戶金世甫等稱訴, '我等本在全羅道沿海諸郡, 庚寅[忠定2年]以後, 倭賊始興, 國家分遣我等作兵船, 俾令與州郡兵禦倭. 庚申[禑王5年]鎭浦之賊·癸亥[9年]長浦之賊, 蹀血力戰, 挫其銳鋒, 沿海人民, 始復安業'. …".

41) 이때의 智異山 神祠는 南原府에 있었던 것 같은데, 이 神祠는 현재의 老姑檀(全羅南道 求禮郡 山東面)에 있었을 것으로 추정된다.

- 지11, 지리2, 全羅道 南原府, "有智異山[一云地理, 一云頭流, 一云方丈. 新羅爲南嶽, 躋中祀, 高麗仍之]".

劍戟耀海，四圍而前．地叩頭拜天，俄而風利．中流擧帆，船疾如飛，至朴頭洋．賊以大船二十艘爲先鋒，艘置勁卒百四十人．地進攻，先敗之，浮屍蔽海．又射餘賊，應弦輒倒，遂大敗之，發火炮，焚賊船十七艘．兵馬使尹松中箭死．地謂將佐曰，“吾嘗汗馬，破賊多矣，未有如今日之快也”．捷音至，禑大喜，遣李克明·安沼連，賜宮醞以勞之．○軍器尹房之用奉使日本，還道遇倭賊，被獲鎖頸，置船底．及是戰，賊曰，“若不勝，必先斬之”．戰罷，賊徒盡殲，而之用乃免．○地以病辭:列傳26鄭地轉載].

[某日]，陟城君朴原鏡卒.

[甲子[21日]:轉載]，慶尙道按廉□[~~使呂克謹~~]報，晉州等處，麥穗三四岐.

[→甲子，慶尙道晉州，大麥，一莖·一穗三四岐:五行3轉載].

[某日]，禑潛至壺串，觀牧馬，宿衛者，皆失所之.

[某日]，知門下□□[~~府事~~]商議閔伯萱卒.

[丁卯[24日]，修造重房廳舍:追加].[42)]

[庚午[27日]:追加]，有私婢，一產三男，賜米二十碩.[43)]

[某日]，前判事趙瑚與宦者爭田，宦者訴禑，杖瑚，流遂安郡.

[某日，全羅道按廉使呂稱啓，“倉廩虛竭，無以供軍．乃令道內居人，隨職品高下，出米以助之．奉翊·通憲□□[~~大夫~~]，三十斗，正順·奉順·中正·中顯□□[~~大夫~~]，二十斗，奉常·奉善□□[~~大夫~~]，十五斗，五六品，十斗，七八品，七斗”:兵2屯田轉載].

六月[癸酉朔小盡,己未]，[某日]，密直使金寶生卒.

[某日]，禑畋于延福亭三日.

[某日]，交州·江陵道禾尺·才人等，詐爲倭賊，寇掠平昌·原州·榮州·順興·橫川

· 『신증동국여지승람』 권39，南原都護府，祠廟，“智異山神祠，在府南六十四里所兒里”.

42) 이는 다음의 자료에 의거하였다.

· 『목은문고』 권6，重房新作公廨記，“洪武癸亥十月初吉，鷹揚護軍裴矩來，致其班主密直崔公之言曰，‘吾重房修造記，敢煩先生’，內出功載，… 始于五月卄四日，訖于九月晦日而畢，…”.

43) 이와 같은 기사로 다음이 있다.

· 지7，오행1，水，人痾，“[禑王,] 九年五月庚午，有私婢，一產三男，賜米二十碩”.

等處, 元帥金立堅, [交州·江陵道都]體察使崔公哲, 捕斬五十餘人, 分配妻子于州郡.

[某日], 臺諫交章上言曰, "自我太祖統一三韓, 子孫相繼, 事必師古, 乘輿出入, 必因宗廟, 會同賓客等事, 未有無事而妄行者. 至于永陵[忠惠王], 不遵祖宗之法, 不從諫臣之言, 日與群小, 嬉遊閭里, 聲聞上國, 終有岳陽之行, 貽我無窮之恥. 今殿下, 遊幸無節, 從以數騎, 馳騁無方, 臣民缺望. 願上畏天命, 下法祖宗, 出入有節, 侍衛有儀, 無或輕出, 以慰臣民之望, 以永宗社之福".

[某日], 倭寇慶尙道吉安·安康·杞溪·永州·新寧·長守[~~長水~~]·義興·義城·善州等處.[44]

[某日], 禑宴宰相于花園.

[某日], 倭寇丹陽·堤州·酒泉·平昌·橫川·榮州·順興等處.

[某日], 以王安德爲楊廣道助戰元帥.

[某日], 遣典儀令禹夏于慶尙道, 督察元帥禦倭勤怠.

[某日], 閹人金剛欲娶皇甫加之女, 不果, 托以他事, 訴于禑, 囚巡軍.

[某日], 以[門下評理]羅世爲慶尙道助戰元帥.

[某日], 以倭寇闌入內地, 移忠州開天寺所藏史籍于竹州七長寺.[45]

[丙申[24日], 日暈, 有珥·有抱·有背:天文1轉載].

---

44) 長守는 조선 초에 新寧縣의 治所로 삼았던 長水驛의 다른 表記이다(『신증동국여지승람』 권22, 永川郡, 屬縣 ; 新寧縣, 권27, 新寧縣). 이때 知善州事 李得辰이 管內의 觀心坪에서 防禦하고 있다가 왜적이 퇴각한 후 邑城을 축조하였던 것 같다.

· 『佔畢齋集』詩集권13, 允丁作善山地理圖, 題十絶其上[注, 麗末, 倭兵寇, 知州事李得辰, 築城以禦之, 邑人德之, 立廟以祀, 今廢].

· 『신증동국여지승람』 권29, 善山都護府, 名宦, "李得辰, 洪武癸亥[禑王9年]五月[~~六月~~], 倭寇闌入州境, 焚州廨. 得辰保觀心坪, 寇退, 築邑城以守, 寇不復至. 邑人德之, 寫眞以祀". 여기에서 ~~添字~~와 같이 고쳐야 좋을 것이다.

· 『善山邑誌』, 宦蹟, 高麗, 李得辰, "皇明洪武癸亥五月[~~六月~~], 倭寇闌入, 焚州廨, 得辰以知州事, 保觀心坪, 寇退, 築邑城以守, 寇不復至. 邑人德之, 寫眞以祀".

45) 이와 관련된 기사로 다음이 있는데, 이에 의하면 이 기사는 6월이 아니라 7월에 있었던 事實인 것 같다.

· 『신증동국여지승람』 권8, 竹山縣, 佛宇, "七長寺, 在七賢山. 辛禑九年, 以倭寇闌入內地, 移忠州開天寺所藏史籍于此. 權近'送裵仲員修撰曬史序', 本朝有海東數百年, 初藏國史于伽耶之海印, … 比者制倭失律, 深寇州縣, 伽耶幾不守. 洪武己未[禑王5年]秋, 輸其史于善之得益. 辛酉[7年]秋, 踰嶺而北, 又輸于忠之開天. 今癸亥[9年]夏, 賊又逼忠之旁縣, 七月又自開天移于竹之七長寺. 地之險遠不足恃, 而賊之敢深入乃若此, 嗚呼, 可以觀世變矣".

戊戌[26日], 禑以[密直使]盧英壽生日, 宴于花園.

[己亥[27日], 日傍西, 有半暈:天文1轉載].

[秋]七月[壬寅朔大盡,庚申], [某日], 漢陽府尹張夏捕倭反間三人.

[某日], 以倭寇方興, 令在外閑散·奉翊·通憲□□[大夫], 皆赴征.[46]

[某日, 以千秋節, 漆原君尹桓·廣平君李仁任·鐵原君崔瑩, 南陽君洪永通·公山君李茂芳·吉昌君權適·韓山君李穡及諸公, 入闕賀禮, 內官金實手帕以入, 上方撝謙不受禮, 賜韋犀帶人一條, 特賜鐵原皮甲一領:追加].[47]

[某日, 都堂議從海路, 入貢京師事:追加].[48]

[某日], [典儀令]禹夏督諸兵馬使, 擊倭于義城, 斬三級.

[某日], 知順州事黃安信, 嘗監運軍糧, 盜用米七十五石. 事覺, 有司將置於法, 以戚連毅妃, 止令削職.

[某日, 密直提學偰長壽·判書李崇仁, 訪韓山君李穡第, 商量進貢表文:追加].[49]

---

46) 이와 같은 기사로 다음이 있는데, 앞의 記事는 7년 7월이 적합하지만, 後者는 上記의 記事는 의거하여 ~~添字~~가 추가되어야 옳게 될 것이다.

· 지35, 兵1, 五軍, "[禑王]七年七月, 都堂閱火桶都監火藥, 與防禦都監軍器. □□□□[~~九年七月~~], 以倭寇方熾, 在外前銜奉翊·通憲□□[大夫], 皆令赴征".

47) 이는 다음의 자료에 의거하였는데, 이해[是年]에 崔瑩은 都統使로서 巡軍萬戶를 겸직하고 있었던 것 같다(『목은문고』 권6, 重房新作公廨記).

· 『목은시고』 권34, 七月七日陪漆原侍中·廣平侍中·鐵原侍中·南陽侍中·公山侍中·權吉昌及諸公, 賀」千秋, 內官金實手帕以入,」上方撝謙不受禮, 賜韋犀帶人一條, 特賜鐵原皮甲一領, 拜受而退.

48) 이는 다음의 자료에 의거하였다.

· 『목은시고』 권34, 聞朝論將從海路, 入貢金陵.

49) 이는 다음의 자료에 의거하였다.

· 『목은시고』 권34, 薛提學·李判書, 商量進貢表文.

· 『정종실록』 권2, 1년 10월 乙卯[19日], 偰長壽의 卒記, "判三司事偰長壽卒. 諱長壽, 字天民. 其先回鶻 高昌人, 至正己亥[恭愍8年], 父伯遼遜[偰遜]挈家避地于我國, 恭愍王以舊知, 賜田宅, 封富原君. 壬寅[11年], 公年二十二, 中同進士科, 仕至密直提學, 封完城君. 賜號推誠輔理功臣. 丁卯[禑王13年], 以知門下府事, 奉表赴京, 奏免起取流移人戶李朶里不歹等, 仍蒙許襲冠服. 庚午[恭讓2年]夏, 以高麗王氏復位定策功, 封忠義君. 壬申[4年]知貢擧, 夏得罪配海上. 太上王[李成桂]以潛邸知待召還, 除檢校門下侍中, 封燕山府院君. 戊寅[太祖7年]秋, 上卽位, 赴京奏聞, 行至 水站, 會帝崩, 蒙遼東都司阻當, 沿途停留, 稟奉朝旨, 仍充進香使赴京. 建文元年[定宗1年]六月, 奏奉聖旨, 準請回還, 十月, 以疾卒, 年五十九. 訃聞, 輟朝賜祭, 官庀襄事, 賜諡文貞. …".

[某日, 遣判三司事李成桂, 鎭遏東北面. 是時, 簽書密直司事鄭夢周, 以從事啓行:追加].[50)]

[某日], 倭寇大丘·京山·善州·仁同·知禮·金山等處.

[某日], 禑賜安東府使李忠富廐馬曰, "戮力防禦, 以保胎室".[51)]

[某日], 以[密直副使]尹可觀爲慶尙道助戰元帥[副元帥?].[52)]

[某日], [典儀令]禹夏督諸兵馬使, 與倭戰于禮安, 斬八級, 又戰于順興, 斬六級.

[某日, 楊廣道元帥王安德擊倭于槐州, 斬三級:節要轉載].[53)]

[某日], 遼瀋草賊四十餘騎侵, 掠端州, 端州□[土]萬戶陸麗·靑州□[土]萬戶黃希碩·千戶李豆蘭等, 追至西州衛·海陽等處, 斬渠魁六人, 餘皆遁去.[54)]

[某日], 交州·江陵道都體察使崔公哲, 遇倭于芳林驛, 斬八級, 奪其兵仗及馬五十九匹.

[某日, 發防里人守四門. 時才人·禾尺等, 成群摽掠, 故有此令:兵1五軍轉載].

[某日, 以孫慶生爲慶尙道按廉使, 河自宗爲全羅道按廉使, 鄭符爲交州都按廉使:慶尙道營主題名記·錦城日記].[55)]

[是月頃, 判書郭忠秀卒:追加].[56)]

---

50) 이는 다음의 자료에 의거하였는데, 李成桂는 17일(李齊賢의 忌日) 이전에 파견되었고, 鄭夢周는 그 이후에 파견되었다.
- 『목은시고』 권34, 送李判三司事[成桂]出鎭東北面 ; 聞東北面有警 ; 鄭簽書病, 僕亦病, 兩家絶往來久矣. 李浩然[集]來曰, '明日鄭簽書啓行, 赴東北元帥府也'. ….

51) 安東府使 李忠富(혹은 李仲富)는 前年(壬戌, 우왕8) 윤2월에 赴任하여 明年(甲子, 우왕10) 7월에 遞任되었다(『안동선생안』).

52) 助戰元帥는 尹可觀의 열전에 副元帥로 되어 있고, 8월 某日에도 부원수로 되어 있다.
- 열전26, 尹可觀, "辛禑時, 拜密直副使, 出爲慶尙道副元帥".
- 『삼봉집』 권2, 挽尹密直[注, 可觀. … 後爲慶尙道副元帥, 禦倭寇, 置船卒·開屯田, 多遺愛. 公詩所謂'皓日照丹心, 南州惠愛深', 蓋指此也].

53) 이 기사는 열전39, 王安德에도 수록되어 있다.

54) 이 기사는 열전29, 李豆蘭에도 수록되어 있는데, 添字는 이에 의거하였다.

55) 鄭符는 是年 10월 某日에 의거하였다. 또 河自宗(本貫은 晋州)은 1421년(辛丑, 세종3) 10월에서 1402년 閏12월까지 全羅道觀察使로 재직한 河演(?~1453)의 父이라고 한다(『금성일기』).

56) 이는 다음의 자료에 의거하였는데, 郭忠秀[郭忠守]는 1292년(원종18) 10월 8일 宣諭使·太僕卿 金有成과 함께 日本에 파견되었다가 억류되어 귀환하지 못했던 書狀官·供驛署令 郭麟의 孫이다.

八月壬申朔[小盡,辛酉], 書雲觀丞池巨源, 告日食, 不果食, 重房請治其罪, 乃杖七十.[57)]

[丁丑[6日], 獐入城:五行2轉載].

[某日], 以門下贊成事趙仁璧爲東北面都體察使, 判開城府事韓邦彦爲上元帥, 門下贊成事金用輝爲西北面都巡察使, 前版圖判書安思祖爲江界萬戶. 時大明責事大不誠, 屢侵邊境, 故備之.

[某日], 禑如定妃殿, 遂如林堅味第, 馳馬閭巷.

[某日, 倭寇比屋·義城等處, 賊衆我寡, 屢戰不利. 副元帥尹可觀, 與戰于安東·禮安等處, 敗績:節要轉載], [矢集右臂:列傳26尹可觀轉載].

[某日], 倭陷居寧·長水等縣, 分兵欲寇全州, 全州[~~全羅道~~]副元帥皇甫琳戰于礪峴, 却之.[58)]

[某日, 禑召密直提學[·商議會議都監事]趙浚曰, "楊廣·慶尙道, 倭賊大熾, 元帥·都巡問使, �不戰, 卿可往察軍機". 浚對曰, "~~臣母年踰八十~~, ~~又罹沉痾~~, ~~乞遣他人~~". ~~禑曰~~, "~~卿正直無私~~, ~~且有威望~~, ~~無以易卿~~". ~~浚曰~~, "殿下, 若命臣專制兩道, 其將帥逗遛敗績者, 聽臣區處. ~~則臣謹奉命~~. 不然, 元帥·都巡問使, 位在臣上, 豈畏臣就死地乎". 將帥之族[~~將帥族黨~~]忌之, 白禑, 止之:節要轉載].

[某日], 以門下評理文達漢爲楊廣道都察理使[~~楊廣·慶尙道都體察使~~], [→乃以門下評理文達漢, 爲楊廣·慶尙道都體察使. 命之曰, "往察將帥勤怠, 軍容盛衰, 其有逗遛不進者, 元帥, 則禁身以聞,[59)] 其餘, 照律直斷":節要轉載]. 知門下事安慶爲都安撫使, 保安君朴壽年爲都巡慰使.[60)]

· 『목은시고』 권34, 李浩然[集]來言, 郭忠守[郭忠秀]判書仙去, 已出殯矣, 驚呼之餘, 哭以短章.

57) 이날 中原과 일본에서도 일식이 있었다(『명태조실록』 권156 ; 『명사』 권3, 본기3, 太祖3, 洪武 16년 8월 壬申). 이날은 율리우스曆의 1383년 8월 29일이고, 開京에서 이루어진 日食現象이 검토되지 못하였다(渡邊敏夫 1979年 313面). 또 池巨源은 黃河濬과 함께 天文과 地理에 능통하지 못했다는 평도 있다.

· 『續史愚抄』29, 永德 3년 8월, "一日壬申, 日蝕, 曆曰, 十五分之四, 虧始辰三刻, 復末同七刻".

· 『태종실록』 권3, 2년 5월 戊午[5日], "彗星光芒尤大. 上語河崙曰, '書雲判事黃河濬·池巨源等, 皆不識天文地理者也, 久爲書雲判事. 宜取年少穎悟之人, 敎天文地理'. 崙對曰, 誠如上".

58) 이에서 全州는 全羅道의 誤謬이거나 잘못 들어간 글자[衍字]인데, 『고려사절요』 권32에는 全州가 없다. 이때 皇甫琳은 全羅道副元帥로서 9월에 羅州牧에 들어왔다가 12월에 上京하였다(『금성일기』).

59) 이 구절은 '司令官[元帥]는 곧 逮捕, 囚禁하여[禁身] 報告하고'라고 해석하는 것이 좋을 것이다(→의종 1년 11월 27일의 脚注).

[→[文達漢,] 轉評理. 出爲楊廣·慶尙道都體察使, 禑命之曰, “往察將帥勤怠, 士卒强弱, 其有逗遛不進者, 元帥, 則囚以待命, 餘皆直斷”:列傳27文達漢轉載].

[某日, 倭賊二百餘騎, 寇槐州長延縣. 元帥王安德·金思革[~~金斯革~~]·都興, 與戰, 斬三級:節要轉載].[61]

[某日], 倭賊一千三百餘人, 寇春陽·寧越·旌善等處.[62]

壬午[11日], 禑奪騎林檄馬, 如[密直使]盧英壽第, 檄及宦官皆步從, 遂如定妃殿.

○萬頃安集□□[別監]金瑞元·鎭撫韓福, 押漕轉, 托以漂沒, 竊米布. 囚鞫之.

癸未[12日], 禑如定妃殿, 夜又至, 不克入.

[某日], 左司議□[大夫]權近等上書, 戒逸遊.

[→上書曰, “嘗觀自古國家理亂興亡之故, 莫不由祖宗修德憂勤於創業之初, 從諫敬畏於守成之日, 以垂其統. 亦莫不由子孫驕淫侈肆於富貴之餘, 荒淫慢遊於危亂之際, 以墜其緖. 驕怠愈甚, 亂亡愈速, 千載之遠, 同一軌也. 昔者大禹, 勤儉而得天下, 其孫太康, 盤遊滅德, 黎民咸貳, 厥弟五人, 作歌以諷, 而不悟以失其國. 成湯寬仁而得天下, 其孫太甲, 縱欲敗度, 幾墜湯緖, 伊尹作書以諫, 然後悔過遷善, 爲商令王. 武王惇信明義而有天下, 其孫昭王, 巡遊無度而不返. 厲王驕侈, 拒諫而出奔. 宣王有志, 申·甫補闕而中興. 三代之後, 從諫好善之君, 莫如漢文帝·唐太宗故, 漢·唐之理, 於斯爲盛. 拒諫飾非, 肆志盤遊之君, 莫如秦二世·隋煬帝故, 秦·隋之末, 群盜並起, 雖以秦之强·隋之富, 而亡不旋踵. 是知敬愼修德從諫改過, 理之本也, 驕淫拒諫荒怠慢遊, 亂之本也. ~~書曰~~, 與治同道, 罔不興, 與亂同事, 罔~~不亡~~.63) 爲人君者, 不可以不戒也. 惟我太祖憂勤, 垂統萬世, 列聖相承, 畏天勤民, 遵守憲度, 馴致大平. 祖宗, 數百年積累艱難之業, 傳至殿下, 付畀之任, 可謂重矣. 君位惟艱, 所係至重, 一念不謹, 或以貽四海之憂, 一日不謹, 或以致千百年之患. 雖在理平無事之時, 猶當兢畏儆戒, 以備不虞, 況當國家危急之際, 可不愼哉, 可不懼哉. ○今我國家, 水旱相仍, 饑疫荐至, 公無數月之儲, 民乏一夕之資, 老弱轉于溝壑, 餓殍僵於道路. 加以隣國, 屯兵近境, 侵我封疆, 誘我人民. 又致倭賊, 深入爲寇, 州縣騷然, 棄爲賊藪,

---

60) ~~添字~~와 같이 고쳐야 옳게 될 것이다.

61) 이 기사는 열전39, 王安德에도 수록되어 있는데, ~~添字~~는 이에 의거하였다.

62) 이 시기에 旌善郡의 人民들이 왜적을 피하여 治所의 남쪽 36里에 위치한 石穴에 피난하였으며 隣近地域 各司의 典籍을 秘藏하였던 것 같다.

· 『신증동국여지승람』 권46, 정선군, 山川, “石穴, 在郡南三十六里. 向山村石壁上, 距平地二百餘步, 路甚險隘. 昔村民入此避倭, 各官文籍亦藏於此, 以免兵火”.

63) 이 구절은 『書經』, 太甲下(僞古文), “伊尹申誥于王曰, … 與治同道, 罔不興, 與亂同事, 罔不亡”에서 따온 것이다.

守令不能禦，將帥不能制，自古危亂之極，未有甚於此時者也．積薪厝火，不足喩其急也，剝床以膚，不足喩其切也．救時之急，宜若奉漏沃焦，猶恐不及，此誠殿下，恐懼修省，夙夜憂勤，奮發有爲之時也．○曩者，臣等與司憲府上書，以諫微行，殿下英明果斷，優容弗咈，卽賜兪允，端居九重，數月不出．從諫之德，改過之美，光今邁古，日月增輝，群僚相與慶於朝，百姓相與忭於野，中外翕然，以望理平者，于玆有月矣．今當危亂多艱之際，不以修省戒懼爲念，復事遊幸，晝夜馳騁．以人君之尊，乘匹馬而行，數離深宮之固，馳驅委巷之中，侍衛之臣，挾弓劍而守空宮，公卿百僚，不知殿下所在．寧知盜賊之伺候內應者，與夫反間刺客，不在於國中乎．萬有强暴之徒，乘間竊發，則倉卒之變，甚可畏也．此臣等所以夙夜痛心，深爲殿下危之也．自古人心難測，禍亂無常．危必生於所安，變必生於所忽，備患之道，誠不可不嚴．理安之日，猶恐變生，矧今多盜，益爲寒心．○殿下，承祖宗積累艱難之業，縱不自重，將乃宗社何．知過而不從諫，是益其疾也，知危而不修政，是促其亡也．此聲若出，聞于四方，盜賊之欲乘釁者，豈不自幸，將帥之往敵愾者，豈不失望，民心豈不益離，國勢豈不益危．此臣等所以當夜不寐，當食而嘆，拊心痛念，不能自止者也．伏望殿下，遠稽歷代興亡之故，深念祖宗付畀之重，無敢逸豫，以圖萬幾之政，無敢遊幸，以備非常之變．從諫必行，毋或失信，端居高拱，親近宰輔，經國之謀，制寇之策，廣咨博訪，夙夜憂勤，勵精圖治，修德行政，以收民心．信賞必罰，以明國典，則將士自奮，盜賊自息，而隣國不敢謀，强暴不敢肆，祖宗之業，傳於無窮，殿下從諫之德，並美於大甲，中興之功，同符於宣王．編諸信史，後世~~稱聖明~~矣":節要轉載].[64)]

○禑嘗馳騁閭里，然猶忌臺諫，宦豎等進說曰，"臺諫皆上所除，如有忤旨，替之何難"．自是，禑益輕臺諫，無復忌憚，遊戲畋獵無度．近又與同僚極諫，禑醉甚，欲射之．

[某日]，倭寇任實縣．

[某日]，我太祖三重大匡李成桂大破胡拔都于吉州．

[→胡拔都~~又~~來，寇端州．副萬戶金同不花內應，盡以貨財，故後，陽爲被執．□□~~端州~~上萬戶陸麗·青州上萬戶黃希碩等，累戰皆敗．時李豆蘭，以母喪在青州．□我太祖李成桂使人召，謂之曰，"國家事急，子不可持服在家，其脫衰從我"．豆蘭乃脫衰服，拜哭告天，佩弓箭從行．與胡拔都，遇於吉州平，豆蘭爲前鋒，先與戰，大敗而

64) 이 구절은 열전20, 權眲, 近에도 수록되어 있는데, 첨자는 이에 의거하였다.

還. □[我]太祖尋至, 胡拔都, 著厚鎧三重, 襲紅褐衣, 乘黑牝馬, 橫陣待之. 意輕□[我]太祖, 留其軍士, 拔劍挺身馳出. □[我]太祖亦單騎, 拔劍馳進, 揮劍相擊, 兩皆閃過, 不能中. 胡拔都, 未及勒馬, □[我]太祖急回騎, 引弓射其背, 鎧厚箭未深入. 卽又射其馬洞貫, 馬倒而墜, □[我]太祖又欲射之, 其麾下大至, 共救之. 我軍亦至, □[我]太祖縱兵, 大破之, 胡拔都, 僅以身遁去:節要轉載].[65)]

[某日], 遣門下贊成事金庾賀聖節, 請謚[諡]·承襲·陳情, 密直副使李子庸, 賀千秋節. 請謚[諡]表曰, "節惠易名, 是皇王之恤典, 顯親歸美, 惟人子之孝忱. 竊念, 臣父先臣顓, 早襲世封, 邈居藩服, 際昌辰之肇啓, 知景命之有歸, 慕義一朝, 率先款附, 輸忠七載, 罔或怠荒. 奈不弔於昊天, 而奄辭於盛代, 顧以委質而至此, 謂應賜謚[諡]而示終, 歲律已屆於十更, 天語未蒙於一降, 肆陳愚懇, 再瀆聖聰. 伏望陛下, 憫先臣之誠, 哀孤臣之志, 特賜殊號, 以旌貞魂. 則臣謹當率考攸行, 恒無替於厥服, 順帝之則, 用永保於斯民".

○承襲表曰, "錫命推恩, 仰惟聖君之典, 踐位行禮, 實爲孝子之心, 敢此籲呼, 采增惶懼. 臣聞詩歌纘考, 宣王所以待韓侯, 傳稱揚名, 仲尼所以語曾子, 以斯爲美, 終古則然. 欽惟, 陛下体舜舞干, 師湯弛罟, 分茅胙土, 措天下於泰山, 歛[斂]福錫民, 躋一世於壽域. 遂致多方之面, 內而無匹夫之向隅. 如臣者, 方在弱齡, 卽喪嚴父, 對影海曲, 哀吾生之曷歸, 翹首雲霄, 望兪音之益切. 伏望陛下, 憐臣移孝爲忠之至願, 諒臣以小事大之微誠, 特霈洪私, 俾承先業. 則臣謹當之屛之翰, 永保箕封, 曰壽曰康, 恒申華祝".

○陳情表曰, "高高在上, 降監孔昭, 斷斷無他, 敷奏則瀆, 采切兢惕, 輒覬允兪. 伏念, 蕞爾小邦, 際於興運, 天休滋至, 非遠人之與京, 國步斯頻, 奄先臣之不祿, 肆嬰多故, 已至十年. 洪武十一年[禑王4年], 差陪臣沈德符等, 進獻馬匹·金銀·器皿等物, 回還, 賫奉詔旨, 節該今歲貢馬一千, 差執政陪臣, 以半來朝. 明年[禑王5年], 貢金一百斤·銀一萬兩·良馬一百匹·細布一萬匹, 歲以爲常. 欽此, 祗承敎條, 靡遑啓處, 但金銀之不産, 遐邇所知, 而馬匹之未敷, 褊小攸致. 每被都司[~~遼東都指揮使司~~]之阻, 尙稽天府之充, 洪武十五年[禑王8年], 再行儘力, 措辦金銀·布匹·馬匹, 輳足原奉之數, 差陪臣金庾·洪尙載·金寶生·鄭夢周·李海·裴行儉, 管押前赴朝廷. 到於遼東甛水站, 聽候間, 蒙都司[遼東都指揮使司]差來徐千戶錄示聖旨, 節該歲貢, 以數年之物, 合而

---

65) 이 기사는 『태조실록』 권1, 總書, 우왕 9년 8월에도 수록되어 있는데, ~~添字~~는 이에 의거하였다.

爲一. 其意未誠, 仍前阻歸, 不許入境. 欽此, 金庾等欽遵回還, 當年六月, 再差陪臣周誂, 前去懇告, 亦蒙阻回. 八月, 差陪臣柳藩, 賫擎表文, 進賀平定雲南, 亦蒙阻回. 十一月, 差陪臣鄭夢周, 賫擎表箋, 進賀洪武十六年 正旦, 亦蒙阻回. 卽目欽遇聖節·千秋節, 例合進呈表箋, 誠恐仍前阻回, 臣與一國臣民, 進退無憑, 驚惶失措. 所願微誠之必達, 雖加嚴譴而何辭. 謹遣陪臣重大匡·門下贊成事金庾等, 謹奉表箋, 赴朝廷進賀. 伏望陛下, 愍先臣方進忠而未終, 哀孤臣欲繼志而弗獲, 特頒詔旨, 俾詣趨蹌. 則臣謹當不二不三, 謹修侯度, 時萬時億, 恒祝皇齡".

○先是, 我使行由遼東, 輒不得達, 故令庾等航海而往.

[某日, 左司議□□[大夫]權近等諫曰, "今倭寇侵擾四方, 反間·刺客, 往來京城, 殿下從以數騎, 馳騁道路, 終夜不返, 臣等, 深爲殿下危之". 禑曰, "我誠有此愆, 非卿□[輩]等, 誰肯言之":節要轉載].[66]

[某日], 我太祖[李成桂]獻安邊之策曰, "北界與女眞·達達·遼瀋之境相連, 實爲國家要害之地, 雖於無事之時, 必當儲糧養兵, 以備不虞. 今其居民, 每與彼俗互市, 日相親狎,[67] 至結婚姻, 而其族屬在彼, 誘引而去, 又爲鄕導[嚮導], 入寇不已. 唇亡齒寒, 非止東北一面之虞[憂]也. 且兵之勝否, 在於地利之得失, 彼兵所據, 近我西北, 舍而不圖, 乃以重利. 遠啗我吾邑草·甲州·海陽之民, 以誘致之. 今又突入端州·禿魯兀之地, 驅掠人物. 以此觀之, 我之要害, 地利形勢, 彼固知之矣. 臣受任方面, 不可坐視, 謹籌邊策以聞.

一. 禦寇之方, 在於鍊兵齊擧. 今也, 以不敎之兵, 散處遠地, 及寇之至, 倉皇招集, 比其至也, 寇已虜[擄]掠而退. 雖及與戰, 其如不熟旗鼓, 不習擊刺何. 願自今, 鍊兵訓卒, 嚴立約束, 申明號令, 待變而作, 無失事機.[68]

□¯. 又師旅之命, 繫於糧餉, 雖百萬之師, 有一日之糧, 方爲一日之師, 有一月之糧, 方爲一月之師, 是不可一日無食也. 此道之兵, 昔運慶尙·江陵·交州之穀, 以給之, 今以道內地稅, 代之. 比因水旱, 公私俱竭, 加以遊手之僧, 無賴之人, 托爲佛事, 冒受權勢書狀, 干謁州郡, 借民斗米·尺布, 歛[斂]以甌石尋丈. 號曰反同, 徵如

---

66) 이 구절은 열전20, 權呾, 近에도 수록되어 있는데, 添字는 이에 의거하였다.

67) 東亞大學本에는 日字가 口字와 같이 보이는데, 이는 印刷上의 問題인 것 같다.

68) 이 구절은 지35, 兵1, 五軍에도 수록되어 있는데, 이에 의하면 각 條目에 一.이 붙어 있었던 것 같다. 이를 『고려사』를 편찬할 때 連結된 文章으로 再編集하면서 又字를 덧붙인 것으로 추측된다.

逋債，民以飢寒．又諸衙門·諸元帥，所遣之人，群行傳食，剝膚椎髓，民不忍苦，失所流亡，十常八九．軍之糧餉，無從而出，乞皆禁斷，以安百姓．又道內州郡[~~東北一道州郡~~]，介於山海，地狹且脊，今其收稅，不問耕田多寡，唯[~~惟~~]視戶之大小．和寧於道內，地廣以饒，皆爲吏民地祿，而其地稅，官不得收，取民不均，餉軍不足．今後，道內諸州及和寧，一以耕田多寡，科稅，以便公私.[69]

一．又軍民，非有統屬，緩急，難以相保．是以，先王丙申[恭愍王5年]之教，以三家爲一戶，統以百戶統主[~~以百戶統主~~]，隷於帥營，無事則三家番上，有事則俱出，事急則悉發家丁，誠爲良法．近來法廢，無所維繫，每至徵發，散居之民，逃竄山谷，難以招集.[70] 今又旱饑，民心益離，彼用錢谷[~~錢穀~~],[71] 餌以招納，潛師以來，虜[~~搆~~]掠而歸．一界窮民，旣無恒心，又皆雜類，彼此觀望，惟利之從，實爲難保．乞依丙申[恭愍王5年]之教，更定軍戶，使有統屬，固結其心.[72]

□一．又民之休戚，繫[係]於守令,[73] 軍之勇怯，在於將帥．今之爲郡縣者，出於權幸之門，恃其勢力，不謹其職，以致軍鋉其須[~~須~~]．民失其業，戶口消耗，府庫虛竭．乞自今，公選廉勤正直者，俾之臨民，字撫鰥寡．又擇堪爲將帥者，俾之摠戎，捍禦國家”.

[某日]，倭[賊千餘:節要轉載]陷沃州·報寧[~~保寧~~]等縣.[74] [遂入開泰寺，據雞龍山．[楊廣·慶尙道都體察使]文達漢·[元帥]王安德·[元帥]都興，進攻之，賊棄馬登山．公州牧使崔有慶·判官宋子浩，與戰于仇帖，子浩敗死．達漢及金斯革·安德·都興·[都安撫使]安慶·[都巡慰使]朴壽年等，與戰于公州盤龍寺，斬八級:節要轉載].[75]

[某日]，禑常置妓女于宮中，惡其誨淫[~~誨淫~~]，黜之．未幾，復召納之.

[某日]，[楊廣道元帥?]金斯革擊倭于木州黑站，斬二十級.

---

69) 이 구절은 지32, 식화1, 租稅에도 수록되어 있는데, 冒頭가 東北一道州郡이다.

70) 이 구절은 지35, 兵1, 五軍에도 수록되어 있는데, ~~添字~~는 이에서 달리 표기된 글자이다.

71) 錢谷은 錢穀의 略字 혹은 俗字인데, 『고려사절요』 권32에는 옳게 되어 있다(東亞大學 2008년 11책 455面).

72) 이 구절은 지35, 兵1, 五軍에도 수록되어 있다.

73) 이 기사는 『태조실록』 권1, 總書, 우왕 9년 8월에도 수록되어 있는데, ~~添字~~는 이에 의거하였다. 여기에서 繫와 係의 어느 글자를 사용하여도 문제가 없을 것이다.

74) 이와 같은 기사가 열전27, 文達漢에도 수록되어 있는데, 이에는 保寧이 옳게 되어 있다.

75) 이 시기에 있었던 왜적의 침입을 權近과 같이 敍述하였다.

· 『양촌집』 권11, 寧海府西門樓記, “… 馴至癸亥[禑王9年]之夏，歷原·春而犯鐵原之界，侵楊·廣而害公州之倅．其寇皆自玆丑山島而入，一邑失守，三道被禍，唇亡齒寒，若是之慘”.

[某日], 禑畋于長湍縣三日.

[某日], 以門下評理池湧奇爲全羅道都元帥.[76]

[甲申[13日], 月暈:天文3轉載].

[庚寅[19日], 熒惑犯軒轅:天文3轉載].

[辛卯[20日], 月犯畢星:天文3轉載].

[壬辰[21日], 日暈:天文1轉載].

[癸巳[22日], 亦如之[日暈]:天文1轉載].

[○鎭星犯天關:天文3轉載].

[○以金千桂爲扶安縣安集別監:追加].[77]

九月[辛丑朔大盡,壬戌], 壬寅[2日], [寒露]. 禑如前典工判書王興第. 時興以其女, 妻[元帥]邊安烈子顯, 期在明日. 禑曰, “聞汝將嫁女, 其俟予命, 嫁之”. 令出其女, 興伏於庭曰, “臣女幼騃, 且其母被疾, 避寓無方, 何心納壻”. 禑瞋目叱曰, “小豎欺我耶”.

[○日暈:天文1轉載].

翼日[~~癸卯~~3日], 召興曰, “毋嫁汝女, 汝不從命, 罪及妻孥”. [門下]侍中曹敏修等曰, “安烈爲國名將, 厥功甚懋, 今奪其婦, 將臣孰不觖望. 臣等爲殿下痛心, 乞許成婚”. 不聽. 至暮, 幸興第, 興已空其家而避之. 禑大怒, 興不得已對曰, “惟命”.[78]

[→初, [前典工判書王]興將以其女, 妻邊安烈子. 禑曰, “其俟予命嫁之”, 遂使見其女. 興曰, “臣女幼騃, 且其母被疾, 何心納壻”. 禑嗔目叱曰, “小豎欺我耶, 汝不從命, 罪及妻孥”. 侍中曹敏修等, 謂禑曰, “安烈爲國名將, 厥功甚茂, 今奪其婦, 將臣孰不觖望, 乞許成婚”. 不聽, 至暮如興第, 興已空其家, 而避之. 禑大怒, 興不得已, 從之:節要禑王11年2月에서 轉載].

---

76) 都元帥 池湧奇는 9월에 羅州牧에 들어왔고(『금성일기』), 이와 같은 기사가 열전27, 池湧奇에도 수록되어 있다.

77) 이는 『부안읍지』, 先生案에 의거하였다.

78) 이에서 禑王의 바깥출입을 帝王의 幸次인 幸字로 表記한 것은 여타의 기사에서 모두 如字로 표기한 것과는 異例的이다. 이는 편년체의 『고려사』를 기전체로 전환하면서 禑王을 열전에 편입시키는 과정에서 세밀하게 改字를 하지 못했던 결과일 것이다.

○以知門下□[府]事李乙珍爲江陵道元帥.

○憲府[司憲府]劾入直辭韓福卿及各成衆愛馬·薛里別監, 皆不侍從, 致使上獨遊閭里. 禑不悅.

甲辰[4日], 禑令[開城君]王福命, 擇嘉禮吉日. 福命曰, "臣之孫女, 得疾避居, 未知所在". 禑曰, "我旣與王興約, 卿何方命乎?".

[某日], 日本國歸被虜男女一百十二人.

[某日], 以大護軍鄭承可爲五道體覆使, 檢察軍容虛實, 戰守勤怠.[79]

[某日], 憲府[司憲府]論宦者·禮儀判書曹恂, 導禑荒滛[荒淫], 流于全羅道內廂.

[某日], 倭寇江陵府屬縣.

[某日], 倭陷淮陽府.

[某日], 設鎭兵法席于重興寺, 命判書雲觀事崔融, 賠徐師昊所立碑. 盖以立碑之後, 兵革不息, 水旱相仍故也.[80]

[某日], 倭寇金化縣, 陷平康縣. 京城戒嚴, 徵平壤·西海道精兵入衛, 遣前政堂[政堂文學]商議南佐時·知密直□□[~~司事~~]安紹[安沼]·密直商議王承貴·王承寶·鄭熙啓·印海·開城君王福命·判開城府事郭璇等, 往擊之.[81]

[某日], 禑如尙乘及[守侍中]林堅味·盧英壽第, 遂馳騁閭里. 遇典理摠郞朴德祥, 撻之, 奪其馬, 侵夜遊戱, 侍從皆失所之. 道遇人, 輒自杖之, 至有斃者.

[某日], 倭陷洪川縣, 元帥金立堅·[江陵道元帥]李乙珍與戰, 斬五級.

[某日], 大設鎭兵法席于中外佛宇, 共一百五十一所, 供費不可勝計. 赴防軍士, 自備糗糧.

[某日], [前政堂文學商議]南佐時等擊倭于金化縣, 敗績, [密直商議]王承貴中矢.

[某日], 禑如[領門下府事]李仁任·[密直使]盧英壽·[鐵城府院君]李琳第, 琳適宴族屬, 禑旣醉,

---

79) 鄭承可(崔瑩의 幕僚出身)는 是年 5월 24일 이래 重房 重營의 董役官을 맡고 있었고, 後任者는 廉致中(廉國寶의 子)이었다(『목은문고』 권6, 重房新作公廨記).

80) 崔融은 조선시대에서도 兼判書雲觀事로서 風水, 天文 등을 담당하였던 것 같다(『태조실록』 권5, 3년 8월 戊寅朔 ; 권11, 6년 4월 丁未[25日]).

81) 安紹는 安沼(崔瑩의 幕僚出身)의 오자일 것이다.

遂率琳及族屬而還, 置酒極歡.

[某日, 密直金世德妻尹氏, 私寶國寺僧, 憲府按治, 以强族免:節要轉載].

[→時判書金世德妻尹氏, 寡居數年, 有穢行. 其母以嫁前洪州牧使徐義, 纔數日, 尹氏惡義, 而出之. 憲司劾之, 遣卒守其家, [領門下府事]李仁任等受尹氏厚賂, 謀欲寢之, 謂[李]豆蘭屢立邊功, 以尹氏妻之:列傳29李豆蘭轉載].

[丁巳[17日], 月暈:天文3轉載].

[戊午[18日], 月犯畢:天文3轉載].

[己未[19日], 月暈:天文3轉載].

[壬戌[22日], 亦如之[月暈]:天文3轉載].

[庚午[30日], 重房廳舍修造畢:追加].[82]

[□□[是月], □[我]太祖[李成桂]至自東北面. 是行, □[我]太祖[李成桂]回至安邊, 有二鵠集于田中桑樹, □[我]太祖[李成桂]射之, 一發二鵠俱落. 路邊有二人耘, 一韓忠, 一金仁贊. 見之嘆曰, "善哉, 都領之射". □[我]太祖[李成桂]笑曰, "我已過都領矣". 因命二人取食之. 於是, 二人備粟飯以進, □[我]太祖[李成桂]爲之下箸. 二人遂從不去, 皆與開國功臣之列. □[我]太祖[李成桂]割[豁]達, 濟時之量, 仁厚好生之德, 出於天性, 動庸煇赫, 愈益謙恭. 且素重儒術, 嘗以家門未有業儒者爲嫌, 令□[我]殿下[李芳遠]就學. □[我]殿下[李芳遠]惟日孜孜, 讀書不倦, □[我]太祖[李成桂]嘗謂曰, "成吾志者, 必汝也". 妃康氏, 每聞□[我]殿下[李芳遠]讀書聲, 嘆曰, "何不爲吾出乎". 是年[四月], □[我]殿下[李芳遠]登第, □[我]太祖[李成桂]拜闕庭, 感極流涕. [恭讓王4年,] 及拜[密直]提學, □[我]太祖[李成桂]甚喜, 令人讀官教, 至于再三. □[我]太祖[李成桂]每燕會賓客, 令□[我]殿下[李芳遠]聯句, 輒謂曰, "我之與客懽娛, 汝力居多". □[我]殿下[李芳遠]成就聖德, 雖自天性, 實由□[我]太祖[李成桂]勸學之勤也:追加].[83]

[是月頃, 某等立神勒寺大藏閣記之碑:追加].[84]

[秋某月, 以[淸城君]韓脩爲匡靖大夫·判厚德府事·右文館大提學·知春秋館事·上護軍:

82) 이는 『목은문고』 권6, 重房新作公廨記에 의거하였다(→是年 5월 24일의 脚注).

83) 이는 『태조실록』 권1, 總書, 우왕 9년 9월에 의거하였다.

84) 이는 「神勒寺大藏閣記」에 의거하였다(金石總覽 507面).

追加].[85]

[冬]十月[辛未朔小盡,癸亥], [某日], [交州·江陵道]都體察使崔公哲至狼川, 倭突出掩擊, 擒公哲子.

乙亥[5日], 大雨, 震電,

丙子[6日], 亦如之[大雨震電].

○禑冒雨, 馳騁里巷, 捕雞刺狗, 四至尙乘, 三至[密直使]盧英壽家, 張樂達曙.

[某日], [五道]體覆使鄭承可與倭戰于楊口[~~楊溝~~], 敗績, 退屯春州, 賊追至春州, 陷之, 遂侵加平縣. 元帥朴忠幹與戰, 逐之, 斬六級. 賊入據淸平山. 以贊成事商議禹仁烈爲都體察使, 前密直林大�爲助戰元帥, 往擊之.

[某日], 泥城萬戶曹敏修遣兵馬使朴伯顏 覘遼東. 伯顏還言 "鞍山百戶鄭松云, 遼東摠兵官奏帝曰, '韃韃遣文哈剌不花[~~文哈剌不花~~]於高麗, 欲與攻遼, 請遣兵救之'. 帝命孫都督等, 領戰艦八千九百艘, 征高麗. 孫都督到遼東, 又三分遼東軍, 發船向高麗. 會韃韃擊渾河口子, 盡殺官軍, 屯兵渾河, 都督兵與戰, 不克還". 禑聞之, 命都堂議備邊.[86]

[某日], 交州道按廉使鄭符, 道遇倭賊百餘騎, 賊急擊之, 符脫入林閒, 從吏·輜重·印章, 皆被奪掠.

[某日], 以倉庫奴隷, 因收田租, 侵漁百姓, 分遣田民都監官于諸道.

癸未[13日], 禑率數騎, 放鷹于槖駝橋畔, 捕雀. 夜率巡綽官, 如定妃殿.[87]

乙酉[15日] 以毅妃[盧氏]生日, 宴宰樞·耆老于禁中.

丙戌[16日], 早出遊, 百官衙會, 失禑所之, 遂罷朝.[88] 臺省交章諫曰, "從諫弗咈,

85) 이는 「韓脩墓誌銘」에 의거하였다.

86) 이때 曹敏修는 門下侍中으로 재직하고 있었으므로 泥城萬戶曹敏修는 門下侍中曹敏修 또는 '泥城萬戶□□□'의 오류일 가능성이 있다. 또 渾河는 遼河의 가장 큰 支流로 淸代에는 耶里江이라고도 하였다(『警修堂全藁』 권1, 渾河, 현재는 스스로 바다에 흘러 들어간다고 한다).

87) 槖駝橋는 萬夫橋의 別稱으로 朝鮮時代에는 夜橋라고 하였다고 한다(『신증동국여지승람』 권4, 開城府上, 橋梁→태조 25년 10월 某日).

88) 이날은 16일로서 1380년(우왕6) 6월 이래 每月 2일, 16일의 두 차례에 걸쳐 禑王이 視務하기로 정한 날이다(→우왕 6년 6월 某日).

爲君之美德, 敬事而信, 爲國之急務. 諫不聽, 則君德虧, 而過失彰, 信不立, 則民心乖, 而政令廢. 殿下卽位以來, 言官所啓, 一皆聽從, 從諫之美, 一國擧欣. 近來, 隣國有警, 海寇深入, 往來反間, 事變可畏. 殿下不擇晝夜, 單騎馳騁, 臣等憂危. 諫至再三, 輒賜兪允. 而宦官·內竪·衛士·圉人, 逢迎諛說, 導上非禮, 反使殿下, 出入無時, 失信於國, 不忠不道, 莫此爲甚. 其內乘別監及速古赤[~~速古兒赤~~]·宦官·內竪之執事者,[89] 請加鞫問, 以鑑後來. 且辭者, 出納王命, 其任匪輕. 是以, 古者必擇正直謹愼者二人, 以充其任. 今加置二人, 而反有所不逮. 殿下出入, 不以告百官, 請依古制, 擇置二人, 汰去其餘". 疏啓, 禑杖宦官金吉逢, 充泥山營卒, 黜內竪徐良守, 還隷都官. 內乘別監金千用逃, 令索之.

[某日], 倭寇安邊府歙谷縣, 四出虜掠, 如蹈無人之境. 以密直提學商議趙浚爲江陵·交州道都檢察使.[90]

[某日], [江陵道元帥]李乙珍及副元帥權玄龍·兵馬使郭忠輔, 擊倭于[襄州]洞山縣, 斬二十餘級, 獲馬七十二匹. 賊收餘衆, 退泊高城浦. 遣鎭撫金光美獻捷, 禑賜乙珍·玄龍·忠輔, 白金各五十兩, 軍士之力戰者三人, 銀盂各一事, 光美馬一匹.

[某日, 宰輔[門下侍中]曹敏修等, 與耆老宰輔共議, 諸賜給田·口分田·各寺社田並皆屬公, 盡收其租, 以備軍國之需:兵2屯田轉載].

[→[門下侍中]曹敏修與諸宰相建議, "軍國之需不贍, 凡賜給田及口分田·寺社田租, 並公收之, 以補經費". 禑不從:列傳39曹敏修轉載].

十一月[庚子朔大盡, 甲子], [某日], 以全羅道都元帥池湧奇, 仍爲都巡問使.[91]

[某日], [江陵道元帥]李乙珍馳報, 高城浦倭賊, 晝乘舟, 夜登岸虜掠, 而道內兵少食

---

89) 速古赤은 速古兒赤에서 兒字가 탈락되었을 것이다(→공민왕 22년 1월 23일).

90) 이 기사는 열전31, 趙浚에도 수록되어 있고, 趙浚은 이때부터 1388년(우왕14) 5월의 威化島回軍 때까지 약 4년간에 걸쳐 은둔하였다고 한다.

- 열전31, 趙浚, "…倭寇江陵交州道, 以[密直提學商議]趙浚爲都檢察使, 賜宣威佐命功臣號. 禑, 荒淫無度, 權姦當國, 忌浚亢直不阿, 浚杜門不出, 以經史自娛者四年. [崔]瑩誅林·廉, 浚方居母憂, 起爲簽書密直司事, 浚辭不起".

91) 池湧奇는 8월말에 全羅道都元帥에 임명되어 9월 全羅道로 내려왔고, 11월에 全羅道都巡問使의 任命狀이 도착하였다고 한다.

- 『금성일기』, "都元帥池勇奇助戰, 以九月日下界, 十一月日, 都巡問使以公緘到付".
- 열전27, 池湧奇, "後以門下評理, 爲全羅道都元帥, 尋改本道都巡問使".

乏, 未易與戰, 相持日久, 民甚苦之, 請濟師.[92)]

戊申[9日], 禑如定妃殿.

翼日[己酉10日], 亦如之[禑如定妃殿].

[某日], 譯者張伯還自京師曰, "帝以進賀使金庾·李子庸, 過期而至, 下法司. 禮部□[移]咨曰, 奉聖旨, 高麗遠自東鄙, 曩者來奏, 願聽約束. 其中懷詐多端, 覘生隙如尋常, 朕所不納, 止許自爲聲敎. 向後, 數來請命, 朕將以爲誠意至極, 所以限定歲貢, 用表彼誠. 去後, 貢不如約, 五年矣, 今又以慶禮來, 誠則誠矣. 然非期節而至, 豈不侮之甚歟, 雖然, 以發使之事, 論之, 則非高麗國王陪臣之非, 乃使者, 故爲侮慢, 過期而至. 今高麗旣全臣妾, 永守事大之誠, 來使旣非朝禮, 當送法司, 如律令. 其所進禮物, 旣不依節而至, 勿納, 更與高麗文書. 必然願聽約束, 前五年未進歲貢, 馬五千匹·金五百斤·銀五萬兩·布五萬匹, 一發將來. 乃爲誠意, 方免他日取使者之兵至彼, 欽此, 已將進獻禮物, 不動原封盡數, 責令原差來人裴仲倫等收領, 於水路回還. 今再令差來人崔涓等四名齊[賫]文, 陸路回還".[93)]

[某日], 賜密直□□[副使?]周誼母尹氏米二十碩·豆十碩.

---

92) 이들 倭賊은 高麗軍에 의해 북쪽으로 인접한 通州(通川郡, 현 북한 강원도 통천군) 甕遷의 낭떠러지로 몰려 墜落하였던 것 같다.

· 『신증동국여지승람』 권45, 通川郡, 山川, "甕遷, 在郡南六十五里. 石山枕于海, 線路繞山腹, 馬不得竝行. 下有海濤, 噴激洶涌, 臨之悸慄, 足心酸澁. 諺傳倭寇道此, 官軍擊之, 盡淪入于海, 因名倭淪遷".

93) 이 咨文은 『명태조실록』 권157, 洪武 16년 10월 18일(戊子)에도 수록되어 있으나 字句에 많은 차이가 있다. 또 張伯과 崔涓은 이해의 8월에 파견된 賀聖節使 金庾와 賀千秋節使 李子庸의 通譯官(譯者)으로 추측된다(→是年 11월 某日). 그리고 張伯(仁同張氏 太常卿派 始祖)은 1397년(태조6) 10월 奉常卿으로 開國原從功臣(開國元從功臣)으로 책봉되었던 것 같다(國寶 第69號, 沈之伯功臣錄券, 東亞大學 博物館 2014년). 또 原從功臣은 元從功臣의 다른 表記인데, 朝鮮初期에 洪武帝 朱元璋을 避諱하여 前者로 고쳤을 가능성이 있으나 『조선왕조실록』에서 並用되었다.

· 『國史紀聞』 권3, 홍무 16년, "冬十月, 高麗入貢, 却之. 以其非時也".

· 『자치통감』 권233, 唐紀49, 德宗貞元 7년(791) 2월 戊戌[8日], "… 初, 上還長安, 以神策等軍有衛從之勞 皆賜名興元元從奉天定難功臣[胡三省注, 宋白曰, 唐玄宗平內難, 賜衛士葛福順等爲唐元功臣, 不過十餘人. 德宗駐蹕奉天及幸山南, 賜從駕立功將校爲元從奉天定難功臣. 谷口已來, 元從將士賜名元從功臣. 及僖·昭[宗]頻年播遷, 功臣差多. 至後梁·後唐, 偏及戎卒, 非賞典也], 以官領之, 撫恤優厚. …".

· 『增定吏文輯覽』 권2, "… 遼陽行省, 前原[注, 原本元字, 以高皇帝諱元璋, 故代作原字], 僉院. 得利瀛城[洲, 在復州衛東八十里, 元季土人築之, 以避兵], 金·復·海·盖[注, 四州名, 屬遼東](2面右4行).

戊午[19日], 禑如定妃殿.

[某日], 倭寇清風郡, 都巡察使韓邦彥與戰于金谷村, 斬八級.

[某日], 遣門下評理洪尙載·典工判書周謙, 如京師, 賀正.

[→時擬遣知門下事安慶爲進奉使如大明, [門下贊成事廉]興邦受慶賂, 以前門下評理洪尙載代之:列傳39廉興邦轉載].

[某日], 知門下府事鄭地請造戰艦于諸道, 以備倭寇, 從之. 分遣護軍陳汝宜·摠郞申雲秀·前判事宋文禮·前少尹黃成吉于楊廣·西海·全羅·慶尙道, 監造戰艦.

戊辰[29日], 禑如定妃殿, 聞中常里人家火, 馳馬救之.[94]

[某日, 以[三重大匡·韓山君·領藝文春秋館事]李穡爲判三司事·餘如故[~~三重大匡·領藝文春秋館事~~], [門下評理商議]姜蓍爲重大匡·晋山君:追加].[95]

十二月[庚午朔小盡,乙丑], 癸酉[4日], 太白晝見.

甲戌[5日], [小寒]. 禑如定妃殿, 又率宮女, 遊男山.

[○赤氣, 自西指東,:五行1轉載].

[某日], 禑令兩府百官, 議歲貢, 皆以一遵帝旨, 爲對. 於是, 置進獻盤纏色.[96]

[某日], 以知密直□□[~~司事~~]都興爲楊廣道都巡問使.

[某日], 禑與宮女並轡, 遊閭里.

[某日], 以慶尙道副元帥·密直副使尹可觀, 仍爲[~~本道~~]都巡問使, [~~鎭合浦~~,97)] 鄭地爲海道都元帥·楊廣·全羅·慶尙·江陵道都指揮處置使.[98]

---

94) 中常里(中常洞)에는 朝鮮王朝 定宗(李芳果)의 潛邸가 있었다고 한다(『정종실록』 권3, 2년 3월 庚辰[15日]).

95) 이는 『목은집』 年譜 ; 『양촌집』 권39, 姜蓍墓誌銘에 의거하였다.

96) 이와 관련된 기사로

· 지31, 百官2, 盤纏都監, "[禑王]九年, 又置進獻盤纏色".

· 『고려사절요』 권32 , "於是, 置進獻盤纏色, 以備歲貢".

97) 이때 尹可觀(尹之彪의 孫)은 奉翊大夫·密直副使·上護軍·慶尙道副元帥였다(尹之彪墓誌銘). 또 ~~添字~~는 열전26, 尹可觀에 의거하였다.

98) 四道都指揮處置使 鄭地는 明年(우왕10) 3월 全羅道에 들어왔다가 4월에 邊山兵舡都監을 造成한 후 上京하였다고 한다.

[某日], 禑如盧贇第. 贇, 英壽之弟□[世]. 禑嘗至英壽第, 見贇妻之美. 自是, 屢往焉.[99)]

丙申[27日], 禑如定妃殿, 不克入.

[是年, 置淸州牧任內懷仁縣監務:地理1轉載].

[○以西海道海安縣, 因倭寇侵擾, 合屬于豊州:轉載].[100)]

[○泰安郡, 自洪武癸丑[恭愍王22年]以來, 僑寓瑞山郡, 至是年, 又移禮山縣:追加].[101)]

[○以[典理正郎]柳觀爲奉善大夫·試小府少尹:追加].[102)]

[○有人書于[僉議評理都]吉敷門曰, "池佛陪爲大司憲, 邊伐介爲掌令." 二人本系庸賤, 生長市井, 姦貪諂諛, 未嘗齒於縉紳, 故書以諷之:列傳39李仁任轉載].

[○以李陽生爲延安府使:追加].[103)]

[○門下侍中曹敏修以下兩府宰相出米布若干, 以助長湍縣聖燈庵長明燈油錢:追加].[104)]

[增補].[105)]

· 『금성일기』甲子年, "四道都指揮處置使鄭地三月日下界, 四月分[令], 邊山兵紅都監造後, 上京".

99) 添字는 『고려사절요』 권32에 의거하였다.

100) 이는 다음의 자료를 전재하였다.
 · 지12, 지리3, 豊州, 靑松縣, "海安縣令官, 因倭寇侵擾, 辛禑九年, 屬于縣".

101) 이는 다음의 자료에 의거하였다(蔡雄錫敎授의 潤文).
 · 『敬齋遺稿』 권1, 泰安客舍新刱記(『동문선』 권81), "… [洪武]癸亥, 又移禮山縣".

102) 이는 『夏亭集』行狀에 의거하였다.

103) 이는 『연안부지』에 의거하였다.

104) 이는 『신증동국여지승람』 권12, 장단도호부, 佛宇, 聖燈庵長明燈記에 의거하였다(→충숙왕 15년 是年條의 脚注).

105) 이해에 丹城縣의 孝子 周璟의 旌閭碑가 건립되었던 것 같다. 이 旌閭碑의 建立에 대한 始末이 잘 정리된 기록도 찾아지는데, 專門學者는 한번 읽어 볼만하다(『息山集』 권16, 記江城君事).
 · 『신증동국여지승람』 권31, 丹城縣, 孝子, "周璟, 父歿喪制, 一從家禮, 居廬三載, 旌門立碑".

甲子[禑王]十年, 明洪武十七年, 北元天元六年, [西曆1384年]

1384년 1월 23일(Gre1월 31일)에서 1385년 2월 9일(Gre2월 17일)까지, 13개월 384일

[春]正月己亥朔大盡,丙寅, [某日], 宰樞以禑狂妄日甚, 不似人爲, 祭于惠明殿及玄陵恭愍王, 以禱之.[106)]

辛丑3日, 夜, 禑如定妃殿, 不克入.

癸卯5日, 禑如惠妃殿, 又如盧英壽及盧贇第, 又如妓龍屯家. 自是, 屢至龍屯家, 又如潘福海第.[107)]

[某日], 以前南陽府使安俊爲全羅·忠淸·慶尙三道體察使, 問民疾苦.[108)]

[→遣使楊廣·全羅·慶尙三道, 禁暴除害:節要轉載].

[某日], 遼東兵百餘騎侵江界, 虜別差金吉甫·百戶洪丁以歸.

[戊申10日, 日有暈:天文1轉載]

[壬子14日, 日重暈有珥:天文1轉載].

[○月暈:天文3轉載].

[乙卯17日, 月蝕, 密雲不見:天文3轉載].[109)]

[某日, 遣判典校寺事金九容如遼東. 初, 義州千戶曹桂龍, 護送賀正使, 至遼東, 都指揮梅義, 紿之曰, "我於爾國, 每有公幹, 盡心施行, 爾國何不一問安耶?". 宰相聞而信之, 以九容爲行禮使, 奉書兼賫白金百兩苧麻布各五十匹遣之. 摠兵潘敬·

---

106) 惠明殿은 禑王의 父母인 恭愍王과 韓氏(任意로 追尊된 母)의 影殿이다(→우왕 2년 윤9월 28일).

107) 이보다 먼저 潘福海는 禑王의 嬖幸으로 李存性과 함께 承旨를 역임하였던 것 같다.
· 열전37, 폐행2, 潘福海, "潘福海, 巨濟人. 爲辛禑嬖幸, 累遷密直承旨. 嘗直禁中, 與知申事李存性, 戲褫知印尙書高士褧衣, 相與諠鬧. 禑聞而問之. 福海·存性對曰, 士褧使酒, 臣等不能禁. 禑怒, 罷士褧職".

108) 이 시기에 忠淸道는 사용되지 아니하고 楊廣道로 불렸는데, 이 기사에서 前者를 使用한 것이 特異하다.

109) 이 기사에서 사용된 月蝕이라는 글자는 『고려사』에서 찾아진 다섯 번의 事例 중의 하나이다(→충숙왕 6년 12월 16일). 이때 明에서는 16일(甲寅)에 월식이 있었다고 한다(『명태조실록』 권159, 홍무 17년 1월 甲寅). 또 이날(乙卯)은 율리우스曆의 1384년 2월 8일이고, 월식 현상이 심했던 때인 16일(甲寅)의 世界時는 20시 56분, 食分은 0.28이었다(渡邊敏夫 1979年 486面).

葉汪[葉旺]與梅義等曰,[110] "人臣義無私交, 何得乃爾?", 遂執歸京師. □[帝]流九容于大理□[衛], 病卒于道:節要轉載].

[→初, 義州千戶曹桂龍至遼東, 都指揮梅義等紿曰, "我於爾國事, 每盡心行之, 爾國何不致謝耶?". [禑王]十年, 以□[金]九容爲行禮使, 奉書兼賫白金百兩·細苧·麻布各五十匹以行. 至遼東, 摠兵潘敬·葉旺與□[梅]義等曰, "人臣義無私交, 何得乃爾?", 遂執歸京師, 帝命流大理衛. □□□□[是年七月], 行至瀘州永寧縣,[111] 病卒, 年四十七. ○後禑追治桂龍誤傳義言, 流之:列傳17金九容轉載].

[壬戌[24日], 日暈:天文1轉載].

癸亥[25日], 禑如盧英壽第, 百官侍從, 禑召禮務佐郎[禮儀佐郎]李汝良曰,[112] "汝等慮予單騎出遊, 令百官扈從, 禮則然矣. 予深居九重, 忽忽無聊, 是用出遊, 以遣寂寥耳. 若城外, 則扈從宜矣, 安可每從街陌遊乎?, 且臺省各司, 公務浩繁, 宜各治事, 毋致稽滯". 遂馳上男山, 百官又從之. 又召汝良曰, "何不從命, 敢如是乎, 自今, 無復我從". 是日, 九至英壽第.

[某日], 判事池得淸, 强奸卒知門下□[府]事□□[商議]閔伯萱之妾, 囚于巡軍.

[某日], 都評議使司移咨遼東, 遣還被倭劫掠, 逃來登州人王才甫等二名.

[丁卯[29日], 日暈:天文1轉載].

[○月入畢星:天文3轉載].

[某日, 以曹益修爲慶尙道按廉使, 李曄爲全羅道按廉使:慶尙道營主題名記·錦城日記].

二月己巳□[朔小盡, 丁卯], 禑畋于壺串, 百官侍從, 命止之. 自是, 無日不畋于郊.[113]

庚午[2日], 禑如定妃殿.

---

110) 葉汪은 葉旺(?~1388)의 誤字일 것이다(『명사』 권134, 열전22, 葉旺, 張東翼 1997년 373面).
· 『三峯集』 권3, 上遼東諸位大人書, "… 有若延安侯·靖寧侯·都督馬公·指揮葉公·梅公[注, 按延安侯·靖寧侯, 俱遼東都督. 馬公未詳, 葉公名旺, 梅公名義], 尤所謂卓然者也. …]".

111) 瀘州 永寧縣은 是年 7월 是月 11日의 脚注에서 설명하였다.

112) 禮務佐郎은 禮儀佐郎의 오자로 추측되는데, 당시의 禮部는 禮儀司라고 하였다.

113) 己巳에 朔이 탈락되었다.

[○熒惑守氐:天文3轉載].

[某日], 瞽者金哲, 善吹簫, 常出入盧英壽第, 禑至輒召, 樂以忘倦. 哲, 從臾爲非, 長禑之惡, 國人惡而欲去之. 至是, 哲矯旨, 事覺, 杖流錦州.114)

甲戌6日, 禑率宦竪, 洗馬于東池, 與之馳騁, [金元吉墜馬傷脚, 及夕:節要轉載] 禑手吹笛, 令宦竪爲雜戲, 使金元吉作唐人戲, 元吉辭以墜馬傷脚, 禑怒, 杖之垂死, 怒猶未解, 下巡軍獄, 尋釋之.

[某日], 禑令諸道流竄者, 騎船捕倭以贖罪.

[某日], 倭入鎭浦, [以小艇, 載:節要轉載]還所虜婦女二十五人.

[己卯11日, 獐入城:五行2轉載].

[丙戌18日, 月暈:天文3轉載].

[丙申28日:追加],115) 判厚德府事韓脩卒,116) [年五十二, 人皆惜之. 諡文敬, 官庀葬事. 學識行義, 爲世所重, 有柳巷集, 行於世. 子尙桓·尙質·尙敬·尙德:列傳20韓脩轉載]. [脩, 善草隷, 忠定王, 命爲政房秘闍赤, 及遜于江華, 脩從之. 由是, 名重一時, 恭愍王, 召復置政房, 辛旽得幸, 其迹甚秘, 脩密啓曰, "旽非正人, 恐致亂", 王方惑旽, 拜脩△爲禮儀判書, 蓋疏之也. 及旽敗, 王曰, "脩有先見之明":節要轉載].117)

三月戊戌朔大盡,戊辰, [某日], 密直安仲溫卒.118)

[某日], 判門下府事崔瑩出穀八十碩, 補軍餼.

[→禑嘗禑王7年賜田, 瑩辭以倉廩虛竭不受, 乃自出米二百碩, 補軍餉, 至是, 復出穀八十碩, 以補之:列傳26崔瑩轉載].

---

114) 『고려사절요』 권32에는 이 기사가 是年 1월에 수록되어 있다.

115) 이 기사의 日辰은 「韓脩墓誌銘」에 의거하였다.

116) 이날은 율리우스曆으로 1384년 3월 20일(그레고리曆 3월 28일)에 해당한다.

117) 이 記事와 卒記는 『고려사절요』 권32에는 3월에 수록되어 있지만 이곳으로 옮겼다[校正事由].

118) 安仲溫(初名은 景溫)은 安宗源의 長子이다.

· 『태조실록』 권5, 3년 3월 癸亥24日의 卒記, "癸亥, 判門下府事安宗源卒. 宗源字嗣淸, 順興人, 僉議贊成事文貞公軸之子. … 子仲溫·景良·景恭, 皆登第. 仲溫·景良, 官至中樞密直, 景恭與於開國功臣, 封興寧君, 景儉官至工曹典書".

[某日], 鈴平君尹陟卒.

己酉[12日], 雨雹.[119)]

[某日], 禑習射于馬巖.

丙寅[29日], 禑畋于[金郊驛近隣]元中浦, 四日乃還.[120)]

[某日], 禁酒.

[夏]四月[戊辰朔大盡,己巳], 甲戌[7日], 雨雹.[121)]

[乙亥[8日]:比定], 禑以釋迦生日, 與諸嬖如花園, 觀燈宴樂. 迎送錄事李岷, 適以聽候內旨, 近其側, 禑見之曰, "黑笠者誰, 遂執而親杖之". 岷痛不可忍, 執其杖. 禑怒甚, 蹴其面, 使巡軍鞫之, 流驪興郡.

丙子[9日], [立夏]. 地震.

[己卯[12日], 獐入城:五行2轉載].

[某日], 前開城尹[~~前開城府尹~~]洪壽老之妻,[122)] 因妬, 取木板毆壽老, 腰折以死. 典法司執其妻, 鞫之, 死獄中.

[庚寅[23日], 日暈:天文1轉載].

[辛卯[24日], 小滿. 松山[~~松嶽山~~]石方寺, 牛產牝牡兩犢:五行3轉載].[123)]

癸巳[26日], 夜, 禑如定妃殿.

甲午[27日], 禑如甘露寺, 遂畋于元中浦.

[某日], 時北方有警, 遣判密直□□[~~司事~~]姜筮·唐山君洪徵·前密直[前簽書密直司事商議]柳源·[同知密直司事]鄭夢周等于東北面, 刺探事變.

---

119) 이와 같은 기사가 지7, 五行1, 水, 雨雹에도 수록되어 있다.

120) 元中浦는 金郊驛의 隣近에 있었던 것 같다. 1402년(태종2) 11월 21일(庚子) 太宗 李芳遠이 金郊驛에 留宿한 후 22일(辛丑) 元中浦에 머물다가 26일(乙巳)에 歸京하였다고 한다(『태종실록』 권4, 2년 11월 庚子, 辛丑, 乙巳).

121) 이와 같은 기사가 지7, 五行1, 水, 雨雹에도 수록되어 있다.

122) 延世大學本과 東亞大學本에서 開가 聞과 같이 잘못 刻字되었다(東亞大學 2008년 11책 460面).

123) ~~添字~~와 같이 고쳐야 좋을 것이다.

· 『신증동국여지승람』 권4, 開城府上, 佛宇, "石房寺, 在松嶽山".

五月戊戌朔小盡,庚午, [某日], 遣判宗簿寺事<u>金進宜</u>如遼東, 進歲貢馬一千匹. 以金銀非本國所產, 遣司僕正<u>崔涓</u>, 奏請減其數.

[壬寅5日:比定], 禑觀石戰戲于鵰巖, 召其能者數人與酒, 又與杖, 使盡其技.

[癸卯6日, 月暈:天文3轉載].

乙巳8日, 禑如金湊第.

戊申11日, 地震. 夜, 禑率閹人·歌妓, 縱遊衢路.

戊午21日, 夜, 禑率宮女數隊, 如紫霞洞, 遂如門下贊成事<u>廉興邦</u>第.[124]

翼日己未22日, 又率宮女, 如紫霞洞, 同浴而戲. 夜, 遊道, 遇判事金允珍, 命囚, 尋釋之.

[是月, □□□~~洪武帝~~, 諭遼東守將<u>唐勝宗</u>等絶高麗勅曰, "舊歲·今春高麗之使, 水陸兩至, 皆非臣禮, 暗行侮慢, 明彰褻瀆. 於是, 稽古典, 知此夷, 自古至今, 未嘗不侮慢中國, 而構兵禍者也. 驗古事跡, 可以絶交, 不可暫交, 況深交者乎? 曩古侮漢, 漢伐四次, 絶滅其國族, 魏伐二次, 屠其所都. 晋伐一次, 焚其宮室, 俘其男女五萬口, 隋伐二次, 城困將亡, 幸降而免. 唐伐四次, 斬首五萬級·牛馬八萬餘, 夷王臧等, 戮於市. 遼伐五次, 焚其宮室, 斬亂臣<u>康肇</u>~~康兆~~, 拔十餘城. 金伐一次, 元伐五次, 夷王竄耽羅, 捕殺之. 元以耽羅爲牧馬之野, 今爾勝宗等出鎭遼左, 高麗必數有使至, 其至者, 送來勿令其還, 以絶彼奸計. 若納其使, 而禮待之, 歲貢如約, 則可人亦不可久留遼東, 或朝或歸, 速遣其行":追加].[125]

六月丁卯朔大盡,辛未, 庚午4日, 禑率閹竪·倡妓過市, 梃擊市人, 以爲樂, 人皆奔匿, 失貨者甚衆.

[某日], 遣前判宗簿寺事<u>張方平</u>如京師, 獻歲貢馬二千匹.

[某日, 卒判三司□事李成瑞妻朴氏, 嘗以穢行, 再被法司問, 今又有醜聲, 憲司劾而罪之:節要轉載].

---

124) 이때 廉興邦은 重大匡·門下贊成事·判禮儀司事兼成均館大司成·藝文館大提學·知春秋館事·上護軍이었다(寧邊安心寺石幢之碑).

125) 이는 『명태조실록』 권162, 홍무 17년 5월 是月條의 내용을 전재하였다.

[→初, □[李]成瑞竊元翰林學士承旨奇田龍妾, 爲憲司劾免, 王召憲官, 還其劾狀, 封月城君. 辛禑五年卒, 諡恭簡. 妻朴氏, 初與辛旽通, 配徒役. 及成瑞卒, 又奔于鄭天鳳, 憲司鞫而竄之. 竟不悛, 恣行無忌:列傳27李成瑞轉載].

癸未[17日], 禑微行遊東郊, 至歸法寺南川, 與宮女同浴, 淫褻[淫褻]無所不至.

翌日[甲申18日], 亦如之.

[乙酉[19日], 終風且寒:五行1恒寒轉載].

[○太白·歲星同舍:天文3轉載].

[丙戌[20日] 大風連夜:五行3轉載].

[辛卯[25日], 太白·鎭星相犯:天文3轉載].

[壬辰[26日], 大暑. 以旱, 禱雨于演福寺:五行2轉載].

[癸巳[27日]:追加], 禑率宮女, 至演福寺, 手擊鍾鼓, 以禱雨.

[→翌日[癸巳], 禑率宮娥, 至是寺, 手擊鍾鼓, 以禱:五行2轉載].

[某日], 初, 趙英吉爲[領三司事]李仁任婢壻, 生女曰鳳加伊, 禑如仁任第, 淫[淫]焉, 寵傾後宮, 賜英吉馬, 除典農副正.

[→禑如李仁任第. 初趙英吉, 爲仁任婢婿, 生女曰鳳加伊. 仁任, 獻于禑. 是日, 禑率至其第, 淫[淫]焉. 除英吉典農副正:節要轉載].

乙未[29日], 禑宿[領三司事李]仁任第. 自是, 屢宿其第.[126]

[→[禑王]十年, [領三司事李]仁任獻其婢鳳加伊於禑, 禑寵愛之, 屢宿其第:列傳39李仁任轉載].

[是月戊辰[2日], □[明]遼東都指揮使潘敬卒. 其子剛奏請軍士二十四人護喪歸葬於宿州. 帝從之:追加].[127]

[戊寅[12日], 高麗遣其臣司僕正崔涓·禮儀判書金進宜貢馬二千匹, 至遼東, 訴言金非其地所產, 願以馬代輸, 其餘皆如約. 延安侯唐勝宗爲之奏請. 上許之:追加].[128]

---

126) 이때 李仁任은 三重大匡·領三司事·上護軍·廣平府院君이었다(寧邊安心寺石幢之碑).

127) 이는 『명태조실록』 권162, 홍무 17년 6월 戊辰을 전재하였다.

128) 이는 『명태조실록』 권162, 홍무 17년 6월 戊寅 ; 『속문헌통고』 권29, 土貢考를 전재하였다.
· 『憲章錄』 권8, 홍무 17년 5월, "□□[某日], 高麗遣其臣崔清[崔涓]貢馬二千疋[匹], 至遼東, 訴言金非其

[夏某月, 知錦州事吉元進卒於官:追加].[129)]

[秋]七月[丁酉朔小盡,壬申], 癸卯[7日], 夜, 禑率宮女·宦者, 縱遊委巷, 歌吹載路. 時禑喜著白草笠, 奴隷之惡少者, 效之, 亦戴此笠, 詐稱王, 夜行閭里, 殺雞狗, 或因以劫掠, 事覺伏誅.

[某日, 全羅道都巡問使池湧奇斬倭八級:節要轉載].[130)]

[某日], 倭陷求禮縣.

[某日], 禑觀魚于東江.

[某日], 倭寇永同·朱溪·茂豊等縣.[131)]

[某日], 遣政堂文學鄭夢周如京師,[132)] 賀聖節, 請承襲及謚[謚], 右常侍[~~右散騎常侍~~]李天祺, 賀千秋節. 承襲表曰, "天聰孔邇, 民欲是從, 子職所先, 父業之嗣, 再殫悃愊, 庸瀆高明. 伏念, 臣禑積釁之加, 嚴親云沒, 繼猶判渙, 常存恐懼之心, 奉以周旋, 久佇恩憐之澤. 旣星霜之屢換, 而雨露之尙稽, 益切籲呼, 冀蒙兪允. 伏望陛下, 体綏遠之道, 垂恤孤之仁, 遂令孱資, 獲被寵命. 則臣謹當率循祖考, 宣八條於箕

地所產, 願以馬代輸, 其餘皆如約. 上許之". 여기에서 ~~添字~~와 같이 고쳐야 옳게 될 것이다.

129) 이는 『冶隱先生言行拾遺』卷上, 吉再行狀(朴瑞生 撰)에 의거하였다.

130) 이와 같은 기사가 열전27, 池湧奇에도 수록되어 있다.

131) 茂豊縣에는 裳山(赤裳山, 現 全羅北道 茂朱郡 赤裳面에 위치)이 있는데, 이와 관련된 자료로 다음이 있는데, ~~添字~~와 같이 고쳐야 옳게 될 것이다.
- 『신증동국여지승람』 권39, 茂朱縣, 山川, "裳山, 在縣南十五里. 俗呼裳城山, 四面壁立, 層層峻截如人之裳, 故名. 昔人因險爲城, 僅有二路可上, 其中平坦寬廣, 川水四出, 誠天作之險. 昔丹兵[~~蒙古兵~~]·倭寇侵掠, 傍近數十郡人民皆賴此保全. 高麗都統使崔瑩請建山城·築倉庫以備不虞. 我世宗朝, 體察使[~~兵曹判書·都巡問使~~]崔潤德行縣至此, 適雲霧晦暝, 未得周覽, 以爲不宜築城置倉, 事遂寢".

132) 9월 18일(癸丑) 明帝가 奉天殿에 幸次하여 生日[天壽聖節]의 朝賀를 받았는데, 高麗의 聖節使 鄭夢周 一行도 이곳에서 賀禮를 드렸다(『명태조실록』 권165 ; 『三峰集』 권3上, 遼東諸位大人書). 또 19일(甲寅) 고려의 사신 門下評理 鄭夢周는 表 2通을 올렸는데, 하나는 襲位[襲王爵]를 要請하는 것이고, 다른 하나는 王顓의 謚號를 요청한 것이었으나 허락받지 못하였다(『명태조실록』 권165, 이에서 門下評理는 政堂文學 鄭夢周의 借職일 것이다).
또 이때 前典儀副令 鄭道傳이 鄭夢周의 추천에 의해 書狀官으로 발탁되었다.
- 『태조실록』 권14, 7년 8월 己巳[26日], 鄭道傳의 卒記, "甲子, 賀聖節使鄭夢周, 擧爲書狀官赴京, 還拜成均司成".
- 『삼봉집』 권1, 嗚呼島弔田橫[注, 奉使雜錄, 甲子秋, 公以典校副令, 從聖節使鄭夢周入明].

封, 嘉與臣民, 効三呼於嵩嶽".

○請謚[謚]表曰, "賜謚[謚], 所以勸忠, 顯親, 所以致孝, 俯攄危懇, 仰瀆聰聞. 伏念先臣, 粤自遭逢, 迄于薨逝, 職貢不愆於侯度, 精誠至形於聖謨. 爰從訃告之初, 而望旌褒之久, 未獲曰兪之命, 敢申無已之求. 伏望陛下, 同視華夷, 推恩存沒, 遂令貞魄, 得荷殊稱, 則臣謹當思前烈, 而益虔祝皇齡於罔極".

[→[禑王]十年, [鄭夢周,] 拜政堂文學. 本國與朝廷多釁, 帝怒將加兵于我, 增定歲貢. 乃以五歲貢不如約, 杖流使臣洪尙載·金寶生·李子庸等于遠地. 至是, 當遣使賀聖節, 人皆憚行規避. 最後乃擬遣密直副使陳平仲, 平仲以臧獲數十口賂林堅味, 遂辭疾. 堅味卽擧夢周, 禑召面諭曰, "邇來, 我國見責朝廷, 皆大臣過也. 卿博通古今, 且悉予意. 今平仲疾不能行, 乃代以卿, 卿意何如?" 對曰, "君父之命, 水火尙不避, 況朝天乎. 然我國去南京凡八千里, 除候風渤海, 實九十日程. 今去聖節纔六旬, 脫候風旬浹, 則餘日僅五十, 此臣恨也". 禑曰, "何日就道?". 對曰, "安敢留宿?", 遂行:列傳30鄭夢周轉載].

[丁未[11日], 立秋. 以[判三司事]李穡爲三重大匡·韓山府院君·領藝文春秋館事, 柳從惠爲中正大夫·三司右尹,[133] [前左獻納]李詹爲添設奉善大夫·試典敎副令:追加].[134]

壬戌[26日], 禑觀魚于壺串, 都堂復令各司, 扈從如儀.

癸亥[27日], 禑欲畋于郊, 至城南門, 借馬于侍中曹敏修, 敏修辭以無馬, 遂如東江, 觀魚, 夜. 還宿于[領三司事]李仁任第.

乙丑[29日晦], 禑觀魚于歸法寺南川.

[□□[是月]], [司僕正]崔涓至遼東都司~~遼東都指揮使司~~, 延安侯[唐勝宗]·靖寧侯[葉昇], 遣使馳奏曰, "一. 高麗進馬五千匹, 數足, 來使合無朝見, 奉聖旨, 着他來. 一. 高麗進貢金銀不敷, 願將馬匹准數, 合無准他, 奉聖旨, 准他, 每銀三百兩, 准馬一匹, 金五十兩, 准馬一匹". 涓乃還.

[某日, 以[成均司藝]李文和爲慶尙道按廉使,[135] 陳義貴爲全羅道按廉使兼軍須別監:

---

133) 이는 『목은집』연보 ; 「洪武二十年柳從惠朝謝牒」 등에 의거하였는데(張東翼 1982년b ; 盧明鎬 等編 2000년 99面), 날짜는 後者에 의거하여 比定하였다.

134) 이는 『쌍매당협장집』연보, "洪武十七年甲子秋七月, 拜奉善大夫·試典敎副令"에 의거하였다.

135) 이때 李文和에 관한 자료로 다음이 있다.

· 『신증동국여지승람』 권22, 蔚山郡, 古跡, "古邑城, 在戒邊城西, 城周三百十五步, 今頹廢. 李

慶尙道營主題名記·錦城日記].

[是月丁未11日, 立秋. 先是, 明帝安置高麗使者金九容於雲南大理衛, 是日, 病死於四川瀘州永寧縣江門站, 年四十七:追加].[136]

[丙辰20日, □明遼東都指揮使司送高麗所進馬二千匹, 至京師:追加].[137]

[己未23日, □□明帝勅諭延安侯唐勝宗·靖寧侯葉昇曰, "爾等名世之臣, 前者遣鎭遼佐. 朕常備諭高麗必數有使至, 今果然矣. 然勿爲善說, 所誘勿爲華麗, 所惑豈不見曹魏之將田豫者, 爲護烏丸校尉却賄之故, 况高麗今春使至, 賄賂京官甚重, 內有一單云上等人若干, 中等人若間, 下等人若干, 以此觀之, 甚無禮也. 設使受其賂者, 少有所知, 豈不赧哉? 今爾等知誘, 而能奏田豫不得獨名千古矣. 遼壤遼陽東界鴨綠北接曠塞非多筭, 不能以禦, 未然, 爾能筭有餘, 則名彰矣":追加].[138]

[是月頃, 以匡靖大夫皇甫琳爲安東道元帥兼府使, 通憲大夫宋文中爲羅州牧使:追加].[139]

八月丙寅朔大盡,癸酉, [某日, 令兩府至六品, 出金銀有差, 又括歛斂諸道, 以充歲貢. □尋都堂又取魯國公主殿金銀器, 以補之:節要轉載].[140]

[→令兩府至六品, 出金銀有差, 又括斂諸道, 以充歲貢. ○是月, 都堂取魯國大長公主眞殿金銀器, 以充其不給:食貨2科斂轉載].

[某日], 倭寇梁山縣.

戊辰3日, 禑畋于南郊, 百司會藥院, 侍衛, 失其所之, 奔走東西. 至暮, 禑冒雨還.

詹記, 蔚州, 古之興麗府也. … 其後, 爲知州者, 齎印信挈吏數口, 僑寓鷄林城. 甲子禑王10年秋, 成均司藝李君文和廉問慶尙, 首祭于戒邊. …".

136) 이는『삼봉집』권3, 若齋遺稿序 ;『포은집』권1, 楊子渡望北固山悼金若齋 ;『惕若齋學吟集』冒頭, 先君惕若齋世係行事要略 ; 권下, 將赴雲南泝江而上…에 의거하였다. 또 金九容이 47歲로 逝去한 瀘州 永寧縣 江門站은 현재의 四川省 東南部에 위치한 長江과 濘江이 합치는 곳인 瀘州市 敍永縣 江門鎭으로 추측된다. 이날은 율리우스曆으로 1384년 7월 29일(그레고리曆 8월 6일)에 해당한다.

137) 이는『명태조실록』권163, 홍무 17년 7월 丙辰을 전재하였다.

138) 이는『명태조실록』권163, 홍무 17년 7월 己未를 전재하였고, 이와 관련된 기사가『飛閣元龜政要』권12, 홍무 17년 7월 己未에도 수록되어 있다.

139) 이는『안동선생안』;『금성일기』에 의거하였다.

140) 다음의 기사에 의하면 添字가 추가되어야 하겠다.

翌日[~~己巳~~4日], 又馳馬如新京[白岳新宮], 侍從皆不及. 禑乘舟泝沿于江, 百司出竢于郊, 至曙, 禑乃還.

○濟州萬戶金仲光貢馬一百四匹. 禑選留良馬三十九匹, 餘皆賜嬖幸·閹豎.

庚午[5日], 禑如定妃殿.

[某日], 倭寇銀川所·永同·青山·安邑等縣, 又寇全羅道安城所, □□[~~應橫~~]·所川□[~~等~~]驛.[141]

乙亥[10日], 禑畋于郊, 夜還, 笙歌鼓舞, 爲巫覡戲, 歎曰, "人生世間, 有如草露". 泫然流涕.

[某日], 倭又寇天鬣所.

[丁丑[12日], 遣右副代言潘德海于判三司事·韓山君李穡直廬傳旨, 命撰'妙香山安心寺石鐘之碑':追加].[142]

[某日], 禑冒大雨, 欲畋于東郊, 憚百司扈從, 至城東門, 卽還, 却出城南門, 遊畋, 至暮還. 判三司□[~~事~~]李成林等,[143] 不知禑已還, 會城東門樓, 至夜猶待.

[某日], 禑率鳳加伊, 出城北門, 至東郊川, 泛木柹爲舟,[144] 自挽以戲, 至夜還. 尋又欲往郊外, 左右曰, "夜已深, 天又大雨, 將安之?". 禑曰, "第欲呼鷹耳", 遂出南郊, 至曙乃還. 又畋于東郊, 手秉畫角, 鳳加伊·水精·初生等, 衣男服, 臂弓腰箭以從, 馳往新京, 遂至海豊郡, 娛戲百端, 乃與諸嬖, 日中野合. 時禑出遊無虛日, 內廐馬瘦乏, 所過奪人馬, 以載宮女·宦者, 人爭避匿, 道路爲空.

[某日, 鷹揚軍上護軍李茂上言, "府兵虛弱, 請選諸道閑良子弟, 號補充軍, 以實府兵", 從之:節要·兵1五軍轉載].

[某日], 禑如定妃殿.

[某日], 禑至進獻盤纏色, 取良馬騎之, 畋于壺串, 及還, 馳突市肆, 人皆辟易, 失其貨物者多.

---

141) ~~添字~~는『고려사절요』권32에 의거하였다.

142) 이는「寧邊妙香山安心寺石鐘之碑」에 의거하였다.

143) 이때 李成林은 三重大匡·判三司事·上護軍이었다(寧邊安心寺石幢之碑).

144) 木柹(목시)는 木片을 가리킨다.

[某日], 日本國遣使□[來], 歸所虜男女九十二人.

[某日], 倭寇西海道蘆島, 焚軍船二艘.

[某日], 西北面都巡問使金用輝進鷹. 時禑好田獵, 諸道元帥爭進鷹犬, 以取悅.

[某日], 禑與[領三司事]李仁任妻朴氏, 如仁任別墅, 極歡, 夜偕朴氏還. [禑, 嘗稱仁任爲父, 故尊朴氏, 亦曰母. 時禑寵鳳加伊, 常宿仁任第, 故仁任出居別墅:節要轉載].

[某日], 遣禮儀判書金進宜如遼東, 獻歲貢馬一千匹.

[某日], 禑畋于東郊, 命百司, 毋復扈從.

[是月頃, 以權得揆爲知永州事:追加].[145]

九月[丙申朔小盡,甲戌], 庚子[5日], 禑如李仁任第, 是日, 凡三至.

翼日[~~辛丑~~6日], 亦如之[禑如李仁任第].

[某日], 禑畋于永安城.

[某日], 禑如禮成江.

[某日], 以同知密直□[~~司事~~]尹有麟爲全羅道都巡問使.

[某日], 禑如李仁任第, 聞其隣同知密直□[~~司事~~]權季容家, 有笛聲, 使人召吹者, 季容疑矯旨, 罵之. 使者還, 誣以被毆, 禑怒, 遣人執季容以來, 蹴其面, 囚巡軍, 尋釋之.

[某日], 禑佩弓矢, 射雞狗于閭里, 遂馳入進獻盤纏色, 取良馬五匹, 歸諸內廐.

[癸丑[18日], 月掩畢星:天文3轉載].

戊午[23日], 禑如[領三司事]李仁任·盧英壽第, 酗酒荒滛[~~荒淫~~], 敬孝王忌日也.[146]

[○太白·辰星, 相犯于軫:天文3轉載].

[某日], 禑如定妃殿.

[某日], 以崔瑩爲門下侍中, 李成林△[爲]守門下侍中, 李仁任△[爲]判門下府事, 宦者金實爲門下贊成事商議.[147] [先是, 禑惡守侍中林堅味貪饕, 每以諷其子檄, 堅味

145) 이는『영천선생안』에 의거하였다.

146) 恭愍王은 1374년(공민왕23) 9월 甲申(22일) 三更(子正前後)에 弑害되었으므로 翌日인 乙酉(23일)를 忌日로 정하였던 것 같다(→공민왕 23년 9월 22일).

托疾乞退. 領三司事李仁任·判門下府事崔瑩·侍中曹敏修, 亦皆乞退, 以觀禑志. 禑以仁任仍領三司□~~事~~, 門下侍中洪永通△爲判門下□□~~府事~~, 罷敏修爲昌城府院君, 堅味爲平原府院君, 以瑩·成林代之:節要轉載].

[→禑, 惡守侍中林堅味貪饕, 屢諷檄, 堅味托疾乞退, 許之, 封平原府院君. 遣知申事廉廷秀, 賜宮醞慰之:列傳39林堅味轉載].

[辛酉26日, 月犯軒轅:天文3轉載].

[壬戌27日, □月又犯大微~~太微~~西蕃上將:天文3轉載].

[是月, 判三司事·韓山府院君李穡撰'佛說四十二章經'跋:追加].[148]

[○僧覺珠·覺閑·志寶等立妙香山安心寺指空·懶翁舍利石鐘之碑:追加].[149]

[是月, 高麗使·~~政堂文學鄭夢周~~, 晨夜倍道, 及節日戊申13日.賀禮, 癸丑18日,與群臣朝賀, 甲寅19日進表. 帝覽表畫日曰, "爾國陪臣, 必相托故不肯來, 日迫乃遣爾也. 爾得非往者以賀平蜀來者乎?". 夢周悉陳其時船敗狀, 帝曰, "然則應解華語". 特賜慰撫. 勑禮部優禮以送, 遂放還洪尙載·~~李子庸~~等:列傳30鄭夢周轉載].[150]

[是月頃, 以李持乙爲羅州牧判官:追加].[151]

[冬]十月乙丑□~~朔~~大盡,乙亥, 門下贊成事商議△金實赴都堂, 署事.[152]

---

147) 이때의 임명에서 李仁任의 서열이 第1位인데, 3位에 기재한 점이 異色的이다. 또 以下의 기사에서 李仁任에 관한 것은 열전39, 李仁任에도 수록되어 있다.

148) 이는 다음의 자료에 의거하였다(尹炳泰 1969년, 筆者未見).
- 『佛說四十二章經』권말간기, "… 釋志峰·志道·覺溫·施主金氏曰,大難者重刊佛祖三經來,請予跋其尾, … 靑龍甲子十月日, 推忠推忠保節同德贊化功臣·三重大匡·判三司事·領藝文春秋館事·韓山府院君李穡跋".

149) 이는「寧邊妙香山安心寺石鐘之碑」에 의거하였다.

150) 이 기사에서 添字는 筆者가 추가한 것이고, ~~添字는~~ 是年 7월 某日에 의거하였다. 이때 書狀官 鄭道傳의 見聞으로 다음이 있다.
- 『三峯集』 권3, 上遼東諸位大人書[注, 奉使雜題, 甲子禑王10年], "… 今門下鄭評理[注, 夢周]奉表賀天壽聖節. 奉翊李常侍[天驥]奉箋賀千秋節, 而道傳爲書狀官. 乃以九月十八日癸丑, 天子坐奉天殿, 受群臣朝, 閶闔天開, 仗儀雲簇, 樂奏於兩階之間. 一箇書生, 得與百辟·卿士周旋廣庭, 躬覩穆穆之光, 俯伏拜興, 呼萬歲者三. 何其幸也? …".

151) 이는『금성일기』에 의거하였다.

152) 乙丑에 朔이 탈락되었다. 또『고려사절요』 권32에는 "門下贊成事商議金實, 坐都堂, 署事"로 되어 있는데, 이는 添設職인 商議職이 실제로 政事에 참여하지 않았음을 보여주는 사례가 될 것이다.

[某日], 前判事金鼎侯毆殺其妻, 憲府[司憲府]劾治之.

[某日, [門下侍中]崔瑩, 辭都統使, 不許. 瑩, 自再爲侍中, 謝病不起. 至是, 又封上都統使印, 乞釋兵柄. 禑遣知申事廉廷秀慰諭, 勉令視事. 瑩赴都堂, 極言諸宰相兼幷之弊, 遂具文案, 禁斷侵奪, 目諸相曰, "署此案後, 復有如前日者乎?". 諸相默然:節要轉載].

[→[九月, 崔瑩,] 乃拜門下侍中, [十月,] 謝病不起, 上都統使印, 乞釋兵柄. 禑遣知申事廉廷秀慰諭, 勉令視事. 瑩赴都堂, 極言諸相侵奪兼幷之害, 遂具禁約, 共署之. 目諸相曰, "後復有如前日者乎?". 又曰, "予旣老矣, 昧於事理, 所行有不合義者, 請勿含默, 以警老人":列傳26崔瑩轉載].

[某日], 倭寇西海道[翁津]館梁.

[壬申[8日], 鎭星·歲星相犯:天文3轉載].

癸酉[9日], 雷電.[153]

[某日], 定遼衛奉帝命, 欲渡鴨綠江互市. 許留義州互市, 禁用金銀·牛馬.

戊寅[14日], [立冬]. 震電.

[→雨, 震電:五行2恒雨轉載].[154]

[某日], 禑畋于海豊郡, 日暮還.

[→禑畋遊, 夜深乃還, [門下侍中]崔瑩聞之, 淚盈睫:列傳26崔瑩轉載].

[某日], 北元遣使來, 至和寧府, 遣護軍任彦忠, 慰諭遣還, 以道梗, 留半歲而去.

[是月, 重大匡·漢山府院君李穡撰'佛祖三經'跋:追加].[155]

---

153) 이와 같은 기사가 지7, 五行1, 水, 雷震에도 수록되어 있다.

154) 여기에서 震雷는 雷鳴, 雷閃을 가리키므로 지7, 五行1, 水, 雷震에 記載되는 것이 適切할 것이다.
- 『춘추좌씨전』傳, 隱公 9년, "春, 王三月癸酉, 大雨霖以震. …".
- 『위서』 권21上, 열전9上, 獻文六王上, 北海王詳, "… 除太傅·領司徒·侍中·錄尙書事餘故. 詳固辭, 詔遣敦勸, 乃受. … 詳之拜命, 其夜暴風震雷, 拔其庭中桐樹大十圍, 倒立本處. … 天威如此, 識字知其不從".

155) 이는 다음의 자료에 의거하였다(한솔製紙 所藏, 보물 제1224-1호, 郭丞勳 2021년 530面).
- 『佛祖三經』, 권말간기, "注潙山警策終, … 青龍甲子十月日, 推忠保節同德贊化功臣·三重大匡·韓山府院君李穡跋".

閏[十]月[乙未朔小盡,乙亥], [某日], 禑畋于南郊, 還, 登花園墻爲戲.

[某日], 壽昌宮成. [造成都監判事崔瑩·[守侍中]李成林·李子松·[門下贊成事]廉興邦等, 詣闕賀成. 禑曰, "大廈五年而成, 何以報卿等?". 瑩因啓曰, "今倭寇蠶食, 田制日紊, 民生困悴, 喪邦無日, 而不與大臣, 圖議國政, 昵比群小, 遊畋無度, 臣將安仰, 以盡臣職乎?". 禑, 赧然曰, "謹聞敎矣":節要轉載].

[→[崔]瑩嘗與李成林·李子松·廉興邦等, 爲造成都監判事, 營壽昌宮. 及宮成, 瑩等賀, 禑使宦者李匡言曰? "大廈五年而成, 何以報卿等?". 瑩因告曰, "今倭寇蠶食, 田制日紊, 民生困悴, 喪邦無日. 不與大臣, 圖議國政, 昵比群小, 遊田[畋]無度, 臣將安仰, 以盡臣職乎?". 匡入告, 禑赧然曰, "謹聞敎矣":列傳26崔瑩轉載].

[某日], 遣連山君李元紘如京師,[156] 獻歲貢.[157] 表曰, "一人御極, 克廣德心, 萬國來庭, 畢獻方物. 玆當執壤, 乃敢籲天. 竊念, 小邦獲逢昭代, 惟先考旣勤於述職, 而孤臣尤切於輸忠. 洪武十二年[禑王5年]間, 欽奉聖旨, 約定歲貢, 欽此. 自從承命之初, 願遵約束, 以至歷年之久, 未及經營, 盖緣財力之窮, 實非精誠之薄. 洪武十六年 [禑王9年]十一月間, 陪臣崔涓·張伯等, 回自京師, 齊[賚]到禮部咨文, 欽奉聖旨, 節該前五年, 未進歲貢馬五千匹·金五百觔·銀五萬兩·布五萬匹, 一發將來, 欽此. 臣與一國臣民, 采增戰懼, 自責稽遲, 遂即辦以多方, 僅能充於定數. 伏望陛下, 諒臣役志於享上, 憐臣誓心而靡他, 滌除旣往之愆, 昭示有容之德. 則臣謹當恪守侯度, 永觀玉帛之朝, 恒祝皇齡, 竊効岡陵之頌".

○都評議使司申禮部曰, "原奉五年歲貢, 金五百斤數內, 見解送九十六斤一十四兩, 其未辦四百三斤二兩, 折准馬一百二十九匹. 銀五萬兩數內, 見解送一萬九千兩, 未辦三萬一千兩, 折准馬一百四匹. 布五萬匹數內, 見解送白苧布四千三百匹·黑麻布二萬四千四百匹·白麻官布二萬一千三百匹. 馬五千匹數內, 已解送四千匹, 遼東都司[~~遼東都指揮使司~~]收訖, 今見解送一千匹".

○元紘拜辭, 禑手賜酒曰, "國家安危, 繫卿此行, 卿其愼之, 無爲國家羞".

---

156) 여기에서 本貫이 仁州인 李元紘의 封君號를 통해 볼 때, 그는 公州管內의 連山縣과 어떤 緣故가 있었던 것 같다.

・『태종실록』 권10, 5년 7월 辛酉[28日], "前開城留後司留後李元紘卒. 元紘, 仁州人, 訃聞, 停朝三日, 致賻紙百卷·米豆三十石".

157) 李元紘은 明年 正旦에 方物을 바치고, 表를 올려 賀禮를 드렸던 것 같다.

・『명태조실록』 권170, 홍무 18년 1월 癸亥, "高麗·暹羅·琉球等國遣使, 貢方物, 上表賀".

○又遣銀川君趙琳, 賀正. 時上國尙懷疑, 阻奉使, 朝聘者皆憚之, 附勢求免, 元紘·琳, 俱以散職而行.

[某日], 倭寇長淵縣, 西海道上元帥王承寶與戰, 敗績.

[某日, 命贊成事沈德符, 檢點進獻物于平壤府, 禁私挾金銀者, 押物魏堅犯令, 斬以徇:節要轉載].158)

[→沈德符, 拜贊成事. 時遣使如京師獻歲貢, 命德符檢方物于平壤府. 禁私挾金銀者, 押物禹堅犯令, 斬以徇:列傳29沈德符轉載].

[某日], 狼川君李邦直卒.159)

[某日], 禑畋于南郊, 還至龍德家. 龍德一名加也只, 通濟院婢, 書雲正崔天儉妾出也. 初, 以毅妃宮人, 見幸, 寵踰毅妃. 禑自是, 日至其家.

[某日], 禑又至龍德家, 手自理馬, 遂畋西郊.

[某日], 禑如定妃殿.

[某日], 禑如判門下府事李仁任·盧英壽第, 遂馳射犬于閭巷, 墜馬, 入龍德家.

[某日], 倭寇淸河縣.160)

[某日], 禑畋于南郊, 還至龍德家.

---

158) 이 시기보다 먼저 門下評理兼大司憲 安宗源, 掌令 呂克禋·尹就, 持平 成石瑚 등도 金銀과 馬匹을 가지고 무역하는 것을 금지하자는 상소를 올렸던 것 같다.
· 열전22, 安軸, 宗源, "又與掌令呂克禋·尹就·持平成石瑚等, 上疏曰, 近來大明譴責我國, 每請謚承襲, 不降德音. 以我國所不產金銀·馬匹, 定爲歲貢, 厥數甚多, 雖抽歛文武官以至散官, 尙未充額. 貪利無識者, 不顧大體, 利其販賣, 所持私物, 於進獻數, 十常八九. 大明益不直我, 而輒拒使者不納. 今又遣使大明, 安危係焉. 其私物宜差等定數, 數外雖一匹布, 不得齎行. 擇遣淸白有威望者於西京·安州等處, 與都巡問使搜撿, 如有私賫金銀·馬匹及數外布匹者, 置之極刑, 妻孥家產沒入官. 其知情不禁者, 削職. 又一行有犯禁者, 使·副亦皆科罪, 從之".

159) 狼川君 李邦直(李承度의 父)은 공민왕대에 2品官(開城府尹)에 이르렀고, 明宗代의 재상 李公升(淸州人)의 후예라고 하는 李邦直과 동일 인물인 것 같다(『목은문고』 권12, 義谷淸卿四字讚幷序; 驪州神勒寺普濟禪師舍利石鐘碑). 그의 封君號가 春州 管內의 狼川郡과 관련이 있지만 13세기 전기 蒙古兵亂으로 인해 本貫地와 居住地가 크게 차이가 나므로 거주지도 餘他의 緣故地와 함께 封君號로 채택될 수 있기에 문제가 되지 않을 것이다.

160) 조선전기의 淸河縣은 관할 구역이 좁은 縣이고, 住民들의 生業은 半農半漁였던 것 같다.
· 『武陵雜稿』別集권8, 臨溟閣記, "淸河, 小縣也, 嶺之七十州, 邑褊而民鮮, 淸爲最. 民之謀生者, 不于農而于漁, 故民益瘠, 而官益孱. 由是. 凡人之拜是邑也, 有吊無賀, …".

翼日,[禑,]又至其家,宦者·[門下贊成事商議]金實,[宦官]李匡等,言於都堂曰,“龍德家隘陋,非至尊所幸,且膳夫奔馳道路,可爲國家羞,願置龍德近闕地”.乃修判書李誠中第.

[辛亥[17日],鎭·歲俠鉞星:天文3轉載].

十一月甲子朔[大盡,丙子],[冬至].禑畋于南郊.前日,[門下侍中]崔瑩·[守侍中]李成林,使人謂[門下贊成事商議]金實曰,“先王之時,一月六衙日,今但二衙日,[161] 每不視朝,至使百官,未知班次.明日[2日]衙會,須啓視朝”.實以告,禑不報,遂如龍德家宿焉.質明,百官皆會,禑自龍德家出畋□□[~~南郊~~].實,自宮馳告,請必視朝.禑曰,“宰相圖議國事良是,予猶有童心,遊戲無節,爲可愧也.爾其持酒慰諭”.實詣都堂言之,諸相曰,“雖未成朝禮,今聞上言,亦可爲喜”.[龍,德通濟院婢也.初,以盧氏宮人見幸,寵踰盧氏:節要轉載].

[○天寒,有橫道死人:五行1恒寒轉載].

[某日],以密直副使曹敬修爲全羅道助戰元帥.

[某日],禑畋于郊,率龍德,宿李誠中第.自是,常宿是第.

[某日,倭寇咸陽郡,[慶尙道]都巡問使尹可觀·晉州牧使朴子安,與戰,斬十八級:節要轉載],[奪本國被虜二十餘人,幷獲器仗.○初[~~禑王9年夏~~]倭賊皆由丑山島入寇,[162] 可觀聞于朝,爲置船卒,自後倭患稍息.銷兵器弊弃者爲農器,開屯田,以贍軍食.性淸儉,秋毫不取,不近聲妓:列傳26尹可觀轉載].[163]

[某日],禑親執斧斤,斲木爲戲,惡人觀聽,杖衛士三人各四百.

辛未[8日],禑遊戲市肆,遂如[判門下府事]李仁任及龍德家

161) 每月 初2日,16日에 國王이 視事하는 衙日로 결정한 것은 1370년(공민왕19) 12월 12일이었고,이를 再確認한 것은 1380년(우왕6) 6월 某日이었다.

162) ~~添字~~는 是年 8월 某日의 脚注에 의거하였다(『양촌집』 권11,寧海府西門樓記).

163) 이때 尹可觀의 行蹟은 다음과 같았다고 한다.

- 『양촌집』 권11,寧海府西門樓記,“… 明年甲子,尹公可觀出鎭合浦,遵海而北,聿來于玆,駐節於荊棘之中,顧瞻三嘆,乃欲築城以固疆圉,卽以驛聞,廟議爲然,而難其守.金君乙寶自擧而起,授以符印,俾長萬夫,發卒鷄林·安東二千,乃於群倭擾攘之中,且防且築,以七月而栽,一旬而畢.又於丑山島,留船置戍,然後寇不得捿泊于此.一邑再造,諸州獲安者,皆自尹公築城之德也,自是流寓稍歸,民居粗立”.

翼日壬申9日, 亦如之, 夜奏胡樂, 巡遊里巷.

[某日], 倭寇同福縣, 全羅道都巡問使尹有麟·光州牧使金準·長興府使柳宗, 與戰, 斬九級.

己卯16日, [小寒]. 封龍德爲淑妃, 以其父崔天儉爲密直使, 母爲明善翁主, 又以其兄孩兒夫鄭熙啓△爲判密直司事.

[某日], 禑寵鳳加伊, 數至判門下府事李仁任第, 龍德淑嬪妃崔氏妬之, 譖曰, "評理都吉敷, 嘗通鳳加伊". 禑出吉敷爲西北面都體察使.

[某日], 以門下侍中崔瑩△爲判門下府事, 林堅味爲門下侍中, [門下贊成事廉興邦爲三司左使:列傳39廉興邦轉載]. [尋復林堅味爲侍中, 又與守侍中李成林等, 提調實錄編脩:列傳39林堅味轉載].

[○初, 禑如金郊驛近隣元中浦, 至一水渚, 水方漲, 莫測淺深. 禑躍馬欲濟, 評理文達漢曰, "水之淺深, 未可知也, 豈宜遽入. 俄有一人, 渡水射獸", 禑望見, 遂大怒曰, "若果水深, 彼人飛渡耶, 文評理其誑我乎?", 即令達漢歸第, 禁其出入, 尋削職. 久之, 崔瑩, 使密直副使崔鄲, 啓曰, "達漢愚直忤旨, 在家鬱悒, 乞許出入". 禑許之. 至是, 瑩執政, 復達漢職, 禑見批目有達漢名曰, "曩者, 鄲請宥達漢, 今已得免乎?", 取筆勾去, 并削鄲職, 下巡軍獄. 又見權近爲代言曰, "此人, 嘗爲諫官, 使予不得遊幸, 何得近侍爲代言乎? 合令防倭", 亦勾去:節要轉載].[164]

[→左司議大夫權近, 遷判典校寺事, 執政擬近代言, 禑曰, "此人爲諫官, 使予不得遊幸, 何可近侍? 合令防倭耳". 取筆勾去. 拜成均大司成:列傳20權近轉載].

[□□是時, 禑不親政, 三司左使廉興邦與弟廷秀及禹玄寶, 專秉國務, 皆決於口, 或有不啓而行者:列傳39廉興邦轉載].

[某日], 禑夜宴淑妃宮, 禑常在是宮, 歌舞徹夜, 毅妃盧氏寵衰, 斥在花園.

[某日], 放輕繫.

[某日], 禑如定妃殿.

[某日], 倭寇水原工二鄉, 府使許操, 擒賊諜三人.

[某日], 遼東都司遼東都指揮使司遣女眞千戶白把把山, 率七十餘騎, 奄至北青州, 萬

164) 이와 같은 기사가 열전27, 文達漢에도 수록되어 있으나 자구에 출입이 있다.

戶<u>金得卿</u>引兵, 陽避之, 乘夜焚其營, 擊斬四十人, 把把山遁歸. 初, [連山君]<u>李元紘</u>等至遼東, 知<u>都司</u>[~~遼東都指揮使司~~]將遣兵, 至<u>哈剌</u>[~~哈剌~~]·<u>雙城</u>,[165] 邀截胡使, 密遣人來報. 都堂卽移牒, 使得卿, 豫爲之備云.

[某日], [密直使]崔天儉奪柳惠剛家.

[辛卯[28日], 雞林府尹<u>朴葳</u>, 以慶尙道元帥兼都巡問使, 移任:追加].[166]

十二月[甲午朔小盡,丁丑], [丁酉[4日], 月入羽林:天文3轉載].

[丁未[14日], 亦如之[月入羽林]:天文3轉載].

[某日, 以[匡靖大夫]<u>裵元龍</u>爲鷄林府尹[~~兼管內勸農·都兵馬使~~]. 元龍, 素名能吏, 托[門下贊成事]廉興邦爲養父, 贈家舍, 得是任, 侵漁百姓, 至載鐵把, 歸之家, 其狀如文魚, 故鄕人目之曰, "鐵文魚府尹":節要轉載].[167]

[→有裵元龍者, 素稱能吏, 附興邦爲養父, 贈以宅舍. 爲雞林府尹, 侵漁百姓, 至載鐵杷, 歸之家, 鄕人目爲鐵文魚府尹. 文魚卽八梢魚, 鐵杷之狀, 似之故云:列傳39廉興邦轉載]

[某日], 以全羅道都巡問使尹有麟, 禦倭有功, 遣護軍宋繼性, 賜酒.

[某日], 禑如盧英壽第, 賜馬一匹.

[某日], 以我太祖[李成桂]爲東北面都元帥, 門下贊成事沈德符爲上元帥, 知密直□[司事]洪徵爲副元帥, 向北靑州, 以備遼東兵. 禑命□[我]太祖[李成桂]曰, "東方軍民之事, 專付于卿". 及聞金得卿擊走把把山, 乃還.

[某日], 海道萬戶<u>尹之哲</u>, 遇倭于德積島, 擊走之, 獲二艘, 殲之, 得所虜男女八十人.

---

165) 여기에서 哈剌[咸州]과 雙城[和州, 永興]은 몽골제국이 呼稱한 것으로 前者는 현재의 咸興市地域으로 哈蘭, 哈蘭府로도 표기되었다. 또 후자는 현재의 함경남도 金野郡(옛 永興郡) 지역이다.
· 지12, 지리3, 東界, "咸州大都督府久爲女眞所據. 睿宗二年, 命元帥尹瓘等, 率兵擊逐. 三年, 置州, 爲大都督府, 號鎭東軍. 築大城, 徙南界丁戶一千九百四十八, 以實之. 四年, 撤城, 以其地, 還女眞, 後又沒於元, 稱哈蘭府. 恭愍王五年, 收復舊疆, 爲知咸州事".

166) 이는 『동도역세제자기』, "甲子十一月二十八日, 合浦元帥兼都巡問使以移任"에 의거하였다.

167) 裵元龍은 匡靖大夫(正2品下)로서 雞林府尹兼管內勸農·都兵馬使에 임명되어 12월 29일 赴任하여 1386년(우왕12) 1월 9일 遞任되었다고 한다(『동도역세제자기』).

[某日], 置推徵色, 以徵郡縣逋欠貢賦.[168]

[某日], 判昌德府事魚伯評卒, 贈謚[謚]良安. 伯評以醫術, 媚權貴, 致位兩府, 縉紳恥之.

[某日], 禑遣宦者, 賜矢人宋夫介酒及緜五斤, 繼至其家, 悅其工於矢, 遂命名曰安. 自是, 百工之家, 無所不至, 輒効其所爲甚精.

[某日], 禑畋于南郊, 驛吏疲於供頓, 罵之曰, 彼獨夫曷喪.

[某日], 僧覺然寓華藏寺, 妄稱得道, 招集婦女, 頗有醜聲, 憲府[司憲府]論劾, 杖流龍門山.

[→[鐵城府院君李]琳好佛, 嘗欲往慶尙道[尙州山陽縣]四佛山寺, 禑以國舅不可輕出, 止之. 華藏寺僧覺然, 自稱得道, 雖達官亦惑之, 婦女坌集, 醜聲流聞. 憲司鞫之, 素敬信者皆惜之, 琳尤痛, 立門外大叫曰, "此僧有何罪耶?":列傳29李琳轉載].

[某日], 禑如盧英壽第, 滛[淫]其家婢新月.

[某日], 禑畋于南郊, 還至[密直使]崔天儉家, 庭跪見天儉. 時天儉暴貴, 賂遺布帛·牛馬·奴婢者頗多, 市井浮薄卑賤之徒, 夤緣出入禁闥, 無所忌憚, 禑之所與, 亦不可勝計.

[某日], 以典法判書權和爲東北面安撫使.

[乙卯[22日], 日珥:天文1轉載].

[是月, 置武藝都監. 從譯人·中郎將郭海龍之言也:節要轉載].[169]

[○熒惑入羽林:天文3轉載].

[是年 以[知門下府事·海道都元帥]鄭地爲門下評理. 禑遣宦者金實責地曰, "都統使崔瑩造戰艦, 備水戰, 加以火炮, 其慮周矣. 卿爲海道元帥, 比來, 倭寇侵擾州郡, 未能掃平, 罪實在卿". 地頓首謝:列傳26鄭地轉載].

[○以[判密直司事]姜筮爲門下評理:追加].[170]

---

168) 이와 관련된 기사로 다음이 있다.
· 지31, 백관2, 追徵色, "辛禑十年, 置之, 徵郡縣逋欠貢賦".

169) 이와 관련된 기사로 지31, 百官2, 武藝都監, "辛禑十年, 譯人·中郎將郭海龍獻議, 置之"가 있다.

[○以西北面都巡問使兼平壤府尹沈德符爲判開城府事, 宣喚:追加].171)

[○以奉善大夫·試小府少尹柳觀爲奉常大夫·典校副令:追加].172)

[○以繕工監副令成石珚爲交州道按廉使:追加].173)

[○以陶乙靑爲延安府使, 尋以安俊代之:追加].174)

[○以金乙寶爲知寧海府事:追加].175)

[○晋州牧使朴自安與河有宗重修開慶院:追加].176)

[是年頃, 政堂文學鄭夢周與密直提學李崇仁纂'實錄', 兩人皆會權門燕飮, 不勤編摩. 時議譏之:追加].177)

[○判門下府事洪永通家奴等酗酒, 突入贊成事沈德符第, 捽其妻髮, 又與贊成事都吉敷家奴, 爭田租, 拔劒相擊. 其縱奴不法, 類此:列傳18洪永通轉載].

---

170) 이는 다음의 자료에 의거하였다.
- 『세종실록』 권26, 6년 10월 庚申6日, 姜筮의 卒記, "… 壬戌禑王8年, 判密直司事, 甲子10年, 門下評理, …".

171) 이는 『동문선』 권117, 沈德符行狀에 의거하였다.

172) 이는 『夏亭集』行狀에 의거하였다.

173) 이는 다음의 자료에 의거하였는데, 成石珚은 成俔의 曾祖이다.
- 『허백당문집』文集권9, 題江原道監司先生案後, "… 余謬承聖眷, 攬轡來到原城原州, 閱營中先生案, 自至元以訖, 于今數百載之間, 以按廉·觀察者, 數百人, 而吾宗最多. 洪武十七年甲子禑王10年, 曾祖諱石珚, 以繕工副令, 按廉交州道, 二十九年丙子太祖5年, 曾祖之昆, 諱石璘, 以都評理司使都評議使司使, 來爲觀察使, …".

174) 이는 『연안부지』에 의거하였다.

175) 이는 『영해선생안』에 의거하였는데, 金乙寶는 萬戶가 되기를 自薦하여 성곽을 축조하고, 왜구의 방어에 노력하였다고 한다.
- 『盈寧志』 권2, 官案, 名宦, "金乙寶, 自擧爲萬戶, 築城防倭, 懋著勞績".

176) 이는 다음의 자료에 의거하였다.
- 『신증동국여지승람』 권30, 晋州牧, 驛院, "開慶院, 在州東二里. 鄭以吾記, '… 高麗之季, 倭寇陷晋, 民居蕩然, 而院亦及焉. 今京山府使河公有宗浩甫, 鄕之孝友君子也. … 適牧伯朴公子安赴官, 請諸河公曰, 開慶之有補於是州最鉅, 使華往來之所經, 守令將迎之所止. 又當要衝, 行旅絡繹, 肩磨袂屬, 豈他逆旅之所可擬哉? 院館不修, 守令之過也. 特以繕完公舍, 未遑他及, 請先下手於開慶, 舒吾民力可乎? 浩甫義而肯之, 輸其材瓦, 約其舊制, 閱月告成, 歲洪武甲子也'. …".

177) 이는 다음의 기사에 의거하였다. 이 시기는 鄭夢周가 政堂文學(우왕10 初半~우왕13 在職)으로, 李崇仁이 密直提學으로 재직하던 시기이며, 그 終點은 1386년(우왕12) 9월 某日 李崇仁이 同知密直司事로 明에 파견되기 以前일 것이다.
- 열전28, 李崇仁, "尋拜密直提學, 與政堂文學鄭夢周纂實錄, 崇仁·夢周會權門燕飮, 不勤編摩. 時議譏之. 轉同知司事".

[○築慶尙道固城縣邑城. 是時, 招集本縣保勝一二品及養戶等營造:追加].[178]

乙丑[禑王]十一年, 明洪武十八年, 北元天元七年, [西曆1385年]

1385년 2월 10일(Gre2월 18일)에서 1386년 1월 30일(Gre2월 7일)까지, 355일

[春]正月癸亥朔[大盡,戊寅], 黎明, 禑自淑妃[崔氏]宮, 如盧英壽家, 晩還淑妃宮, 行賀正禮, 群臣朝, 還宿英壽家.

[某日], 禑在淑妃宮, 疾作, 不出者二日.

[某日], 禑聞前判三司事姜仁裕納女壻, 先期馳至, 奪其女以歸, 置于定妃宮, 日晏不興, 停人日[~~己巳~~7日]朝賀. 時有女者懼見奪, 皆未備婚禮, 潛納壻□[焉].[179]

[某日], 護軍宋千祐娶知門下□□[~~府事~~]都吉逢女, 揚言曾失節, 然畏其勢, 不敢去.

[某日], 海道副元帥·前開城尹曹彥, 擊倭于汝走島, 獲一艘, 擒三人. 禑賜白金五十兩.

[某日], 禑宴[前判三司事]姜仁裕妻于定妃宮, 至曙乃罷.

[某日], 禑率[判門下府事]崔瑩, 畋于會賓門外, 賜瑩鞍馬.

[某日], 禑如定妃殿, 以姜氏故, 常宿是殿.

[某日], 宦者[·門下贊成事商議]金實棄妻, 欲更娶士族女, 至期, 請休沐. 禑曰, "見女於我, 然後可娶". 實因淑妃以請, 禑許之, 實得娶之. 禑銜之, 托他事, 下實巡軍獄, 欲殺之, 實逃, 大索, 下當直千戶柳克恕于獄.

---

178) 이 城廓은 固城縣의 邑城[治所城]으로 추정되며(現 慶尙南道 固城郡 固城邑 西外里 49) 1376년(우왕2) 6월, 11월, 12월, 그리고 1381년(우왕7) 7월 등의 네 번에 걸친 倭賊의 침입으로 인해 破壞되었던 것을 다시 修築한 것이다. 또 다음의 詩文을 근거로 作者인 李詹(1345∽1405)이 1377년에서 1384년 사이에 이곳에 滯留하였음을 고려하여, 성곽이 1384년(우왕10) 3월 以前에 築造되었을 것이라는 意見이 제시되었는데, 敬聽[謹聽]할만하다(具山祐 2018년). 이에서 발견된 기와 銘文[瓦銘]을 통해 上記의 기사를 작성하였다.

- 『신증동국여지승람』 권32, 固城縣, 題詠, "郡城新築鐵門城, 樓上籠銅戍鼓聲, 點檢流民還舊額, 海天三月編春耕".

179) ~~添字~~는 『고려사절요』 권32에 의거하였다.

[某日], 禑賜前判三司事姜仁裕鞍馬.

[某日], 安東□道元帥皇甫琳斬倭二級.[180)]

[某日], 大閱于毬庭. [○大司憲任獻, 謂都堂曰, "此地, 非惟先王大朝會行禮之所, 且密邇景靈殿, 太祖列聖神御, 在庭之上, 豈可縱軍士馳馬於其間哉?". 三司左使廉興邦曰, "玄陵, 嘗閱五軍於此, 取其閑曠也". 不聽:節要轉載].

[→禑王11年, 一日, 將大閱于毬庭, 大司憲任獻, 興邦妹壻也, 遣臺吏, 告都堂曰, "此庭非惟先王大朝會行禮之所, 密邇景靈殿. 太祖列聖神御在, 豈可縱軍士, 馳騁於其間乎?". 興邦曰, "玄陵嘗閱五軍於此, 取其閑曠也." 獻執不可. 興邦怒曰, "講武之事, 非惟都堂, 亦憲司所宜深慮也". 玄寶亦謂臺吏曰, "姑且休矣":列傳39廉興邦轉載].

[某日], 禑馳至巡軍, 罵柳克恕曰, "汝若不獲金實, 當以其罪, 罪之", 遂取雜戲具而出.

[某日], 禑觀講武于馬巖, 以不能敎戰, 鞭武藝都監使成仲庸·李贇, 諸軍鼓噪習戰, 傷者頗多.[181)]

[→講武藝於馬巖. 分作兩陣, 各以諸色匠人, 被甲持盾者, 爲一隊, 執槍旗者, 爲一隊, 繼以弓手軍, 鼓噪相格, 傷者頗多:兵1五軍轉載].

[某日], 慶尙道按廉□使李文和報曰, "道內, 已無盜賊·饑饉·疾疫之災". 時議譏其諂.[182)]

[某日], 禑觀講武于馬巖, 親騎射, 酗酒, 暮還定妃宮, 使知申事廉庭秀, 賜酒于武藝都監, 仍諭之曰, "往者罪李贇·成仲庸, 是國家大事, 非私怒也, 卿等勉之".

[某日], 禑出畋, 與宮女菊花並鞍行.

[甲申22日, 日珥:天文1轉載].

[戊子26日, 赤氣竟天:五行1轉載].

---

180) 皇甫琳은 匡靖大夫로서 安東道元帥兼安東府使에 임명되어 前年(甲子, 우왕10) 8월에 赴任하여 明年(丙寅, 우왕12) 7월에 遞任되었다(『안동선생안』).

181) 延世大學本과 東亞大學本에서 諸字가 請字와 같이 잘못 刻字되었다.

182) 李文和(李琳의 孫女壻)는 成均司藝로서 前年(우왕10) 慶尙道秋冬番[秋冬等]按廉使에 임명되었는데(『경상도영주제명기』), 이때 같은 해의 春夏番按廉使 鄭洪과 아직 交代되지 않았던 것 같다.

[某日, 以[副令]鄭洪爲慶尙道按廉使,[183] 柳元枝爲全羅道按廉使, 李須爲西海道按廉使:慶尙道營主題名記·錦城日記].[184]

[是月丁丑[15日], 高麗遣使進馬五千匹·金五百斤·銀五萬兩·布五萬匹[~~疋~~]. 賜其使金庾等八十七人, 鈔三百八十二錠:追加].[185]

[戊寅[16日], 上[明帝]諭禮部臣曰, “覆載之間, 蕃邦小國多矣, 有能知天命守分, 限不恃險阻, 修禮事上, 以保生民. 未有不絶其國祚. 若施譎詐, 肆侮慢, 未有不構兵禍, 以殃其民. 高麗王王顓, 自朕卽位以來, 稱臣入貢. 朕常推誠, 待之大要, 欲使三韓之人, 擧得其安. 豈意王顓被弑而殞, 其臣欲掩己惡, 來請約束. 朕數不允聽, 彼自爲聲敎, 而其請不已, 是以索其歲貢, 然中國豈倚此爲富, 不過以試其誠僞耳. 今旣聽命, 其心已見, 宜再與之約, 削其歲貢, 令三年一朝, 貢馬五十匹, 至二十一年正旦乃貢. 汝宜以此意, 諭之”:追加].[186]

[是月頃, 以[通直郞]李經爲雞林府判官兼勸農·防禦使:追加].[187]

二月[癸巳朔小盡,己卯], 甲午[2日], 宮女祭松嶽還, 禑往迎之, 射狗以歸.

[某日], 以[贊成事]王安德爲楊廣道都元帥.

丙申[4日], 禑如王興第, 納其女.

翼日[~~丁酉~~5日], 賜興馬二匹. 自是, 常宿其第.

[某日], 遼東都司[~~遼東都指揮使司~~]遣百戶程與來, 問[北靑州萬戶]金得卿擊殺官軍之故.[188]

庚子[8日], 禑夜遊閭巷, 遇漢陽尹張子溫, 奪其鞍馬.

---

183) 鄭洪에 관련된 자료로 『삼봉집』 권2, 送鄭副令洪出按慶尙이 있다.

184) 李須는 이해[是年]의 3월 某日에 의거하였다.

185) 이는 『명태조실록』 권170, 홍무 18년 1월 丁丑을 轉載하였다.

· 『憲章錄』 권8, 홍무 18년 1월, “□□[丁丑15日], 高麗遣使進馬五千匹·金五百斤·銀五萬兩·布五萬疋, 賜其使金庾等八十七人, 鈔三百八十二錠”.

186) 이는 『명태조실록』 권170, 홍무 18년 1월 戊寅을 전재하였다.

187) 이는 『동도역세제자기』에 의거하였다.

188) 北靑州의 사건은 遼東都司가 女直等處千戶 白把把山을 哈剌(咸興)·雙城(永興)에 보내 北元使臣[胡使, 胡太子使臣]을 遮斷하려 하자, 北靑州萬戶 金得卿이 공격하여 격파했던 것이다(『吏文』 권2, 咨奏申呈照會17).

[甲辰[12日], 鎭星犯鉞星, 凡八日:天文3轉載].

丙午[14日], 禑出遊市井, 夜如定妃·謹妃·懿妃·淑妃諸殿, 乃還王興第.

庚戌[18日], [淸明]. 禑畋于壺串, 夜還至巡軍獄, 親枷囚人.

[某日], 倭寇西海道皮串.

[某日], 萬戶金乙寶强奸金千玉之妻, 憲司鞫之.

庚申[28日], 禑畋于海州, 崔瑩·李成琳等, 從之. 禑臂鷹, 與新月·鳳加伊並轡而馳.

[□□[是時], □[我]太祖[李成桂]從禑畋于海州. 矢人進新矢, □[我]太祖[李成桂]令亂插紙丸於積稻之上, 射之皆中, 謂左右曰, "今日射獸, 當盡中脊." □[我]太祖[李成桂]平時射獸, 必中右雁翅骨, 是日, 射鹿四十, 皆正中其脊, 人服其神. 世人射獸, 獸在左則射獸之右, 獸自右, 橫走出左則射獸之左. 太祖逐獸, 獸雖自右而左, 不卽射之, 必旋折其馬而鞭之, 使獸在左直走, 乃射之, 亦必中右雁翅骨. 時人皆曰, "李公射百獸, 必百中其右." ○禑嘗於行宮, 命諸武臣射, 的用黃紙爲質, 大如椀, 以銀爲小的, 棲其中, 徑纔二寸, 置五十步許. □[我]太祖[李成桂]射之, 終不出銀的, 禑樂觀之, 繼之以燭, 賜□[我]太祖[李成桂]良馬三匹. 李豆蘭言於□[我]太祖[李成桂]曰, "奇才, 不可多示人":追加].

[某日], [百戶程與,] 執金得卿, 歸于京師.

○禑與[門下侍中]林堅味·[守侍中]李成琳, 待[百戶]程與極厚, 潛使[漢陽府尹]張子溫, 賂與金五十兩, 傔從三人, 銀各五十兩.[189)]

[→得卿, 行至鐵州, 中夜盜殺之, 以遇倭聞于帝. 得卿將行, 都堂誘之曰, "北青州之事, 汝當其責, 勿以累國". 得卿曰, "吾但奉行都堂牒耳, 上國若有問, 豈敢終諱". 堅味憂懼, 無以爲計, 密直提學河崙, 密謂堅味曰, "事貴從權. 當今西北, 倭寇充斥, 豈無遇賊死者乎?". 堅味大喜, 遂從其策:節要轉載].

[→遼東都司遣百戶程與來, 問北青州萬戶金得卿擊殺官軍之故. 禑待與極厚, [門下侍中林]堅味·[守侍中李]成林皆設宴私第, 厚慰之, 贈細布. 遂執得卿, 歸于京師, 將行, 都堂諭之曰, "北青州之事, 汝任其咎, 勿以累國." 得卿曰, "我但奉行都堂牒耳, 上國有問, 豈敢終諱". 堅味憂懼, 無以爲計. 密直提學河崙密謂曰, "事貴從權, 當今倭寇充斥, 豈無遇賊而死者乎?". 堅味大喜. 得卿, 行至鐵州, 中夜盜殺之, 以遇

189) 이와 같은 기사가 열전39, 林堅味에도 수록되어 있다.

倭，聞于帝:列傳39林堅味轉載].

[是月，蔚州邑城工畢. 去年後半慶尙道按廉使李文和與知蔚事金及等起工，至是告成. 於是修神祠而灌之，營廨宇而館之，度民廛而授之. 旣而狀聞，國家嘉之，始開荒置屯田，寓兵於農，秋果倍獲，試城可賴也:追加].[190]

三月壬戌朔大盡,庚辰，[某日]，禑至海州,[191] 與諸嬖，遊戲鵲川，至古新平縣，射鹿，墜馬，絶而復蘇. 時自京城至海上海州,[192] 供給之車，絡繹不絶. 寺人·內豎,[193] 恃寵縱暴，折辱按廉□使·守令，西海吏民. 不堪荼毒，皆散走. [按廉使李須喪馬，徒行泥中，一道嗟怨:節要轉載]. 禑樂而忘返，[判門下府事崔瑩，面爭極言其弊，禑然之:列傳26崔瑩].

[某日]，禑至延安府，大雨，扈從者暴露，牛馬道死相望. [還至白州，欲觀魚于延安府大池. 判門下府事崔瑩諫曰，"臣麾下士數千餘人，今馬斃者多，況供頓未辦，遽幸湫隘之邑，民弊可勝言耶?". 禑乃止:節要轉載].[194]

[→還至白州，欲觀魚于延安府大池. 判門下府事崔瑩立馬前，諫曰，"臣麾下士數千餘人，馬斃者多，況供頓未辦. 遽幸湫隘之邑，民害可勝言耶?". 禑乃止:列傳26崔瑩轉載].[195]

[某日]，倭寇永康縣.

[己巳8日，鎭星犯東井:天文3轉載].

[○海州通粮庫災:五行1火災轉載].

[丙子15日，命醮于毬庭及淨事色:禮5雜祀轉載].

---

190) 이는『신증동국여지승람』권20, 蔚山郡, 古跡, 古邑城에 의거하였다.

191) 이때 禑王은 15일간 西海道에 머물렀다고 한다(『고려사절요』권32).

192) 海上은 海州의 오자일 것이다.

193) 寺人은 宮中에서 各種 給事를 담당하던 宦官을 指稱한다.

194) 이상의 기사가『고려사절요』권32에는 2월에 수록되어 있다. 또 延安府의 大池(혹은 南大池)는 臥龍池의 俗稱이고, 朝鮮前期에는 周圍가 20里 102步였으나 1814년(순조14) 2월에는 주위가 30里로 확장되었고 연꽃[荷花]이 볼만하다고 한다(『신증동국여지승람』권43, 延安都護府, 臥龍池 ;『警修堂全藁』권2, 二月二十三日, 赴京行次…).

195) 여기에서 勝言은 盡言과 같은 뜻으로 사용되어 "民弊를 어찌 다 말씀드릴 수 있습니까?"로 읽는 것이 좋을 것이다[讀].

[戊寅17日, 漣州澄波渡, 黃濁三日:五行3·節要轉載].

己卯18日, 禑射殺雞犬于市街, 遂畋于郊, 夜還王興第.

[某日], 前判三司事姜仁裕與妻, 祭松嶽. 禑親吹笛張樂, 迎于賞春亭, 沉醉夜還, 路逢前郎將全成吉, 撲殺之. 奪禮儀佐郎金漢老馬, 令宮女騎, 還宿王興第.[196]

[某日, 代言尹就, 掌成均試, 皆取勢家乳臭之童. 時人欺譏之, 爲粉紅牓, 以其兒童, 好著粉紅衣也:節要轉載].[197]

癸未22日, 禑遊戲市井, 還宿定妃宮.

○前判三司事姜仁裕進衣, 禑賜仁裕鞍子.

甲申23日, 禑如定妃宮, 路逢私僮, 奪其馬, 親縛之, 囚巡軍.

[某日], 禑如崔天儉第, 遂至火桶都監, 發火數梢, 夜還王興第, 厚德府行首李富潤遇諸道, 以爲惡少不避, 禑怒, 下獄笞之.

[己丑28日, 日暈:天文1轉載].

[○流星發南, 指西:天文3轉載].

[□□□是月朔, 門下侍中林堅味之父, 平城府院君彥修卒. 及葬歛柩, 奠至二十餘所, 守侍中李成林·贊成事禹玄寶·三司左使廉興邦·李仁敏等請諡, 曰忠貞:列傳39林堅味轉載].[198]

[是月, 開城君夫人金氏寫成'白紙墨書妙法蓮華經':追加].[199]

---

196) 16세기 후반 이래에도 西北方 地域에서는 馳馬가 가능하였던 男女가 많았던 것 같다.

- 『白沙集』 권1, 北俗喜馳馬, 男女皆氈笠, 執鞚而馳, 時有官妓慶仙來見余, 余問汝亦能是乎? 仙即據鞍回旋, 躍馬而走, 余喜而賦之.

197) 欺는 譏로 고쳐야 옳게 될 것이다. 또 이와 관련된 기사로 다음이 있는데, 四月은 三月의 오류일 것이다(b). 또 이때 進士 許稠가 生員試[司馬試]에, 生員 黃喜가 進士試에 각각 합격하였다고 한다.

- a 지28, 선거2, 國子監試, "辛禑十一年三月, 左代言尹就掌試, 所取, 皆勢家乳臭之童. 時人欺譏之, 爲粉紅榜, 以其兒童好著粉紅衣也".
- b 지28, 선거2, 國子試額, "禑王十一年四月三月, 左代言尹就, □□□□□掌成均館試, 取任公緯等九十九人".
- 『敬齋遺稿』 권1, 許稠墓誌銘, "稍長, 受業于陽村權文忠公, 厲志力學, 中癸亥進士擧. 又登乙丑司馬試".
- 『保閑齋集』 권15, 黃喜墓誌, "乙丑, 中進士試".

198) 이 시기는 不明이지만, 是年 6월 林堅味가 起復한 것을 바탕으로 換算하였다(49祭後 脫喪을 適用하였다).

[○以李云徹爲扶安縣安集別監:追加].[200)]

[是月辛巳[20日], 立夏. 明帝遣使遼東, 諭靖寧侯葉昇等曰, "邇者, 上天垂象, 沿邊城池, 宜加愼守. 凡外寇入境, 但當保障淸野, 靜以待之, 俟其怠歸, 急擊勿失. 不宜輕出境外, 蹈其不測也":追加].[201)]

[夏]四月壬辰朔[小盡,辛巳], 大雨雹, 大如拳, 數日乃消.

[→雨雹, 暴風, 草木皆摧:五行1雨雹轉載].

[某日], 禑畋于南郊, 遂至東江觀魚.

[某日], 禑率新月·鳳加伊, 出遊東郊.

[某日], 前書雲副正方洽·郎將李文桂, 以僞造印, 伏誅, 其黨鄭安進, 在獄死.

[某日], 遼東[遼東都司]遣人買農牛. 於是, 置點牛色, 聽西北面民互市, 得牛五百頭, 都巡問使烙印以送, 遼東[遼東都司]以爲帶印牛, 乃公家所獻, 不與直, 故尋罷之.[202)]

[某日], 帝放還[門下贊成事]金庾·[門下評理]洪尙載·[密直副使]李子庸·[典工判書]周謙·黃陶·裵仲倫等, 許通朝聘, 子庸道死.[203)]

[→初, 庾賀聖節, 尙載·謙賀正, 李子庸賀千秋, 以海道阻險, 皆不及期. 帝以庾等受命稽緩, 且鞫弑君殺使之故, 竄之大理. 至是皆放還, 且許通朝聘, 子庸道死. 禑引見庾等, 賜酒勞之曰, "卿等奉使, 竄于絶域二萬八千餘里, 三年乃得生還, 予

199) 이는 다음의 자료에 의거하였는데(國立中央博物館 所藏, 張忠植 2007년 249面 ; 郭丞勳 2021년 531面), ~~添字~~와 같이 고쳐야 옳게 될 것이다.
· 『白紙墨書妙法蓮華經』 권7, 末尾題記, "開城君夫人金氏,特爲」先夫朴仲起尊靈,斷惑證眞,」凡革成聖[~~華凡成聖~~],謹捐淨財,敬成妙」典,流通永世作,供養普令,咸」靈齊承,勝利不滯,化城直」至寶所者,洪武乙丑三月日誌,」同願散納 尙愚」".

200) 이는 『부안읍지』, 先生案에 의거하였다.

201) 이는 다음의 자료에 의거하였는데, 같은 記事가 『憲章錄』 권8, 洪武 18년 3월에도 수록되어 있다.
· 『명태조실록』 권172, 洪武 18년 3월 辛巳, "遣使諭靖寧侯葉昇等曰, 邇者, 上天垂象, 沿邊城池, 宜加愼守. 凡外寇入境, 但當保障淸野, 靜以待之, 俟其怠歸, 急擊勿失. 不宜輕出境外, 蹈其不測也".

202) 이와 관련된 기사로 지31, 百官2, 點牛色, "辛禑十一年, 爲進獻置"가 있다.

203) 李子庸은 청년시절에 李穡과 교유하면서 華嚴會를 개최하기도 하였고, 「華嚴神略」이라는 글도 쓴 佛敎에 친숙한 인물이었던 것 같다(『목은시고』 권5, 予友李子庸, 以所書'華嚴神略'見遺, 且勸誦持, 作詩爲戲).

甚憫焉". 各賜鞍馬:節要轉載].

[→[金庾,] 陸贊成事. 與李子庸·洪尙載等, 奉使如京師. 先是, 我使入朝由遼東, 輒不達, 故令庾等航海而往, 海道險惡不及期. 帝責庾等稽緩, 且曰, "向者汝國殺朕使臣, 又弑汝君, 其權臣爲誰. 嚴加栲問, 庾以李仁任對". 帝引庾于內, 誘之曰, "汝先國王無子, 朕所知, 今王誰之子". 庾不之辨. 明日, 本國宦者崔安至興聖寺, 紿庾從者段得春曰, "汝主所出, 庾昨已奏, 汝何諱耶?". 得春曰, "庾言妄矣". 得春退至鍾山寧國寺, 以語譯者鄭連, 仁任家奴亦在行中, 聞之. 帝流庾等于大理, 距天竺二千餘里. 明年放還,[204)] 且許通朝聘. 庾等至, 禑賜酒勞之曰, "卿等奉使天朝, 竄于絶域, 跋涉二萬八千餘里, 三年乃得生還, 予甚憫焉". 各賜鞍馬:列傳27金庾轉載].

[某日], 倭寇交州道, 以[門下贊成事]趙仁壁爲四道都指揮使.

[某日], 取及第禹洪命等. [是試也, [毅妃]盧氏弟龜山·宦官李匡從者文允慶等, 亦赴焉. 故事, 每試一場, 輒考較出榜, 初場不合格者, 不得入中場, 終場亦如之. 龜山童騃, 不辨魯魚, 故於中場見斥, 禑大怒欲罷試, 試官廉國寶·鄭夢周等, 遽取之. 允慶, 於初場, 竊書其友策, 夢周黜之, 國寶不可, 幷取之. [判門下府事]崔瑩戲於人曰, "前月監試, 學士尹就, 棄寒士取昏童, 致天大雹, 盡殺我麻. 今東堂學士, 復致何等天變耶?":節要轉載].[205)]

---

204) 鍾山은 현재의 南京市 玄武區 紫金山의 別稱이다.

205) 이와 관련된 기사로 다음이 있다.

- 지27, 선거1, 科目1, 選場, "[禑王]十一年四月, 瑞城君廉國寶知貢擧, 政堂文學鄭夢周同知貢擧, 取進士, 賜禹洪命等三十三人及第".
- 열전30, 鄭夢周, "[禑王]十一年, □[以]同知貢擧取士. 故事每試一場, 輒考較出榜, 初場不合格者, 不得入中場, 終場亦如之. 懿妃弟盧龜山, 童騃無學, 中場不入格, 禑大怒欲罷試. 李成林·廉興邦等, 詣龜山父英壽第, 請使龜山赴終場, 英壽辭以不可獨入. 於是, 幷試不合格者十數人, 竟取龜山. 德昌府行首文允慶, 本宦官李匡從者, 竊書其友策, 夢周黜之. 知貢擧廉國寶乃取之. ○[判門下府事]崔瑩戲語人曰, 前月監試, 學士尹就, 弃寒士取昏童, 致天大雹, 盡殺我麻, 今東堂, 學士復致何等天變耶".
- 『세종실록』 권67, 17년 2월 乙丑(23일), "開城府留後金自知卒. … 密直提學濤之子也. 自知年十八中第, 歷揚中外, 皆有聲績. 重厚聰明, 陰陽·卜筮·天文·地理·醫藥·音律, 靡不涉獵. … 年六十九. 停朝二日, 致弔致賻, 諡文靖".
- 『容軒集』年譜, "乙丑, 先生十八歲, 擢文科及第, 圃隱鄭文忠公主試席, 歎曰, 以文敬之才之德, 不大厥施, 有兒如此, 天之報施, 信有徵哉".
- 『梅軒集』 권6, 梅軒先生行狀, "先生諱遇, 字中慮, 後改慮甫, 古諱遠, 梅軒實其自號也. … 乙丑春, 圃隱先生鄭侍中夢周知貢擧, 擢乙科第二名, 夏拜文牒錄事".

이때 [進士]禹洪命·[生員·進士]權遠(改遇)·[生員]王禕(乙科3人), [生員]李室·[生員]崔宣·[生員]朴信·[生員]咸傅霖·[生員]

[某日], 禑如廉國寶第

[翼日, 廉國寶設學士宴, 禑又往.

[某日], 禑如政堂文學鄭夢周第.

[某日], 以□□門下贊成事沈德符爲東北面上元帥, 知密直□□司事洪徵, 副之, 判德昌府事金立堅爲交州道副元帥.[206]

[某日], 禑如政堂文學鄭夢周第, 夢周方宴耆老. [判門下府事崔瑩奉觴以進, 禑曰, “予非爲酒而來, 聞父王時老相皆會, 如見父王而來”. 又曰, “予聞木從繩則直, 君從諫則明, 卿何不陳利害, 飮酒誠非好事”. 瑩免冠謝曰, “殿下, 此言國家之福[也. 願殿下, 念而不忘:列傳26崔瑩轉載], 且昨臣所獻書在, 乞賜擧行”. 禑曰, “夢與卿對敵戰勝, 視吾所乘馬, 乃驢也, 是何祥也?”. 於是, 前門下侍中尹桓與領三司事李仁任·前判門下府事洪永通·昌城府院君曹敏修·守侍中李成林·領藝文春秋館事李穡等言曰, “昔, 元世祖, 以夢驢爲吉, 常繫驢殿庭, 欲夢而不得, 今上殿下夢之, 何吉如之. 大平太平之業, 可立待也, 但臣等老, 恐不及見也”:節要轉載]. 禑[大悅:節要轉載]痛飮, [賜瑩弓曰, “欲與卿, 平定四方□耳”:節要轉載].[207] ○執巵跪, 進李穡曰, “師傅亦樂觀女樂耶?”. 遂率座中妓, 奪馬於路, 載而還.

[史臣曰, “桓等, 位極人臣, 享其富貴, 視禑荒滛荒淫度, 如秦人視越人肥瘠, 曾不諫止. 及禑良心, 發於俄頃之間, 責以糾過, 而又不出一言. 至禑自說妖夢, 反以荒誕不經之談, 同辭獻諛. 甚哉, 其面欺也”:節要轉載].[208]

[某日], 倭寇襄州.

[己酉18日, 太白入輿鬼:天文3轉載].

琴克諧·生員韓尙德·生員李敢(丙科7人), 進士鄭道復·進士李稑·進士李原·進士卞季良·進士李膺·進士楊遇·進士尹璵·進士具宗之·進士金自知·進士朴錫命·進士尹思齊·進士李伯持·進士吳報·進士李芳洐·進士崔湜·進士李孟畇·進士趙休·進士韓天童·進士李希類·進士文允慶·進士周迢·進士盧龜山·進士趙宜璞(同進士23人)이 급제하였다(『등과록』; 『전조과거사적』; 『고려사절요』 권32 ; 朴龍雲 1990년 ; 許興植 2005년).

206) 이후 沈德符는 北靑과 咸州의 경계지역에서 倭賊 50명을 斬하였다고 한다.

· 열전29, 沈德符, “又出爲東北面上元帥, 遇倭賊于北靑·咸州之境要外平, 斬先鋒五十級”.

207) 이 기사는 열전26, 최영에도 수록되어 있으나 자구에 출입이 있다.

208) ‘如秦人視越人肥瘠’은 다음의 자료에서 따온 것이다.

· 『昌黎先生文集』 권14, 爭臣論, “視政之得失, 若越人視秦人之肥瘠, 忽焉不加喜戚於其心”.

五月辛酉朔大盡,壬午, [某日], 遣門下評理尹虎·密直副使趙胖, 如京師, 謝恩, 且請謚謚·承襲.209) 謝恩表曰, "聖澤旁施, 卑情上達, 撫躬知感, 擧國騰懽. 竊念, 臣禑幸遭聖明之朝, 庸謹歲時之禮, 顧所禀之愚魯, 而輒罹於愆, 尤畏天之威, 無地可措. 何圖睿鑑, 灼見危悰, 旣容菲薄之儀, 又貸稽遲之責. 示訓謨之明著, 通朝聘之往來, 喜與愧幷, 涕隨言出. 玆蓋陛下, 至仁柔遠, 大智燭幽, 察臣無他之心, 許臣自新之路. 遂令遐裔, 得荷洪私, 臣敢不修侯度而益虔. 祝皇齡於罔極".

○請謚謚表曰, "賜謚謚, 實勸忠之方, 顯親, 爲致孝之本, 玆陳危懇, 庸黷聽聞. 竊念, 臣父先臣顓, 當聖上之勃興, 先諸藩而歸附, 欽遵正朔, 謹守封疆, 不弔昊天, 奄辭昭代. 若稽示終之典, 敢請節惠之名, 伏望陛下, 垂日月之明, 廓乾坤之度, 特頒殊寵, 以慰貞魂, 則臣謹當效先臣之精誠, 祈一人之壽考".

○承襲表曰, "建侯, 所以綏遠, 襲爵, 所以紹先, 此帝王之常規, 而人子之至願. 竊念, 臣禑爰從弱齒, 遽喪嚴顔, 念歲月之云徂, 撫霜露以增感. 第以藩宣之難曠, 玆用呼籲之益勤, 伏望陛下, 大度包荒, 同仁無外, 優垂景命, 被及微躬. 則臣謹當保民庶於一方, 祝聖人之萬壽".

[某日, 下門下贊成事金庾巡軍獄, 令門下贊成事禹玄寶·密直□□副使姜淮伯, 鞫之. 初, 庾至京師, 帝責曰, "向者, 汝國殺吾使臣, 又弑汝君, 其權臣爲誰". 庾以李仁任對 帝引庾于內, 誘之曰, "汝先國王無子, 朕所知, 今王誰之子也". 庾不之辨. 明日, 本國宦者崔安, 至興聖寺, 紿謂庾從者段得春曰, "汝主所出, 庾已奏帝, 汝何諱耶?". 得春曰, "庾言妄矣". 得春, 退語譯者鄭連. 仁任家奴, 亦在行中, 聞之, 歸告. 判門下府事李仁任白禑, 鞫之, 流庾于清州, 連于漢陽. 時人曰, "庾之還, 多賫錦綺·紗羅, 不賂仁任等, 故得罪, 洪尙載, 在海被倭劫掠, 囊槖一空, 故免於禍":節要

---

209) 이와 관련된 자료로 다음이 있다. 이때 尹虎와 趙胖은 7월 3일(癸亥) 應天府에서 表를 올리고 馬를 바치며 承襲과 王顓의 謚號를 要請하여 許諾을 받았다(『명태조실록』 권174). 또 明帝가 7월 15일(乙亥) 權知國事 王禑를 高麗國王으로 册封하고, 先王(恭愍王)에게 恭愍이라는 謚號를 下賜하는 誥命을 高麗에 頒賜하게 하고, 國子學錄 張溥를 詔使로, 行人 段裕를 副使로, 國子典簿 周倬을 誥使로, 行人 雒英을 副使로 삼았다(『명태조실록』 권174 ; 『목은문고』 권11, 受命之頌. 여기에서 日辰이 前者는 甲戌로, 後者는 乙亥로 되어 있는데, 前者에서 乙亥가 탈락되었던 것 같다).

또 이때 國子監의 官僚들이 餞別의 詩文을 지어 전송하자, 龔斅가 이의 序文을 작성하였다(『鵞湖集』 권5, 送周典簿倬張學錄溥使高麗序).

· 『태종실록』 권2, 1년 10월 壬午27日, 趙胖의 卒記, "… 乙丑禑王11年, 以典理判書如京師, 以請敬孝王謚及承襲也. 旣還, 拜密直副使".

轉載].

[→[判門下府事李]仁任白禑, 令贊成事禹玄寶·密直姜淮伯, 鞫之. 流庾于淸州, 連于漢陽. 時人以爲, 庾之還, 多齎錦綺紗羅, 不賂仁任, 故獲罪. 尙載在海, 被倭寇, 囊橐一空, 故免於禍. 尋許庾從便:列傳27金庾轉載].

[某日], 倭船二十八艘泊丑山島, 以金斯革爲楊廣道上元帥, 李和·安柱爲交州·朔方·江陵道助戰元帥.

[→倭寇丑山島, 禑命[門下評理羅]世往擊之, 世不卽行, 禑怒繫廣州獄, 尋釋之:列傳27羅世轉載].[210]

[某日], 禑馳馬於郊, 暮還花園, 讀論·孟數篇, 終夜書大字, 近所未有.

[某日], 禑與妓改成並轡, 馳至宋安家.

[某日], 禑畋于壺串, 賜密直□□[副使]潘福海馬. 命宦竪, 奪路人馬載妓, 後以爲常.

[某日], 禑畋于壺串, 賜宦者二十餘人馬各一匹. 道過乳牛所, 見賣牛瘦弱, 憐之, 命膳夫, 勿進牛酪.

[某日], 禑率妓十餘遊畋, 至海豊郡, 乃還.

[某日], 憲府[司憲府]上疏曰, "判事孫用珍, 奉使大明[京師], 天朝[帝]疑我國事, 鞫之.[211] 用珍爲國忘身, 至死不服, 忠義可賞. 請贈爵·賜謚[諡], 官其子孫, 以示後人," 從之.

[某日], 禑出遊市井, 暮還花園, 與群妓·內竪, 歌吹戲謔, 盛水于筒, 注妓服如浴, 群妓皆笑, 一妓不笑, 撻之.

[某日], 禑起樓于壺串, 作樓船, 極其侈大, 名曰奉天船.

[某日], 以淑妃生日, 放囚.

[某日], 禑率群妓, 畋南郊, 還花園, 夜爲水火戲, 失火延爇屋簷, 禑脫衣, 濡水滅之.

[是月, 司藝鄭摠, □□□□[掌升補試], 取崔𨮁等六十餘人:選擧2升補試轉載].[212]

---

210) 羅世는 조선 초기에 沿海等處兵船助戰節制使, 京畿·豊海道·西北面等處都追捕使를 띠고서 倭賊을 討伐하다가 1397년(태조6) 9월 17일 78세로 陣營에서 서거하였다(『태조실록』 권12, 태조 6년 9월 丙寅[17日]). 이날은 율리우스曆으로 1397년 10월 8일(그레고리曆 10월 16일)에 해당한다.

211) ~~添字~~는 『고려사절요』 권32에서 달리 표기된 글자이다.

[○開城郡夫人金氏與僧尙愚寫成'白紙墨書妙法蓮華經':追加].[213]

六月辛卯朔大盡,癸未，[某日]，禑率群妓並轡，遊畋東郊，及暮還，歌吹喧咽，馬上自舞，以寵妓改成，屬前判門下府事李仁任·門下侍中林堅味，給米，仁任與米·豆各五石，堅味與米·豆各十石.

[乙未5日，月入大微太微:天文3轉載].

丙申6日，太白經天.

[○月入大微太微:節要轉載].

[丁酉7日，大暑. 亦如之月入太微:節要轉載].

戊戌8日，太白晝見.

[某日]，禑畋于壺串，夜還花園，爲處容戲.

[某日]，司僕副正邊伐介，白禑曰，"日奪路人馬，載妓，人皆怨之. 請取諸島牧馬，以供遊畋". 禑然之，遣伐介，取島馬三十餘匹.

[某日]，禑如前判門下府事李仁任第，欲與仁任妻朴氏，往多也岾別墅，朴氏辭以無馬，禑奪路人馬，遂與俱往，率群妓，縱滛樂淫樂. 仁任又與[禑寵妓:節要轉載]改成，穀二十斛，衆妓·內豎，各二斛. [時仁任待禑，如畜壻，國無旬日之儲，而田園·奴婢遍中外，將相皆出其門:節要轉載].

[→前判門下府事李仁任待禑如畜壻. 國無旬日之儲，而田園奴婢遍中外，將相皆出其門，爭効之，奪人田民，不恤國事，時人目之曰，提調奴婢:列傳39李仁任轉載].

[某日，起復門下侍中林堅味:節要轉載].

[→禑，起復堅味，爲門下侍中，遣知門下□府事安沼，賜衣一襲. 堅味詣闕謝. 禑

212) 이때, 朴訔(朴尙衷의 子, 李穡의 甥姪)이 합격하였던 것 같다.
- 『定齋集』 권3, 平度公朴訔事蹟略, "公諱訔, 自仰止, 洪武三年生, 生六歲而喪父母, 稍長, 自奮讀書, 爲文俊爽. 年十六禑王11年中進士, 十九昌王1年登文科, 累官開城少尹".

213) 이는 『白紙墨書妙法蓮華經』 권7의 題記에 의거하였다(南權熙 2002년 382面).
- 題記, "開城郡夫人金氏,特爲」 先夫朴仲起尊靈,斷惑證眞,」 革凡成聖,謹捐淨財,敬成妙」 典,流通永世,作供養,普令含」 靈,齊承勝利,不滯化城,直」 至寶所者,洪武乙丑禑王11年三月日誌,」 同願散衲尙愚」".

曰, “今以國事委卿, 懋哉”. 又賜鞍馬·衣服:列傳39林堅味轉載].

[某日], 遣密直使安翊·密直副使張方平, 如京師, 賀聖節.[214)]

[乙巳[15日], 月食:天文3轉載].[215)]

[戊午[28日], 鎭星犯天罇:天文3轉載].

[秋七月[辛酉朔小盡, 甲申]:追加],[216)] [某日], 左司議大夫李至等上疏, 諫遊畋, 禑使知申事廉廷秀,[217)] 釋其文義, 遽大怒曰, “時方危亂, 此輩不欲吾習馬, 不忠孰甚, 當痛懲之”. 以絶言者, 宰相相視, 無一言. 後, 禑悉書諫官名, 以藏曰, “此輩, 可使防倭”. 由是, 諫官多謝病.

[壬戌[2日], 鎭星犯五諸侯:天文3轉載].

[某日], 禑率妓, 至歸法寺川, □□[~~與妓~~]同浴.[218)] 夜還, 至前開城尹吳忠佐第,[219)] 忠佐妻, 本丹陽大君�家婢, 沒入義順庫, 有女三人. 忠佐規免賤役, 私事宦寺, 納其中女. 自是, 屢至其第.

[某日, 倭寇端州. 東北面上元帥沈德符, 與戰敗績:節要轉載].[220)]

[某日, 鷄林君李寶林卒. □□[寶林], 爲人嚴毅方正, 有政事才. 嘗宰京山府, 出道上, 聞有婦人哭者曰, “此女哭聲不哀, 若有喜者, 執而訊之”. 果與奸夫謀殺夫者

---

214) 安翊은 9월 18일(丁丑) 奉天殿에서 群臣이 天壽聖節을 하례할 때, 表를 올리고 方物을 바치며 하례하였다(『명태조실록』 권175).

215) 이때 明에서는 16일(丙午)에 월식이 있었다(『명태조실록』 권173, 홍무 18년 6월 丙午, “是夜, 月食”). 이날은 율리우스력의 1385년 7월 22일이고, 월식 현상이 심했던 때의 世界時는 15시 0분, 食分은 1.72이었다(渡邊敏夫 1979年 486面).

216) 이 位置에서 秋七月이 탈락되었다. 이는 『고려사절요』 권32를 통해 알 수 있고, 이 기사의 다음에 연결된 壬申이 7월 12일임을 통해 재확인할 수 있다.

217) 前年(우왕10) 2월 28일 韓脩가 逝去하였을 때 廉廷秀는 密直司知申事·右文館提學·知製敎·充春秋館修撰官·知典理司事였다(『양촌집』 권30 ; 『동문선』 권24, 敎判厚德府事韓脩敎書).

218) ~~添字~~는 『고려사절요』 권32에 의거하였다. 15세기 후반 歸法寺의 모습은 다음과 같았다고 한다.
- 『懶齋集』 권1, 遊松都錄(1477년 3월), “丙戌[19日], … 還至歸法寺前溪, 寺乃光宗所創, 穆宗爲康肇[~~康兆~~]所逼, 奉太后執鞚而行, 出宿于此. 中葉以後, 文士聚儒生, 每校夏課, 賦詩唱名, 又辛禑携群妓, 來遊水中, 皆此地也. 寺廢已久, 壞瓦頹垣, 無復存者”.

219) 延世大學本과 東亞大學本에는 前開□尹으로 城이 탈락되었다(東亞大學 2008년 11책 468面).

220) 이 기사는 열전29, 沈德符에도 수록되어 있고, 이와 관련된 자료도 찾아진다.
- 『동문선』 권117, 沈德符行狀, “乙丑, 陞爲門下參贊, 東北面有倭警, 公受節鉞討之”.

也. 又有一人, 認隣人割牛舌, 隣人不服. 寶林, 使牛久渴, 和醬于水, 盡會里人, 令曰, “若等, 以次飮牛, 牛欲飮卽止, 授他人以傳”. 里人如令, 傳至所認人, 則牛駭而走. 執訊之, 果服曰, “此牛, 食我禾, 故斷其舌”. ○又有一人, 放馬食人之麥殆盡, 麥主, 將訴於府. 馬主乞曰, “我亦有麥田, 稔將與汝, 願勿告官”. 麥主許之. 及夏, 其麥再苗, 猶有可收. 馬主曰, “汝麥亦稔, 我不必與汝麥”. 麥主告之. 寶林, 召二人于庭, 使馬主坐, 麥主立曰, “一時, 急走, 不及者罰”. 馬主不及, 詰之. 對曰, “彼立我坐, 其何能及”. 寶林曰, “彼麥亦然, 牧而後苗, 其及稔乎? 汝, 初放馬牧人之田, 罪一也. 私乞其主使不告官, 罪二也. 生謀違約, 不與彼麥, 罪三也. 亂法之民, 不可不懲”. 遂杖之, 以其田麥, 歸于告者. 其爲政嚴明, 類此. 然, 爲大司憲, 頗希執政意, 無雅操, 爲世所少:節要轉載].

[→李寶林, 官至政堂文學, 封雞林君. 卒, 謚文肅, 無子:列傳23李齊賢轉載].

[某日], 倭寇瓮津麒麟島, 海道萬戶鄭龍追擊之, 獲三人.

[某日], 遼東遣桑麟來, 推還元季流民李朶里不歹等四十七人.[221)]

[某日], 禑如壺串, 賜新樓監役官李希椿等五人, 馬各一匹.

[某日], 倭寇平海府, 江陵道體察使睦子安擊, 却之, 斬五級.[222)]

壬申12日, 太白經天.

○海道萬戶鄭龍·尹之哲等領戰艦, 入海島, 搜捕倭賊.

[癸酉13日, 狐鳴□于康安殿:五行2轉載].

乙亥15日, 太白晝見, 二日.

[丙子16日, 亦如之:天文3轉載].

[某日], 禑宿壺串新樓.

[某日], 禑率妓如東江, 乘奉天船, 張水戲, 後以爲常. [→禑起畫樓壺串. 作樓船, 極其侈大, 名奉天船:節要轉載].

戊寅18日, 地震, 聲如陣馬之奔, 墻屋頹圮, 人皆出避. 松嶽西嶺, 石崩. 禑曰,

---

221) 桑麟과 관련된 자료로 다음이 있다.

· 『삼봉집』 권1, 送遼東使桑公[注, 按桑公名麟, 辛禑乙丑, 來索元季流民]“.

222) 延世大學本과 東亞大學本에서 五가 且로 잘못 刻字되었다(東亞大學 2008年 11책 468面).

“此地震，無乃天欲陷遼東耶”.

○帝放還金庾一行人前典工摠郎宣之哲等三十八人. 禑賜笠及布, 其死不返者, 令所在官, 給其妻孥穀.

[○開城□大井, 赤沸:五行1轉載].

己卯19日, 地震, 三日.

[庚辰20日, 廣州渡迷寺山頂, 水涌, 漂沒人家:五行3轉載].

[某日], 禑率妓如壺串, 四日不返. 宦者鄭鸞鳳詣壺串, 白禑曰, “殿下不恤國事, 甚非爲君之道, 且都堂未得取旨, 事多壅滯, 請還視事”. 禑乃還, 尋又如壺串.

[某日, 以柳廷顯爲全羅道按廉使兼軍須別監:錦城日記].

[是月, 江陵道, 隕霜殺禾:五行1轉載].

[是月乙亥15日, 洪武帝臨軒, 册立我王, 諡先王曰恭愍:追加].[223]

八月庚寅朔大盡,乙酉, [丙申7日:追加],[224] 以□世子昌生辰, 宥二罪以下.

[○鎭星犯輿鬼:天文3轉載].

[丁酉8日, 歲星入輿鬼:天文3轉載].

[某日], 以同知密直□□司事崔元沚爲西北面都安撫使.

[某日], 禑如多也岾前判門下府事李仁任別墅.

[某日], 倭寇端州.

[某日, 鷄林君李達衷卒. 達衷, 剛直不撓, 恭愍王以爲名儒, 擢爲密直提學. 時辛旽方用事, 嘗於廣坐, 謂旽曰, “人謂相公好酒色”, 旽不悅, 未幾見罷:節要轉載].

[→辛禑十一年, 李達衷, 以雞林君卒, 諡文靖. □□達衷, 性剛直不撓, 有鑑識. 嘗

223) 이는 『목은문고』 권11, 受命之頌幷序(『동문선』 권50)에 의거하였다. 또 이와 관련된 기사로 다음이 있다.

· 『明鑑綱目』 권1, 홍무 18년, “[綱], 秋七月, 遣使封高麗國王禑. [目], 先是, 高麗貢使數至, 帝皆不納, 已而帝諭政府, 令遣官往視嗣王何如, 政令安在. 若政令如前, 嗣王不被拘收, 則可許所請, 否則必討無赦. 及是, 又禑上表請襲爵, 幷乞故王諡, 乃遣使封之, 賜故王顓諡, 曰恭愍”.

224) 世子 昌의 誕日은 8월 7일이다(→우왕 6년 8월 7일).

爲東北面都巡問使[兵馬使]，及還，我桓祖[李子春]餞于野．□[我]太祖[李成桂]立桓祖後，□[我]桓祖行酒，達衷立飮，□[我]太祖行酒，乃跪飮．□[我]桓祖怪問之，曰，“此子誠異人，非公所及，公之家業，此子必能大之”．因以子孫屬之．所著‘霽亭集’，行于世，其詩文，大爲李齊賢所稱賞，子蹲·溥·嬬·竑:列傳25李達衷轉載］.[225]

［某日］，禑召廣興倉官，語曰，“聞密城稅米，多耗欠，可徵本官，勿徵其押吏”．[寵妓]改成，本密城妓，押吏托以請之．

［某日］，全羅道海道元帥陳元瑞，捕倭二十餘人．

［己亥[10日]，歲星入輿鬼，犯積尸:天文3轉載］.

［辛亥[22日]，歲星入輿鬼:天文3轉載］.

九月[庚申朔小盡,丙戌]，［某日］，譯者郭海龍，還自京師言，“帝遣詔書使·國子監學錄張溥，行人叚祐[~~段祐~~]，謚[諡]册使·國子監典薄周倬，行人雒英來”．禑喜賜海龍銀帶一腰·廐馬一匹．

［某日］，以我太祖[判三司事李成桂]爲東北面都元帥，知密直□□ [~~司事~~]洪徵爲副元帥．［[判門下府事]崔瑩，出屯于郊．時□[我]太祖及瑩，威名聞于上國．又詔使張溥等至境，問□[我]太祖及李穡安否．故□[我]太祖及瑩，皆出于外，不使溥等，見之:節要轉載］.[226]

［→帝遣張溥·周倬等來，溥等至境，問穡安否．禑以[韓山君李]穡稱爲判三司事，出迎詔命:列傳28李穡轉載］.[227]

［乙亥[16日]:追加］,[228] 張溥·叚祐[~~段祐~~]等來，賜詔曰，“自有元之失御，兵爭華夏者，列若星陳．至於擅土宇，異聲敎，豈殊乎瓜分，虐黔黎，專生殺，不外乎五胡．若此者，將及二紀．治在人思，眷從天至．朕本寒微，君位中原，撫諸夷於八極，相安於彼此．他無肆侮於邊陲，未嘗妄興九伐之師，涉水陸之艱，以患吾民．爾高麗，天造東夷，地設險遠，朕意不司，簡生釁隙，使各安生．何數請隸而永堅，况群臣諫納，

---

225) 東北面都巡問使는 兵馬使의 잘못일 것이다(→공민왕 7년 4월 18일).

226) 이와 같은 내용이 열전26, 崔瑩 ;『태조실록』 권1, 總書, 우왕 11년 9월에도 수록되어 있다.

227) 原文에는 이 기사의 冒頭에 “[禑王]十年~~十一年~~, 以病辭, 進封韓山府院君. 帝遣張溥·周倬等來, 溥等至境, 問穡安否, 禑以穡稱爲判三司事, 出迎詔命”이 있으나 年代의 정리에 실패한 것 같다[繫年錯誤].

228) 이날의 日辰은『고려사절요』 권32 ;『목은문고』 권11, 受命之頌幷序 등에 기록되어 있다.

是以, 一視同仁, 不分化外. 今允虔誠, 命承前爵, 儀從本俗, 法守舊章. 嗚呼[嗚呼哀哉], 盡夷夏之咸安, 必上天之昭鑑. 旣從朕命, 勿萌釁隙, 以遂生".[229]

[丙子[17日]:追加],[230] 周倬·雒英等來, 册禑爲國王, 制曰, "爾高麗, 地有三韓, 生齒且庶, 國祖朝鮮, 其來遐矣. 典章文物, 豈同諸夷, 今者, 臣服來賓, 願遵聲教, 奏襲如前. 然繼世之道, 列聖相承, 薄海內外, 凡諸有衆, 德被無疵. 古先哲王, 所以嘉尙, 由是, 茅土奠安, 襲封累世. 爾王禑, 自國王王顓逝後, 幼守基邦, 今幾年矣. 爾方束髮, 智可臨民, 朕命吏部如勑, 召中書, 精筆朕言, 欽天命, 爾弗敢禮違, 仍前高麗國王, 世守三韓. 命使齊[賚]擎, 如國以授, 爾其仰觀俯察, 必遂群情. 嗚呼, 國無大小, 授必上穹, 當斯要任, 豈不厥位艱哉. 自襲之後, 毋逸豫以怠政, 毋田獵以殃民, 潔祀境內, 以格神明, 精烝嘗之羞, 奉爾祖考. 循朕之訓, 福壽三韓, 永矣, 爾其敬哉".

○賜謚[諡]制曰, "皇天授命, 宰土馭民者, 非勤政無逸, 曷以達天. 爾高麗國王王顓, 生前怠政, 務在逸勤. 致使身遭凶隕, 天命就淪, 歲月云徂. 嗚呼, 恃險居安, 而致此歟, 抑開誠心附人, 而致是歟. 嗚呼, 言險在德, 非險可恃, 言誠在爾, 非誠, 必有所歸. 天道好還, 未有不然者也. 今年秋七月, 爾陪臣[守侍中]李成林等, 表辭懇切, 請謚[諡]爾, 以昭列代, 命嗣王撫育於黔黎. 今者, 釋彼臣非, 允其所請, 謚[諡]爾恭愍, 以彰人世, 爵爾王, 封英靈於幽壤. 嗚呼, 不昧而有知, 則逢災而禦, 靈聰而必覺, 遇患而捍防, 吉爾邦家. 朕其爾誥, 允聽宜哉".

[某日], 禑專事馳騁, 不閑禮度, 國人憂之. 至是, 動止稍中節, 人皆喜悅. 溥等亦曰, "所聞, 異於所見".

[某日], 倭寇咸州·洪原·北青·哈蘭[咸州]北等處, [殺虜人民殆盡. 元帥沈德符·洪徵·安柱·黃希碩·鄭承可等, 與戰于洪原之大門嶺北,[231] 諸將皆敗, 先遁, 唯德符,

229) 嗚呼(명호)는 嗚呼哀哉의 縮約일 것이다.

230) 이날의 日辰은 『고려사절요』 권32 ; 『목은문고』 권11, 受命之頌幷序 등에 기록되어 있고, 또 이날 周倬이 恭愍王의 賜謚制를 가져 왔는데, 丙子이다(세가43, 공민왕 23년). 이때 張溥·段祐는 太平館에, 周倬·雒英은 宣仁館에 각각 머물렀던 것 같다(『삼봉집』 권2, 太平館席上, 次國子學錄張先生溥韻 ; 乙丑秋 ; 宣仁館席上, 次韻錄呈國子典簿周先生倬).

231) 이때의 大門嶺에 대한 자료로 다음이 있다.

· 『신증동국여지승람』 권49, 洪原縣, 山川, "大門嶺, 在縣東三十里許. 有嶺自西而東走, 又南迤至海, 循嶺有西城. 城有三門, 以通行路, 西曰大門, 中曰中門, 南曰石門. 石門在海濱, 三門相距皆三里許. 辛禑時, 沈德符與倭賊戰于嶺北, 大敗".

突陣獨入，中槊而墮. 賊欲復刺，麾下劉訶郞哈，馳入射之，遂連斃三人，奪賊馬以授德符，轉戰出陣. 於是，德符軍亦大敗，賊勢益熾:節要轉載].

[→倭□[賊]百五十艘，又寇咸州·洪原·北靑·哈蘭北等處，殺虜[~~擄~~]人民殆盡，[東北面上元帥·贊~~成事~~沈]德符與知密直□□[~~司事~~]洪徵·密直副使安柱·靑州上萬戶黃希碩·大護軍鄭承可等，與戰于洪原之大門嶺北，諸將皆敗先遁，唯德符突陳[陣]獨入，中槊而墮. 賊欲復刺，麾下劉訶郞哈，馳入射之，遂連斃三人，奪賊馬以授德符，轉戰出陣. 於是，德符軍亦大敗，賊勢益熾:列傳29沈德符轉載].

[某日]，我太祖[判三司事李成桂]自請往擊□[之]，與戰于咸州之兎兒洞，大敗之. 禑喜賜白金五十兩·段絹[段絹]各五匹·鞍馬.

[→[我]太祖[李成桂]請往擊之，至咸州，部署諸將.[232] 營中有松，在七十步許，□[我]太祖召軍士謂曰，“我射第幾枝第幾箇松子，汝等觀之”，卽以柳葉箭射之，七發七中，皆如所命. 軍中皆蹈舞歡呼. 明日，直指賊所屯兎兒洞，伏兵於洞之左右. 賊衆先據洞內東西山，遙聞螺聲，大驚曰，“此李[太祖舊諱][成桂]碓礫螺也”. □[我]太祖率[~~禮儀判書·上護軍~~]李豆蘭·[~~散員~~]高呂·[~~判衛尉寺事~~]趙英珪·安宗儉·韓那海·金天·崔景[~~·李玄景·河石柱·李柔·全世·韓思友·李都景~~]等百餘騎，按轡徐行，過其間. 賊見兵少行緩，不測所爲，不敢擊，東賊就西賊，爲一屯. □[我]太祖登東賊所屯處，據胡床，令軍士解鞍息馬，久之. 將上馬，百步許有枯槎，□[我]太祖連射三矢，皆正中之，賊相顧驚服. □[我]太祖令解倭語者，呼謂曰，“今主將，卽李萬戶也，汝其速降，否則悔無及矣”. 賊酋對曰，“唯命是從”. 方與其下議降未定. □[我]太祖曰，“當因其怠而擊之”. 遂上馬，使豆蘭·呂·英珪誘賊[~~等引致之~~]，賊先鋒數百追之[來]. □[我]太祖陽北[被逐]，自爲殿，退入伏中，遂回兵，親射賊二十餘人，皆[莫不]應弦而斃. 與豆蘭·宗儉等馳擊之，伏兵又[皆]起. 於是，□[我]太祖身先士卒，單騎出入賊陣者數四，所向披靡，[233] 手斃□[之]賊無算. 所射洞徹重甲，或有一矢而人馬俱徹者. 賊□[徒]奔崩，官軍乘之，呼聲動天地，僵尸蔽野[·寒川]，無一人得脫□[者]. 是戰也，女眞軍，乘勝縱殺，□[我]太祖令曰，“賊窮可哀，勿殺生擒之”. 餘賊入千佛山，亦盡擒之.[234] ○禑賜□[我]太祖白金五十兩·五表裏·鞍馬:節要轉載]. 又加定遠十字功臣號.

---

232) 部署는 『태조실록』 권1, 總書, 우왕 11년 9월에는 府署로 되어 있는데, 誤字일 것이다.

233) “單騎出入賊陣者數四，所向披靡”는 『태조실록』 권1, 總書, 우왕 11년 9월에는 “單騎衝突賊後，所向披靡，出而復入者數四”로 달리 표기되어 있다.

234) 이 기사는 열전29, 沈德符 ; 『태조실록』 권1, 總書, 우왕 11년 9월에도 수록되어 있는데, ~~添字~~는 이에 의거하였다.

[某日], 張溥等, 問徐師昊所立碑, 乃命復立. 溥等往觀之, 欲徙南郊, 更相地, 竟不果.

[己卯20日:追加], 禑焚黃于大廟~~太廟~~. [悉如朝廷所降儀注:追加].[235]

○遣同知密直□□~~司事~~崔乙義, 致膰于張溥, 溥躬迎以受. 密直副使具鴻,[236] 致膰于周倬, 會倬方食, 鴻不告, 置廚而還. 倬大怒曰, “王以天子之命, 告廟焚黃, 禮也, 祭訖, 致膰使臣, 亦禮也. 膰肉至, 則以天子之尊, 尙盛服躬迎, 況其他乎, 吾當躬迎如禮, 何不我告, 而置諸廚乎, 其罪有三, 不敬慢天子之命, 一也, 忽國王之敎, 二也, 輕祖宗之賜, 三也. 不誅而何?”. 張子溫曰, “鴻, 位雖密直, 武人也, 未知禮”. 倬曰, “如此化外之人, 不足筭也, 但責之, 使知耳”.

[某日], 張溥等謁文廟, 召生員孟思誠, 講詩. 時以朴宜中爲成均大司成, 鄭摠·閔霽爲司藝, 權近爲直講, 霽·近, 皆以前判事, 假充. 周倬等, 求見我國祀典, 乃書社稷·籍田·風雲以示. 倬加以忠臣·烈士·孝子·順孫·義夫·節婦, 使幷祭之. 倬嘗對館伴河崙云, 洪武十六年 禑王9年間, 遍詔天下, 於皇太子箋文, 稱臣, 汝國進箋, 亦當欽依. ○自是, 箋文始稱臣.

[庚辰21日:追加], 禑謁玄陵□□~~行祭~~, 宣讀誥命. [門下侍中林堅味·守侍中李成林·三司左使廉興邦等率群臣隨從:追加].[237]

[某日], 張溥等往觀社稷壇, 責其不營齋廬, 又欲觀城隍, 朝議, 以爲不可登高, 遍瞰國都. 紿以淨事色爲城隍, 以示之. 淨事色乃醮星所□□~~也~~. 張溥等欲觀籍田, 朝議沮之. 張溥等欲詣闕, 禑方在淑妃宮未還, 館人以故遲留, 不進馬. 溥等大怒, 欲徒行. 三司左使廉興邦進曰, “王不豫, 未得梳沐, 今天使奄至, 恐王不及禮待, 請小留”. 溥等然之, 及禑還, 乃邀宴慰.

[某日], 以前知門下□~~府~~事李乙珍爲江陵道元帥, 捕倭賊.

---

235) 이날 추가된 내용은 『목은문고』 권11, 受命之頌幷序에 의거하였다.

236) 具鴻(具偉의 子)은 具榮儉의 長孫인 것 같으며, 그의 墓碑가 16세기 후반에 開城府 東門 밖에 있었던 것 같다(→공민왕 5년 5월 18일의 각주).

· 『栢潭集』 권4, “萬曆癸未宣祖16年六月日, 拜洪相暹于其家, 相公仍說門譜相連之由曰, ‘曾於嘉靖甲辰中宗39年年間, 爲京畿監司, 巡歷松都, 東大門外, 親見古碑屹立於荒草野田間, 題曰高麗左侍中具鴻之墓’. 厥後, 外從父宋之翰爲官長湍而還, 問碑有無, 則歲久猶存云. 問曾見洪判書曇云, ‘侍中爲聖祖李成桂表從兄弟, 而未知系譜所自’. …”.

237) 이날의 日辰은 『목은문고』 권11, 受命之頌幷序에 있고, ~~添字~~도 이에 의거하였다.

[是月, 東萊城工畢:追加].[238]

[○以尹仁賢爲扶安縣安集別監:追加].[239]

[是月庚午11日, 前松廣寺住持·大禪師釋宏立太古寺圓證國師塔碑:追加].[240]

[□□□~~是月頃~~, 以判門下府事崔瑩, 復爲領三司事:列傳26崔瑩轉載].

[冬]十月己丑朔大盡,丁亥, [某日], 以□□~~門下~~贊成事趙仁璧爲交州道元帥.

[某日], 張溥·叚祐~~段祐~~等還.[241]

翼日, 周倬·雒英等還, 禑餞于西普通院, 執卮酒, 謂倬曰, "不穀權署東藩, 十有餘年, 未得受命, 惟恨下情不能上達, 今許臣承襲, 又錫先考謚諡, 不勝感激". 言未旣, 有淚盈睫, 倬嘆之, 極歡而罷. 禑贐溥等衣服·鞍馬·白金·苧麻布. 四人皆辭曰, "敢不拜賜, 然今身不受寒, 且不徒行, 受將何用? 唯受朝臣贈行詩". 覽而嘆曰, "東方有人矣".[242]

[某日], 禑如王興第, 又如前判事申雅第, 使雅出其女而見之. 上護軍林椒, 奉觴以進. 禑曰, "汝何得乃爾?". 對曰, "此臣之族也". 禑曰, "予爲汝族矣", 賜椒馬一匹.

[某日], 遣判門下府事曹敏修·贊成事張自溫張子溫·禹玄寶·簽書密直司事河崙, 如京師, 謝恩.[243] 且請曆日·符驗,[244] 仍納前元給付本國鋪馬蒙古文字鋪馬箚子八道. 謝詔表曰, "睿恩覃及, 無閒華夷, 聖訓誕頒, 曲全終始, 對揚惟謹, 感激實深. 伏念, 臣學未知方, 才非經國, 猥承訓諭, 以啓愚蒙. 守舊則許以儀章, 遂生則戒以釁隙,

---

238) 이는 『동문선』 권77, 東萊城記(李詹 撰)에 의거하였다.

239) 이는 『부안읍지』, 先生案에 의거하였다.

240) 이는 「楊州太古寺圓證國師塔碑」에 의거하였다.

241) 이때 張溥, 段祐와 관련된 자료로 『목은시고』 권34, 送張學錄使還, 名溥 ; 『삼봉집』 권1, 送行人段公還朝[注, 按段公名祐, 乙丑秋, 以詔書使還京]가 있다.

242) 이때 周卓, 雒英과 관련된 자료로 『목은시고』 권34, 送周典簿使還, 名倬 ; 『삼봉집』 권1, 送國子典簿周先生倬還京[注, 按乙丑十月, 周倬以謚册使還京] ; 送行人雒公還朝注, 按雒公名英, 乙丑十月, 以謚册使還京]가 있다.

243) 張自溫은 張子溫의 오자이다. 또 曹敏修는 12월 21일(戊申) 應天府에서 表를 올리고 方物을 바쳐 明年 正旦을 賀禮하였다(『명태조실록』 권176).

244) 曆日의 요청에 대해 禮部가 12월 25일(壬子) 高麗가 大統曆을 요청한다고 보고하자, 明帝가 10本을 하사하게 하였다(『명태조실록』 권176).

懷柔至此, 古昔所稀. 玆蓋陛下, 乃聖乃神, 允文允武. 謂四海之兼濟, 當一視而同仁, 特遣星軺, 俾宣天語, 臣謹當永銘心而無斁, 勤述職以益虔".

○謝謚[諡]表曰, "皇華忽臨, 恤典斯擧, 九原知感, 一國與榮. 竊念, 臣先父國王臣王顓, 僻處遠邦, 幸逢昭代, 欽承天命, 委質爲臣, 懷保民生, 盡心以理. 奄爾不祿, 于玆有年, 豈謂兪音, 特垂睿澤. 玆盖陛下, 功著上下, 仁敦始終, 念先臣納款之誠, 憐孤臣顯親之願, 遂令貞魄, 亦被耿光. 臣謹當繼先志而益勤, 祝皇齡於有永".

○謝承襲表曰, "恩深眷佑, 世襲保釐, 居寵若驚, 誓心知感, 臣資材愚魯, 學術謬迂, 第紹先在於承家, 而事上重於述職, 屢陳卑悃, 冀蒙兪音. 使華鼎來, 明命益著, 玆蓋陛下, 体書敷德, 法易建侯. 特降綸言, 俾承緖業, 臣謹當率由聖訓, 祇畏天威, 守靑社以遂生, 効華封而祝壽".

[某日], 禑如申雅第, 納其女. 自是, 屢宿其第.

[某日], 遣門下贊成事沈德符·密直提學任獻, 如京師, 賀正.

[某日], 忠州兵馬使崔雲海斬倭六級, 幷獲兵仗.[245)]

戊申[20日], 地震.

[某日], 知門下□[府]事金斯革卒, 贈謚[諡]忠節.[246)]

[某日], 左代言尹就, 以崔天儉家奴無禮, 抶之. 淑妃訴禑, 禑怒, 下就巡軍獄, 廢爲庶人.

[某日, 判三司事李穡, 上書乞退. 不聽:追加].[247)]

十一月[己未朔小盡,戊子], [某日], 禑畋于[金郊驛近隣]元中浦, 五日.

[某日], 文天柱本微賤者, 以毅妃戚, 得爲江華萬戶, 侵漁百姓, 貪暴無比. 邑人宦者金碩, 具所犯, 訴之, 乃下巡軍獄, 杖流之.

245) 이와 같은 기사가 열전27, 崔雲海에도 수록되어 있다.

246) 이와 관련된 기사로 다음이 있다.

- 『希樂堂稿』 권7上, 嘉善大夫·同知中樞府事金公墓碣幷序, "… 公諱彦庚, 江陵人, 遠祖忠節公斯革, 仕高麗爲翊衛功臣, 知門下□[府]事, …".

247) 이는 다음의 자료에 의거하였다.

- 『목은문고』 권11, 乞退書, "… 未幾, 撰玄陵碑, 復政堂, 扈從南京, 判三司事, 此實聖上·先君之恩也. … 洪武十八年十月日".

[某日], 令國人, 隨官品出馬, 以充歲貢.[248]

[某日, 禑, 調馬于花園, 顧左右曰, "將水青木公文來, 予將制此馬". 又戲謂檄曰, "爾父好用水精木公文". 時領三司事李仁任·門下侍中林堅味·三司左使廉興邦, 縱其惡奴, 人有良田, 率以水青木, 杖而奪之, 其主, 雖有公家文券, 莫敢與辨. 時人謂之水青木公文, 禑聞而惡之, 故每言及之:節要轉載].[249]

[→禑, 調馬□于花園, 謂左右曰, "將水精木公文來, 予將制此馬". 又戲謂檄曰, "爾父好用水精木公文". 時堅味·仁任·興邦, 縱其惡奴, 有良田者, 率以水精木, 杖而奪之. 其主, 雖有公家文券, 莫敢與辨. 時人謂之水精木公文. 禑聞而惡之, 故每言及之:列傳39林堅味轉載].

[某日, 前部令張演, 執其妻所私者護軍金璋, 告憲府, 其妻乃典工判書金克恭女也. 逃入領三司事李仁任第, 時仁任, 領司憲府事, 令憲府勿問, 其公受賄賂, 撓法亂政, 類此:節要轉載].

[→□□□~~十一年~~, 領三司事李仁任, 又領重房·司憲·開城府事. □前副令張演妻, 典工判書金克恭季女也, 與護軍金璋私. 演執璋, 告憲司, 妻逃入仁任家, 仁任令憲司勿問:列傳39李仁任轉載].[250]

[某日, 慶尙道都巡問使朴葳, 斬倭十四級:節要轉載].[251]

[某日], 禑宴群臣.

[某日], 鷄林府尹裴元龍斬倭四級, 海道元帥朴子安斬倭二級.

[某日], 以門下贊成事商議禹仁烈爲西北面都巡問使, 知門下□府事安沼爲東北面都巡問使,[252] 同知密直~~門下評理~~池湧奇爲楊廣道都巡問使.[253]

[己卯21日, 太白犯房:天文3轉載].

---

248) 이 기사는 지33, 식화2, 科斂에도 수록되어 있다.

249) 이 기사는 열전39, 林堅味에도 수록되어 있으나 자구에 출입이 있다.

250) 이 기사의 冒頭에 '禑王十一年'이 탈락되었다.

251) 이 기사는 열전29, 朴葳에도 수록되어 있다.

252) 이때 安沼는 讒訴를 받아 和寧에 出鎭하였다고 한다(→우왕 12년 10월).

253) 同知密直□□司事는 門下評理의 오류이다. 池湧奇는 우왕 5년 8월 知密直司事에 임명되었다가 일시 파면되었고, 7년 6월에 前密直使를 거쳐, 9년 8월에 門下評理를 각각 歷任하고 있었다(열전27, 池湧奇).

[癸未[25日], 歲星入輿鬼:天文3轉載].

十二月[戊子朔大盡,己丑], [某日], 威城府院君盧英壽卒. 禑率術者, 相葬地于南郊, 贈諡[諡]良孝.

[某日], 禑如盧英壽第, 夜如前副令崔時霆家, 納其女.

翼日, 又如時霆家.

[某日], 遣密直副使姜淮伯如京師, 進歲貢馬一千匹·布一萬匹及金銀折准馬六十六匹.[254)]

[某日], [密直使]安翊·[密直副使]張方平等回自京師, 欽奉宣諭曰, "天下到處亂的時節, 我出來了, 收捕了天下, 着恁四夷知道的上頭. 差這里的人呵, 不的當, 所以原朝行來的火者, 他鄉中有親戚爺娘, 到那里呵. 我這里的句當, 甚麽不說? 爲那般上頭? 差幾介火者去了來, 恁那先王至誠呈表來, 後頭凡百不至誠的上頭, 不交恁來往來. 後頭差將人呵, 皇太子生日, 也赶不上, 九月十八日, 我的生日, 也赶不上. [門下評理]洪尙載進年表來呵, 又正月裏來的上頭, 不得無罪, 貶的雲南去了. 來歲貢如約的上頭, 病死的死了, 有的都着回去了來. 今番開去的詔書呵, 不曾着秀才每做, 都我親自做來的. 到那里看, 不曾移改恁風俗, 自依恁那里行. 今番將來的馬呵, 那里有我騎的? 口說至誠, 心不至誠, 直甚麽事至誠呵? 甚麽里顯至誠? 以物顯至誠有. 事不得人, 何能事鬼神? 歲貢呵, 預前一發揍辦[湊辦], 將來時節, 恁路上艱難, 俺這里收呵, 也不便當, 一年一年家將來. 說與恁那宰相每, 好生整理百姓. 恁這使臣每呵, 我這里說的言語, 到那里件件說不到, 乍麽算?".

○使臣又奉宣諭曰, "恁那里倭賊, 定害那不定害? 我待將軍船, 搶解倭賊海島去, 徑直過海到那里, 不知他那里水脉. 金州裝粮, 過恁地境, 著知路人指路, 到那里搶解了呵回來, 他來的口子裏, 跸營守禦".[255)]

[某日], 封[前判三司事]姜仁裕女爲安妃, 鳳加伊爲肅寧翁主, 妓七點仙爲寧善翁主. 以私婢·官妓, 封翁主者, 古所未聞, 國人驚駭. 七點仙本密直南秩妾也, 初, 禑召

---

254) 姜淮伯은 明年 2월 3일(己丑) 應天府에서 表를 올리고, 白黑布 1萬疋·馬 1千匹을 바쳤다(『명태조실록』 권177 ; 『속문헌통고』 권29, 土貢考).

255) 金州는 현재의 遼寧省 大連市에 있던 明初의 金州衛로 추측된다.

之, 秩令托疾不見, 都堂囚秩家奴十人, 秩不得已出之.

[辛亥[24日], 野豕入城:五行1豕禍轉載].

[甲寅[27日]:追加],[256)] 以~~三重大匡·韓山府院君·領藝文春秋館事,功臣號如故~~李穡爲壁上三韓三重大匡·檢校門下侍中·領藝文春秋館事·上護軍·韓山府院君, 功臣號如故,[257)] [典儀主簿]劉敬爲典工佐郞,[258)] 洪尙溥爲長興庫使[259)]:追加].

丁巳[30日], 除夜, 禑與[肅寧翁主]鳳加伊, 宿[領三司事]李仁任第.

[是年, 築尙州·善州邑城:追加].[260)]

[○置別酒色·別鞍色:百官2別酒色·別鞍色轉載].[261)]

[○以睦子安爲知寧海府事:追加].[262)]

[○以[前社稷壇直]南誾爲知三陟郡事:追加].[263)]

---

256) 이날의 日辰은 下記의 「劉敞政案」에 의거하였다.

257) 李穡은 『양촌집』 권40, 李穡行狀에 의거하였다.
- 열전28, 李穡, "[禑王]十一年, 上書乞退, 禑不聽, 尋檢校門下侍中".
- 『목은집』 연보, 洪武十八年, "十二月, 拜壁上三國三重大匡·檢校門下侍中·領藝文春秋館事·上護軍·韓山府院君, 功臣號如故".

258) 이는 「劉敞政案」, "洪武十八年十月二十七日, 批承奉郞·典工佐郞"에 의거하였는데, 原文에서 典上佐郞으로 되어 있으나 오자이다(→우왕 1년 4월 25일의 脚注).

259) 이는 다음의 자료에 의거하였다.
- 『拙翁集』 권10, 慕遠錄, 六代祖典法佐郞賜緋魚俗洪公[洪尙溥], "乙丑十二月, 遷長興庫使, …".

260) 이는 다음의 자료에 의거하였다.
- 『경상도속찬지리지』, 尙州道, 尙州牧, "邑城, 洪武乙丑, 石築, …". ○善山府, "邑城, 洪武乙丑, 土築, …".

261) 이는 다음의 자료를 전재하여 적절히 變改하였다.
- 지31, 百官2, 別酒色·別鞍色, "並辛禑十一年, 置".

262) 이는 『영해선생안』에 의거하였다.

263) 이해[是年]에 倭賊이 三陟郡에 침입하자 南誾이 知三陟郡事를 自願하여 적을 격파하였다고 한다. 또 이 시기에 삼척군과 그 인근 지역이 倭賊의 巢窟[賊藪]이 되었다는 後世의 記錄도 있다.
- 열전29, 南誾, "辛禑時, 補社稷壇直, 時倭寇大熾. 三陟郡城小且危, 國家難其守, 誾, 自薦知郡事. 旣到郡, 賊猝至, 誾率十餘騎, 開門突擊之, 賊敗走. 召授司僕正".
- 『태조실록』 권14, 7년 8월 己巳[26日], 南誾의 卒記, "乙丑[禑王11年], 倭寇作耗三陟郡, 城小且危, 難其守, 誾自薦以行. 旣到郡, 寇猝至, 誾開城門, 率十餘騎突出擊之, 寇敗走. 事聞, 以司僕正召還".
- 『성종실록』 권109, 10년 10월 丙午[24日], "御經筵, 講'大學衍義', … 大司憲金良璥啓曰, '江原道萬戶之營, 皆在州縣傍近, 兩營相距甚遠, 脫有賊變, 豈能及救耶? 移設萬戶之營, 非如移設州

[○以前典法正郞許周爲知襄州事:追加].[264)]

[○李琳與其妻弁韓國夫人洪氏造成世子願堂於長湍縣華藏寺:追加].[265)]

[仁同人 張東翼 校注, 增補].

縣之難, 請遣體察使, 審其可設可移之地, 疏列而均置之, 則緩急可賴也. 前朝之季, 三陟□等諸郡, 悉爲賊藪, 城郭亦不可無也'. 上曰, 事之作爲, 須觀民心, 江原一道, 人民鮮少, 築城雖萬世之利, 然遽興土功, 則民必疲而離散. 移設萬戶之營, 亦非易事, 今觀察使李克均之行, 使之親審便否, 回啓後處置可也". 여기에서 萬戶營은 고려 말기에 왜적의 침입을 막기 위해 설치한 것이다.

264) 이는 다음의 자료에 의거하였다.

· 『세종실록』 권91, 22년 12월 丁丑8日, 許周의 卒記, "丁丑, 前判漢城府事許周卒. 周字伯方, 一字伯公, 慶尙道河陽縣人. 養于舅監察大夫崔宰之家, 宰奇其氣度曰, '此兒不凡'. 初以蔭補官, 歷遷至典法正郞, 時權臣有訟奴婢者, 周知其曲, 將欲斷之, 長官逼於勢陰庇之, 周守法不阿, 長官沮其議. 權臣屢至周私第, 卑辭請之, 周竟不從, 權臣深銜之, 及爲政訪政房提調, 乃罷周職. 歲乙丑, 出知襄州事, 時倭寇充斥, 民不安業, 皆竄匿山谷以避之, 周下車, 卽築邑城, 備禦有制".

265) 이는 다음의 자료에 의거하였는데, 添字와 같이 고쳐야 옳게 될 것이다.

· 『壽峴集』권하, 華藏寺重建記(1666年撰), "石之珩在辛丑·壬寅間顯宗2·3年, 滯開府, 有聲華藏釋崇海, 踵門要記伊力業攸暨, 意謂儒釋異治, 毋苟相忠, 重允久之. 癸卯4年秋, 陪居留朴尙書遊是寺, 海復申曩請, 公曰, 海志勤矣, 吾亦載名之爲幸, 盍許諸, 對曰諾, 猶坐癃甚詞訥, 不能踐者三選, 今玆夏時, 留後權相公, 理屐到寺, 海迎謁, 語逮請記, 未獲. 公歸又勉之副, 旣感海耐久不他求, 亦祗承兩爺命, 繙其所箚錄者術省. 寺在畿甸長湍府之寶鳳山, 觀其舊藏樑上短識, 蓋麗朝恭愍王于洪武十八年己丑乙丑, 爲元子立願堂, 而壁上三韓三重大匡·鐵城府院君李琳·弁韓國大夫人洪氏, 罄財檀施, 丕戎厥功. 乃有恭愍畫像, 西域神僧指空所齎貝葉經一夾, 牛頭栴檀香一條".

『高麗史』卷四十八 世家卷四十八[卷百三十六 列傳卷四十九]

[輔國崇祿大夫·議政府左贊成·知集賢殿經筵春秋館成均事·世子賓客·臣金宗瑞奉教撰]

正憲大夫·工曹判書·集賢殿大提學·知經筵春秋館事兼成均大司成·臣鄭麟趾奉教修

禑王[辛禑] 四

丙寅[禑王]十二年, 明洪武十九年, 北元天元八年, [西曆1386年]

1386년 1월 31일(Gre2월 7일)에서 1387년 1월 19일(Gre1월 27일)까지, 354일

[春]正月[戊午朔[小盡,庚寅], 遣侍中林堅味·守侍中李成林等兩府宰相, 告歲事于王輪寺太祖影堂:追加].[1)]

○禑在[領三司事]李仁任第, 仁任妻, 進大爵曰, “今日三元, 謹上壽”. 禑進爵, 仍戲曰, “吾一則爲孫, 一則爲婢壻, 今乃對飮, 得無失禮耶?”. 乃冒處容假面, 作戲以悅之.[2)]

[丙寅[9日], 日珥, 白虹貫日:天文1轉載].

[某日], 禑欲與肅寧翁主[鳳加伊]珠玉粧, 召寶源庫別監黃補, 問珠玉之數, 補對以無. 禑大怒, 卽囚于巡軍, 又囚提調朴天常·徐鈞衡·李還儉家奴各十人.

[某日], 修典工判書權鑄第, 爲肅寧翁主宮, 以爲時座所[~~時坐宮~~]. [門下侍中]林堅味·[守門下侍中]李成林·[三司左使]廉興邦等, 進賀. 興邦復與諸宰相, 奉觴稱壽. 自後, 兩府·百官啓事, 皆詣肅寧宮, 寵冠後宮. 肅寧之移居是第也, 禑率道流等, 前導後衛而來.

[某日], 判德昌府事權玄龍卒. 玄龍膂力絶倫, 所向無前, 時號萬人敵.[3)]

---

1) 이 기사는 다음의 자료에 의거하였는데, ~~添字~~는 필자가 추가하였다.
- 『목은문고』 권11, 受命之頌幷序, “明年[禑王12年]正旦, 兩府宰相, 告歲事于王輪寺之□□[~~太祖~~]影堂, 禮也, 侍中林公·李公又謀曰, …”.

2) 이날은 領三司事 李仁任의 夫人 朴氏가 正旦[三元]이라고 하였음을 보아 朔日이다.
- 『고려사절요』 권32, “春正月~~戊午朔~~. 禑在李仁任第, 仁任妻進大爵曰, ‘今日三元. 謹上壽’. 禑盡爵, 戲曰, ‘吾一則爲孫, 一則爲婢壻, 今而對飮, 得無失禮耶?’. 乃冒處容假面, 作戲以悅之”.
- 『荊楚歲時記』, 冒頭, “正月一日, 是三元之日也, 謂之瑞月”.

[某日], 領三司事李仁任之女姜筮妻死. 禑親率畫師, 寫其眞. 其母朴氏痛哭, 禑手酌大杯, 前跪曰, "大母輟哭, 然後予將倒此". 遂裂素自帶, 使宦者皆帶之.

[某日], 保安君朴壽年卒. 壽年, 驍健善戰, 所向有功. 時稱勇將, 然使酒難近.

[某日], 以修肅寧宮遲緩, 杖流造成都監判官高汝霖.

[某日, 復下金庾于典獄, 籍其家, 杖流于順天府. 領三司事李仁任戒押去吏, 往還才五日. 庾死于公州敬天驛:節要轉載].

[→禑王十二年, 復下金庾獄, 杖流順天府, 籍其家. 仁任戒押行吏, 往還限五日, 庾遂死公州敬天驛:列傳27金庾轉載].

[某日, 以南在爲全羅道按廉使, 裴矩爲西海道按廉使:錦城日記].[4]

[是月, 開泰寺住持妙智大師冲逑立彰聖寺眞覺國師塔碑:追加].[5]

[是月, 太祖高皇帝, 收納前元給付鋪馬蒙古文字八道, 頒降符驗雙馬四道, 玄字四十七號·玄字四十八號, 玄字四十九號·玄字五十號. 單馬二道, 洪字二十二號·洪字二十三號. 起船二道, 安字一千三百三十六號·安字一千三百三十七號:輿服1符驗轉載].

二月丁亥朔大盡,辛卯, [某日], 奪洛川君金漢磾家, 爲安妃殿.

[某日], 遣政堂文學鄭夢周如京師, 請便服及群臣朝服·便服, 仍乞蠲減歲貢.[6]

---

3) 萬人敵은 많은 軍士를 對敵할 수 있는 方法[兵法] 또는 對敵할 수 있는 能力을 가리킨다.
- ·『사기』 권7, 項羽本紀第7, "籍曰, 書足以記名姓而已. 劒一人敵, 不足學, 學萬人敵. 於是, 項梁乃教籍兵法".
- ·『三國志』 권14, 魏書14, 程昱, "昱料之曰 … 劉備有英名, 關羽·張飛皆萬人敵也, 權必資之以禦我".

4) 裴矩는 이해[是年]의 2월 12일에 의거하였다.

5) 이는 「水原彰聖寺眞覺國師大覺圓照塔碑」에 의거하였는데, 彰聖寺는 현재 경기도 水原市와 龍仁市에 걸쳐 있는 水原市 長安區 光教山에 있다고 한다(嚴基杓 2015년).

6) 이때 鄭夢周 一行의 行路는 『포은집』 권1에 反影되어 있는데, 다음과 같다. 鴨綠江을 건넜다→3월 19일 바다를 건너 登州公館에서 宿泊하였다. 바람으로 到着하지 못한 通事 郭某(郭海龍?)·押馬官 金某의 船舶을 기다렸다→蓬萊驛→龍山驛→登州 黃山驛→諸橋驛→萊州海神廟→膠水縣에서 教諭 徐宣과 離別하였다→丘西驛→4월 1일 高密縣→日照縣→贛榆縣에서 宿泊→王坊驛에서 鎭撫 程載에게 詩文을 贈呈하였다→上庄驛에서 侍郎 高遜志에게 詩文을 증정하였다→諸城驛에서 宿泊→金城驛→僮陽驛→淮安府 韓信墓→漂母塚→4월 14일 淮陰 水驛에서 乘船하여 寶應縣으로 向하였다. 護送官인 遼東鎭撫 龐扇과 헤어졌다→范廣湖를 지나갔다→高郵湖를 지나갔다→高郵城→

請衣冠表曰, "議禮制度, 大開華夏之明, 慕義嚮風, 庶變要荒之陋, 敢攄愚抱, 傭瀆聽聞. 竊觀, 聖人之興, 必有一代之法. 上衣下裳之作, 盖取象於乾坤, 殷哻周冕之名, 皆因時而損益, 以新耳目之習, 而致風俗之同. 欽惟陛下, 挺神武之資, 撫亨嘉之運, 文物備矣. 聿超三代之隆, 德敎霈然, 覃及四方之廣, 雖命小邦之從本俗, 旣賜祭服, 以至陪臣, 豈容其餘, 尙襲其舊? 在盛世之典, 固無所虧, 但遠人之心, 深以爲歉. 伏望陛下, 憐臣以小事大, 許臣用夏變夷, 遂降綸言, 俾從華制. 臣謹當終始惟一. 益殫補袞之誠, 億萬斯年, 永被垂衣之化".

○請减歲貢表曰, "天高而無不覆燾, 人窮則必至籲呼. 玆竭卑忱, 用干聰聽. 洪武十二年[禑王5年]三月間, 陪臣[門下贊成事]沈德符沈德符回自京師, 欽賫手詔及錄旨, '節該今歲貢馬一千匹, 明年貢金一百觔·銀一萬兩·良馬一百匹·細布一萬匹, 歲以爲常. 欽此, 節次施行'. 間又准禮部咨文, 欽奉聖旨, '節該前五年未進歲貢, 馬五千匹·金五百觔·銀五萬兩·布五萬匹, 一發將來. 欽此'. 爲金銀, 本國不產, 蒙遼東都司[~~遼東都指揮使司~~]聞奏, '高麗進貢金銀不敷, 願將馬匹准數'. 欽奉聖旨, '每銀三百兩, 准馬一匹, 金五十兩, 准馬一匹, 欽此'. 差陪臣門下評理李元紘通行, 管領馬五千匹·布五萬匹及金銀折准馬匹, 前赴朝廷, 貢納訖措辦. 到洪武十七年[禑王10年], 歲貢馬一千匹·布一萬匹及金銀折准馬六十六匹, 已差陪臣密直副使姜准伯等, 管領前去進貢. 顧遠方境壤褊小, 而比年海寇侵陵, 民生孔艱, 物產悉耗. 金銀, 固已非土之所出, 馬布, 恐難充數於將來, 兢惶實深, 進退惟谷. 伏望陛下, 以乾坤之大度, 父母之至恩, 許隨力分之宜, 優示蠲减之命. 臣謹當述侯職於永世, 祝聖壽於齊天".

揚州→眞州→4월 19일 江을 건너 龍潭驛에 도착하였다→應天府[京師]에 들어갔다→會同館에 머물렀다→4월 23일(戊申) 奉天門에서 明太祖를 謁見하고, 宣諭를 들으며 歲貢인 金銀·馬·布를 免除받았다.

· 『포은집』 권1, 皇都, 四首, … 其二, "內人日午忽傳宣, 走上龍墀向御筵, 聖訓近聞天咫尺, 寬恩遠及東邊, 退來不覺流雙涕, 感激唯知祝萬年, 從此三韓蒙帝力, 耕田鑿井揚安眠[注, 臣夢周於洪武丙寅四月, 奉國表在京師會同館, 是月二十三日, 上御奉天門, 內人傳宣促臣入內, 親奉宣諭, 教誨切至, 因將本國歲貢金銀·馬布一切蠲免. 不勝感荷聖恩之至, 謹賦詩以自著云]. 그렇지만 是日인 『명태조실록』 권177, 홍무 19년 4월 23일의 記事가 남아 있지 않다.

이후 應天府를 出發하여 船舶으로 觀音山 아래의 白鷺洲를 통과하였다→揚子江을 건너면서 北固山을 바라보며 1373년(洪武6) 雲南에 流配되었다가 蜀에서 죽은 金九容을 哀悼하였다→高郵湖를 건너 5월 6일 王坊驛 北鋪에 도착하였다→諸城驛 →石橋鋪에 도착하여 鋪司 陶某에게 詩文을 증정하였다→卽墨縣→田橫島→蓬萊閣→沙門島→5월 18일 旅順口의 鐵山에 도착하였다→旅順驛에서 管驛鎭撫 馬某에게 詩文을 증정하였다→金州指揮 韋某의 집에서 詩文을 지었다→安市城→復州館→復州에서 指揮 王某·河南飛虎衛指揮 楊俊 등에게 시문을 증정하였다→熊嶽古城→盖州(蓋州)에서 宿泊하면서 뒤처진 一行을 기다렸다.

[某日], 以鄭地爲海道元帥都元帥·四道都指揮處置使,[7] 趙琳爲漢陽道元帥兼漢陽府尹.

[某日], 淑妃崔氏寵衰, 獨居花園, 嘗使侍者彈琴, 適禑至而止之. 禑大怒, 謂侍者曰, "及予之至, 不彈何也?". 欲抶之, 淑妃抱禑腰曰, "妾今寵衰無聊, 又抶侍者, 妾將柰何?". 禑拳毆其臉, 肅寧翁主鳳加伊誣譖淑妃與其母, 挾媚道爲蠱. 禑大怒, 卽黜淑妃, 歸其父崔天儉家, 囚淑妃宮人于巡軍, 嚴加鞫訊, 逮繫甚衆. 又下天儉及其妻于獄, 籍其家.

戊戌12日, 禑畋于西海道, 肅寧翁主及宮女等, 皆以男服從行. 禑與肅寧並轡馳驅原野, 內竪韓富忽遇山阿,[8] 不及下馬, 肅寧之馬, 已馳過矣. 肅寧自以素賤, 意富輕己, 譖殺之. 是行也, 禑自吹笛, 婦寺唱歌, 晝夜不輟, 供費鉅萬, 西海□道州郡騷然. 都巡問使王安德·按廉使裵矩·海州牧使李淑林·延安府使安俊等,[9] 大具酒食饗. 禑皆賜廐馬, [以賞之:節要轉載]. 凡二十五日而還.

[□□是時, 知鳳州事柳蟠因供頓, 多斂民財. 領三司事崔瑩惡其害民, 杖之:列傳26崔瑩轉載].

[甲寅28日, 日珥:天文1轉載].

[是月頃, 以重大匡金立堅爲元帥兼雞林府尹·管內勸農·都兵馬使:追加].[10]

三月丁巳朔小盡,壬辰, 乙亥19日, 禑如前判三司事姜仁裕第, 遂畋于南郊.

庚辰24日, 禑出遊, 有一人馳過. 禑下馬, 親執其人, 裸縛繫馬鬃, 緣道馳騁, 血流被體.

[某日], 竄淑妃及天儉于全州, 以教媚道, 縊殺淑妃母及族兄孩兒幷侍女四人.[11]

---

7) 海道都元帥·四道都指揮處置使 鄭地는 2월에 羅州牧에 들어왔다가 對馬島遠征[日本東征事]을 위해 慶尙道로 옮겨 갔다고 한다(『금성일기』).

8) 山阿는 丘陵 또는 山의 모퉁이[구비치는 곳]를 가리킨다(星川淸孝 1970年 98面).
・『楚辭』, 九歌, 山鬼, "若有人兮山之阿, 被薜荔兮帶女蘿[王逸注, 阿曲隅也]".

9) 安俊은 1384년(우왕10) 延安府使에 到任하여 是年에 후임자 孫慶時와 交代하였다(『延安府誌』, 守臣).

10) 이는 『동도역세제자기』에 의거하였다.

11) 族兄孩兒는 우왕 10년 11월 16일(己卯)에 淑妃의 兄孩兒로 기재되어 있다.

門下侍中林堅味·守侍中李成林·三司左使廉興邦等, 惜其寃, 欲救不得. 有一人臨刑曰, "必報殺我者", 辭色如常. 棄尸于市, 後數日, 禑往觀之, 使守尸者, 復張其尸于車上, 以爛之, 腐臭滿路, 人不敢近.

[某日], 謝恩使判門下府事曹敏修·門下贊成事禹玄寶·門下贊成事張子溫·簽書密直司事河崙, 進奉使·門下贊成事沈德符, 密直提學任獻, 金子盎等, 賫歷日曆日及船馬符驗八道,[12] 還自京師.

[夏]四月丙戌朔小盡,癸巳, [立夏]. 雨雹.[13]

[某日], 禑觀魚于海豊郡重房池, 裸而捕魚.

癸巳8日, 禑與毅妃如花園, 觀燈, 綵棚雜戲, 窮奢極侈, 歌吹達曙.

丙申11日, 霜.

[某日], 禑畋于壺串, 命群小刼奪行人馬, 載妓, 雖兩府, 皆拱手被奪.

[戊戌13日, 日暈:天文1轉載].

癸卯18日, 禑如妓細柳枝家.

乙巳20日, 禑冒雨出遊, 暮, 與宦者五人, 爭馳馬于市.

[己酉24日, 熒惑犯斗魁:天文3轉載].

[庚戌25日, 亦如之熒惑犯斗魁:天文3轉載].

辛亥26日, 禑觀石戰戲于郭沙洞, 又畋于壺串.

[○亦如之熒惑犯斗魁:天文3轉載].

[壬子27日, 亦如之熒惑犯斗魁:天文3轉載].

[某日, □前三司右使金續命卒:節要轉載], [謚忠簡:列傳24金續命轉載].

[某日, 韓山府院君李穡掌貢擧, 以舊例享禑于花園. 禑以穡爲師傅, 敬重之, 親執手入, 欲對榻坐, 穡固辭, 禑親牽內廏鞍馬, 賜之:節要轉載].

---

12) 符驗[鋪馬聖旨]에 대한 注釋으로 다음이 있다.

· 『增定吏文輯覽』 권2, 符驗, "發馬之文也. 其制上織船馬之狀, 起馬者用馬字號, 起船者水字號, 起雙馬者達字號, 起單馬者通字號, 起站船者信字號").

13) 이와 같은 기사가 지7, 五行1, 水, 雨雹에도 수록되어 있다.

[→[禑王]十二年, [李穡,] 知貢擧, 以舊例享禑于花園. 禑以師傅敬重之, 親執手引入, 欲對榻坐, 穡固辭. 禑親牽內廐馬賜之, 命作詩. 穡書云, 聖主開興運, 愚臣荷異恩. 科場命分桂, 卑食特羅尊. 當面山光滴, 臨身日色溫. 經筵忝小技, 茂渥似乾坤:列傳28李穡轉載].

[某日, 漆原府院君尹桓卒. 桓, 家鉅富, 嘗乞告歸漆原, 歲大饑, 人相食, 散家財以賑之, 取貧民稱貸契券悉燒之. 時方久旱, 水湧桓田, 浸及人田, 大熟. 慶尙之民, 稱之不已:節要轉載].

[→[禑王]十二年卒, 年八十餘. 桓, 美鬚長大, 風儀秀偉, 歷事五朝, 三爲首相, 家鉅富. 嘗乞告歸漆原, 歲大饑, 人相食, 散家財以賑之, 取貧民稱貸契卷, 悉燒之. 時方久旱, 水湧桓田, 浸及人田, 大熟, 慶尙之民, 稱之不已. 謚忠孝. 無子, 以孼女, 嫁南佐時. 佐時封宜城君, 辛禑十三年卒:列傳27尹桓轉載].

[是月, 知申事權執經, □□□□□[掌成均館試], 取鄭坤等九十九人:選擧2國子試額轉載].

五月[乙卯朔[大盡,] [甲午], 熒惑犯南斗:天文3轉載].

丁巳[3日], 禑如毬庭, 親自調馬.

[某日], 取及第孟思誠等.[14)]

[□□[是時], 復用策問, 嚴立禁防, 擧子, 年未滿二十, 不許赴擧:選擧1科目轉載].[15)]

[己未[5日], 月掩歲星:天文3轉載].

---

14) 이와 관련된 기사로 다음이 있다. 이때 孟思誠·吉再·沈溫·趙涓·鄭坤 등이 급제하였는데(『登科錄』, 朴龍雲 1990년 ; 許興植 2005년), 孟思誠(孟希道의 子)은 崔瑩의 孫壻이다.
- 지27, 선거1, 科目1, 選場, "[禑王]十二年五月, 韓山府院君李穡知貢擧, 三司左使廉興邦同知貢擧, 取進士, □□[某日], 賜孟思誠等三十三人及第".
- 열전28, 李穡, "[禑王]十二年, 知貢擧, … 是試, 穡嚴立禁防, 擧子, 年未滿二十, 不許赴試. 判門下府事曹敏修子, 赴試不中, 同知貢擧廉興邦欲取之, 力請於穡, 穡不聽".
- 『목은집』 연보, 洪武十九年丙寅, "四月, 知貢擧".
- 『세종실록』 권83, 20년 10월 乙卯[4日], 孟思誠의 卒記, "左議政仍令致仕孟思誠卒, 思誠字自明, 新昌人, 丙寅[禑王12年], 擢乙科第一人, 選補春秋檢閱, 累遷典儀丞·起居舍人·右獻納, …".
- 『冶隱先生言行拾遺』卷上, 吉再行狀, "丙寅, 入禮闈, 中進士第六名, 秋, 補淸州牧司錄, 不赴".

15) 이는 다음의 기사를 전재한 것이다.
- 지27, 選擧1, 科目, "[禑王]十二年五月, 李穡知貢擧, 復用策問, 嚴立禁防, 擧子, 年未滿二十, 不許赴擧".

癸亥[9日], 禑率群小, 擊毬于市街, 又冒雨, 畋于壺串.

[某日, 三司左使廉興邦·判密直司事崔濂, 兩家奴, 居富平者, 恃勢恣橫, 府使周彥邦, 遣吏簽軍, 奴等歐之濱死[瀕死]. 彥邦, 持四道都指揮使發軍牒, 親到其家, 奴輩又歐彥邦. 禑, 遣巡軍提控辛龜生于富平, 捕奴之橫暴者, 不復究問, 悉斬之. 濂乃李琳壻也:節要轉載].

[→[三司左使廉]興邦家奴·李琳女壻判密直□□[司事]崔濂家奴, 居富平□[者,] 恃勢恣橫. 府使周彥邦遣吏簽軍, 奴等率民四十餘人, 毆其吏濱死. 彥邦, 自持四道都指揮使發軍牒, 至其家, 奴輩又毆彥邦, 且毆二傔人, 折其齒. 都堂以聞, 禑, 遣巡軍提控辛龜生, 往捕奴輩, 不復究問, 悉斬之:列傳39廉興邦轉載].

[某日], 都評議使司, 以禑常在東江, 分宰樞爲四番, 侍衛. 時禑喜與宦官及妓, 裸而走水, 叉魚, 日以爲常, 賜同戲人, 布三百匹.

[某日], 宰樞饗禑于壺串, 禑乘醉, 不脫衣冠, 騎馬入水.

[某日], 以成均祭酒王康爲西北面安撫使, 安集流離人民.

[→辛禑[禑王]立, 授典理摠郎, 遷成均祭酒. 尋爲西北面安撫使, 安集郡縣流離人物:列傳29王康轉載].

[是月, 藝文春秋館直提學薛群·竹山郡夫人金氏·前禮儀判書申允恭等寫成'銀字妙法蓮華經':追加].[16)]

[○韓山府院君李穡撰'文殊師利菩薩無生戒經跋':追加].[17)]

16) 이는 다음의 자료에 의거하였다(보물 제352호, 梨花女子大學 所藏, 南權熙 2002년 383面 ; 張忠植 2007년 251面 ; 郭丞勳 2021년 532面).

· 『紺紙銀泥妙法蓮華經』 권7, 末尾題記, "洪武十九年庚寅五月日 [藝文春秋館直提學]群等,」 爲'銀書寫法華經'一部端,爲奉祝」 聖壽萬歲,」 王后齊年」,儲宮鞏固,文武咸寧,風調雨順,國泰民安,禾」 穀豊稔,干戈戢息,次祈我等與同願」 檀那,今世同證福壽,後生皆證菩提,」 祖考諸靈,超生淨土,法界一切有情,具承」 妙理云,」 施主 前□□大夫□□□□[藝文春秋]館直提學薛群,」 施主竹山郡夫人金氏,」 同願 貞淑宅主宋氏,」 同願前奉翊大夫·禮儀判書申允恭,」 化主 覺變,」 石室雲衲 覺連書」". 여기에서 薛群은 1380년(우왕6) 3월 摠郎으로 在職하다가 門下侍中 慶復興이 守侍中 李仁任과 贊成事 林堅味에 의해 숙청될 때 一黨으로 몰려 杖流된 적이 있었다(열전24, 慶復興).

17) 이는 다음의 자료에 의거하였다(通度寺聖寶博物館 所藏, 보물 제738호, 許興植 1997년 348面 ; 郭丞勳 2021년 533面).

· 「文殊師利菩薩無生戒經」 卷下, 跋, "右'無生戒經'三卷, 西天指空和尙所誦, 以傳之者也. 資政院使姜金剛刻板□[於]燕京, 禮安禹公[禹磾?], 謀重刊十餘紙, 而未竟, 聖菴賢公, 畢其功, 請予[李穡]跋,六月乙酉朔大盡, 乙未, [某日], 下廣興倉使羅英烈·副使田思理·分臺糾正權幹于巡軍.[18] 時英烈等頒祿于東江倉, 禑如東江, 使宦者安琚, 語敎英烈等,[19] 賜從行叉魚及養馬·冶工等三十一人, 米各一石. 英烈等對曰, "此倉, 先王所以祿百官也, 不可用以濫賜". 禑大怒, 命琚, 發倉與之, 囚英烈等三日, 釋之.

[某日], 遣門下評理安翊如京師, 賀聖節, 密直副使柳和, 賀千秋. 時每奉使人還, 執政視賂多少, 高下其官, 或不如欲, 必中傷之, 以故奉使者, 規免其禍, 不得不貨市. 翊流涕太息曰, "吾嘗以爲, 遣宰相朝聘者, 爲國家耳. 今日乃知, 爲權門營產也".[20]

[某日], 以宦者安琚忤志, 流于竹山島丑山島.[21]

[某日], 禑如肅寧翁主宮, 翁主告曰, "今臣民皆云, 上每殺無罪之人, 上何至如此?". 禑曰, "汝亦安知將加汝何等罪耶?".

[秋]七月乙卯朔小盡,丙申, [某日], 政堂文學鄭夢周還自京師, 欽奉宣諭聖旨曰. "恁那裏人, 在前漢·唐時節, 到中國來, 因做買賣打細, 又好匠人也買將去. 近年以來, 悄悄的做買賣也, 不好意思. 再來依舊, 悄悄的買賣呵, 拿着不饒. 你如今俺這裏也, 拿些箇布匹·絹子·叚子段子等物, 往那耽羅地面買馬呵. 恁那裏休禁者. 恁那裏人也明白, 將路引來做買賣呵, 不問水路·旱路, 放你做買賣, 不問遼陽·山東·金城·大倉太倉, 直到陝西·四川做買賣也不當. 這話恁每記者, 到恁那國王衆宰相, 根前說知一".

予於是, 深有感焉. 吾東人, 性樂竺敎, 而崇信指空尤篤, 然獨姜公·禹公, 前後一心, 而聖菴師, 克協而卒, 廣其傳, 是豈偶然哉. 多生緣幸, 不可誣已, 予乃欣然, 爲之序. 洪武十九年夏五月,韓山府院君李穡跋.」 金奉麟, 志收」".

18) 權幹은 1386년(우왕12) 6월에서 1391년(공양왕3) 12월 24일(丙子) 사이에 權弘으로 改名하였다.

19) 添字는 『고려사절요』 권32에서 달리 表記된 글자이다.

20) 安翊은 9월 18일(辛未) 暹羅國(Siam, 現 泰國)의 昌羅와 함께 奉天殿에 들어가 표를 올려 天壽聖節을 하례하고 方物을 바치자, 明帝가 安翊 등에게 綺·鈔·衣服을 差等 있게 下賜하였다(『명태조실록』 권179 ; 『속문헌통고』 권29, 土貢考).

21) 竹山島[丑山島]는 寧海府에 위치한 것으로 추측된다.

- 『동문선』 권93, 贈李府使詩序, "… 明年冬十一月, 倭寇至其境, 不敢入, 乃侵長鬐, 以至寧海, 以及于蔚珍. 上命門下右政丞金公. 爲都統處置使, 徵諸道兵, 水陸俱擊之. 慶尙道都節制崔公·鷄林府尹柳公, 簡精銳, 先進挫其前鋒, 寇退保竹山島. …"(河崙 撰).
- 『葛庵集』 권1, 次海鄉諸君竹山島韻. 여기에서 海鄉은 葛庵 李玄逸(1627~1704)의 鄕里인 寧海府(現 慶尙北道 盈德郡 寧海面 地域)이다.

○禮部□[移]咨曰，“奉聖旨，‘天覆地載，帝命宰民者，孰知其數焉? 王有能知造化者，守帝命之分，或限山，或隔海，毋生釁隙，修禮睦隣，體上帝好生之德，各保生民，未有國祚不緜遠者也．設若否此，輕施譎詐，肆侮隣邦，未有不構兵禍以殃民．前者，恭愍在時，入貢使至，朕嘗歎之．朕起草萊，王顓之爲王於三韓．始顓祖弑君，至於斯時，四百六十七年．乃三韓王子王孫，今善貢於我，卽推誠以待，所以，凡使三韓者，必土人閹者行．朕意，正在推誠，豈期恭愍，膺弑君之愆，難逃好還之道，則弑矣．弑者不度，意在掩己之逆，故殺我行人．旣後，數請約束，朕數不允，正爲守分也．請之不已，朕强從之，所以索歲貢，知三韓之誠，彼聽命矣．不一二年違約，又不三年如約，又不二年訴難．嗚呼，朕觀四海之內，隣於中國者，三韓之邦，非下下之國．徑一二千里，豈無人焉．何正性不常，且歲貢之設，中國豈倚此而爲富? 不過知三韓之誠詐耳．今誠詐分明．表至，云及用夏變夷，變夷之制，在彼君臣力行如何耳，表至，謂歲貢，云及生民孔艱，使者歸，朕再與之約，削去歲貢，三年一朝，貢良驥五十匹，以資鍾山之陽，牧野之郡，永相保守諭，今歲歲終．以此約爲驗，後至洪武二十四年[恭讓2年]正旦，方進如始．朕言不二，未審彼中從乎?”．

[→禑王十二年□□[~~三月~~]，如京師，請冠服，又請蠲免歲貢．夢周奏對詳明，得除五年貢未納者及增定歲貢常數．□□[~~七月~~]及還，禑喜甚，賜衣帶·鞍馬，拜門下評理:列傳30鄭夢周轉載]．

[某日]，日本霸家臺[博多]歸所虜一百五十人．

[某日]，遣典醫副正李行·大護軍陳汝義于耽羅．時朝廷欲取耽羅馬，且此島屢叛，故遣行等招誘子弟，至明年四月，行乃率星主高臣傑子鳳禮以還，耽羅歸順□□[~~納款~~]，始此.[22]

---

22) ~~添字~~는 『고려사절요』 권32에 의거하였다. 이 시기 이후 濟州 人民의 首領[王者]이었을 星主 高臣傑의 아들 鳳禮는 襲職하여 星主가 되었지만, 1404년(태종4) 4월 土官을 改稱할 때 星主, 王子의 稱號는 消滅되었던 것 같다. 그 후 1465년(세조11) 2월 이전에 星主와 王子의 名稱은 사라지고 絶孫되었던 것 같다.

· a 『태종실록』 권7, 4년 4월, “辛卯[21日]，改濟州土官號，以東道千戶所爲東道靜海鎭，西道千戶所爲西道靜海鎭，都千戶爲都司守，上千戶爲上司守，副千戶爲副司守，道知官爲都州官，以星主□□[~~高氏~~]爲都州官·左都知管，王子□□[~~文氏~~]爲都州官·右都知管”. ~~添字~~는 筆者가 d에 의거하여 追加하였다.

· b 『태종실록』 권19, 10년 5월,“ 庚午[4日]，分賜馬于宗親大臣及近臣，濟州按撫使高鳳禮·敬差官趙源進馬一百匹，乃有是賜．鳳禮，濟州星主之後也”．

· c 『태종실록』 권22, 11년 8월 丙辰[27日]，“命濟州人高尙溫襲世職．前摠制高鳳禮上言，‘濟州都州

[某日, 以李穡爲壁上三韓三重大匡·韓山府院君·領藝文春秋館事, 功臣號如故:追加].[23)]

[某日, 以田理爲全羅道按廉使:錦城日記].

[是月, 三重大匡·韓山府院君·領藝文春秋館事李穡撰'懶翁和尙語錄'序:追加].[24)]

[是月癸亥[9日], □[冊]置東寧衛. 初遼東都指揮使司, 以遼陽高麗·女直來歸官民每五丁以一丁編爲軍, 立東寧·南京·海洋·草河·女直五千戶所, 分隷焉. 至是, 從左軍都督耿忠之請, 改置東寧衛, 立左右中前後五所, 以漢軍屬中所, 命定遼前衛指揮僉事芮恭領之:追加].[25)]

[是月頃, 以[匡靖大夫]陸麗爲安東道元帥兼府使:追加].[26)]

官·左都知□[管], 臣之世職也, 乞代以長子尙溫', 從之". 여기에서 ~~添字~~가 탈락되었을 것이다.

· d 『영조실록』 권24, 5년 9월 辛卯[20日], "濟州儒生高漢俊等上疏言, '耽羅卽古乇羅國也, … 高氏外孫文氏, 亦有繼爲王子者. 我太宗朝, 星主高鳳禮·王子文忠世等, 以稱號之僭, 請改蒙允, 星主·王子之號, 始革, …".

· 『佔畢齋集』 권1, 乙酉[世祖11年]二月二十八日, 宿稷山之成歡驛, 濟州貢藥人金克修亦來, 因夜話, 略問風土物產, 遂錄其言, 爲賦乇羅歌十四首, "… 星主已亡王子絶, 神人祠廟亦荒凉, 歲時父老猶追遠, 簫鼓爭陳廣壤堂, …".

23) 이는 『목은집』 연보, 洪武十九年丙寅에 의거하였다.

24) 이는 다음의 자료에 의거하였다(郭丞勳 2021년 534面).

· 『태고화상어록』 卷首, 序, "… 洪武十八年乙丑秋七月日, 推忠保節同德贊化功臣·三重大匡·韓山府院君·領藝文春秋館事李穡序".

25) 이는 『명태조실록』 권178, 洪武 19년 9월 癸亥를 전재하였다. 이 東寧衛(혹은 東寧府, 遼陽北城에 位置)에는 元 압제 하에서 遼東에 진출했던 高麗人이 많이 居住하고 있었음은 後代의 기록에서도 찾아지고 있다(『태종실록』 권11, 6년 5월 23일 ; 『세종실록』 권11, 3년 4월 27일, 권101, 25년 9월 1일, 권121, 30년 7월 14일, 권125, 31년 8월 12일).

또 조선 초에 梁誠之는 『遼東志』에 의거하여 洪武年間에 東寧衛에 소속된 高麗人이 3萬餘人에 달했고, 1464년(세조10)에는 遼東의 戶口에서 고려인이 3/10을 차지하며 서쪽으로 遼陽에서 동쪽의 開州까지, 남쪽으로 海州·蓋州(盖州) 등의 諸州에 거주하여 聚落이 서로 이어져 있었다고 한다(『세조실록』 권34, 10년 8월 1일 ; 『예종실록』 권6, 1년 6월 29일). 또 이들은 '官에서는 中國語를 구사하고, 집에서는 高麗語를 사용(在官則爲華言 在家則爲國語)하여' 고려의 풍속이 變改되지 않았다고 한다(『예종실록』 권6, 1년 6월 29일 ; 『성종실록』 권294, 25년 9월 12일).

그 결과 후대의 東寧衛에 거주하던 사람들은 朝鮮을 그들의 本鄕이라고 하였다고 한다(『선조실록』 권103, 31년 8월 9일). 그리고 李如松의 5代祖 李榮(李英)이 洪武年間에 明에 들어가 襄平에 거주하다가 軍功으로 鐵嶺衛都指揮使에 임명되었다고 하는데(『열하일기』, 銅蘭涉筆), 이들 李氏의 系譜에 대한 검토가 찾아진다(園田一龜 1938年).

26) 이는 『안동선생안』에 의거하였다.

八月[甲申朔大盡,丁酉], [某日], [門下侍中]林堅味罷, 以李仁任爲左侍中, [尋堅味爲領三司事:列傳37林堅味轉載].

[某日], 加封肅寧翁主[鳳加伊], 爲憲妃, 立府曰肅寧, 以趙英吉[肅寧翁主父]爲密直副使. 右侍中李成林率百官, 陳賀于憲妃宮.

[某日], 禑令都堂, 進木緜布百匹, 賜憲妃五十匹, 諸妓三十匹.

丙午[23日], 以熒惑入南斗, 設消災道場于禁中, 禑手擊鼓, 燃僧頭臂.

[某日], 遣□□[門下]贊成事尹珍·密直副使李希蕃, 如京師, 謝蠲減歲貢, 密直副使李竱, 再請衣冠.[27)]

○謝恩表曰, "睿恩汪濊, 寶訓丁寧, 擧國均歡, 撫躬知感. 竊念, 爲臣之職, 當修奉上之儀, 但土地之崎嶇, 而人物之鮮少, 冒陳卑抱, 干瀆高明, 渙發德音, 曲加蠲免. 玆蓋陛下, 柔遠能邇, 厚往薄來, 視四海猶一家, 保萬姓如赤子. 遂令僻陋, 得與生成. 臣謹當祗服敷言, 恭承嘉惠, 永守藩於東土, 恒祝筭於南山".

○請衣冠表曰, "聖人之制, 惟在大同, 臣子之情, 必期上達. 敢申再三之瀆, 庶冀萬一之從. 先臣恭愍王顓, 於洪武二年[恭愍王18年]閒, 准中書省咨該, 欽奉聖旨, 頒降冕服及遠遊冠·絳紗袍, 幷陪臣祭祀冠服. 比中朝臣下九等, 遞降二等. 竊惟, 小邦爰自先父, 欽承命服, 益仰華風, 顧舊制, 猶未悉. 更於愚心, 寧不知愧, 冒進封章之奏, 顒竢寵錫之加, 未蒙允兪, 祗增兢惕. 伏望陛下, 擴兼容之量, 推一視之仁, 遂使夷裔之民, 得爲冠帶之俗. 臣謹當服之無斁, 願賡安吉之歌, 奉以周旋, 恭上康寧之祝".

[□□[是月], 禁僧乘馬, 王·國師, 乃許乘驢:節要·刑法2禁令轉載].

[是月頃, 以金履爲羅州牧使, [朝奉郞]朴翊爲雞林府判官兼勸·農防禦使, 李斯昉爲知永州事:追加].[28)]

---

27) 이들 사신이 11월 15일(丁卯) 應天府에서 表를 올리고 冠服을 바꿀 것을 請하자, 明帝가 不許하고 高麗의 風俗[本俗]을 따를 것을 命하였다(『명태조실록』 권179).

28) 이는 『금성일기』; 『동도역세제자기』; 『영천선생안』에 의거하였다. 또 朴翊(1332~1398)은 慶尙南道 山淸郡 新安面 文培里 726 新溪書院에 祭享되어 있고, 그의 묘소(慶尙南道 密陽市 淸道面 古法里 山134)는 隧道가 구비된 方形石室墳으로 4面에 白花가 있다고 한다. 이에서 발견된 墓誌石에 의하면 朴翊은 朝奉大夫·司宰少監에 이르렀던 것 같다(具山祐 2008년 崔永好 2014년c).

九月甲寅朔大盡,戊戌, [某日], 禑如慣習都監.

[某日], 遣門下評理金湊·同知密直司事李崇仁, 如京師, 賀正, 密直副使張方平, 獻歲貢雄馬十五匹·雌馬三十五匹.[29)]

[是月頃, 以通直郞朴元厚爲安東大都護府判官:追加].[30)]

[秋某月, 以同知密直司事成石璘爲知密直司事·上護軍·進賢館提學:追加].[31)]

[冬]十月甲申朔小盡,己亥, 壬辰9日, 雷.[32)]

[某日], 禑出遊, 親自吹角.

[某日], 禑畋于西海道, [左侍中李仁任·領三司事崔瑩等從行. 禑至瓮津, 射豕, 豕突觸禑馬, 禑驚墜, 密直副使潘福海, 躍馬直前, 一箭殪豕. 禑得免:節要轉載]. [自是寵遇日隆, 賜姓王爲子:列傳37潘福海轉載]. 至魁淵, 謂知門下□府事安沼曰, 爾謹侍從, 予乃嘉之, 從今, 爾無我詐, 我無爾虞, 雖有讒言, 予不信聽. 沼拜謝, 酌觥進之. 初, 沼被讒, 出使和寧, 故有是言. 凡十六日而還.

[是月, 僧達心立楊根郡舍那寺圓證國師舍利石鐘碑:追加].[33)]

十一月癸丑朔大盡,庚子, [某日], 禑如慣習都監.

丁卯15日, 設八關會, 禑率妓及宮女, 登憲府司憲府北山, 觀之. 是會, 巡軍與近侍, 爭路雜沓, 近侍多爲梁所傷.

[庚午18日, 終日昏黑, 木稼如冰, 四日:五行3轉載].

---

29) 李崇仁은 12월 16일(戊戌) 通事 鄭連과 함께 應天府(金陵)에 도착하여 會同館에 머물렀다(『도은집』 권1, 若有杖歌, 권2, 丙寅十二月六日赴京師 ; 『동문선』 권16, 丙寅十二月□十六日赴京師). 또 이숭인은 1월 1일(壬子) 奉天殿에서 群臣이 呈單을 賀禮할 때 함께 하례를 드렸던 것 같고, 이달에 應天府를 출발하여 遼東을 거쳐 귀국하였다(『도은집』 권1, 若有杖歌, 권2, 元日奉天殿早朝).

30) 이는 『안동선생안』에 의거하였다.

31) 이는 『獨谷集』行狀에 의거하였다.

32) 이와 같은 기사가 지7, 五行1, 水, 雷震에도 수록되어 있다.

33) 이는 「舍那寺圓證國師舍利石鐘碑」에 의거하였는데(金石總覽 533面), 舍那寺는 현재 京畿道 楊平郡 沃泉面 龍川里에 있다.

[某日], [門下評理]安翊·[密直副使]柳和等, 還自京師, 宣諭聖旨曰, “我要和買馬五千匹, 你回到高麗. 先對衆宰相說, 都商量定了之後, 却對國王說, 知肯不肯. 時便動將文書來. 我這裏運將一萬匹叚子[段子]·四萬匹緜布去. 宰相的馬一匹, 價錢叚子[段子]二匹·緜布四匹, 官馬幷百姓的馬一匹, 叚子[段子]一匹·緜布二匹和買, 你休忘了”.

十二月癸未□[朔小盡,辛丑], 日食, 陰雲不見.[34)]

[某日], 禑以盧英壽小祥齋, 如雲巖寺.

[某日], 畜馬別監邊伐介, 至濟州, 多受人馬, 又奪人臧獲, 盜用尙乘□[局]田租, 憲府[司憲府]劾流遠方.

[某日], 禑使妓燕雙飛, 佩弓吹笛, 衣繡龍衣, 並轡而行.

[辛卯[9日], 木稼:五行2轉載].

丁酉[15日], 震雷, 地震, 木冰.[35)] 昏霧四塞, 咫尺不辨人.

[戊戌[16日], 亦如之[木稼]:五行2轉載].

[某日], 遣典客令郭海龍如京師, 奏曰, “小邦所產, 馬匹不多, 且又矮小, 何敢受價. 今來欽奉聖旨, 容當盡力措辦, 伏候明降”.

[某日], 帝遣指揮僉事高家奴·徐質來, 刷己亥年[恭愍王8年]避寇東來瀋陽軍民四萬餘戶, 因前元瀋陽路達魯花赤咬住等之誣告也. 又索買馬三千匹, 每一匹, 給大緜布八匹·叚[段]子二匹. 各官差家人, 送馬到遼陽, 取價回還.[36)]

---

34) 癸未에 朔이 탈락되었는데, 天文志1에는 옳게 되어 있다. 또 이날 明에서도 일식이 있었다(『명태조실록』 권179 ; 『명사』 권3, 본기3, 太祖3, 洪武 19년 12월 癸未). 이날은 율리우스력의 1386년 12월 22일이고, 開京에서 일식 현상이 심했던 시간은 7시 50분, 食分은 0.16이었다(渡邊敏夫 1979年 313面).

35) 이와 같은 기사가 지7, 五行1, 水, 雷震에도 수록되어 있다.

36) 高家奴[Kogiyaliu]는 12월 6일(戊子)에 파견이 결정되었다. 또 그는 明年(홍무20) 3월 23일(癸酉) 고려에서 말을 구입하고 應天府에 돌아와 高麗國王이 馬價를 받지 않았다고 하자, 明帝가 禮部에 命하여 고려에 咨文을 보내 互市를 허락한 뜻에 어긋난다는 것을 전하게 하였다. 또 延安侯 唐勝宗에게 명하여 高麗馬가 도착하면 選別하여 馬價를 報償하게 하였는데, 勅이 遼東에 전해질 때 高麗馬 3,044匹이 도착하여 唐勝宗이 報償하였고, 濟州[耽羅國]가 馬를 바쳐오자 高麗馬와 같이 보상하였다고 한다.
또 元의 將帥 咬住 등의 건의에 따라 1359年(至正19)의 병란으로 고려에 피난했던 瀋陽의 流民을 刷還하도록 高家奴[Kogiyaliu]·徐質 등에게 命하였는데, 이때 柰朶里不歹 등 45戶, 358口

[是年, 以扶寧兼保安縣監務, 各置監務:轉載].[37)]

[○以孫慶時爲延安府使:追加].[38)]

[○以金益精爲知寧海府事:追加].[39)]

[○以成均祭酒<u>鄭道傳</u>爲南陽府使:追加].[40)]

[○以前藝文應教尹紹宗爲成均司藝:追加].[41)]

[○以<u>權遇</u>爲成均博士, 冬遷密直堂後官:追加].[42)]

[○倭寇于南原·寶城, <u>金文發</u>從全羅道元帥, 擊賊寇有功. 由是知名, 擢用:追加].[43)]

[□□□~~是年頃~~, 忠州兵馬使~~崔雲海~~, 又爲順興榮州等處助戰兵馬使, 兼慶尙道兵船都管領事, 屢擊倭必捷, 遂除順興府使, 賜馬·綵帛·兵器遣之. 時倭賊據客館, 侵掠無虛日, 雲海日與戰, 獲牛馬·財貨, 輒與士卒及州民. 又於一處, 聚境內人民, 作粥賑恤, 民不餓死, 咸稱慕之. 賊退, 超授典法判書:列傳27崔雲海轉載].[44)]

가 來歸하였다고 한다(『명태조실록』 권181, 홍무 20년 3월 癸酉23日 ; 『속문헌통고』 권26, 市糴考, 市舶互市).

· 『명태조실록』 권179, "詔遣指揮僉事<u>高家奴</u>等. 以綺段布匹, 市馬於高麗, 每馬一匹, 給文綺二匹·布八匹".

37) 이는 다음의 자료를 전재하였다.

· 지11, 지리2, 保安縣, "後以扶寧監務, 來兼. 辛禑十二年, 各置監務".

· 지11, 지리2, 扶寧縣, "後置監務, 兼任保安. 辛禑十二年, 各置監務".

38) 이는 『연안부지』에 의거하였다.

39) 이는 『영해선생안』에 의거하였다.

40) 이는 다음의 자료에 의거하였다.

· 열전32, 鄭道傳, "陞成均祭酒, 乞郡, 出守南陽府".

· 『태조실록』 권14, 7년 8월 己巳26日, 鄭道傳의 卒記, "禑王丁卯, 乞郡, 爲南陽府使".

41) 이는 다음의 자료에 의거하였다.

· 『태조실록』 권4, 2년 9월 己未17日, 尹紹宗의 卒記, "丙寅, 以成均司藝召還".

42) 이는 다음의 자료에 의거하였다.

· 『梅軒集』 권6, 梅軒先生行狀, "丙寅, 拜成均博士, 冬遷密直堂後".

43) 이는 다음의 자료에 의거하였다.

· 『태종실록』 권35, 18년 4월 甲申4日, 金文發의 卒記, "前黃海道都觀察使<u>金文發</u>卒. <u>文發</u>, 光州人, 由都評議錄事出身. 洪武<u>丙寅</u>禑王12年, 從全羅道元帥, 擊倭寇于南原·寶城有功. 由是知名, 拜突山萬戶·順天府使, 屢以捷聞, 遂至擢用".

44) 이와 관련된 기사로 다음이 있다.

丁卯[禑王]十三年, 明洪武二十年, 北元天元九年, [西曆1387年]

1387년 1월 20일(Gre1월 28일)에서 1388년 2월 7일(Gre2월 15일)까지, 13개월 384일

[春]正月壬子朔[大盡,壬寅], 禑如壽昌宮, 率百官, 賀帝正,[45] 仍宴[明指揮僉事]高家奴·徐質.

[某日], 禑令寶源庫, 進綺絹百匹, 別監·版圖摠郎李蔓實, 以庫匱, 不卽進. 禑怒, 杖二百.

[戊午[7日]:比定], 以廣興倉告匱, 減百官俸.[46]

[某日], 倭寇江華, [領三司事]·都統使崔瑩出屯海豊.

[某日, 以安景儉爲全羅道按廉使:錦城日記].

二月[壬午朔小盡,癸卯], [某日], [明指揮僉事]高家奴·徐質還.

[某日], 遣知密直□[司]事偰長壽如京師. 陳情表曰, "天無不覆, 曲遂生成, 人有所窮, 必至呼籲. 玆陳危懇, 庸瀆聽聞. 竊念, 小邦遭逢盛代, 時罔愆於職貢, 地已入於版圖, 旣無遐邇之殊, 均是撫綏之內. 洪武十八年[禑王11年]六月間, 有遼東都指揮使司, 據草河千戶焦得原告移文, 取發李朶里不歹等四十七名, 將金原貴·銀得顯等, 連家小發回去訖. 洪武十九年[禑王12年]十二月日, 准左軍都督府咨, '據前瀋陽路達魯花赤咬住等告, 己亥年[恭愍8年]間, 本路軍民四萬餘戶, 前去高麗避兵, 除金原貴等家小取回外, 有李朶里不歹等, 未曾復業. 奏奉聖旨節該, 敎指揮僉事高家奴·徐質

· 『태종실록』 권8, 4년 7월 戊申[9日], 崔雲海의 卒記, "其爲順興府使, 倭寇方熾, 雲海折甘分少, 能得死力, 先登陷陣, 屢致克捷, 由是知名".

45) 여기에서 賀帝正은 原來 '皇帝가 正旦에 臣僚들의 賀禮를 받는 것을 慶賀하고'하는 意味를 가지고 있었는데, 朝鮮初期에 '皇帝의 正旦을 賀禮하고', '皇帝의 正旦을 멀리서 賀禮하고[遙賀]'라는 縮約된 意味로 사용되었던 것 같다.

· 『세종실록』 권50, 12년 12월 戊辰[2日], "召詳定所提調右議政孟思誠·贊成許稠·摠制鄭招等議曰, '唐 ~~開元禮~~, ~~皇帝~~正[正旦]·至[冬至]受群臣朝賀, 群官行舞蹈禮. ~~皇太子~~正[正旦]·至[冬至]受宮臣朝賀, 宮臣行舞蹈禮'. …"(이의 全文은 충렬왕 26년 2월 是月의 脚注에 引用되어 있다).

· 『태조실록』 권9, 5년 1월, "庚申朔, 上率群臣賀帝正, 受群臣朝, 仍賜宴. …".

· 『태종실록』 권21, 11년 1월, "壬戌朔, 上率百官, 遙賀帝正, 停群臣朝賀, 宴宗親于便殿, 賜群臣宴".

46) 이날의 날짜[日辰] 比定은 祿牌가 下賜되는 1월 7일[人勝祿牌]에 의거하였지만(→명종 3년 1월 7일), 頒祿이 반드시 1월 7일에 實施되는 것은 아니기에 단정할 수는 없다. 또 이 기사는 祿牌의 頒給額數가 減小되었음을 기록한 것 같아 보인다.

取去，欽此'，切詳前元當己亥·辛丑[恭愍10年]之歲，賊兵[紅巾賊]入遼東瀋陽之間，俘掠一空，分離四散，或有一二之來寓，安能四萬之得多見有？李朶里不歹等，前來寄居，除將本人等連家小三百五十八名，欽依發遣外，惟土人之還歸，實舊業之是復．臣會驗到聖朝戶律內一款節該，'凡民戶逃往隣境州縣，躱避差役者，其在洪武七年[禑王即位年]十月以前，流移他郡，曾經附籍當差者，勿論．欽此'．又會到洪武十八年[禑王11年]九月十六日，欽奉詔書，爲臣襲爵事節該，'一視同仁，不分化外，欽此'．幸夤緣得霑聲敎，雖流徙，亦在範圍，況彼所陳，過於其實？伏望，明垂日月，度擴乾坤，察迫切之情，降寬大之澤，遂令遠俗，得安其生．臣謹當常懷一視之仁，倍祝萬年之壽"．[47]

○時禑在東江，有司請還京，率百官拜表．右侍中李成林，知禑不樂入京，告曰，"拜表之禮，臣等攝行，殿下不必躬親"．禑悅．

[某日]，□[禑]自東江[左侍中]李仁任別墅，[48] 率妓十餘騎吹角，與燕雙飛，並驅入京，奪人笠於道，爲的而馳射之．禑又率燕雙飛，並轡如多也岾，日以爲常．時燕雙飛衣冠，與禑無異，路人望之，未辨．

[某日，令兩府，下至巫覡·術士，出馬有差，以充進獻:節要轉載]，[一品，出大馬二匹:食貨2科斂轉載]．

[某日，判密直司事尹可觀卒．初倭賊皆由丑山島入寇，可觀出鎭合浦，建白置船卒，自後倭患稍息．性淸儉，秋毫不取，不近聲妓，銷兵器弊棄者，爲農器，開屯田，以贍軍食，及還，鞍勒破缺，以麻繩補之:節要轉載]．[49]

[某日]，[典客令]郭海龍還自京師，禮部□[移]咨曰，"奉聖旨，朕嘗與諸蕃國王，懋以誠信相孚與．高麗來使云，將叚布[段布]，礬馬五千，今使者來，乃言邦微產寡，物不敢進，財不敢受，願進五千．嗚呼，高麗不能體朕之至意，以朕倣前代以逼人．若此者，朕所不爲，爾禮部速報國王知，仍前以物互市，凡匹馬，布八匹·叚[段]二匹，不分官民，永爲交易之道"．

○禮部移咨曰，"欽奉聖旨，高麗隔海限江，風殊俗異，以夷夏論之，[50] 本等東夷，

47) 이 기사와 관련된 자료가 『吏文』 권2, 咨奏申呈照會18의 遼東都司가 都評議使司에 보낸 文書[再催李朶里等人戶遼東照會]이다(楊曉春 2010年).

48) 添字는 『고려사절요』 권32에 의거하였다.

49) 이와 같은 기사가 열전26, 尹可觀에도 수록되어 있다.

50) 延世大學本은 夷夏가 잘못 인쇄되어 天夏처럼 보인다.

實非中國所治. 天造地設, 三面負海, 以爲險, 餘者憑山, 以爲固, 從古至今, 人民蕃息. 凡王於是方, 主宰生齒者, 必上帝有所命, 方乃安焉. 曩者, 中國歷代, 數曾統馭, 然與彼當時之人, 皆有始無終, 得失載於方册, 朕所見焉, 所以前者命絶往來, 使自爲聲教, 以安三韓, 彼中陪臣, 强請約束, 朕姑從之云. 何量彼必有始而無終, 若往來之久, 釁隙由是而生, 其根民之禍, 莫甚於此. 去歲, 金通事泛海, 潛入浙民間, 今年, 任通事密通京師瞽者, 探聽事情. 噫, 此計此量, 豈是彼此相安之道? 且昔所需歲貢, 艱不如約, 方如約, 卽訴難, 朕推誠准其難, 悉去之, 微需馬種, 以固其誠, 其數五十, 比前之貢, 二十分之一. 以金銀布匹, 共論之, 止該百分之一耳, 今以一分之物至, 觀美惡, 以驗其誠, 則物見人心矣. 若此之爲, 必欲取信, 相安於攸久, 未見其美也. 莫若令彼, 自爲聲敎, 不必往來. 彼中君臣同心, 奉天勤民, 以安黔黎於三韓, 豈不悅上帝之心, 福及於將來, 不必强往來, 致生釁隙, 爾禮部, 移咨高麗國王, 必如朕命, 無疵矣".

三月[辛亥朔大盡,甲辰], [某日], 前郎將慶弘, 詐稱龍潭安集□□[別監], 事覺伏誅.

[某日], 禑率群妓, 出遊西江, 又畋于西海道, 取進獻馬四十匹, 以行.

丁丑[27日], 日有黑子.

[某日], 遣典工判書李美冲, 押初運馬一千匹, 如遼東. 其老病·矮少者, 皆退還.

[夏]四月[辛巳朔小盡, 乙巳], [某日], 禑聞[明指揮僉事]徐質復來, 自西海道, 馳還入京, 從者皆不及. 又率群妓, 遊歸法川.

乙未[15日], 隕霜.

[→隕霜, 暴風:五行1轉載].

[某日], 禑親點妓隊, 其後至者六十餘人, 贖布百五十匹.

[某日], [明指揮僉事]徐質來, 督進獻馬.

[某日], 禑令都評議使司, 進苧麻布一千五百匹, 分賜憲妃宮[鳳加伊]侍女·閹人.

[甲辰[24日], 禱雨:五行2轉載].

[某日, 僉京圻左·右道軍人, 爲騎船軍, 以防東·西江倭寇:兵3船軍轉載].

五月庚戌朔小盡,丙午, [甲寅5日:比定], 禑觀石戰戲於鳶巖.

翼日~~乙卯~~6日, 亦如之.

[某日], 知密直司事偰長壽還自京師, 欽奉宣諭聖旨曰, "你那高麗的事, 也有些不停當. 不知你那里古典如何? 我這中國古典裏看起來, 件件都是他自取的. 當初我卽位之後, 便差那裏土人元朝火者·官人每去動問王. 只想他是你士人, 我這裏趾大椀小~~大碗小碗~~都知道, 交仔細說與你, 不想把一箇火者殺了, 後頭, 王又弑了. 爲這上, 不要來往問甚, 三綱五常有無, 教他自理會. 幾年家, 却只管要臣屬, 疊疊的來纏[注, 去聲], 這箇意也有甚難見? 只想道, 這一枝軍馬, 別處都定體了, 必來征伐也. 你都差猜了. 我的意是實實的意. 我的手詔, 恰便是說誓的一般說道, '若非肆侮于邊陲, 朕安敢違上天之命'云云. 你後頭只管來纏, 我便道, 既要聽我的約束, 比似俺中原地面, 各有歲貢. 因此, 教每年進一千馬·金銀·布匹, 却便不如約了. 中國豈少這些? 但試他那心. 臨了, 艱艱澁澁辦了五千馬, 前後也該六千, 至誠處却也有了. 隨後便來訴難, 我與他一發都除去了, 只教三年進五十匹馬表誠, 是一百分中, 只取他一分. 你便至至誠誠將些好的來, 教百姓看了, 也道是高麗來進的馬. 且休問中騎不中騎, 你怎看那樣子? 爲那上, 我惱了? 教再來絶交, 與將文書去了. 你曾見麽? 高麗自古出名馬. 近間來進的馬, 都恰好, 只伯顏帖木兒王恭愍王有時, 進了些好馬來與我, 那馬却是好. 我今番爲征進用著些馬, 想那裏也缺少些叚匹~~段匹~~, 爲這般, 教和買些馬去. 你便教各官家人, 送馬到遼陽, 要將叚子~~段子~~·緜布, 做些襖子衣服穿. 却不至誠. 你便使將兩箇小厮來說不敢受價, 便是不誠處. 這般, 是我欺你問~~你們~~, 再乾要馬. 這箇意思如何? 先番, 幾箇通事小厮每來, 那裏說的明白?[51] 你却是故家子孫, 不比別箇來的宰相每. 你的言語, 我知道, 我的言語, 你知道. 以此, 說與你. 你把我這意思, 對管事宰相每說. 大槩則要至誠, 倒不要許多小計量. 你那裏合做的勾當, 打緊是倭子. 倒不要別疑慮, 只兀那鴨綠江一帶沿海, 密匝匝的多築些城子, 調些軍馬守住了. 一壁廂多造些軍船, 隄備著百姓些福, 至至誠誠的做著行呵, 雖百萬兵, 也難近你. 大抵, 人呵容易欺, 神天難欺有. 你說與那宰相每, '他每喫的是百姓的, 穿的是百姓的, 享榮華富貴. 交他也, 思量與百姓造福, 保守那三韓一方之地. 誰似恁快和~~快活~~? 休只管小計量, 明日神怒人怨呵, 不好也'. 我這中國的事, 只做買賣來的人, 也儘可以知得. 何必則管差使臣來? 今日也弔筆頭,

---

51) 延世大學本과 東亞大學本에는 明白이 明曰로 잘못 인쇄되어 있다.

明日也弔筆頭，一箇來說一團[注，上聲]，有甚好處？你只依著三年一遍家，差人進貢．我若怪你三年一遍來，便是朝廷的不是．我如何肯怪你？你是故家，我所以仔細和你說，你記著者．當初雲南王，他若依本分，守着他那一陁地面，我也不征他．他却不守分，我這裏的逃軍，他招誘將去了，罪人，他藏匿了，只管生邊釁．因此，我教征伐他，都平定了．大抵不生事呵，有甚話說．耽羅，我也本待買些馬用來，再尋思，不中，不必買了．爲甚麽？假如我這裏海船，到那裏有些高高低低，生起事來，又不得不理論例，也不必買了．耽羅原屬原朝[元朝]來的馬，教我區處，我却不肯．我若要取勘呵，頭裏便使人去了．我若取勘了，又少不的教人去管．旣人去管，便有高高低低，又生出事來，我決然不肯．那耽羅近恁地面，則合恁管，我不肯取勘他．恁回去說與他管事的宰相每，大剛只要至誠，保守你那一方，休來侮我．我明日差人往遼陽，爲馬價的事去也．我的言語，你記著，說到者”．

○又宣諭聖旨曰，“我前日，和你說的話，你記得麽?”．長壽奏，“大剛的聖意，臣不敢忘了．只怕仔細的話，記不全．這箇都是敎道將去的聖旨，臣一發領一道錄旨去”．聖旨，“我的言語，這里册兒上，都寫著有，[52] 大抵我的話，緊則要他至誠．那里豈無賢人君子？必知這意也．你對那宰相每說，他只是占田土·占奴婢，享富貴快活，也合尋思教百姓安寧．至至誠誠的做些好勾當，密匝匝的似兀那羅州一帶，築起城子，多造些軍船，教倭子害不得，便好．你却沿海三五十里家無人烟耕種．又說倭子在恁那一箇甚麽海島子裏，經年家住，也不回去，恁却近不得他．這的有甚難處？著軍船圍了困也，困殺那厮．這等都是合做的事，你說與他．你是舊是[舊時]宰相家子孫，必是聰明，這等話，與我說道者．昨日爲馬價的事，差人遼陽去了，敎看來的馬，直兩箇段子·八箇緜木[緜布]的，[53] 或不直這个價錢的，一个个分揀著，務要與各官，送馬來的家人回去．耽羅，我也想教些船去，不要一時抛在那里[裏]，只離那里[裏]二十或三十里，往來周回搶著，逐一箇抛者，買了便回來．我又尋思不便當，恐又生出事來，不免又動刀兵．以此，不買去了．原朝[元朝]放來的馬，只恁管，我不差人．我要差人時，一頭得了，大都便差人管去了．大槩人不才的多，若差一箇不才的人到那里[裏]，那厮倚著朝廷的勢力，倚恃著朝廷的兵威，無所不爲起來，便是激的不好

52) 조선왕조 말기의 朴珪壽(1807∼1876)는 이 句節을 인용하고, 이 訓諭가 口語體[俗話文字]로 작성된 意圖를 설명한 바 있다(『瓛齋集』 권4, 恭錄高麗史辛庶人[禑王]所在洪武聖諭拔).

53) 緜木은 字句의 앞뒤를 보아 緜布[綿布]의 오자일 것이다. 또 延世大學本과 東亞大學本에는 緜木이 緜本으로 되어 있으나 이것도 오자일 것이다.

了. 我決然不差人, 却也地面近恁那里[裏], 和羅州厮對著, 從來恁管, 只合恁管. 我常相[想]漢光武時, 四夷請官, 光武不許. 蓋是光武從小, 多在軍旅中, 知道許多弊病, 所以不許他. 這是光武識見高處. 後來的君王, 多差了. 便如高麗, 也都分爲郡縣, 設置官守. 後頭, 也是那不才之人, 恃倚朝廷威勢, 做的不好, 都激變了. 却因朝廷事多, 就不暇整理他了. 則今番兀都那雲南, 我本不征伐他, 他却如常生邊釁. 以此, 無乃[奈]何去征他, 調了二十二萬軍馬和餘丁二十七萬. 平定之後, 帶戰亡逃病, 折了我五萬兵. 一萬里遠接連著吐番一帶, 用熱多軍馬去守, 又無益於中國. 征伐之事, 蓋出於不得已. 你回去, 疊疊的說與他, 交至誠保守那一方之地, 休要侮我. 這中國有甚話說. 若不至誠, 不愛百姓, 生邊釁, 這等所爲呵, 我却難饒你. 我若征你, 不胡亂去, 一程程築起城子來, 慢慢的做也. 你是故家, 我所以對你仔細說. 休忘了, 與他每說道這意思者".

○長壽叩頭, 聖旨, "如何? 你有甚說話麽?" 長壽奏, "臣別無甚奏的勾當, 但本國爲衣冠事, 兩次上表, 未蒙允許, 王與陪臣, 好生兢惶. 想著臣事上位二十年了. 國王朝服祭服, 陪臣祭服, 都分著等第, 賜將去了. 只有便服, 不曾改舊樣子. 有官的雖戴笠兒, 百姓都戴著了原朝[元朝]時一般有纓兒的帽子. 這些个心下不安穩". 聖旨, "這个却也無傷. 趙武靈王, 胡服騎射, 不害其爲賢君. 我這里[裏]當初, 也只要依原朝樣[元朝樣]帶帽子來. 後頭尋思了, 我旣趕出他去了中國, 却蹈襲他這些个樣子, 久後秀才每文書裏不好看, 以此改了. 如今却也少不得帽子, 遮日頭遮風雨便當. 伯顏帖木兒王[恭愍王]有時, 我曾與將朝服·祭服去, 如今恁那里[裏]既要這般, 劈流撲刺[料]做起來, 自顧戴有. 官的紗帽, 百姓頭巾, 戴起來便是, 何必只管我根前說?". 長壽奏, "臣來時, 王使一个姓柳的陪臣, 直趕到鴨綠江, 對臣說, '如今請衣冠的陪臣回來了, 又未明降, 好生兢惶. 你到朝廷, 苦苦的奏. 若聖旨裏可憐見呵, 你從京城, 便戴著紗帽, 穿著團領回來, 俺也一時都戴'. 臣合無從京城戴去". 聖旨, "你到遼陽, 從那里[裏]便戴將去".[54]

○長壽服帝所賜紗帽·團領而來, 國人始知冠服之制.

[辛酉[12日]:追加], 以旱禁酒.

[→辛酉, 以旱禁酒:五行2轉載].

---

54) 이 記事에서 去聲, 上聲의 細注가 表記되어 있음을 보아 이들 資料가 朝鮮初期의 司譯院에서 漢語의 教材로 사용되고 있다가 『고려사』의 편찬 시기에 史料로서 인용되었던 것 같다.

[癸亥[14日], 禱雨:五行2轉載].

[某日], 遼東漕船, 漂泊西海諸島. 時有人自宣義門馳入, 而呼曰, "唐船軍人盡下岸, 將襲京城, 已至門矣". 都城大駭. 執其人訊之, 乃訛言也.[55)]

[某日], 遣判司僕寺事任壽·判典客寺事柳克恕·典工判書金承貴, 押二·三·四運馬三千匹, 相繼如遼東.

[丁亥[某廿], 天氣如秋:五行1恒寒轉載].[56)]

六月[己卯朔大盡,丁未], [某日], [始革胡服:輿服1冠服通制轉載], 依大明之制, 定百官冠服.[57)] [一品至九品, 皆服紗帽·團領, 其品帶, 有差:節要轉載]. [一品重大臣以上, 鈒花金帶, 二品兩府以上, 素金帶, 自開城尹及三品大司憲至常侍, 鈒花銀帶, 判事至四品, 素銀帶. 五六品至七品門下錄事·注書·密直堂後·三司都事·藝文春秋館·典校寺·成均館八九品·外方縣令·監務, 角帶. 東西班七品以下, 氈帽絲帶, 西班五六品, 高頂笠氈帽絲帶, 其仕諸都監各色者, 紗帽品帶. 指諭·行首·內侍·茶房及承命出外者·東西班時散勿論, 參以上, 紗帽品帶. 參外角帶, 兩府代言·班主·臺諫·諸道按廉, 雨雪則高頂笠頂玉. 三都監·五軍錄事·宰樞所知印, 有角頭巾, 祿官仕時, 同三館. 各領尉正, 坎頭, 高頂笠, 直領, 纏帶, 白甲牽龍引駕及京外前銜正順以下, 高頂笠, 絲帶. 兩府前銜與見任, 同兩府封君, 前銜奉翊·通憲, 本品冠服. 成均生員·京外學生·權務及無職士人, 高頂帽·平頂頭巾·絲帶. 別監·小親侍·給事, 紫羅頭巾·細條·纏帶, 樂官, 綠羅頭巾, 飯房·水房·燈燭上所.[主宮中燈燭之人, 謂之燈燭上所]. 高頂笠·直領·氈帽·纏帶·坎頭. 諸司胥吏, 平頂頭巾, 工商同, 百姓雖有職者, 高頂笠·絲帶·直領·纏帶, 巡軍·螺匠, 團領·皂衣·纏帶, 唯所由, 團領·皂衣. 丁吏黃衣, 抄紫衣, 其頭巾與帶, 仍元制, 以其微賤, 不改[抄者, 大內使令奴之名, 常著紫衣·烏巾, 內侍奉命出使者, 率行]:輿服1冠服通制轉載]. [○主是議者, [永原君]鄭夢周·河崙·廉廷秀·姜淮伯·李崇仁等也:節要轉載].[58)] 百官服之, 以見[明指揮僉事]徐質, 質歎

---

55) 이 사실과 관련이 있을 것 같지는 않지만, 禑王代에 唐船 50餘隻이 漂着하였을 때 宰相 李仁任이 무사히 歸還시킨 일이 있었다고 한다.

· 『경상도지리지』, 尙州道, 星州牧官, "李仁任, 器量雄深, 久執政柄. 僞朝時, 唐舡五十餘隻, 到泊我境. 人皆欲擊, 公獨以爲不可, 善辭而送, 邊境賴安".

56) 原文에는 "[禑王]十三年五月丁亥, 天氣如秋"로 되어 있으나 이달에는 丁亥가 없다.

57) 이에 대해서 『慶尙道營主題名記』에는 "請中朝改服色, 從華制"로 기술하였다.

曰, “不圖高麗, 復襲中國冠帶, 天子聞之, 豈不嘉賞?”. 禑與宦者及幸臣, 獨不服. 李沃以左常侍, 胡服呼鷹, 從禑馳射.

[某日], 李元吉自定遼衛逃來曰, “定遼衛點兵, 將向我國”. 禑聞之, 載兵甲如壺串.

[某日], 禑在壺串, 都堂遣知申事權執經, 請還面送徐質, 禑怒囚兩侍中及內宰樞家奴各三十人.

[某日], 遣判司宰寺事朴之介, 押五運馬一千匹, 幷退還改換馬, 如遼東. 都司[遼東都指揮使司]延安侯[唐勝宗]·定元侯[定遠侯王弼]·武定侯[郭英], 同押馬官, 點選, 分爲三等, 上等給價叚[段]二匹·布八匹, 中等叚[段]一匹·布六匹, 下等叚[段]一匹·布四匹.[59)]

[某日], [明指揮僉事]徐質將還, 禑在東江, 質謂館伴宰樞曰, “我欲親見國王辭歸”. 兩府再請, 禑不來. 及質詣闕, 乃稱王病莫能興, 慰遣之.

乙巳[27日], 太白晝見.

[丙午[28日], 暴風, 折木飛瓦, 壞大廟[太廟]東門:五行3轉載].

[某日, [左侍中]李仁任, 以進獻, 不敷元數三百餘匹, 令省宰, 各出馬八匹, 樞密六匹:食貨2科斂轉載].

[是月丙午[28日], 泗州居民四千一百人埋香數千枚. 先是, 僧覺禪與泗州管內優婆塞·優婆夷·比丘·比丘尼結契, 發願埋香:追加].[60)]

[是月丁未[29日], 大暑. 前遼陽行省丞相納哈出被擄於明軍:追加].[61)]

---

58) 이 구절과 같은 기사로 다음이 있다.

· 열전30, 鄭夢周, “明年[禑王13年], 請解職, 封永原君. 與河崙·廉廷秀·姜淮伯·李崇仁, 建議革胡服襲華制”.

59) 이처럼 3월 이후 李美冲·金承貴(金仍貴]·任壽·柳克恕 등이 몰고 간 다섯 차례에 걸친 馬 5,000匹이 遼東에 도착하자, 明은 7월 14일(辛卯) 文綺 2,670匹·布 30,186匹로 報償하게 하고 禑王[王禑]에게 冠帶 各 1事를 下賜하였다(『명태조실록』 권183). 또 金承貴는 이보다 먼저 知谷州事로 재직하면서 前任者인 尹商發의 뜻을 이어 받아 官衙를 移建하였다고 하며, 3품관에 이르렀다고 한다(『목은문고』 권3, 谷州公館新樓記).

60) 이는 泗川埋香碑의 銘文에 의거하였다(許興植 1984년 1241面).

61) 이는 다음의 자료를 적절히 변개하여 추가하였다. 이때 納哈出의 항복으로 인해 北元이 遼東에서 실세하게 되었고, 明은 이를 계기로 삼아 12월에 鐵嶺衛를 설치하려고 하였던 것 같다(尹銀淑 2007年].

· 『명태조실록』 권182, 홍무 20년 6월, “丁未, 大將軍·宋國公馮勝駐師金山東北, 遣右副將軍藍玉至納哈出營, 降其衆, …”.

閏[六]月己酉朔小盡, 丁未, [某日], 遣門下贊成事張子溫如京師, 謝許改冠服. 表曰, "聖謨孔彰, 兢惶駢集, 睿恩覃被, 佩服采深. 伏念, 臣禀性愚蒙, 托身邊徼, 幸遭逢於昭代, 旣荷生成, 實欽仰於華風, 再勤陳請, 庶幾變魯而用從周. 何圖訓誨之加, 俾新威儀之制. 人民相慶, 草木增輝. 玆蓋陛下, 運啓同文, 仁敦柔遠, 推赤心, 置人腹, 以四海爲一家. 令小邦而有章, 進微臣以遷善. 臣謹當與父老而蹈舞, 永祝皇齡, 傳子孫而率由, 罔愆侯度". 子溫至京, 以進馬駑, 下囚子溫錦衣衛.[62]

[某日], 遣門下評理偰長壽如京師, 賀聖節, 密直副使尹就, 賀千秋.[63]

[秋]七月戊寅朔大盡,戊申, [某日], 召還淑妃崔氏于全州.

[某日], 禑在壺串, 觀雜戱, 賜雜戱人五綜布五百匹.

[某日], 禑率淑妃還京, 尋復往壺串.

[某日, 以李龜爲慶尙道按廉使, 崔玲爲全羅道按廉使:慶尙道營主題名記·錦城日記].

[丁未30日, 太白犯軒轅:天文3轉載].

[是月甲辰27日, 同知密直司事李崇仁撰'懶翁和尙語錄'序:追加].[64]

[是月頃, 世子師傅·晋原君·藝文館大提學柳珣, 晋川君姜仁富等寫成'金剛般若波羅蜜經':追加].[65]

---

62) 張子溫은 9월 10일(丁亥) 應天府에서 表를 올려 冠帶를 下賜한 것에 대해 謝恩하고 馬 16匹을 바치고, 鈔錠을 받았다고 한다(『명태조실록』 권185, 이에서 張士溫으로 잘못 기록되었다). 또 그가 錦衣衛(皇帝의 侍衛機構이며, 특별히 刑獄을 담당함)에 監禁되었던 것은 그 이후에 發生한 것이고, 이후 錦衣衛에 수감되어 있다가 1388년(홍무21, 우왕14) 4월 이전에 逝去하였던 것 같다(열전25, 朴宜中).

· 『明鑑綱目』 권1, 홍무 20년 1월, "[綱], 焚錦衣衛刑具. [目], 時天下重罪, 逮至京者, 多收繫錦衣衛斷治, 適有富民繫衛獄, 用事者非法凌虐, 帝聞之, 怒曰, 訊鞫法司事也, 或令錦衣衛審之, 欲先得其情耳. 豈令其鍛鍊邪, 執用事者治之, 悉焚其刑具, 以囚送刑部".

63) 尹就는 9월 5일(壬午) 皇太子의 千秋節을 賀禮하고 方物을 바치고 文綺·鈔錠을 받았다(『명태조실록』 권185, 이에서 尹就는 月就로 잘못 기록되어 있다). 또 偰長壽와 尹就는 9월 18일(乙未) 奉天殿에서 群臣과 함께 天壽聖節을 하례하고 金龍雙臺盞 1·金盂 1·金銀鍾 2·銀罐 1·玳瑁筆鞘 10·黃白黑布 60匹을 바치고, 金織文綺衣·鈔를 差等있게 받았다(『명태조실록』 권185).

64) 이는 다음의 자료에 의거하였다(郭丞勳 2021년 535面).

· 『太古和尙語錄』卷首, 序, "… 洪武蒼龍丁卯秋七月二十又七日崇仁誌".

65) 이는 다음의 자료에 의거하였다(~~서울역사박물관~~ 소장, 보물 제974호, 南權熙 2002년 88面 ; ~~현담~~

八月[戊申朔[大盡,己酉], 秋分. 歲星·熒惑入大微[太微]端門:天文3轉載].

[某日], 禑令各司及成衆官, 宿衛壺串.

[丙辰[9日]:追加],[66] [左侍中]李仁任以老病辭, 以李成林爲左侍中, [門下評理]潘益淳△[爲]右侍中, 崔天儉△[爲]川陽府院君, 潘福海△[爲]門下贊成事, [→賜潘福海姓王, 爲子, 擢爲門下贊成事:節要轉載], [知密直司事]成石璘爲匡靖大夫·判德昌府事·進賢館大提學·上護軍:追加],[67] 申雅·王興△△[並爲]同知密直司事, 吳忠佐△[爲]密直副使, 盧龜山△[爲]右副代言. 天儉[淑妃父]恃勢, 多奪人田, 人莫敢言, [益淳, 以福海之父, 由門下評理, 超拜□[右]侍中. 以福海, 旣爲王子, 不相避也:節要轉載].[68] 龜山[李琳外孫壻]年未二十, 國人皆以爲不稱. 於是, 宦竪·商賈·漁獵之徒, 無不官矣.

[是日, [典工佐郞]劉敬爲典法佐郞,[69] [密直堂後官]權遇爲宣德郞·長興庫使:追加].[70]

~~문고~~ 소장, 보물 제919호, 千惠鳳 1990년 100面, ~~국립중앙박물관~~ 소장, 보물 제1127호, 郭丞勳 2021년 536面 ; ~~東洋文庫~~ 所藏, 前間恭作 1944年 593面 ; 張東翼 2004년 720面).

· 『金剛般若波羅蜜經』跋尾(川老金剛經, 32張), "右川老金剛般若經, 禪宗之指南也, 晋原君柳珣·晋川君姜仁」富, 同啓于」謹妃, 傳刻流通,」謹妃爲」□[主]上萬萬歲,」元子千千秋, 施財畢功, 命仁富傳旨, 臣穡, 跋其尾, 臣穡, 觀其卷□[旨],」得長壽, 得不壞身, 皆於此經, 又觀其文, 虛空之廣, 恒沙之多, 亦」□□[莫喩]此經功德之大信乎, 六百般若之總會也, 臣雖不知川老□[語]」義禪者樂待而參究之, 因以悟道者, 輩出則澤及無窮, 天下獨」聖□[上],」元□[子]長壽不壞身, 如響應聲, 虛空恒沙,一切有情, 悉蒙大利,無□□[疑也]」敬拜手稽首, 而題其後, 洪武二十年秋七月二十五日, 推誠保節同」□□□[德贊化]功臣·壁上三韓三重大匡·領藝文春秋舘事·韓山府院君臣李穡敬跋.」化主志成·覺毫」同願誠勤亮節輔理功臣·重大匡·晋原君·藝文舘大提學臣柳珣[柳珣],」同願端誠翊衛功臣·□[重]大匡·晋川君臣姜仁□[富],」同願同室豊壤郡夫人趙氏妙淨,」同願厚德府寶馬陪行首·左右衛保勝中郞將臣鄭子珚,」山人志淡重刊」角之書跋」".

66) 이날의 日辰은 下記의 「劉敞政案」에 의거하였다.

67) 成石璘은 『獨谷集』行狀에 의거하였다.

68) 이때 禑王이 潘福海를 假子[義子]로 삼았던 것 같고(『목은문고』 권11, 賜贊成事潘卜海[潘福海]敎書 ; 『동문선』 권23), 이와 관련된 기사로 다음이 있다.

· 열전37, 폐행2, 潘福海, "自是寵遇日隆, 賜姓王爲子, 擢門下贊成事, 賜推忠亮節翊戴佐命輔理功臣號. 超拜其父門下評理益淳爲右侍中. 以福海旣爲禑子, 同入政府不相避. 禑賜福海敎曰, 遇急遽倉卒之難, 然後知出衆之眞才, 立光明雋偉之功, 然後受稀世之至寵, 此古賢臣碩輔, 所以富貴不離其身, 而聲名流於萬世者也. 乃祖阜, 奉使節而通日本, 提文衡而取英材. 代有聞人立于朝著, 餘慶浸漬, 久而大振, 其在卿乎. 卿材兼文武, 立志堅確, 移孝爲忠, 主耳忘身. 丙寅[禑王12年]西狩, 封豕奔來我前, 左右變色, 不知所爲, 我之安危, 在於呼吸之頃. 卿躍馬而來, 一箭洞其腹, 應弦而斃, 是卿迓續我命于天也. 此雖宗社山川之靈, 默誘卿衷, 然非卿所蘊之忠, 所禀之勇, 予末小子, 何由奉宗社山川於今日乎. 若稽典故, 錫卿王姓爲義子, 陞卿贊成事, 所以異其恩數, 勸其忠勇也. 拜父侍中, 所以勸其忠義也". 이 敎書는 『목은문고』 권11의 敎書와 비교할 때 자구에 출입이 있으므로 兩者를 함께 읽어야 할 것이다.

[某日], 禑自壺串, 如毅妃盧氏·淑妃崔氏宮, 遂還壺串. 呼鷹牽狗, 吹笛吹角, 長歌縵舞, 前後導從, 絡繹于道.

[某日, 海道都元帥·四道都指揮處置使鄭地上書, 自請東征曰, "倭非擧國爲盜, 其國叛民, 分據對馬·一岐兩島, 隣於合浦, 入寇無時. 若聲罪大擧, 覆其巢穴, 則邊患永除矣. 且今水軍, 非辛巳忠烈王7年東征蒙·漢兵不習舟楫之比也. 順風而往, 則二島, 一擧可滅":節要轉載].

[→禑王十三年, 鄭地上書, 自請東征曰, "近, 中國聲言征倭, 若並我境, 分泊戰艦, 則非惟支待爲艱, 亦恐覘我虛實. 倭非擧國爲盜, 其叛民據對馬·一歧諸島, 近我東鄙, 入寇無時. 若聲罪, 大擧先攻諸島, 覆其巢穴, 又移書日本, 盡刷漏賊, 使之歸順, 則倭患可以永除. 中國之兵, 亦無因而至矣. 今之水軍, 皆善水戰, 非辛巳東征蒙·漢兵不習舟楫之比, 若順時候風而動, 則易以成功. 但船久則朽, 師老則疲, 且今, 船卒困於傜賦, 日思逃散, 宜乘此機, 決策蕩平, 不可遲疑":列傳26鄭地轉載].

[某日], 都堂謁定妃, 妃垂簾引見, 語以玄陵恭愍王盛事, 與禑之失道, 仍賜酒.

[壬戌15日:比定], 禑以中秋, 徵六道倡優, 陳百戲于東江, 竭帑藏, 以供費. 宰執·臺諫, 不能匡救, 至有作奇技以逢迎者.

[某日], 禑許義成·德泉兩庫胥吏, 著高頂笠, 年老者除六品, 以宦官曹恂之請也.

[丙寅19日, 慶尙道元帥兼都巡問使朴葳起役東萊城, 至九月畢工:追加].[71]

[庚午23日, 歲星·熒惑犯大微~~太微~~端門. 太白犯大微~~太微~~西蕃:天文3轉載].

[□□~~是日~~], 禑裸水中, 馬交群妓.

○天大雷電, 以雨.[72]

---

69) 이는 「劉敞政案」, "洪武二十年八月初九日, 批承奉郎·典法佐郎"에 의거하였다.

70) 이는 다음의 자료에 의거하였다.

- 『梅軒集』 권5, 丁卯禑王13年八月, 授長興庫使, 口號.
- 『梅軒集』 권6, 梅軒先生行狀, "丁卯秋, 陞長興庫使, 階宣德郎".

71) 이는 다음의 자료에 의거하였는데, 9월에 완공되었던 것 같다. 또 이 읍성은 海雲浦에 있었다고 한다.

- 『동문선』 권77, 東萊城記, "… 公朴葳行營于東萊之墟, 見其田野荒穢, 人烟蕭索, 慨然有興復之念. 謂軍官群有司曰, '東萊爲縣, 東南之第一也, 海錯之饒, 土物之富, 國家之資焉者不貲'. … 公於是, 移牒發丁, 巡功課程, 經始於丁卯八月十九日, 閱月而功告成, 公徵余文記之"(李詹 撰).
- 『신증동국여지승람』 권23, 東萊縣, 古跡, "古邑城, 在海雲浦. 東南石築, 西北土築, 周四千四百三十尺. 今頹圮".

[某日], 禑自壺串還, 如定妃殿.

[某日], 禑爲淑妃, 以黃金鑄佛.

[是月頃, 以[匡靖大夫]崔鄲爲安東道元帥兼府使:追加].[73)]

九月[戊寅朔大盡,庚戌], [己卯[2日], 霜降. 狐鳴于時坐所[~~時坐宮~~]:五行2轉載].[74)]

[乙酉[8日], 歲星犯左執法. 太白·熒惑相犯:天文3轉載].

[某日], 改封憲妃[鳳加伊]爲德妃.

[某日], 前判事金希仁, 因內人, 納女于禑.

[某日], 江陵道元帥李乙珍, 欲奸楊口人[~~楊溝人~~]楊富室女, 領卒十餘人, 圍其家不獲, 遂强奸富妻. 時, 富死未百日, 憲府[司憲府]劾之, 廢爲庶人, 杖一百, 流懷德縣. 乙珍在江陵, 輒取人女爲妾, 其麾下效之, 持兵搜索閭里, 强奸人女者, 頗多.

[某日], 禑自壺串, 如金希仁家.

[某日], 遼東□□□□[~~都司遣使~~]來, 市屯田牛五千七百頭.

[庚子[23日]:追加], 禑以玄陵[恭愍王]忌日, 謁陵, 不與祭.

[某日], 以宦者·壽寧府尹曹恂爲巡軍鎭撫, 上護軍金琓[金完]爲千戶.[75)]

[某日], 遣知門下府事張方平如京師, 賀納哈出降附, 表曰, "天命用集, 帝圖方隆, 師律以臧, 戎醜自屈, 捷奏星轉, 頌聲海騰. 欽惟, 陛下挺聖武之資, 撫亨嘉之運. 昧爽丕顯, 端拱九重之中, 志氣如神, 決勝萬里之外, 熊羆之旅纔出, 犬羊之群悉平. 大哉, 功業之光, 赫然, 古今之冠. 伏念, 臣叨守藩職, 欣聞凱歌, 干舞兩階. 莫贊苗征之擧, 德洽四國, 載賡虎拜之詩".

[某日], 禑還自壺串, 巡行閭里, 吹螺前導, 群妓隨之, 夜宿毅妃殿.

[某日], 遣宦者李匡諭都堂曰, "自今, 服大明衣冠, 宜誠心事之". 左·右侍中[李成林·潘益淳]皆稱賀. 禑尋以胡服, 馳騁於路.

---

72) 이날의 날짜[日辰]는 지7, 五行1, 水, 雷震의 "[禑王]十三年八月庚午[23日], 大雷電, 以雨"에 의거하였다.

73) 이는 『동도역세제자기』; 『안동선생안』에 의거하였다.

74) 時坐所는 『고려사』의 편찬자가 時坐宮을 改書하였을 것이다.

75) 여기에서 宦者 金琓은 金完의 오자일 것이다.

[某日], 前判事朴英茂, 濫乘傳騎, 又影占良民十一戶. 事覺, [楊廣道]都巡問使王承寶, 鞫之, 英茂死獄中.

[是月丁酉[20日], □□[~~明帝~~], 命遼東都司市牛于高麗:追加].[76)]

[是月頃, 以[重大匡]都吉逢爲元帥兼雞林府尹·管內勸農·都兵馬使, 梁安龍爲羅州牧使, 裴規爲羅州判官, 朴苞爲知永州事:追加].[77)]

[冬]十月[戊申朔小盡,辛亥], 庚戌[3日], 雷.[78)]

[○以光州人盧俊恭, 廬墓服喪三年:節要轉載],[79)] 旌其閭.

[→權居義, 白州人, 官累副令. 辛禑時, 喪母哀毁, 廬墓三年. ○又光州人盧俊恭, 亦廬墓三年. 時, 喪制廢壞, 皆服百日而除, 二人獨能出於流俗, 故國家嘉之, 並旌表門閭:列傳34權居義·盧俊恭轉載].

辛亥[4日], 雷電.

[壬子[5日], 霧:五行3轉載].

[某日], 禑巡行街路, 遂如壽昌宮, 與[上護軍]林椒等, 爲鞦韆戲, 又閱妓樂于花園, 以樂不中意, 令徵爲首者布二百五十匹.

[某日], 遣門下評理李玖·知密直□□[~~司事~~]李種德, 如京師, 賀正.

[某日], 禑與淑妃·毅妃, 宴于花園.

[某日], 禑在花園, 始服冠帶, 俄而去之. 是日, 不出遊, 都人咸喜, 翼日, 復出馳騁.

[某日], 禑命巡軍, 禁僞傳內旨. 時, 嬖寵·權勢之家, 使奴隷, 收田租, 亦奉旨以行, 眞僞混淆, 莫之能辨. 有詐傳王旨者金奉, 僞作王牌者金仲奇等八人, 並斬之.

[某日], 公州牧使高懽犯贓, 事覺逃來, 邀禑於家, 納女.

---

76) 이는『명태조실록』권185, 홍무 20년 9월 丁酉를 전재하였다.

77) 이는『금성일기』;『영천선생안』에 의거하였다.

78) 이와 같은 기사가 지7, 五行1, 水, 雷震에도 수록되어 있다.

79) 이 구절은 3일(庚戌)의 기사로서 組版過程에서 脫落된 것 같은데, 열전34, 孝友, 盧俊恭과『고려사절요』32에 의거하여 추가하였다(東亞大學 2008년 12책 304面).

[某日], 倭寇林·韓·西[瑞]三州及鴻山縣, [楊廣道]都巡問使王承寶, 與戰敗績.

[某日], 禑率倡妓, 宴于定妃殿, 宴未終, 遂如高憹家, 又率妓十餘人, 巡行街路, 如高憹及金希仁家, 遂如定妃殿, 又率妓, 出遊街路, 與[上護軍]林檄, 或先或後, 爭射雞犬.

[辛酉[14日], 月食, 夜雨不見:天文3轉載].[80)]

[壬申[25日], 亦如之[霧]:五行3轉載].

[是月, 以徐澌爲扶安縣安集別監:追加].[81)]

[○韓山府院君李穡撰'大慧普覺禪師書'跋:追加].[82)]

[是月頃, 王后李氏, 推忠亮節同德輔祚佐命功臣·壁上三韓三重大匡·鐵城府院君李琳, 卞韓國大夫人·優婆夷洪氏等開板'大方廣佛華嚴經普賢行願品別行踈':追加].[83)]

---

80) 이날 明에서도 월식이 있었다(『명태조실록』 권186, 홍무 20년 10월, "辛酉, 月食"). 이날은 율리우스력의 1387년 11월 25일이고, 월식 현상이 심했던 때의 世界時는 21시 43분, 食分은 0.06이었다(渡邊敏夫 1979年 486面).

81) 이는 『부안읍지』, 先生案에 의거하였다.

82) 이는 다음의 자료에 의거하였다(~~天理大學·京都大學文學部圖書館~~ 所藏 ; 張東翼 2004년 721面, ~~국립중앙박물관~~ 소장, 보물 제1662호, 郭丞勳 2021년 539面).

- 『大慧普覺禪師書』跋, "宋名儒多從大慧, 受其指示, 師隨器大小, 滿其所求, 而況其徒乎? 中厄於師示寂之時, 而再興於塔不焚之後, 然存者什之一二. 我國普照國師, 嘗以壇經爲師, 書狀爲友, 侍者夢中, 每見三人會晤. 自是以來, 學者崇信之至今, 今有志淡·覺全者, 欲廣書狀之傳, 以惠後學, 於是, 自費而自刻, 烏非深有慕於大慧之風者, 其能若是乎. 後之有志禪學者, 不問緇素, 因目而得其心, 則其心大慧之心也, 六祖之心也. 普照故事, 當遍在在叢林矣, 淡師之敎化成熟, 何可勝數哉? 洪武二十年丁卯十月日, 推誠保節同德」 贊化功臣·壁上三韓三重大匡·領藝文春秋館事·韓山府院君李穡跋,」 同願」 王謹妃,」 端誠翊衛輔祚功臣·重大匡·晋川君姜仁富,」 ~~幹善~~ 山人 志淡, 覺全,」 同願 戒訥, □□, 志祥, 志勝, 惠明, 志宗,」 判事李世珎, 軍器少尹金允寶」".
- 跋, "嘉靖四十五年丙寅[明宗21年]三月 日淸洪道恩津地佛名山雙溪寺開版,玉今·順德.」 …".

83) 이는 『大方廣佛華嚴經普賢行願品別行踈』末尾, 跋에 의거하였다(국립중앙박물관 소장, 보물 제1126호, 郭丞勳 2021년538面, 筆者未見).

- a "… 歲在丙辰八月日,檀那山月南典香 無用 誌,」 山人信之 校勘,」 山人收其 書,」 同願緣起寺火香 心益.」".
- b "右行願品別行疏一卷, 國師幻庵公[混脩] 所藏,」 謹妃殿下爲,」 主上萬萬歲,」 元子千秋, 干板流通而掌行者晋川君姜仁富也. 仁富傳」 旨臣穡跋其尾, 且曰, '政堂鄭公權嘗欲刊此板, 旣具未就而卒, 其室韓夫人聞我」 謹妃是擧, 卽出板與財, 以助」 上意, 而凡同願者列名于後, 如來功德, 如經小說, 非筆舌所可」 盡, 而能成就者, 十, 願而已, 十願在一心,」 謹妃之心, 諸佛證明,」 主上萬歲,」 元子千秋, 至於國土康, 生類遂則大悲心饒益衆生, 又可知已.」 穡於是拜手稽首書其

十一月[丁丑朔大盡, 壬子], [某日], 以密直副使金賞爲全羅道助戰元帥[~~上元帥~~].[84]

[某日], 禑率[領三司事]崔瑩·[贊成事]王福海等, 獵于海豊.[85]

[某日], 全州元帥權和斬倭二人, 禑賜酒及帛絹.[86]

[→[權和,] 累官至密直副使, 出牧全州兼元帥, 斬倭二級以獻. 禑遣人賜酒帛:列傳20權和轉載].

[某日], 禑如高懽家, 遂如定妃殿, 暮, 又如定妃殿, 禑數至妃殿, 頗有醜聲.

[某日], 禑如崔瑩第, 賜酒, 仍求利劒, 又率群妓, 如細柳枝家.

[某日], 禑如金鼻回回[回回~~金鼻~~]家, 索其女不得, 賜回回子鞍馬, 仍令編髮侍從, 後又取其女, 著男服隨之.

[某日], 禑欲以安淑老女爲妃. 命有司備嘉禮. 用幣布七千五百匹·白金一千五百兩, 他物稱是. 時淑老女, 在定妃殿, 外人謂, '禑先滛[淫]後行嘉禮'. [時禑如妃所, 一日或兩三至, 人謂, '妃欲掩人譏, 見其姪女也':節要轉載].[87]

[→數如妃所, 或一日兩三至, 或夜至, 或至而不得入, 頗有醜聲聞於外. 禑一日如妃所, 妃以有疾不梳不見. 妃見其弟判書安淑老女於禑, 禑納爲賢妃, 人謂, '妃畏人譏, 欲以自掩也':列傳2恭愍王妃定妃安氏轉載].

[某日], 以遼東細作横行, 賜西北面都巡問使鄭熙啓·都安撫使崔元沚及泥城·江

後, 洪武廿年十月日, 推忠保節同德贊化」 功臣·壁上三韓三重大匡·領藝文春秋館事·韓山府院君臣李穡敬跋,」 同願推忠亮節同德輔祚佐命」 功臣·壁上三韓三重大匡·鐵城府院君臣李琳,」 同願同室卞韓國大夫人·優婆夷洪氏,」 同願誠勤翊戴佐命功臣·匡靖大夫·判厚德府事·上護軍兼判內府寺事臣李匡,」 同願誠謹亮節輔理功臣·重大匡·晋原君·藝文館大提學臣柳珣,」 始末掌行端誠翊衛輔祚功臣·重大匡·晋川君臣姜仁富,」 同願同室豊壤郡夫人·優婆夷趙氏妙淨,」 同願端誠佐理功臣·奉翊大夫·知密直司事·商議會議都監事兼判衛尉寺事·上護軍臣李茂生,」 同願正順大夫·密直司左代言·進賢館提學·知製敎充春秋館修撰官·知軍簿司事臣禹洪壽,」 同願政堂文學鄭公權室敬惠宅主韓氏,」 化主 覺毫, 板留京都金沙寺, 角之書跋」". 여기에서 李茂生은 李琳의 次子이다.

84) 全羅道助戰上元帥 金賞은 11월 全羅道에 들어왔다가[下界] 明年(戊辰, 우왕14) 2월 上京하였다고 한다(『금성일기』).

85) 이때 潘福海(王福海)가 말에서 떨어졌던 것[落馬] 갈다(열전37, 潘福海, "… [贊成事潘]福海嘗從禑田[畋]墜馬, 禑以所乘馬與之").

86) 權和(權僖의 長子, 權近의 兄)는 조선왕조 때에 三司右僕射에 이르렀다(『태조실록』 권10, 5년 11월 丁丑[23日]).

87) 安淑老(安克仁의 子)는 1390년(공양왕2) 6월 19일 이후에는 安叔老로 달리 표기되었다.

界·義州萬戶□[等], 叚子[段子]人一匹.[88)]

[某日], 命收私田半租, 以備軍餉,[89)] 又令諸道按廉使, 考將帥能否, 守令殿最, 月季報都堂.[90)]

[某日, 倭寇光州, 執前書雲正金彥卿妻金氏以去, 欲汚之, 金□[氏]仆地罵賊, 大叫曰, "汝卽殺我, 義不辱",. 遂遇害:節要轉載].[91)]

[某日], 禑率密直□[副使]林檓·代言盧龜山等嬖倖數十騎, 遊行閭里, 四至定妃殿.

[某日], 前判事孫慶生, 盜用其鄕密城貢布二百五十匹. 事覺, 憲府[司憲府]論劾, 籍沒家産, 慶生逃, 乃囚其妻鞫之.

[某日], [知門下府事]張方平等, 行至甛水站, 都司[~~遼東都指揮使司~~]使千戶王成, 欽錄聖旨, 以示之曰, "今後, 高麗國使臣來者, 於一百里外止回, 不許入境, 亦不許送赴京師, 不揀指以諸等時節行禮等項, 不必教來. 其國執政之臣, 輕薄譎詐之徒, 難以信憑, 自許往來, 至今凡百期約, 非過則不及, 未嘗誠意相孚. 可以絶交, 不可與之往來, 若欲求進, 示勑, 使錄而還".

○[~~進賀使~~知門下府事張]方平, [~~賀正使門下評理李玖~~]等遂還. [左侍中]李成林謂李玖曰, "公以大臣奉使, 怯懦不入定遼, 無狀碌碌之人, 徒費國廩耳". 玖熟視不對.[92)]

[→張方平等至遼東, 不得入而還. 左侍中[~~右侍中~~]潘益淳謂瑩曰, "公先王所倚重, 三韓所屬望. 今國家危矣, 盍力圖之". [領三司事崔]瑩嘆曰, "執政嗜利積惡, 自速禍敗, 老夫將若之何?". 時有人自遼東逃來, 告都堂曰, "帝將求處女·秀才及宦者各一千, 牛馬各一千". 都堂憂之, 瑩曰, "如此則興兵擊之, 可也":列傳26崔瑩轉載].[93)]

---

88) 延世大學本과 東亞大學本에는 西北面이 西比面으로 잘못되어 있다.

89) 이 구절은 지36, 兵2, 屯田에도 수록되어 있다.

90) 이 기사는 지29, 選擧3, 選用監司에도 수록되어 있으나 守令이 탈락되었다.

91) 이와 같은 기사로 다음이 있다.

- 열전34, 烈女, 金彥卿妻金氏, "金氏, 書雲正金彥卿妻也, 居光州. 辛禑十三年, 倭寇剽掠, 猝至其家, 家人四竄, 金□[氏]與彥卿, 奔匿林莽閒. 賊獲金□[氏], 縶頸以去, 欲汚之. 金□[氏]仆地罵賊, 大叫曰, '汝卽殺我, 義不辱'. 賊恚遂害之".
- 『세종실록』 권24, 6년 5월 丙戌[12日], "故知郡事金彥卿妻金氏, 於洪武丁卯[禑王13年], 倭寇闌入其第, 欲逼之, 縛而曳之, 金氏不忍其辱, 執籬柱而固拒, 罵賊不絶, 寇乃刺而殺之, 命旌門復戶".
- 『신증동국여지승람』 권35, 光山縣, 烈女, "金氏, 書雲正金彥卿妻也. 辛禑時, 倭寇猝至, 摶金欲汚之. 金曰, '寧萬死, 不受辱'. 竟不屈, 賊害之. 本朝太宗朝[~~世宗朝~~]命旌閭".

92) ~~添字~~가 追加되어야 좋을 것이다.

[某日], 禑在定妃殿, 夜半, 聞有呼譟聲, 禑驚動, 以爲亂作, 命左右, 被甲宿衛.

[某日], 禑以□[世]子昌不學, 鞭之, 取版圖司黃金一錠賜之. 都評議使司亦進白金一錠于昌.

[某日], 耆老會議築漢陽山城, 修戰艦, 遣門下評理商議禹仁烈·判密直□□[~~司事~~]洪徵于漢陽府, 審視重興山城形勢.

[某日], 星山君李原珣卒.

[某日], 禑令內乘, 飼馬三百匹於忠州界, 內竪因緣侵暴, 州郡苦之.

[戊戌[22日], 熒惑犯房·鉤鈐:天文3轉載].

[某日, 以西北有變, 加定各道元帥, 分遣抄軍. 每烟戶, 出軍一名, 令時散品秩, 各出軍粮, 且減中外兩班田地, 以補軍須:兵1五軍轉載].

十二月[丁未朔小盡,癸丑], [庚戌[4日], 大寒. 朝霧, 不辨人物:五行3轉載].

[壬子[6日], 典農酒庫火:五行1火災轉載].

[壬戌[16日], 朝霧:五行3轉載].

[某日], 宜城君南佐時卒.[94]

[某日], 遣永原君鄭夢周如京師, 請通朝聘.

[某日], 禑以善妃生日,[95] 命內官曹恂, 宴其第, 賜馬二匹·苧布四匹·叚子[段子]一匹.

[某日], 倭寇井邑縣, [入典醫正景德宜妻安氏所居里. 安□[氏], 携二子及三婢, 匿後園土宇, 賊尋得, 欲亂之. 安□[氏]罵且拒, 賊捽首拔劍脅之, 安□[氏]極口罵曰, "寧死不從汝", 賊怒殺之, 虜一子一婢而去. ○又□□[~~倭賊~~]執中郎將李得仁妻李氏, 欲汚之, 李□[氏]以死拒, 賊遂殺之:節要轉載].[96]

---

93) 左侍中은 右侍中으로 고쳐야 옳게 될 것이다(→是年 8월 某日).

94) 이와 관련된 기사로 다음이 있다.

· 열전27, 尹桓, "… 無子, 以孽女, 嫁南佐時. 佐時, 封宜城君, 辛禑十三年卒".

· 『목은시고』 권34, "欲赴南政堂佐時~~百齋~~, 以雨不果". 이 자료는 우왕 9년 7월의 詩文과 함께 수록되어 있다.

95) 禑王의 後宮 善妃(王興의 女)는 우왕 14년 3월에 책봉되었기에 적절한 用語가 아니다. 또 禑王의 正宮인 謹妃 李氏의 生辰이 12월 12일이기에 善妃가 謹妃의 誤字일 수도 없다.

[某日], 禑以[同知密直司事]王興生日, 詣其第, 賜馬一匹.

[某日], 以淑妃疾, 宥二罪以下, 命僧禱殿內, 立淑妃府曰懿惠, 命依崇敬府例.

[某日], 禑如判事崔時霆家, 滛[淫]其女.

[某日], 禑諭都堂, 凡奪占諸倉庫·宮司田民者, 具名以聞, 都堂自嫌, 遂閣不行.

[某日], 禑聞[同知密直司事]申雅奪人臧獲·土田, 大怒, 命囚其子孝溫·壻前三司左尹朴保寧. 孝溫逃, 命巡軍, 圍雅家, 大索獲之, 下獄, 皆杖流角山.

[某日, 前密直副使趙胖, 斬[三司左使]廉興邦家奴李光于白州. 初, 光奪胖田, 胖乞哀於興邦, 興邦歸之. 光又奪其田, 陵辱之, 胖詣光哀請, 光益縱虐. 胖不勝憤, 以數十騎, 圍斬之, 火其家, 馳入京, 將白興邦. 興邦聞之大怒, 誣胖謀叛, 令巡軍執胖母妻, 遣四百餘騎于白州, 捕胖. 騎至碧瀾渡, 舟人云, "胖以五騎, 已馳入京矣": 節要轉載].[97]

[→[三司左使廉]興邦家奴李光, 奪前密直副使趙胖白州之田. 胖乞哀於興邦, 興邦歸其田, 光復奪其田, 凌辱胖. 胖詣光哀請, 光傲胖, 益縱虐. 胖不勝憤, 以數十騎, 圍而斬之, 火其家, 欲白興邦, 馳入京. 興邦聞斬光大怒, 誣胖謀叛, 令巡軍執胖母妻, 遣四百餘騎, 至白州, 捕胖. 騎至碧瀾渡, 州人[舟大]云, "胖率五騎, 已馳入京": 列傳39林堅味轉載].

---

96) 이와 같은 기사로 다음이 있다.
- 열전34, 烈女, 景德宜妻安氏, "安氏, 昌平人, 判事邦奕之女. 適典醫正景德宜, 居井邑縣. 辛禑十三年, 倭賊闌入安氏所居里, 德宜時在京. 安□[氏]蒼黃携二子與婢三人, 匿後園土宇, 賊得之, 欲汚之. 安□[氏]罵且拒, 賊捽其髮, 拔劒脅之. 安□[氏]極口罵曰, 寧死, 不從汝. 賊遂殺之, 虜其一子一婢而去".
- 열전34, 烈女, 李得仁妻李氏, "李氏, 古阜郡吏碩女也. 適郎將李得仁, 居井邑縣. 辛禑十三年, 倭賊至, 執李□[氏]欲汚之, 李□[氏]以死固拒, 遂爲賊所殺".
- 『신증동국여지승람』 권46, 平昌郡, 烈女, "安氏, 典醫正景德宜妻也.辛禑時, 倭賊闌入, 安匿後園窨中. 賊得之欲汚, 不從遇害".
- 『신증동국여지승람』 권33, 古阜郡, 烈女, "李氏, 郎將李得仁妻. 辛禑時, 倭賊欲汚之, 固拒遇害".

97) 이와 관련된 기사로 다음이 있다.
- 『태종실록』 권2, 1년 10월 壬午[27日], 趙胖의 卒記, "… 時林堅味·廉興邦等, 久執政柄, 貪饕無厭, 奪白州人田數百頃, 以其蒼頭李光爲庄主, 又奪諸人之田, 一年收租, 至再至三, 民甚苦之. 胖致書侍中[前領三司事]崔瑩, 略曰, 林·廉之黨, 不可不亟除, 欲先去李光, 以開其端, 願預達上聽. 瑩卽以啓王, 胖於是, 提劍帥百餘人斬光. 林·廉以謀亂告王, 欲害之, 囚巡軍獄, 慘施棒掠, 瀕於死. 及獄辭聞, 王乃收林·廉及黨與, 皆誅之". 여기에서 崔瑩의 관직은 前領三司事로 고쳐야 옳게 될 것이다.

[某日]，兪仁吉·李仁寬等，冒稱內乘，乘馹傳，食州郡．斬之，徇諸道．

[某日]，祭牲自死．

[庚午[24日]，市廛行廊二十六間火:五行1火災轉載]．

[是月壬申[26日]，□□[明帝]命戶部咨高麗王，以鐵嶺北東西之地舊屬開元，其土著軍民女直·韃靼·高麗人等，遼東統之．鐵嶺之南舊屬高麗人民，悉聽本國管屬，疆境旣正，各安其守，不得復有所侵越:追加]．[98]

[是月頃，以[奉翊大夫]慶儀爲元帥雞林府尹·管內勸農·都兵馬使:追加]．[99]

[是年，以寵宦李信內鄕，陞平昌縣令官爲知郡事官．[100] 又改峯城監務官爲瑞原縣令官:地理1平昌縣·峯城縣轉載]．

[○立[恭愍王次妃定妃]府曰慈惠，置官屬:列傳2恭愍王妃定妃安氏轉載]．

[○置兵船于興海郡通洋浦，以備倭寇:追加]．[101]

[○禑修西普通塔，命穡作記，其略曰，“我太祖創業垂統，弘揚佛法，以保子孫者，非前世帝王之所可及．先王能體太祖之心，歸崇三寶，今殿下修塔如此，殿下之心，上合於太祖，又可知矣．嗚呼，周雖舊邦，其命維新，將不在於今日乎?”．識者，譏其諂主佞佛．一日，穡稱病不出曰，“□[左]侍中李成林，生長矮屋，及爲宰相，廣占田民，一時並起三第，[三司]左使廉興邦，亦以取歛爲事，誤國家者，必此二人也:列傳28李穡轉載]．

[□□[是時]，[三司左使廉]興邦嘗與異父兄[左侍中]李成林，上冢而還，[102] 騶騎滿路．有人爲優戱，極勢家奴隷剝民收租之狀，成林忸怩，興邦樂觀，不之覺也:列傳39廉興邦轉載]．

[○以[奉常大夫·典校副令]柳觀爲中顯大夫·知鳳州事:追加]．[103]

---

98) 이는『명태조실록』권187, 홍무 20년 12월 壬申을 전재하였다.

99) 이는『동도역세제자기』에 의거하였다.

100) 이와 관련된 자료로 다음이 있다.

- 『세종실록』권153, 지리지, 平昌郡, “… 洪武二十年丁卯[禑王13年]，因土姓宦官李信得寵，陞爲知郡事，後降爲縣令”．
- 『신증동국여지승람』권46, 平昌郡, 건치연혁, “… 辛禑時，寵宦李信之鄕，陞知郡事，後還爲縣令”．

101) 이는『양촌집』권11, 興海郡新城門樓記에 의거하였다.

102) 上冢은 延世大學本에서 上家로 되어 있으나 오자일 것이다(東亞大學 2006년 27册 665面).

[○以吉再爲成均學正:追加][104]

[○以進士·行廊都監判官安純爲典儀寺錄事:追加].[105]

[○以柳克恕爲延安府使:追加].[106]

[○以孫贇爲知寧海府事:追加].[107]

[○前判典校寺事李集卒, 年六十一:追加].[108]

[○純忠保節佐命功臣·大匡·門下評理·右文館大提學·知春秋館事兼成均大司成鄭夢周撰'懶翁和尙語錄'跋:追加].[109]

[□□□是年頃, 倭寇原·忠·丹陽·提川堤州, 以典法判書崔雲海爲助戰都兵馬使, 屢戰獲首級以獻, 賜馬·綵帛, 授忠州牧使. 倭寇全羅道, 移全州牧使, 尋拜密直副使, 賜忠勤佐命功臣號. 又爲楊廣道廣州等處節制使, 兼判廣州牧事, 擊倭于新昌走之:列傳27崔雲海轉載].[110]

[仁同人 張東翼 校注, 增補].

103) 이는 『夏亭集』行狀에 의거하였다.

104) 이는 『冶隱先生言行拾遺』卷上, 年譜에 의거하였다.

105) 이는 다음의 자료에 의거하였다.

- 『敬齋遺稿』 권1, 安純墓誌銘, "丁卯, 錄典儀寺".

106) 이는 『연안부지』에 의거하였다.

107) 이는 『영해선생안』에 의거하였다.

108) 이는 다음의 자료에 의거하였다.

- 『汲古遺稿』, 廣州李氏世系, "七世祖諱集, 初名元齡, 元泰定丁卯生, 至正七年高麗忠穆王三季丁亥, 登科, … 皇明洪武丁卯卒, 享年六十一, 官至奉順大夫·判典校寺事".

109) 이는 다음의 자료에 의거하였는데, 이는 『포은집』 권3, 拾遺에도 수록되어 있다.

- 『太古和尙語錄』卷首, 序, "… 自丙申至今洪武丁卯, 盖三十又二年, 今觀此錄, 不覺悵然□矣. 純忠保節佐命功臣·大匡·門下評理·右文館大提學·知春秋館事兼成均大司成鄭夢周跋".

110) 이와 관련된 기사로 다음이 있다.

- 『태종실록』 권8, 4년 7월 戊申9日, 崔雲海의 卒記, "牧忠·全·廣州, 尹雞林府, 盡心撫字, 所至有遺愛. 節制慶尙·忠淸·全羅, 按撫泥城·江界, 巡問西北面, 威惠幷著, 戰功居最, 號爲名將".

『高麗史』卷四十九 世家卷四十九[卷百三十七 列傳卷五十]

[輔國崇祿大夫·議政府左贊成·知集賢殿經筵春秋館成均事·世子貳賓客臣金宗瑞奉敎撰]

正憲大夫·工曹判書·集賢殿大提學·知經筵春秋館事兼成均大司成·臣鄭麟趾奉敎修

禑王[辛禑] 五

戊辰[禑王]十四年, 明洪武二十一年, (4月)停洪武年號,

[北元天元十年?],[1]→6月高麗復行洪武年號, [西曆1388年]

1388년 2월 8일(Gre2월 16일)에서 1389년 1월 27일(Gre2월 4일)까지, 355일

[春]正月[丙子朔大盡,甲寅, 三司左使廉興邦勸禑, 下令購捕趙胖甚急, 鄭子喬獲胖, 繫巡軍. 時興邦爲巡軍上萬戶, 興邦及贊成事·都萬戶王福海, ~~贊成事~~·副萬戶都吉敷, 副萬戶李光甫, 委官贊成事尹珍·姜淮伯, 與臺諫·典法雜訊. 胖曰, "六七貪婪宰相, 縱奴四方, 奪人田民, 戕虐百姓, 是大賊也. 今斬李光者, 唯以輔國家除民賊耳, 何云謀叛". 栲掠竟日, 不服, 興邦必欲胖誣服, 治極慘酷. 胖罵辱不小屈曰, "我欲斬汝國賊, 汝與我相訟者也, 何鞫我爲". 興邦怒益盛, 使人亂擊其口, 福海假睡, 不聞, 餘亦無敢如何. 獨左司議□□大夫金若采, 以爲不可, 而止之:節要轉載].[2]

[→三司左使廉興邦等勸禑, 下令購捕甚急. 交州道元帥鄭子喬, 使其壻中郞將安承慶, 捕胖于孝思觀松岡, 繫巡軍. □時興邦時爲上萬戶, 吉敷爲副萬戶, 與領三司事林堅味女壻贊成事·都萬戶王福海及副萬戶李光甫, 委官尹珍·姜淮伯, □與臺諫·典法雜訊. 胖曰, "六七貪婪宰相, 縱奴四方, 奪人田民, 戕虐百姓, 是大賊也. 胖今斬光者, 唯以輔國家除民賊耳, 何云謀叛". 栲掠竟日, 不服. 興邦欲胖誣服, 治極慘酷, 胖辱罵不小屈曰, "我欲斬汝國賊, 汝與我相訟者也. 何鞫我爲". 興邦怒益盛, 使人亂擊

---

1) 이때 北元의 年號인 天元十年을 사용하였는지는 알 수 없다.

2) 이때 金若采(金國光의 曾祖父)와 관련된 기사로 다음이 있다.

· 『四佳集』文集增補1, 金國光墓誌銘, "公諱國光, 字觀卿. 金本光之望族, 有諱鼎, 仕高麗, 封光山君, 有三子, 曰若采, 曰若恒, 曰若時, 登第. 舊例三子登科, 封母夫人爵, 同時拜顯秩, 世榮之. 若采在麗季, 爲諫□議大夫, 時趙胖獄起, 公在合坐所, 言論奮揚, 慷慨激切, 竟坐林·廉. 而右胖, 物論多之, 入本朝爲大司憲".

其口，福海陽不聞，假睡，餘人無敢如何，獨左司議大夫金若采，以爲不可，而止之:列傳39林堅味轉載].

[某日]，永原君鄭夢周至遼東，不得入而還.

[庚辰5日，<u>雨水</u>. 禑如前領三司事崔瑩第，辟左右，與語良久，蓋議胖獄也. 是日，興邦復欲鞫胖，赴巡軍，請獄官及臺諫，皆不至:節要轉載].[3]

[<u>壬午</u>7日:比定]，停頒宰相祿.[4]

[→<u>壬午</u>，禑命釋趙<u>胖</u>及其母妻，又賜醫藥與裘，下令曰，“宰相既富，<u>可停頒祿</u>，其先頒隊伍之無食者”. 遂下廉<u>興邦</u>于巡軍. 國人皆喜曰，“吾君明矣”:節要轉載].

[→禑遣醫，賜趙<u>胖</u>藥，尋命釋<u>胖</u>及其母妻，又賜醫藥與裘. 時當頒祿，禑下令曰，“宰相既富，可不頒. 其先頒隊伍之無食者”. 遂下廉<u>興邦</u>于巡軍，國人皆喜曰，“吾君明矣”. ○禑召<u>胖</u>七歲兒，問其父所爲，對曰，“吾父但拔劒，試之云，欲斬貪婪六七宰相，以快吾志. 否則妻孥必至飢寒.” 禑賜兒笠:列傳39林堅味轉載].

[□□~~癸未~~8日，□~~禑~~:<u>追加</u>]下三司左使廉興邦·領三司事<u>林堅味</u>·贊成事<u>都吉敷</u>·<u>右</u>~~左~~侍中<u>李成林</u>·贊成事<u>潘福海</u>·大司憲<u>廉廷秀</u>·知密直□□~~司事~~<u>金永珍</u>·密直副使林樹等于獄，并其族黨誅之，語在堅味傳.[5]

[→禑命瑩及我太祖判三司事李成桂，陳兵宿衛，下堅味·吉敷獄. 使者，至堅味第，堅味拒命，厲聲謂使者曰，“七日頒祿，古制也. 今，主上無故不頒，豈爲君之道乎? 自古人主之非，臣下有正之者.” 遂欲爲亂，使人奔告其黨，甲騎已遮路，不可出，其人歸以告堅味. 堅味家在男山北，既而仰見男山，甲騎成列，膽落就擒. 歎曰，“廣平君李仁任誤我矣”. 先是，堅味·興邦，忌瑩淸直，且握重兵，常欲加害，仁任固止之故云:列傳39林堅味轉載].

[→癸未8日，禑命崔瑩及我太祖李成桂，陳兵宿衛，下領三司事林堅味·贊成事都吉敷于獄. 使者，至堅味第，堅味拒命，厲聲謂使者曰，“七日頒祿，古制也. 今無故而廢之，豈爲君之道乎? 自古人主之非，臣下有正之者”. 遂欲爲亂，使人奔告其黨，

---

3) 이 기사는 열전39, 林堅味에도 수록되어 있으나 자구에 출입이 있다.

4) 이날의 날짜[日辰]의 比定은 祿牌가 下賜되는 1월 7일(人日, 人勝祿牌)에 의거하였는데(→명종 3년 1월 7일, 우왕 4년 1월 7일의 脚注), 同一한 事實을 기록한 『고려사절요』 권33에도 壬午로 되어 있다. 이날은 율리우스曆으로 1388년 2월 14일(그레고리曆 2월 22일)에 해당한다.

5) 이때 李成林은 左侍中이었다.

甲騎已遮路，不得出，歸告堅味．堅味家在男山北，旣而仰見男山，騎已成列．堅味膽落就擒，嘆曰，“廣平君誤我矣”．先是，堅味·興邦，忌瑩淸直，且握重兵，常欲加害，李仁任固止之故云:節要轉載]．

[○巡軍不窮治興邦等罪，禑大怒，以前評理王安德爲都萬戶，知門下□□~~府事~~李居仁爲上萬戶，我恭靖王知密直司事李芳果爲副萬戶，命更鞫之．○密直副使林檄，勒歸私家，贊成事王禑海，賜姓爲子，故不以爲疑，使領兵，與崔瑩等宿衛．是夜，福海有異志，以突騎數十，詐稱徼巡宮城，馳入瑩軍．瑩方被甲踞胡床，指揮偏裨，目不交睫，福海，不得爲害:節要轉載]．

[→巡軍鞫堅味·興邦等，罪不窮治以聞，禑大怒，以前評理王安德爲都萬戶，知門下□□~~府事~~李居仁爲上萬戶，我恭靖王爲副萬戶，命更鞫之．恭靖王時知密直□□~~司事~~．○檄自總角，昵侍禑，遊戲出入，動必相隨，累遷密直副使，常直禁中．至是，勒歸其家:列傳39林堅味轉載]．

[→□□~~先是~~，門下贊成事福海娶林堅味女，後又娶典儀注簿柳芬女，堅味不敢禁，但噓唏而已．趙胖事起，癸未8日，禑下堅味·廉興邦獄，以福海爲子故不疑，使領兵與崔瑩等宿衛．福海陰懷異志，夜以突騎數十，詐稱徼巡，馳入瑩軍．瑩方被甲，踞胡床，指揮偏裨，目不交睫，福海，不得害而還．翌日甲申9日 禑欲試福海意，問曰，“何以處堅味”．福海不對，復問曰，“唯爾言是從”．對曰，“若宥臣舅，臣當以死報”．禑應曰，“諾”．旣乙酉10日而下福海獄，誅之，籍其家．事在堅味傳:列傳37潘福海轉載]．

[乙酉10日，木稼:五行2轉載]．

[→乙酉，下右左侍中李成林·大司憲廉廷秀·知密直□□~~司事~~金永珍及贊成事潘福海·密直副使林檄于巡軍:節要轉載]．

[→尋下檄·福海·成林·興邦，興邦弟大司憲廷秀，堅味女壻知密直□□~~司事~~金永珍等巡軍獄:列傳39林堅味轉載]．

[丙戌11日，[6] 廉興邦·林堅味·都吉敷·李成林·廉廷秀·潘福海·金永珍·林檄伏誅，[7] 又斬

---

6) 이날은 율리우스曆으로 2월 18일(그레고리曆 2월 26일)에 해당한다.

7) 이때 이루어진 林堅味와 廉興邦의 제거는 崔瑩과 李成桂의 합작에 의한 쿠데타[政變]인데, 前者는 지나치게 慘酷하게 처리하였지만, 後者에 의해 여러 사람이 生命을 保全하게 되었다고 한다. 이 사건은 主犯과 共犯이 구분될 수 없기에 적절한 서술이라고 할 수 없고, 이 기록은 원래 碑文을 撰했던 權近의 기술이 아니고 이를 加筆했던 어떤 인물에 의한 潤色일 것이다. 또 廉興邦의 문집인

其族黨贊成事金用輝·三司右使李存性·判開城□□府事林齊味·密直判密直司事洪徵·密直提學任獻·朴仁貴·潘德海·李希蕃·開城尹鄭嶅·典法判書李竦·右侍中潘益淳·右司議□□大夫辛權·大護軍辛鳳生·執義李美生·佐郞洪尙淵·判內府寺事金萬興等, 遂籍堅味等家. ○於是, 分遣諸道察訪□使, 推刷所奪田民, 還其主. ○存性, 仁任從孫, 初, 效仁任所爲, 後頗悔悟, 其尹西京, 治爲第一, 民追慕之. 獻, 家無擔石之儲, 獄官欲免之, 瑩以獻藉興邦勢, 爲大司憲, 未嘗發一直言, 遂斬之. 時人悲之. 萬興, 堅味家臣, 貪暴姦黠, 專摠田民之簿:節要轉載].[8)]

[→遂誅堅味·成林·福海·興邦·吉敷·廷秀·永珍·檄, 又斬福海養父門下贊成事金用輝, 成林壻存性, 成林友壻前原州牧使徐信, 堅味弟判開城齊味, 興邦妹壻密直洪徵·任獻, 典法判書李竦, 獻子公緯·公約·公縝, 福海兄德海, 妹壻開城尹鄭嶅, 朴仁貴·李希蕃等. 福海被繫, 用輝有異謀, 帶劒入闕故, 先斬之. 仁貴·希蕃, 托附堅味者. 獄官籍獻家, 無擔石之儲, 欲免之. 瑩以獻藉興邦勢, 爲大司憲, 未嘗發一直言, 遂斬之, 時人悲之. 又斬福海父右侍中益淳, 堅味姪女壻右司議大夫辛權, 吉敷女壻大護軍辛鳳生, 堅味族子執義李美生, 判官閔中達, 徵子尙淵·尙濱·典法佐郞尙溥, 判內府寺事金萬興等. 萬興, 堅味家臣, 專摠田民之簿, 貪暴奸黠, 爲腹心者:列傳39林堅味轉載].

[○初, 李仁任謀竊國柄, 援立辛禑, 一國威福在其掌握, 支黨根據, 而堅味爲其腹心. 疾惡文臣, 放黜甚衆, 興邦亦在其中. 後, 堅味以興邦世家大族, 請與爲婚. 興邦亦懲前日流貶, 謀欲全身, 惟仁任·堅味之言是從. 於是, 以興邦同母兄李成林, 爲□左侍中, 權姦親黨, 布列兩府, 中外要職, 無非私人, 秉權自恣, 賣官鬻爵, 奪人土田, 籠山絡野, 奪人奴婢, 千百爲群, 州縣·津驛·陵寢·宮庫之田, 皆被攘取. 背主之隷, 逃賦之民, 歸之如市, □按廉使·守令, 莫敢徵發. 民散寇熾, 公私匱竭, 瑩及我太祖判三司事李成桂, 憤其所爲, 同心協力, 導禑除之. 國人大悅, 道路歌舞:節要轉載].[9)]

『東亭集』이 後世에 전해지고 있었다고 한다(都賢哲 2008년).
· 『양촌집』 권36, 建元陵神道碑銘幷序(石刻本), "戊辰時禑王14年, 侍中崔瑩誅戮權奸, 過於慘酷, 賴我太祖判三司事李成桂, 全活頗多".
· 『용재총화』 권8, "… '東亭集'一帙, 廉興邦所著. …".
· 『立齋遺稿』 권4, 過廉興邦舊居, "興邦自吉產, 臺觀在臨河, 不奈江山耻, 其如草木何, 鶯歌想曲譜, …". 이를 통해 廉興邦의 出身地가 安東府 管內의 吉安縣이고, 舊居가 臨河縣에 있었음을 알 수 있다.

8) 李存性에 대한 기사는 열전39, 李仁任에도 수록되어 있다.

[→[林]堅味, 性猜忌陰兇, 有口才, 世比之[唐宰相]李林甫. 仁任久竊國柄, 支黨根據, 堅味爲其腹心. 疾惡文臣, 放逐甚衆, 興邦亦在逐中. 後, 堅味以興邦世家大族, 請與昏姻[婚姻],[10] 興邦亦懲前日流貶, 欲保其身, 惟仁任·堅味言, 是從. 於是, 以興邦異父兄成林, 爲侍中, 權奸親黨, 布列兩府, 中外要職, 無非私人. 專權自恣, 賣官鬻爵, 奪人土田, 籠山絡野, 奪人奴婢, 千百爲群. 以至陵寢·宮庫·州縣·津驛之田, 靡不據占. 背主之隸, 逃賦之民, 聚如淵藪, 廉使·守令, 莫敢徵發. 由是, 民散寇熾, 公私匱竭, 中外切齒. 瑩及□[我]太祖[李成桂]憤其所爲, 同心協力, 導禑除之. 國人大悅, 道路歌舞:列傳39林堅味轉載].

[某日], 禑以宦者金亮·金完爲京畿左·右道察訪兼諸倉庫田民使, 賜劒遣之.[11]

[某日], 禑賜都統使崔瑩倭劒二十把.

庚寅[15日], 禑四至定妃殿, 暮還花園.

[某日],[12] 以崔瑩爲門下侍中,[13] 我太祖[判三司事李成桂]△[爲]守門下侍中, 李穡△[爲]判三司事,[14] 禹玄寶·尹珍·安宗源△△[並爲]門下贊成事,[15] 文達漢·宋光美·安沼△△[並爲]門

---

9) 이 기사는 다음과 같이 축약된 것도 있다.

· 『태조실록』 권1, 總書, 우왕 14년 1월, "時[前左]侍中李仁任用事, 其黨領三司林堅味·左使廉興邦·贊成事都吉敷等分據要途, 賣官鬻爵, 奪人田丁, 肆其貪虐, 公私匱竭. 太祖與崔瑩憤其所爲, 同心協力, 導禑除之, 三韓大悅, 道路歌舞".

10) 昏姻은 婚姻과 함께 사용되었다[併用].

· 『자치통감』 권3, 周紀3, 赧王 16년(BC299), "秦人伐楚, 取八城, … 寡人與楚之境, 婚姻相親[胡三省注, 妻父曰婚. 壻父曰姻, 字書, 婚, 昏也, 禮娶以昏時, 婦人陰也, 故曰婚. 壻家女所因, 故曰姻]".

· 『자치통감』 권195, 唐紀11, 太宗貞觀 12년(638) 1월, "吏部尙書高士廉·黃門侍郎韋挺·禮部侍郎令狐德棻·中書侍郎岑文本撰'氏族志'成, 上之. 先是, 山東人崔·盧·李·鄭諸族, 好自矜地望, 雖累葉陵夷, 苟他族欲與爲昏姻[胡三省注, '白虎通'曰, 昏者, 昏時行禮, 故曰昏, 姻者, 婦人因夫, 故曰姻. 賢曰, 妻父曰婚, 壻父曰姻], 必多責財幣, …".

11) 이때의 京畿左道, 右道는 행정구역인 京畿道의 分道가 아니라 方面을 가리키는 것이다.

12) 이날의 日辰은 下記의 「劉敞政案」에 22日(丁酉)로 되어 있으나 수긍하기게 어려움이 있다.

13) 이때 崔瑩에 관한 기사로 다음이 있다.

· 열전26, 崔瑩, "[禑王]十四年, 禑與瑩密議, 誅林堅味·廉興邦, 復拜瑩侍中".

14) 이때 李穡은 "壁上三韓三重大匡·判三司事·上護軍·右文館大提學·領藝文春秋館事·韓山府院君, 功臣號如故"에 임명되었다고 한다(『목은집』 연보).

15) 이후 尹珍의 거취는 알 수 없지만 死後에 文平이라는 시호를 받았던 것 같고, 아들은 司憲府執義彰이라고 한다. 또 이때 安宗源은 門下贊成事·判典工司事·提調銓選事에 임명되었다고 한다.

· 『簡易集』 권9, 尹斗壽神道碑銘, "… 曰珍, 重□□[大匡]·門下贊成事·藝文□[館]大提學, 文平公". 참

下評理, 知密直司事·判德昌府事成石璘△爲政堂文學,[16] 王興△爲知門下□府事, 印原寶△爲判密直司事, [添設奉善大夫·試典敎副令李詹爲奉常大夫·內府副令·藝文應敎,[17] 典法佐郞劉敬爲典校寺丞兼成均博士].[18]

[某日], 遣密直司使趙琳如京師, 請通朝覲. 表曰, "聰明作后, 訓戒孔昭, 視聽自民, 幽微必達, 玆當冒昧, 敢以控陳. 臣性資愚蒙, 學術鹵莽, 不幸幼年之孤苦, 惟賴洪造之生成. 先父荷易名之恩, 小臣霑襲爵之寵, 同仁一視, 渙頒綸綍之言, 用夏變夷, 許新冠服之制. 揆分踰望, 圖報矢心, 庶以歲事之往來, 少伸臣衷之萬一. 忽承勑諭之降, 有嚴譴責之加, 實咫尺之不違, 而手足之罔措. 爰馳賤介, 冀達卑忱, 又蒙阻回, 倍增恐懼. 臣禑忖度, 盖因年幼, 署事之初, 任用陪臣林堅味·右侍中李成林·廉興邦·潘福海·都吉敷·李存性等, 委以國政, 欲圖治效, 不期蒙蔽用事, 恣行不法, 以致於斯. 已將上項人等, 明正典刑, 旣已除其姦慝, 寀自切於籲呼. 伏望陛下, 推父母保子之心, 體乾坤生物之德, 特賜兪允, 俾通朝宗. 臣謹當守侯度, 而益虔祝皇齡於有永".

[是時頃, 禑出正門, 率百官, 拜表箋, 禮畢, 送表箋于大門外, 百官送于宣義門外:禮9進大明表箋儀轉載].

○密直司使趙琳至遼東, 不得入而還.

[某日], 禑閱妓樂于壽昌宮, 日以爲常.

[癸巳18日, 斬瑞城君廉國寶·同知密直□□司事廉致中·前知密直□□司事全彬·密直副使安思祖·密直提學朴仲容·典法判書金乙鼎·大護軍金涵·辛靖·成均祭酒尹璵·司憲掌令金肇·護軍崔遲·林孟陽·司僕正甘成旦·前江陵府使都希慶·宦者趙元吉等五十餘人, 皆被誅者族黨也:節要轉載].

[一又斬興邦兄瑞城君國寶, 國寶子同知密直致中, 女壻知部安祖同, 興邦女壻成

자가 추가되어야 옳게 읽을 수 있다.

· 『白下集』 권8, 尹澄之家狀, "… 諱彰, 始仕本朝, 歷司憲府執義, 卒, 官通政□□大夫·楊州府使".

· 열전22, 安軸, 宗源, "崔瑩誅權臣貪汚者, 以宗源淸謹, 擢門下贊成事·提調銓選事, 辭不克".

16) ~~添字~~는 『고려사절요』 권33에 의거하였는데, 이때 成石璘은 政堂文學·知春秋館事·進賢館大提學·上護軍에 임명되었다(『獨谷集』行狀).

17) 이는 『쌍매당협장집』연보에 의거하였다.

· 『쌍매당협장집』 권24, 文類, 祭亡姊文, "… 至戊辰春, 余以內府副令, 被詔至京".

18) 이는 「劉敞政案」에 의거하였다.

均祭酒尹琠，護軍崔暹，福海妹壻大護軍金涵，族典法判書金乙鼎，掌令金肇，齊味子孟陽，吉敷族前江陵府使都希慶，都衎·都云達，及被誅者族黨前知密直全彬，密直副使安思祖，密直提學朴仲容，辛靖，司僕正甘成旦，宦者趙元吉等五十餘人，籍沒堅味等資産．流吉敷子進士兪于邊地，兪禹仁烈女壻，瑩與仁烈善，免:列傳39林堅味轉載].[19]

[甲午[19日]:節要轉載]，始頒百官祿．

[某日]，禑出花園，張妓樂，宦者李匡諫止之.[20]

[某日，置田民辨正都監，考覈堅味等□[所]奪占田民，分遣安撫使于諸道，收捕堅味等家臣惡奴，誅之，凡千餘人，並沒財産:節要轉載].[21]

[某日]，令宗室·耆老·臺諫[臺省]·六曹，擧文武賢良.[22]

---

19) 이때 籍沒된 林堅味와 廉興邦의 土地 중에서 開京에 있었던 것의 일부는 조선시대의 籍田이 되었다고 한다.
- 『중종실록』 권19, 8년 11월, "乙丑朔，御朝講，… 侍讀官崔命昌曰，'國初，以林堅味·廉興邦田畓，屬奉常寺爲籍田，今傍近耕作者，盜割公田，以廣其私．籍田粢盛所出，不可不重，請農隙，令戶曹·奉常寺，與開城府審驗，以正界限'．上曰，'籍田被盜割之弊，事果重大，其令該司 詳細量括"．
- 『武陵雜稿』別集권4，田廨偶吟，[注，籍田所屬，皆廉興邦·林堅味輩沒入田，足以爲貪饕者鑑]．

20) 1475년(성종6) 10월 29일의 經筵에서 이 구절이 講讀되었던 것 같다.
- 『성종실록』 권60, 6년 10월 乙巳[29日], "御夜對．講至'下廉興邦·林堅味等于獄，幷其族黨誅之'．侍讀官成俔啓曰，'林·廉信有罪矣，然崔瑩不學無術，果於誅戮，終致覆亡，自古人君用人，不可不愼'．又至辛禑荒縱等事，都承旨柳輊啓曰，'禑之荒誕如此，而朝臣無復匡救，獨有宦者李匡諫止之，可謂賢矣'．上曰，'固有上書者矣，如其不聽何?'，俔曰，自古不借才於異代，是時文人才士，非不多也，不能用，故不敢言．苟能從諫，何苦不言，坐視危亡乎?"．

21) 이와 관련된 기사로 다음이 있다. 또 이때 按撫田民使 黃君瑞(黃喜의 父)가 2월에 羅州牧에 들어왔다고 한다.
- 지31, 百官2, 田民辨正都監, "[禑王]十四年，又以考覈林堅味占奪田民，置之".
- 열전39, 林堅味, "置田民辨正都監，考覈堅味等所奪占田民，分遣安撫使于諸道，收捕堅味等家臣惡奴誅之，凡千餘人，並沒財產".
- 『태종실록』 권25, 13년 6월, "辛未[24日]，前參贊議政府事崔有慶卒．… 戊辰正月，國家誅權臣林堅味等，以有慶爲楊廣道按廉□[使]，推正田民".
- 『금성일기』, 戊辰年[禑王14年], "按撫田民□[使]黃君瑞，二月日下界".
- 『四佳集』文集권2，積城縣客舍重新記，"積，小縣也，古號曰來巢．高麗時，屢爲開城·楊州兩府屬邑．後復爲縣治，本在山城之南，土地偏僻，民物凋殘，不能供上役，爲守者，率皆患之．麗季籍罪臣林檄家，爲邑而徙焉．太守韓雍，始建廨宇，…". 여기서 韓雍은 都官佐郞을 거쳐 積城監務로 재직하였다(『세종실록』 권29, 7년 7월 丁亥[20日]，韓雍의 卒記).

22) 臺諫은 지29, 選擧3, 薦擧에는 臺省으로 되어 있는데, 같은 의미로 사용되었다(→성종 1년 3월 18

[某日], 禑畋于南郊.

[某日], 安置廣平府院君李仁任于京山府, 竄□□其弟前門下評理李仁敏于雞林府, [配烽卒. 杖流□□孼子大護軍李瓛·進士都兪于邊地. 仁任, 秉權日久, 以柔佞悅人, 門客滿庭, 各自以爲待己尤厚. 誣陷忠良, 殺戮無辜, 時人, 比之李猫. 崔瑩, 德仁任右己, 乃白禑曰, "仁任決謀事大, 鎭定國家, 功可掩過", 遂幷其子弟皆宥之. 國人嘆曰, "林·廉之師, 大賊漏網", 又曰, "正直崔公, 私活老賊". ○瓛, 仁任之孼子, 而堅味之壻. 兪, 吉敷之子, 而禹仁烈之壻. 瑩素與仁烈厚, 故兪亦得免. 又流前贊成事朴形于角山戍, 知申事權執經于安東, 右代言李稷于全州. 形, 仲容之父. 執經, 仁任之妾壻. 稷, 仁敏之子也. 初, 李仁復, 惡仁任·仁敏之爲人曰, "敗國亡宗者, 必是二弟也". 其孫存性, 果連坐:節要轉載].[23]

[某日], 以不能禦倭, 囚江華萬戶金辛寶于巡軍. 辛寶逃, 斬巡軍令史.

[某日, 以前典法摠郞崔有慶爲楊廣道按廉使, 安希德爲慶尙道按廉使, 柳亮爲全羅道按廉使:慶尙道營主題名記·錦城日記].

[是月, 以失火延燒寧海府城樓及閭巷茅屋:追加].[24]

[是月頃, 以承奉郞李兪爲安東大都護府判官, 前中郞將池光甫爲雞林府安集判官:追加].[25]

二月丙午朔小盡,乙卯, [己酉4日, 歲星光芒射北, 其色白:天文3轉載].

[某日], 禑閱林堅味·廉興邦等樂器于花園, 鍾鼓·絲竹之聲, 晝夜不輟.

[某日], 封安淑老女爲賢妃, 妓小梅香△爲和順翁主, 燕雙飛△爲明順翁主.

일의 脚注).

23) 이와 같은 기사가 열전39, 李仁任, 林堅味에도 수록되어 있으나 자구에 출입이 있다. 또 李存性은 11일에 이미 처형되었다.
 · 열전39, 李仁任, "… 竄其弟前評理仁敏于雞林, 配烽卒, 杖流孼子大護軍瓛, 孼女壻知申事權執經, 姪右代言稷, 姻族簽書密直□□司事河崙·同知密直司事李崇仁, 密直副使朴可興".
 · 열전39, 林堅味, "… 杖仲容父前贊成□事形一百, 流角山戍".

24) 이는 다음의 자료에 의거하였다.
 ·『양촌집』 권11, 寧海府西門樓記, "… 戊辰正月, 失火延燒, 公私未立".

25) 이는『안동선생안』;『동도역세제자기』에 의거하였다.

[是日， 我太祖[守侍中李成桂]及[門下侍中]崔瑩入政房. 瑩盡黜林·廉所用之人， 太祖曰， "林·廉執政曰久，凡士大夫，皆其所擧，今當問才之賢否耳，惡咎其旣往". 瑩不聽:節要轉載].

[→[侍中崔]瑩與我太祖[守侍中李成桂]入政房， 欲盡黜林·廉所用， 太祖[守侍中李成桂]曰，"林·廉執政日久，凡士大夫，皆其所擧. 今但問才之賢否耳，惡咎其旣往". 瑩不聽:列傳26崔瑩轉載].

[某日，以[奉常大夫·內府副令·藝文應敎]李詹爲藝文應敎兼成均直講，依前知製敎:追加].[26]

[某日]，禑如東江，乘奉天船，縱奏音樂，□[毋]留宿,[27] 賜燕雙飛馬二匹，又賜妓十五各一匹，從[明順翁主]燕雙飛請也.

[某日，[門下侍中]崔瑩與諸相，議攻定遼衛及請和可否，皆從和議. 時遼東都司遣李思敬等，渡鴨綠江，張榜曰，"戶部奉聖旨，鐵嶺迤北·迤東·迤西，元屬開原[開元路]，所管軍民·漢人·女眞·達達·高麗，仍屬遼東". 故有此議:節要轉載].[28]

[→先是， 西北面都安撫使崔元沚報云，"遼東都司遣承差李思敬等， 到鴨綠江，張榜曰，戶部承聖旨，鐵嶺迤北·迤東·迤西，元屬開原[開元路]，所管軍人[軍民]·漢人·女眞 ·達達·高麗，仍屬遼東". [門下侍中崔]瑩與諸相議攻定遼衛及請和，諸相皆欲請和:列傳26崔瑩轉載].

[某日]，禑如壺串，竟日泛舟爲樂，夜，乘醉拔劒，欲刺左右，左右皆散. 篙工二人獨在船，禑欲刺之，劒墜地，不及害. 翼日還，吹螺道前，妓二十餘人隨之.

[某日]，禑以金永珍家及金銀器，賜[和順翁主]小梅香，以林·廉[林堅味·廉興邦]等家財，賜

---

26) 이는 『쌍매당협장집』연보, "[洪武二十一年戊辰]二月，拜藝文應敎，依前知製敎兼成均直講"에 의거하였다.

27) ~~添字~~는 『고려사절요』 권33에 의거하였다.

28) 이 榜文은 다음의 기사에도 일부가 수록되어 있다. 또 開原은 원래 遼陽行省 開元路를 가리키는데, 이 시기에 朱元璋을 避諱하여 開原으로 改稱(혹은 改書)하였던 것 같다.

- 『태종실록』 권7, 4년 5월, "己未[19日]， … 遣計稟使·藝文館提學金瞻如京師. 瞻與[明使王]可仁偕行. 奏本云， … 聖朝洪武二十一年二月，承準戶部咨，該侍郞楊靖等官，欽奉太祖高皇帝聖旨節該，鐵嶺迤北·迤東·迤西，原屬開原[開元路]，所管軍民，仍屬遼東所管".
- 『태조실록』 권1, 總書, 우왕 14년 2월, "初，大明帝以爲，鐵嶺迤北·迤東·迤西，元屬開元□[路]所管，軍民·漢人·女眞 ·達達·高麗，仍屬遼東. 崔瑩，集百官議之，皆以爲不可與. 禑與瑩密議攻遼，公山府院君李子松就瑩第，力言不可. 瑩托以子松黨附林堅味，杖流全羅道內廂，尋殺之. 禑得西北面都安撫使報，遼東兵至江界，將立鐵嶺衛. 泣曰，群臣不聽吾攻遼之計，使至於此. 大明復遣遼東百戶王得明來，告立鐵嶺衛".

嬖幸, 無筭.

庚申15日, 燃燈, 禑如奉恩寺.

○門下評理偰長壽還自京師,[29] 口宣聖旨曰, "高麗願聽朕約束, 朕令歲貢馬, 所進馬不中用. 而又訴難, 我令勿進, 只令三年, 進種馬五十匹, 所進馬又不中用. 後買五千匹, 又皆弱小, 以我一匹價, 可買彼兩三馬. 今又以改衣冠, 謝恩進馬, 粗蹄腫腿, 既是來獻, 何至於此. 是必使臣, 行至西京, 賣換而來耳. 已囚張子溫于錦衣衛, 使經年罪之, 爾歸以告執政大臣. 朕既許通商矣, 彼反不肯明白通牒, 使來貿易, 乃陰令人來大倉太倉, 窺覘我興師·造艦與否, 重賞我人之去洩消息者. 是街中小兒之見也, 自今愼勿如此, 又毋得遣使來. 鐵嶺迆北, 元屬元朝, 並令歸之遼東, 其餘開元·瀋陽·信州等處軍民, 聽從復業".[30]

○帝以徐質歸言, 禑有疾, 賜藥材.

[某日, 籍諸道兩班·百姓·鄕驛吏爲兵, 無事力農, 有事徵發:節要·兵1五軍轉載].

[某日], 禑命修五道城, 遣諸元帥于西北鄙, 以備不虞.

[某日], 禑如東江.

[某日], □知泰州郡事李眞, 盜官錢, 事覺鞫之.

[某日], 禑自東江還, 馬驚, 射殺之.

[某日, 門下侍中崔瑩集百官, 議獻鐵嶺迆北可否, 皆以爲不可:節要轉載].

[→密直司使趙琳又至遼東, 不得入而還, 瑩集百官, 議獻鐵嶺池北可否, 百官皆曰, "不可":列傳26崔瑩轉載].

[某日], 禑與門下侍中崔瑩密議攻遼, 發京城坊里軍, 修漢陽重興城.

[→禑獨與瑩密議攻遼, 瑩勸之:列傳26崔瑩轉載].

[某日, 斬原州牧使徐信, 李成林友壻也. 我太祖守侍中李成桂使人言於瑩曰, "罪魁已族, 兇徒已除, 自今宜止刑殺, 以布德音". 瑩不聽:節要轉載].[31]

---

29) 偰長壽가 明에서 歸還하여 開京에 도착한 날짜는 2월 15일(庚申)이다(『양촌집』 권24, 事大表箋類, "臣言洪武二十一年二月十五日庚申, …").

30) 開元[開元萬戶府, 開元路]은 현재의 遼寧省 開元市의 北部地域이고, 이와 관련된 자료로 『吏文』 권2, 咨奏申呈照會15, 鐵嶺等處榜文張掛咨가 있다.

[→太祖又遣人謂瑩曰，“罪魁已族，兇徒已除，自今宜止刑殺，布德惠”．瑩又不聽．○楊廣道安撫使[按廉使]崔有慶捕誅林·廉家奴八人，遣人報都堂．瑩以獄辭不明，且誅殺不盡，大怒，欲斬其使，□[我]太祖[李成桂]固止之:列傳26崔瑩轉載].[32]

[某日]，禑取潘福海駿馬，騎之曰，“無乃善驚乎?”．版圖判書宋贇進曰，“福海所難馭也”．禑怒曰，“汝以予取賊馬耶?”，遂殺贇．

[某日，巡軍栲掠堅味·益淳·興邦·吉敷妻，徵督財產，皆死獄中．後，投成林·福海·存性·永珍·林檄·辛權·孫仲興等妻于臨津．於是，收殺被誅者子孫無遺，其在襁褓者，皆投之江，匿免者無幾，其妻·女沒爲官婢者，三十餘人:節要轉載]．

[→巡軍勾撿堅味·益淳·興邦·吉敷財產，栲掠其妻，皆死獄中．盡收殺被誅者子孫，雖在襁褓，皆投之江，匿免者無幾．沒被誅人妻女爲官婢，凡三十餘人．投成林·福海·存性·永珍·檄·權·孫仲興，及檄六歲子于臨津，又斬成林黨前判書成仲庸．徐規亦成林黨也，在利川，安集□□[別監]李安生搜捕之，規逃．其妻故宰相成士達之女，安生見而悅之，遂私焉．其妻誘規至，執殺之．□[後]事覺，殺安生，沒規妻爲典客寺婢:列傳39林堅味轉載]．

[→成林之黨徐規在利川，安集□□[別監]李安生捕之，規逃，安生見其妻美，遂私焉．其妻誘規至，安生執而殺之．後事覺，誅安生，以妻屬典客寺爲婢:節要轉載]．

[某日]，禑遣政堂文學郭樞如京師，謝賜藥材．表曰，“大德天施，生成庶類，睿恩波及，浹洽微軀，銘佩實深，粉糜難報．伏念，臣素因氣禀之弱劣，動有疾病之侵尋．惟良藥不產於小邦，致陪臣爲求於上國．何圖瑣末，獲達高明，出醫局之珍藏，附賤介以寵錫．玆蓋陛下，法易育物，體書好生，推惠澤以曲加，俾纏緜而有喜．臣謹當益盡心於蕃翰，恒祝釐於壽康”.[33]

---

31) 이 기사는 『태조실록』 권1, 總書, 우왕 14년 2월에도 수록되어 있다. 또 友壻는 同壻와 같은 말이다.
· 『한서』 권64上, 嚴助傳34上, “助侍燕從容，上問助居鄕里時，助對曰，家貧，爲友壻富人所辱”，“顔師古曰，友壻，同門之壻”．

32) 安撫使는 按廉使로 고쳐야 옳게 될 것이다(→是年 1월 某日).

33) 郭樞(閔霽의 妹夫, 太宗妃 閔氏의 姑母夫)는 太宗 李芳遠이 즉위한 후 前政堂文學으로 藝文館大學士에 임명되었다가 1405년(태종5) 7월 6일 贊成事로 逝去하였다고 한다. 添字는 필자가 추가하였다.
· 『태종실록』 권11, 5년 7월 6일, 郭樞의 卒記, “己亥[6日]，議政府贊成事郭樞卒，□□□□[年六十六]．樞淸州人，訃聞，停朝三日，賜祭．靜妃[閔氏]，亦遣人致祭，贈諡文良．樞性淳厚，富貴知足，無驕侈．嘗[禑王2年]掌司馬試，稱得士，二子，恂·惲”．

○大明欲建鐵嶺衛，禑遣密直提學朴宜中，表請曰，“昊天廣大，覆育無遺，帝王作興，疆理必正，玆殫卑懇，仰瀆聰聞．粤惟弊邦，僻在遐壤，褊小實同於墨誌，峭嶢何異於石田．況從東隅，以至北鄙，介居山海，形勢甚偏．傳自祖宗，區域有定，切照鐵嶺迤北，歷文·高·和·定·咸等諸州，以至公嶮鎭，自來係是本國之地．至遼乾統七年[睿宗2年]，有東女眞□[大]等作亂，奪據咸州迤北之地，睿王[睿宗]告遼請討，遣兵克復，就築咸州及公嶮鎭等城．及至元初戊午年[高宗45年]間，蒙古散吉大王·普只官人等，領兵收附女眞之時，有本國定州叛民卓青·龍津縣人趙暉，以和州迤北之地，迎降．聞知金[今]朝遼東咸州路附近瀋州，[34] 有雙城縣，因本國咸州近處和州，有舊築小城二坐，矇矓奏請，遂將和州，冒稱雙城，以趙暉爲雙城摠管，卓青爲□□[雙城]千戶，管轄人民．至至正十六年[恭愍王5年]間，申達元朝，將上項摠管·千戶等職革罷，以和州迤北，還屬本國，至今，除授州縣官員，管轄人民，由叛賊而侵削，控大邦以復歸．今欽見奉[~~欽奉見~~]鐵嶺迤北·迤東·迤西，元屬開元□[路]，所管軍民，仍屬遼東．欽此，鐵嶺之山，距王京，僅三百里，公嶮之鎭，限邊界，非一二年．其在先臣，幸逢昭代，職罔愆於侯度，地旣入於版圖，還[逮]及微軀，優蒙睿澤，特下十行之詔，俾同一視之仁．伏望陛下，度擴包容，德敦撫綏[~~綏撫~~]，遂使數州之地，仍爲下國之疆．臣謹當益感再造之恩，恒祝萬年之壽”．[35]

· 『松沙集』 권43，高麗寶文閣提學諡文良郭公行狀，“公諱樞，郭氏，… 妣淸州鄭氏提學怡，以忠肅戊寅[後7年]，生公于淸州楸洞第，少學于禹公吉生門，圃隱先生同學相善，恭愍庚子[9年]，以國子進士，同登新京東堂文科，與之齊名．而李石灘存吾·文三憂堂益漸，皆其同年也．… 太宗朝，又以門下侍郎贊成[~~議政府贊成事~~]·判戶曹□[事]·[~~藝文館~~]大提學，連徵，從不起，歸隱長湍之十川橋，以考終焉，卽永樂乙酉[太宗5年]七月七日也”．

34) 契丹의 咸平(現 遼寧省 開元市의 北東에 位置)이 金初에 咸州路로 改稱되었다가 1150년(天德2) 咸平府로 승격되었다.

35) 이 表는 禮儀判書 權近이 修撰하였는데(『양촌집』 권24，事大表箋類，“臣言洪武二十一年二月十五日，…”)，이 기사를 『양촌집』의 그것과 비교해 보면，~~添字~~와 밑줄이 있는 글자는 달리 표기된 것이고，末尾의 일부분이 省略되어 있다. 또 박의중의 파견에 관련된 後日의 기사도 찾아진다.
또 朴宜中(朴實의 改名)이 가져간 表는 4월 18일(壬戌) 明帝에게 바쳐진 것 같은데，이때에 高麗王禑가 表를 올려 文·高·和·定 等州는 본래 高麗의 領域[舊壤]으로 鐵嶺이 바로 대대로 지켜오던 영역이므로 통속되게 해달라고 요청했다고 한다. 이에 대해 明帝가 禮部尙書 李原名을 불러 고려의 요청이 합당해 보이기도 하지만，그 지역이 몽골제국의 통치 지역이므로 遼東에 속하는 것이 合當하며 이미 鐵嶺衛를 설치하여 통치하고 있으므로 고려의 주장은 신빙할 수 없다고 하면서 禮部가 咨文을 보내 공연히 釁端을 만들지 말게 하라고 명하였다(『명태조실록』 권190).
그리고 朴宜中이 到着하자 明帝가 禮部官으로 하여금 會同館에서 饗宴하게 하고 過去 元의 平章·院使의 윗자리에 앉게 하였다고 한다. 또 鐵嶺衛를 설치하는 의논을 중지하게 하고，錦衣衛에 流配되었다가 죽은 張子溫의 隨從人 2人을 돌려보냈다고 한다(열전25，朴宜中).

[辛未[26日], 歲星犯左執法:天文3轉載].

[是月, 以宋居中爲扶安縣安集別監:追加].[36]

[是月頃, 以李居易爲羅州牧使:追加].[37]

三月乙亥朔[大盡,丙子], 禑在壺串, 乘麒麟·奉天等船, 恣爲雜戲, 按劒辟左右, 獨坐舟中, 通宵不寐曰, "父王夜寢, 爲人所弑, 吾甚戒之".

[某日], 禑納[門下侍中]崔瑩女爲妃. [初, 禑欲納瑩女, 使人言之, 瑩不可曰, "臣女鄙陋, 且非醮婦所生, 常置側室, 不可配至尊. 殿下必欲納之, 老臣剃髮入山矣". 泣且固拒. 麾下鄭承可·[門下評理]安沼等, 逢迎禑意, 卒奪瑩志. 是日, 禑:節要轉載]以尙衣□[~~局~~]進衣遲緩, 斬別監·厚德府少尹元允海, 判事康義.

[→□□[~~先是~~], 禑欲納瑩女, 使人諭之, 瑩不可曰, "臣女鄙陋, 且非醮婦所生, 常置側室, 不可配至尊. 殿下必欲納之, 老臣剃髮入山矣. 泣且固拒". 麾下鄭承可·安沼等, 逢迎禑意, 遂納之:列傳26崔瑩轉載].

[某日], 禑如崔瑩第, 遂與瑩, 宴于崔氏宮.

[某日, 前典理判書許錦卒, [~~年未五十~~]. 錦, 自少有疾, 不樂仕宦, 傾財劑藥. 凡有疾者, 無尊卑, 就問輒施, 所活甚多. 性不喜佛:節要轉載].[38]

[某日], 斬延安府使柳克恕·宦者金實, 克恕林堅味之門客, 且聽李存性言, 潛逸實囚也.[39]

[某日], 封崔氏爲寧妃, 立府曰寧惠, 又封[同知密直司事]申雅女爲正妃, [知門下府事]王興

· 『태종실록』 권7, 4년 5월, "己未[19日], … 遣計稟使·藝文館提學金瞻如京師. 瞻與[明使王]可仁偕行. 奏本云, … 本國卽將上項事, 因差陪臣密直提學朴宜中, 齎擎表文, 前赴朝廷控訴, 乞將公嶮鎭迤北, 還屬遼東, 公嶮鎭迤南至鐵嶺, 還屬本國".

· 『신증동국여지승람』 권33, 金堤郡, 寓居, "朴宜中, 字子虛, 初名實, 密陽人. 恭愍朝擢魁科, 辛禑時, 累官至大司成, 密直提學. 奉使如京, 請還鐵嶺迤北, 不齎一物. 遼東護送鎭撫徐顯索布, 傾橐示之, 解所着苧衣與之. 顯嘆其淸白, 以告禮部. 天子引見, 待之有加, 命禮部享于會同館, 坐之前元平章·院使上, 遂准其請".

36) 이는 『부안읍지』, 先生案에 의거하였다.

37) 이는 『금성일기』에 의거하였다.

38) 이와 같은 기사가 열전18, 許珙, 錦에도 수록되어 있는데, ~~添字~~에 이에 의거하였다.

39) 柳克恕는 前年(丁卯, 우왕13)에 延安府使로 到任하였다(『延安府誌』, 守臣).

女爲善妃. 自李謹妃而下, 崔寧妃·盧毅妃·崔淑妃·姜安妃·申正妃·趙德妃·王善妃·安賢妃及[和順翁主]小梅香·[明順翁主]燕雙飛·[寧善翁主]七點仙等三翁主, 諸殿供上之物甚夥, 常滿庫之布, 一月用三千九百匹, 諸倉庫俱竭, 乃豫收三年貢物, 猶不足. 又加徵斂[~~徵斂~~], [其弊極矣:節要轉載].[40]

[→九妃·三翁主諸殿, 上供之物, 浩繁, 倉庫匱竭. 預徵三年貢物, 猶不足, 又加橫斂, 民甚苦之:食貨1貢賦轉載].

[→禑嘗憚瑩正直, 不往其第. 自此, 寵愛寧妃, 屢往焉:列傳26崔瑩轉載].

[某日, 杖流簽書密直□□[~~司事~~]河崙于襄州, 密直副使朴可興于順天, 簽書密直[~~同知密直司事~~]李崇仁于通州, 以仁任姻族也:節要轉載].[41]

[某日], 殺公山府院君李子松, 以子松嘗止崔瑩攻遼也.

[→初, 瑩勸禑攻遼, 子松詣瑩第, 力言不可. 瑩托以黨附堅味, 杖百七, 擬流全羅道內廂, 尋殺之. 子松, 淸廉, 國人注意復相, 及死, 聞者莫不悲嘆:節要轉載].

[→未幾罷, 封公山府院君. 崔瑩勸禑攻遼, 子松詣瑩第, 力言不可. 瑩白禑托以黨附林堅味, 杖百七, 擬流全羅道內廂, 尋殺之. 或云, □□[~~禑王~~]妬妓燕雙飛也. 子松淸廉, 國人注意復相, 及聞其死, 莫不悲之:列傳24李子松轉載].[42]

[某日], 西北面都安撫使崔元沚報, 遼東都司[遼東都指揮使司]遣指揮二人, 以兵千餘來, 至江界, 將立鐵嶺衛, 帝豫設本衛鎭撫等官, 皆至遼東. 自遼東至鐵嶺, 置七十站, 站置百戶.

○禑□[丹]自東江還,[43] 馬上泣曰, "群臣不聽吾攻遼之計, 使至於此". 遂徵八道精兵, 下令[敎]曰,[44] "明日欲西幸, 臣僚宜皆著大元冠服". 我太祖[守侍中李成桂]及諸宰樞言,

---

40) 徵斂은 『고려사절요』 권33에는 橫斂으로 되어 있는데, 후자가 옳을 것이다.

41) 이 기사는 열전39, 李仁任에도 수록되어 있고, 이와 관련된 기사로 다음이 있다.
- 열전28, 李崇仁, "轉同知司事, 以李仁任姻族, 杖流通州". 李崇仁은 李仁任의 同高祖八寸의 弟인데, 이때 通州(現在 北韓이 관할하고 있는 江原道 通川郡)로 流配된 것 같다.
- 『태종실록』 권32, 16년 11월 癸巳[6日], 河崙의 卒記, "…, 累官至簽書密直司事[~~同知密直司事~~]. 戊辰春, 崔瑩興師犯遼陽, 崙力陳不可, 瑩怒, 放之襄州". 여기에서 ~~添字~~와 같이 고쳐야 옳게 될 것이다.

42) 이와 같은 기사가 열전26, 崔瑩에도 수록되어 있다. 또 燕雙飛는 妓生 출신으로 禑王의 後宮이 되어 翁主에 책봉된 인물이므로 ~~添字~~를 추가하여야 할 것이다.

43) ~~添字~~는 『고려사절요』 권33에 의거하였다.

44) 下令曰은 下書曰로도 표기되었는데, 이들은 원래 下敎曰[下敎書曰]로서, 『고려사』의 편찬자가

大明使將至，今西幸，則民心動搖，請待大明使還，禑從之，國人皆喜.

○時城中人，編髮·胡服者已多．憲府司憲府以大明使將至，禁之.[45]

[某日]，禑如定妃殿.

[某日，門下侍中崔瑩閱兵東郊:節要轉載].

[某日]，大明後軍都督府，遣遼東□□都司百戶王得明來，告立鐵嶺衛．禑稱疾，命百官郊迎，判三司事李穡領百官，詣王得明，乞歸敷奏．得明曰，“在天子處分，非我得專”．[門下侍中崔瑩怒，白禑，令殺遼東軍持牓文至兩界者，死者二十一人，只留李思敬等五人，令所在羈管:節要轉載].[46]

[某日]，禑將出畋，點群妓，有一妓不及，怒殺之．再如定妃殿，遊行閭里，夜至花園，使唱胡歌宴樂.

[某日]，遼東百戶王得明還.

庚子26日，宥境內，遂如西海道，寧妃及崔瑩從之．命門下贊成事禹玄寶，留守京城，發五部丁夫爲兵，名爲西獵海州白沙亭，實欲攻遼也.[47]

[某日] 禑徙世子昌及定妃·謹妃以下諸妃于漢陽山城．是時，全羅·慶尙二道，爲倭寇巢穴，東·西北面方憂割地，京畿·交州·楊廣三道，困於修城，[48] 西海·平壤二道，迎侯西獵，加以徵兵．八道騷然，民失農業，中外之怨，甚於仁任李仁任·林林堅味·廉廉興邦時矣.

[是月辛丑27日，□明置鐵嶺衛指揮使司．先是．元將拔金完哥率其部屬金千吉等來附，至是，遣指揮僉事李文·高顒，鎭撫杜錫，置衛於奉集縣，以撫安其衆．○徙置三萬衛于開元□□~~老城~~.[49] 先是，詔指揮僉事劉顯等，至鐵嶺立站，招撫鴨綠江以東

改書하였던 글자로 추측된다. 그렇지만 창왕 즉위년 6월과 1년 9월에는 下敎曰도 찾아진다.

45) 이 기사는 지39, 刑法2, 禁令에는 “司憲府禁編髮·胡笠”으로 되어 있다.

46) 이상과 같은 鐵嶺衛의 설치에 대한 내용은 열전26, 崔瑩에 축약되어 있다.

47) 이와 관련된 자료로 다음이 있다.

- 『태조실록』 권1, 總書, 우왕 14년 3월, “禑獨與瑩決策攻遼, 然猶未敢昌言也. 托言遊獵, 西幸海州”.
- 『신증동국여지승람』 권43, 황해도, 康翎縣, 山川, “登山串，在縣南六十里．有白沙汀，海潮退，則白沙平衍，不泥濘，可縱鞭逐禽．卽古海州之地，地多麋鹿，千百爲群．高麗辛禑欲攻遼，發五部丁夫爲兵，托言西獵海州白沙汀，卽此地．今爲牧場”.

48) 이해의 3월 全羅道에도 山城修補別監 崔耘이 부임하였다(『금성일기』).

49) ~~添字~~는 筆者가 추가하였다.

夷民會，指揮僉事侯史家奴領步騎二千，抵斡朶里立衛，以糧餉難繼，奏請退師，還至開元，野人劉憐哈等集衆屯于溪塔子口，邀擊官軍，顯等督軍奮殺百餘人，敗之．撫安其餘衆，遂置衛于開元:追加].[50]

[夏]四月乙巳朔小盡,丁巳，禑至鳳州．初，禑獨與門下侍中瑩，決策攻遼，未敢顯言．是日，召瑩及我太祖守侍中李成桂曰，"寡人，欲攻遼陽，卿等宜盡力"．□我太祖曰，"今者出師，有四不可，以小逆大，一不可．夏月發兵，二不可．擧國遠征，倭乘其虛，三不可．時方暑雨，弓弩膠解，大軍疾疫，四不可"．禑頗然之．□我太祖退，謂瑩曰，"明日，宜以此言復啓"．瑩曰，"諾"．夜，瑩復入啓，"願毋納他言"．[51]

明日丙午2日，禑召□我太祖曰，"業已興師，不可中止"．□我太祖復啓曰，"殿下必欲成大計，宜駐駕西京，待秋出師，禾穀被野，大軍食足，可鼓行而進矣．今冊出師非時，雖拔遼東一城，雨水方降，軍不得前却，師老糧匱，祇速禍耳"．禑曰，"卿不見前守侍中李子松耶?"．□我太祖對曰，"子松雖死，美名垂於後世，臣等雖生，已失計矣，何用哉"．禑不聽．□我太祖退而涕泣．麾下士曰，"公何慟之甚也"．□我太祖曰，"生民之禍，自此始矣"．[52]

丁未3日，禑次平壤，督徵諸道兵，作浮橋于鴨綠江，使大護軍裴矩督之，船運林·廉林堅味·廉興邦等家財于西京，欲充軍賞．又發中外僧徒爲兵，抄京畿兵，屯東西江，以備倭．

[丙辰12日:節要轉載]，加崔瑩△爲八道都統使，以昌城府院君曹敏修爲左軍都統使，以西京都元帥沈德符△爲副元帥，李茂△爲楊廣道都元帥，王安德△爲副元帥，李承源△爲慶尙道上元帥，慶尙道都巡問使朴葳△爲全羅道副元帥，全羅道元帥兼都巡問使崔雲海△爲雞林元帥,[53] 慶儀△爲安東元帥,[54] 崔鄲△爲助戰元帥,[55] 崔公哲△爲八道都統使助

---

50) 이는『명태조실록』권189, 홍무 21년 3월 辛丑을 전재하였다. 이때 明이 설치하려고 했던 鐵嶺衛의 位置는 처음 설치하려고 했던 鴨綠江 流域의 黃城(現 吉林省 集安)에서 옮겨진 奉集縣(現 瀋陽市 蘇家屯區 東南 40里 奉集堡?)으로 高麗政府가 鐵嶺衛가 설치될 것이라고 豫斷했던 鐵嶺地域과는 차이가 있다는 견해가 있다(朴元熇 2006년 ; 陸俊鉞 2018年). 그렇지만 上記 '明實錄'의 내용도 鐵嶺衛의 治所만을 언급한 것이 아니라 管轄區域, 驛站設置, 官員派遣, 女眞의 抵抗 등을 제시하고 있음을 보아 철영위 설치에 대한 高麗側의 憂慮는 판단의 잘못에서 나온 것은 아닐 것이다. 또 27日(辛丑)은 율리우스曆으로 1388년 5월 3일(그레고리曆 5월 11일)에 해당한다.

51) 이날은 율리우스曆으로 5월 7일(그레고리曆 5월 15일)에 해당한다.

52) 이상의 기사는『태조실록』권1, 總書, 우왕 14년 4월에도 수록되어 있는데, 添字는 이에 의거하였다.

戰元帥, 趙希古·安慶·王賓,[56] 屬焉. 以我太祖[李成桂]爲右軍都統使, 以安州道都元帥鄭地·上元帥池湧奇△[爲]副元帥, 皇甫琳△[爲]東北面副元帥, 李彬△[爲]江原道副元帥, 具成老△[爲]助戰元帥, 尹虎·裴克廉·朴永忠·李和·[密直副使]李豆蘭·金賞·尹師德·慶補△[爲]八道都統使助戰元帥, 李元桂·李乙珍·金天莊, 屬焉. 左·右軍, 共三萬八千八百三十人, 傔一萬一千六百三十四人, 馬二萬一千六百八十二匹.[57]

[○以楊廣道按廉使崔有慶爲西北面戰運使兼察訪使:追加].[58]

○遣右代言李種學, 行助兵六丁神醮禮.

[→丙辰, 遣使, 醮助兵六丁:禮5雜祀轉載].

[丁巳[13日]:節要轉載], 命奉天船都元帥·同知密直□□[司事]李光甫, 還屯開京西江, 以備倭.

[庚申[16日], 月食, 旣:天文3·節要轉載].[59]

○禑如大同江, 陳百戲, 奏胡樂竟日.

○有巡軍萬戶府知印, 矯禑命, 放卒十人, 斬以徇.

辛酉[17日], 左·右軍都統使, 將出師, 禑醉, 日晏不興, 不得拜辭. 禑酒醒, 泛舟石浦, 至夕乃還, 飮諸元帥酒, 賜衣鎧·弓劒·馬有差, 奏胡樂達曉.

壬戌[18日], [曹敏修領:節要轉載]左□[軍],[60] [我太祖[李成桂]領:節要轉載]右軍, 發平

---

53) 崔雲海는 全羅道元帥兼都巡問使로서 이해의 3월 17일에 全羅道에 들어왔다[下界].

54) 慶儀(慶復興의 子)는 純誠翊衛功臣·奉翊大夫·雞林元帥兼府尹·管內勸農使·都兵馬使로서 이해의 1월 30일 到任하여 3월 23일 軍士를 거느리고 上京하였다고 한다(『동도역세제자기』).

55) 崔鄲은 前年(丁卯, 우왕13) 9월에 匡靖大夫·安東道元帥兼府尹으로서 赴任하여 이해의 11월에 遞任하였다(『안동선생안』).

56) 趙希古는 蒙古語에 능숙한 武將이었던 것 같다(『태종실록』 권22, 11년 12월 辛丑[15日], "賜前參贊門下府事趙希古米豆二十石, 知蒙學者也").

57) 이날은 율리우스曆으로 5월 18일(그레고리曆 5월 26일)에 해당한다.

58) 이는 다음의 자료에 의거하였다.
- 『태종실록』 권25, 13년 6월, "辛未[24日], 前參贊議政府事崔有慶卒. … [戊辰]夏, 僞主興師攻遼, 以有慶爲西北面轉運使兼察訪□[使]".

59) 이때 明에서는 15일(己未)에 월식이 있었다. 또 이날(庚申)은 율리우스력의 1388년 5월 22일이고, 월식 현상이 심했던 때인 15일(己未)의 世界時는 18시 9분, 食分은 0.94이었다(渡邊敏夫 1979年 486面).
- 『명태조실록』 권1, 홍무 21년 4월 己未, "夜, 月食".

壤, 衆號十萬.[61]

[癸亥19日, 瑩白禑曰~~啓曰~~, “今大軍在途, 若淹留旬月, 則大事不成, 臣請往督之”. 禑曰, “卿行則誰與爲政”. 瑩固請, 禑曰, “然則寡人亦往矣”. ○有人, 自泥城來曰, “近, 吾往遼東, 遼東兵, 皆赴伐胡, 城中, 但有一指揮耳. 若大軍至, ~~可~~不戰而下”. 瑩大喜, 厚賜之厚~~給其大~~:節要轉載].[62]

[○有僧稱道詵讖曰, “設文殊會, 則敵兵自屈”. 瑩信之, 乃設會于穴洞:列傳26 崔瑩轉載].

[甲子20日:節要轉載], 禑如大同江, 張胡樂于浮碧樓, 自吹胡笛. 有圉人, 裸而洗馬于江, 禑見之, 以爲慢我命, 斬之. 自是, 常至大同江, 樂而忘返.

乙丑21日, 停洪武年號, 令國人復胡服.[63]

[某日], 倭入豐州椒島. 時京城丁壯皆從軍, 唯餘老弱, 每夜, 烽火屢擧, 京城單虛, 人情危懼, 莫保朝夕.

[某日], 禑將出畋, 進一馬而斬之曰, “此馬, 數驚我也”. 又道見亡卒二人, 卽命斬之, 禑滛樂~~淫樂~~·殺戮, 日甚.

戊辰24日, 太白晝見.

辛未27日, 遣門下評理文達漢·金宗衍·鄭承可·宦者曹恂·金完, 賜左·右都統使及諸將金銀·酒器, 至都鎭撫, 皆賜衣.

[某日], 禑如大同江, 泛舟, 使奏胡樂, 禑自吹胡笛, 且爲胡舞.

[是月, 原州令傳寺僧覺修·奉翊大夫徐允賢·牧使姜隱等, 造成普濟尊者懶翁惠勤舍利塔貳頭:追加].[64]

---

60) ~~添字~~는 『고려사절요』 권33에 의거하였다.

61) 이날은 율리우스曆으로 5월 24일(그레고리曆 6월 1일)에 해당한다.

62) ~~添字~~는 『태조실록』 권1, 總書, 우왕 14년 4월에 의거하였는데, 이렇게 고쳐야 옳게 될 것이다.

63) 이날은 율리우스曆으로 5월 27일(그레고리曆 6월 4일)에 해당한다.

64) 이는 1915년 江原道 原州市 本部面에 위치했던 靈泉寺[令傳寺] 3층탑(보물 제358호, 현 경복궁 경내에 위치, 높이 3.92, 폭 1.92m)에서 발견된 誌石(20×20×1.8cm)의 銘文에 의거하였다(國立中央博物館 所藏, 朝鮮總督府 1929年 3,390面 ; 朝鮮總督府博物館 1939年 ; 李純祐 2002년 ; 韓盛旭 2002년 275面 사진326). 이때 발견된 유물은 主塔에서 洪武 21년 4월에 제작된 塔誌石 1点, 銀製小龕 2点, 銅盒 2点, 硝子環玉 1点, 皇宋通寶 1点, 靑瓷碗 1点, 袈裟斷片 등이 발견되었다고 한다. 그중 銅盒 2点의 뚜껑과 本體 上下에는 각각 '施主元老', '施主元氏'가 刻字되어

[○奉翊大夫·典工判書致仕盧有麟寫成'紺紙銀字妙法蓮華經':追加].[65)]

[是月丙辰[12日], 征虜大將軍藍玉等兵罷故元主脫古思帖木兒于捕魚兒海, 獲其次子地保老等六十四人及故太子必里禿妃幷公主等五十九人. 又追獲吳王朶兒只·代王達里麻·平章政事八蘭等二千九百九十四人, 軍士男女七萬七千三十七口, 得國璽·圖書·金銀印章·馬陀·牛羊·車輛, 各籍數, 入奏, 遂班師:追加].[66)]

五月甲戌朔[小盡,戊午], 日食.[67)]

[某日], 禑縱樂于大同江, 至夜乃還. 禑每出遊, 輒奏胡樂, 令倡優, 呈百戲, 崔

있다. 또 다른 3층석탑(東塔)에는 蠟石製 盒 3点이 발견되었는데, 그중의 하나(높이 9.2cm)에서 앞의 글자와 같은 솜씨로 '施主元龍'이 새겨져 있다고 한다.

· 塔誌石, "道人覺修,」 王師普濟尊者舍利一枚主塔」 安邀,比丘尼妙寬同舍利一枚」 東塔安邀,」 大功德主奉翊大夫徐允賢,」 法名覺喜,」 妻氏丹山郡夫人張氏,法」 名妙然,」 石手道人覺訓,」 爐冶道人覺淸,」 勸化比丘覺如,」 洪武二十一年戊辰四月誌,」 牧使姜隱」".

65) 이는 다음의 자료에 의거하였다(보물 제270호, 公州市 寺谷面 麻谷寺 所藏, 國立中央博物館 委託保管, 南權熙 2002년 383面 ; 張忠植 2007년 255面).

· 『紺紙銀泥妙法蓮華經』 권6, 卷末刊記 "洪武二十一年戊辰四月 日, 寫成,」 施主奉翊大夫·典工判書致仕盧有麟」".

66) 이는 다음의 자료에 의거하였다. 이날은 율리우스曆으로 1388년 5월 18일(그레고리曆 5월 26일)에 해당한다.

· 『명태조실록』 권190, 홍무 21년 4월, "… 丙辰黎明, [大將軍·永昌侯藍玉等師,] 至捕魚兒海南, 飮馬, 偵知虜主營在海東北八十餘里, 玉以[左參將·定遠侯王]弼爲前鋒, 直薄其營, 虜始謂我軍乏水草, 必不能深入, 不設備. 又大風揚沙晝晦, 軍行皆不知, 虜主方欲北行整軍馬, 皆北向. 忽大軍至, 其太尉蠻子率衆拒戰, 敗之, 殺蠻子及其軍士數十人, 其衆遂降. 虜主脫古思帖木兒與其太子天保奴·知院捏怯來·丞相失烈門等數十騎遁去. 玉率精騎追之, 出千餘里, 不及而還, 獲其次子地保奴妃子等六十四人及故太子必里禿妃幷公主等五十九人. 其詹事院同知脫因帖木兒將逃, 失馬竄伏深草間, 擒之. 又追獲吳王朶兒只·代王達里麻·平章八蘭等二千九百九十四人·軍士男女七萬七千三十七. 得寶璽·圖書·牌面一百四十九, 宣敕照會三千三百九十道, 金印一, 銀印三, 馬四萬七千匹, 駝四千八百四, 頭牛羊一十萬二千四百五十二頭, 車三千餘輛. 聚虜兵甲焚之, 遣人入奏, 遂班師".

· 『憲章錄』 권9, 홍무 21년 4월, "□□[丙辰], [征虜左副將軍]藍玉等兵罷故元主脫古思帖木兒于捕魚兒海, 獲其次子地保老等六十四人及太子必里禿妃幷公主等五十九人. 又追獲吳王朶兒只·代王達里麻·平章□□[政事]八蘭等二千九百九十四人, 軍士男女七萬七千三十七口, 得國璽·圖書·金銀印章·馬陀·牛羊·車輛, 各籍數, 入奏, 遂班師".

· 『明鑑綱目』 권1, 홍무 21년 4월, "藍玉襲罷元特古斯特穆爾[脫古思帖木兒]於捕魚兒海[注, 在今克什克騰西北周數十里], 獲其子迪保努[注, 舊作地保奴, 今改, 後仿此]".

67) 이날 明에서도 일식이 있었다(『명태조실록』 권190 ; 『명사』 권3, 본기3, 太祖3, 洪武 21년 5월 甲戌). 이날은 율리우스曆의 1388년 6월 5일이고, 開京에서 일식 현상이 심했던 시간은 6시 49분, 食分은 0.66이었다(渡邊敏夫 1979年 313面).

瑩日領軍士, 出入吹笛, 君臣荒滛[荒淫], 百姓怨咨.

[某日], 全羅道按廉使柳亮報,[68] "倭船八十餘艘來, 泊鎭浦, 寇旁近州郡". 禑遣上護軍陳汝宜于全羅·楊廣道, 凡托疾不赴北征, 而令子弟奴隷代行者, 悉發禦倭, 其隱避者, 斷以軍法, 籍沒其產.

[某日], 禑以宦者金剛, 少忤意, 斬之. 與寧妃如浮碧樓, 或射或擊毬, 欲殺圉人, 崔瑩請勿殺. 禑曰, "翁嗜殺人, 何禁我耶?". 瑩曰, "臣之殺人, 不得已也". 禑目左右, 遂斬之.

[某日], 以倭寇寖盛, 遣元帥金立堅于漢陽, 以衛世子及諸妃.

庚辰[7日], 左·右軍渡鴨綠江, 屯威化島,[69] 亡卒絡繹於道, 禑令所在□[官]斬之, 不能止.

[→師, 次威化島:列傳26崔瑩轉載].

[某日, 崔瑩請禑曰, "殿下還京, 老臣在此, 指揮諸將". 禑曰, "先王遇害, 以卿南征也, 予何敢一日, 不與卿共處乎?":節要轉載].

[某日], 禑如風月樓, 殺宦者大護軍金吉祥·護軍金吉逢, 人莫知其故.

甲申[11日], [大同江水, 赤:節要·五行1轉載].

○泥城元帥洪仁桂·江界元帥李薿,[70] 先入遼東境, 殺掠而還. 禑喜, 賜金頂兒·文綺絹.

[某日], 禑夜殺宦者一人.

丙戌[13日], 左·右都統使[曹敏修·李成桂]上言, "臣等乘桴, 過鴨江, 前有大川, 因雨水漲, 第一灘漂, 溺者數百, 第二灘益深, 留屯洲中, 徒費糧餉. 自此至遼東城, 其閒多有巨川, 似難利涉. 近日, 條錄不便事狀, 付都評議使司知印朴淳以聞, 未蒙兪允, 誠惶誠懼. 然當大事, 有可言者而不言, 是不忠也. 安敢避鈇鉞, 而嘿嘿乎, 以小事大, 保國之道, 我國家, 統三以來, 事大以勤. 玄陵[恭愍王]於洪武二年[恭愍18年], 服事大明, 其表云, '子孫萬世, 永爲臣妾', 其誠至矣. 殿下繼志, 歲貢之物, 一依詔旨. 於是,

---

68) 柳亮은 3월 17일 全羅道의 春夏番按廉使로서 赴任[下界]하였다(『금성일기』).

69) 威化島는 黔同島와 함께 鴨綠江口의 沙洲로서 義州 서쪽 10餘里에 있었다고 한다(『연산군일기』 권40, 7년 5월 6일 ; 『중종실록』 권9, 4년 9월 29일, 현재 新義州市의 上端里, 下端里로 편성되어 있다). 이날은 율리우스曆으로 1388년 6월 11일(그레고리曆 6월 19일)에 해당한다.

70) 李薿는 羽溪縣人이라고 한다(『炊沙集』 권3, 李孝信行狀).

特降誥命，賜玄陵之謚謚，册殿下之爵，此宗社之福，而殿下之盛德也．今聞劉指揮領軍立衛之言，使密直提學朴宜中，奉表啓稟，策甚善也．今不俟命，遽犯大邦，非宗社生民之福也．况今暑雨，弓解甲重，士馬俱憊，驅而赴之堅城之下，戰不可必勝，攻不可必取．當此之時，糧餉不給，進退維谷，將何以處之．伏惟殿下，特命班師，以答三韓之望”．禑與八道都統使瑩，不聽．

[某日]，禑如大同江，賜宦寺細布有差，以宦者金完爲過涉察理使，賷金帛·馬匹，分賜左·右都統使及諸元帥，督令進兵．○軍中~~左·右軍都統使~~留完，不遣．[71]

[某日，崔瑩欲與胡兵，夾攻遼東，使裴厚如胡．時亡元餘孼，遁逃沙漠，徒稱虛號．瑩欲與之爲援，其慮事粗略，~~擧措狂妄,~~ 如此:節要轉載]．[72]

[某日]，楊廣道按廉□使田理馳報，“倭寇四十餘郡，留兵單弱，如蹈無人之境”．乃遣元帥都興·門下評理金湊·前密直提學商議趙浚·郭璇·金宗衍等，禦之．

[某日]，令諸妃在漢陽者，皆還開城．

乙未22日，禑至成州溫泉，作胡樂徹夜．

○左·右都統使曹敏修·李成桂遣人，告八道都統使崔瑩曰，“軍多餓死，水深難以行軍，請速許班師”．瑩不以爲意．

○是日，軍中訛言，□我太祖右都統使李成桂率麾下親兵，向東北面，已上馬矣．軍中洶洶．左都統使曹敏修，罔知所措，單騎馳詣□我太祖，涕泣曰，“公去矣，吾儕安往?”．□我太祖曰，“予何去矣?，公勿如是”．遂諭諸將曰，“若犯上國之境，獲罪天子，宗社生民之禍，立至矣，予以逆順上書，請還師，王亦不省，瑩又老耄不聽．盍與卿等見王，親陳禍福，除君側之惡，以安生靈乎?”．諸將皆曰，“吾東方社稷安危，在公一身，敢不惟命是從”．於是，回軍渡鴨綠江，[73] □我太祖乘白馬，[74] 御彤弓·白羽箭，立於岸，遲軍畢渡．軍中望見，相謂曰，“古今來世，安有如此人乎?”．時霖潦數日，水不漲，師既渡，大水驟至，全島墊沒，人皆神之．○時童謠，有木子得國之語，軍民無老少，□皆歌之．[75]

---

71) ~~添字~~는 『태조실록』 권1, 總書, 우왕 14년 5월에 의거하였는데, 이렇게 고쳐야 옳게 될 것이다.

72) ~~添字~~는 열전26, 崔瑩에 의거하였다.

73) 이날은 율리우스曆으로 1388년 6월 26일(그레고리曆 7월 4일)에 해당한다.

74) 이때 李成桂의 幕下에 天台宗僧侶 神照가 從軍하고 있었다(『양촌집』 권12, 水原萬義寺祝上華嚴法華法會衆目記).

丁酉[24日], [小暑]. [西北面]漕轉使崔有慶, 以回軍, 奔告于禑.[76] 是夜, 我恭靖王[李芳果]與[~~共~~]兄芳雨及[密直副使]李豆蘭子和尙·上護軍柳龍生·崔高時帖木兒, 自成州禑所, 奔于軍前, 道遇支應守令, 盡奪其馬以行.

○禑□[王], 日午, 猶未知.

[□□[~~是時~~], 神懿王后[~~韓氏~~], 在抱川滓甓洞田莊, [~~神德王后~~]康妃, 在抱川鐵峴田莊. □[我]殿下[李芳遠]爲典理正郞, 在京聞變, 不入私第, 卽走馬至抱川, 幹事奴僕, 已盡逃散. □[我]殿下[李芳遠]陪奉王后及妃, 向東北面而行, 乘馬降馬, □[我]殿下[李芳遠]皆親扶持之, 自於腰間, 齎熟食以奉養. 慶愼公主·慶善公主·撫安君·昭悼君, 皆年幼, 亦從之. □[我]殿下[李芳遠]自抱之以乘馬, 路險水深處, □[我]殿下[李芳遠]亦自牽馬. 行路甚艱, 糧食乏絶, 得食於路傍民家. 過鐵原關, 傳聞官吏欲捕, 以夜潛行, 不敢入人家, 而宿于草野. 至伊川韓忠家, 聚近里丁壯百餘人, 分部行伍以待變曰, "崔瑩不曉事之人, 必不能追我, 縱來, 吾不懼矣". 留七日, 聞事定而還. 初, 瑩下令欲囚赴征諸將妻子, 旣而, 事迫不果行:追加].[77]

戊戌[25日], 禑聞大軍已至安州, 馳還, 夜至慈州泥城, 下令[下敎]曰, "赴征諸將, 擅自回軍, 惟爾大小軍民, 盡心以禦, 必大加賞賚".

○回軍諸將, 請急追之, □[我]太祖[李成桂]曰, "速行必戰, 多殺人矣". 每戒軍士, "汝輩若犯乘輿, 予不爾赦, 奪民一瓜, 亦當抵罪". 沿途射獵, 故緩師行.

己亥[26日], 禑至平壤, 收貨寶, 渡大同江, 夜至中和郡.

辛丑[28日], 禑於道上, 聞諸軍已近, 從間道疾馳, 至岐灘,[78] 詰朝還京, 入花園, 從者纔五十餘騎. ○自西京至京城, [~~數百里之間,~~] 從禑臣僚及人民, 以酒漿迎謁大軍者, 絡繹不絶. [八道都統使]瑩欲拒戰, 命百官, 以兵仗侍衛.[79]

---

75) ~~添字~~는 『고려사절요』 권33, 五行志2, 金行 ; 『태조실록』 권1, 總書, 우왕 14년 5월 등에 의거하였다.

76) 이때 崔有慶과 관련된 기록으로 다음이 있다.

- 『태종실록』 권25, 13년 6월 辛未[24日], 崔有慶의 卒記, "… 及太祖擧義回軍, 擧朝皆附於太祖, 獨有慶馳至成州, 見僞主告變, 從隨而還京".

77) 이는 『태조실록』 권1, 總書, 우왕 14년 5월에 의거하였다.

78) 江陰縣의 岐灘은 岐平渡의 다른 표기인 것 같다(韓禎訓 2013년 118面).

- 『신증동국여지승람』 권43, 江陰縣, 山川, "岐灘, 在縣北十六里. 其源有二, 一出遂安郡彦眞山, 一出平山府西冷井院等處, 至同府猪灘合流, 入于助邑浦. 古稱岐平渡, '高麗史'附開城縣".

79) ~~添字~~는 『태조실록』 권1, 總書, 우왕 14년 5월에 의거하였다.

[是月, 李成桂麾下上護軍趙仁沃·南誾等, 密有推戴成桂之議, 敢不發言:追加].[80)]

[○僧心坦寫成'白紙墨書金剛般若波羅密經·阿弥陁經菩薩行願品·法界圖'追加].[81)]

六月癸卯朔[大盡,己未], 諸軍來, 屯近郊, 爲書授[過涉察理使]金完, 以啓曰, "我玄陵[恭愍王], 至誠事大, 天子未嘗有加兵於我之志. 今[門下侍中]瑩爲冢宰, 不念祖宗以來事大之意, 先擧大兵, 將犯上國. 盛夏動衆, 三韓失農, 倭奴乘虛, 深入爲寇, 殺我人民, 燔我府庫. 加以遷都漢陽, 中外騷然, 今不去瑩, 必覆宗社".[82)]

甲辰[2日], 禑遣前密直副使陳平仲, 以書諭諸將曰, "受命出疆, 旣違節制, 稱兵向闕, 又犯綱常. 致此釁端, 良由眇末. 然君臣之大義, 實古今之通規, 卿好讀書, 豈不知此. 况復疆域, 受於祖宗, 豈可易以與人. 不如興兵拒之, 故我謀之於衆, 衆皆曰可, 今胡敢違. 雖指崔瑩爲辭, 瑩之捍衛我躬, 卿等所知. 勤勞我家, 亦卿等所知, 敎書到日, 毋執迷, 毋吝改, 共保富貴, 以圖始終. 予實望之, 不審卿等, 以爲如何".

○又遣[門下評理]偰長壽往軍前, 賜諸將酒, 欲知其意, 諸將進屯都門外.

○東北面人民及女眞之素不從軍者, 聞□[我]太祖回軍, 爭奮相聚, 晝夜星奔而至者, 千餘人.

○禑乃發府庫金帛, 募兵得數十餘人, 皆倉庫奴隷·市井之徒, 徵兵諸道入援, 聚

---

80) 이는 다음의 자료에 의거하였다.
- 열전29, 南誾, "禑攻遼, 從我太祖, 至威化島, 與趙仁沃等, 獻回軍之議. 且密謀推戴, 以太祖嚴謹, 不敢發言.旣還, 密白太宗[李芳遠], 太宗戒以勿言".
- 『태조실록』 권14, 7년 8월 己巳[26日], 南誾의 卒記, "戊辰, 從上至威化島, 與趙仁沃等, 獻回軍之議, 且密謀推戴, 以上嚴謹, 不敢發言. 旣還, 密言於殿下[李芳遠], 殿下戒以勿言".
- 『태조실록』 권10, 5년 9월, "己巳[14日], 漢山君趙仁沃卒. … 累遷至上護軍. 戊辰, 從上至威化島, 與議回軍, 拜典法判書. … 回軍之時, 與南誾等, 密有推戴之議, 畏上嚴明, 不發言. 及還, 以其議達于我殿下[李芳遠], 旣聞之, 戒以勿洩".

81) 이는 다음의 자료에 의거하였다(公州 岬寺 所藏, 郭丞勳 2021년 541面).
- 『白紙墨泥金剛般若波羅密經』, 권말제기, "比丘峻菴 心坦 特爲」 亡母李氏,離苦海生極樂之願,辦紙筆緣敬寫」 金剛般若經·阿弥陁經普賢行願普門品·法界圖發願」 文兩面一百部,欲廣其傳,於千萬年,永垂化緣」 廻茲勝利,上祝」 聖壽萬年, 伏願」 亡母李氏,速出三界,隨念迢生極樂國土,覩」 弥陁如來,得悟無生親受記莂, 次願」 助緣·施主及隨喜人兼我已身·普洎法界有緣无,」 緣者,各自灾消罪滅,福集壽延,生生世世,修般」 若智行普賢道,俗姓滿果,惟願,」 十方三寶,證明斯願,令得滿之,」 洪武廿一年五月初吉誌」".

82) 이날은 율리우스曆으로 7월 4일(그레고리曆 7월 12일)에 해당한다.

車塞巷口, 分軍守四大門, 削左都統使敏修[·右都統使李成桂:追加]等官爵, 以崔瑩爲門下左侍中, 禹玄寶△爲右侍中, 宋光美△爲門下贊成事, [安宗源爲門下贊成事商議:追加],[83] 安沼△爲評理, [判三司事李穡爲韓山府院君:追加],[84] 禹洪壽△爲司憲府大司憲, 鄭承可△爲鷹揚軍上護軍,[85] 趙珪△爲密直副使, 金若采△爲知申事.

○牓于大市曰, "執敏修[·李成桂:追加]等諸將者, 勿論官私奴隷, 大加爵賞".

己巳乙巳3日,[86] 我太祖李成桂屯崇仁門外山臺巖, 遣知門下□府事柳曼殊, 入自崇仁門. 左軍入自宣義門, 瑩逆戰, 皆却之. 曼殊初行初曼殊行, □我太祖謂左右曰, "曼殊目大無光, 膽小人也, 往必北走", 果然".[87]

○時□我太祖李成桂解鞍放馬, 及曼殊奔還, 左右以白, □我太祖不應, 堅臥帳中, 左右再三白之, 然後, 徐起進膳, 命鞁馬整兵. 將發, 有矮松在百步許, □我太祖欲射松, 卜勝兆, 以一衆心. 遂射松株, 一矢立斷. 乃曰, "再甚麽". 諸軍士皆賀. 鎭撫李彦出跪曰, "陪我令公, 往何處不可行乎?".

○□我太祖由崇仁門入城, 與左軍犄角而進, 守城之軍, 莫有拒者. 都人男女, 爭持酒漿, 迎勞軍士, 曳車開路, 老弱登城望之, 歡呼踴躍. 左軍都統使曹敏修建黑大旗, 至永義署橋, 爲瑩軍所奔, 俄而□我太祖建黃龍大旗, 由善竹橋, 登男山, 塵埃漲天, 鼓鼙震地.

○瑩麾下門下評理安沼, 率精兵, 先據男山, 望旗奔潰. 瑩知勢窮, 奔還花園, [不勝憤怒, 以槊洞刺守門者, 乃入:列傳26崔瑩轉載].

○□我太祖遂登巖房寺北嶺, 使吹大螺一通. 於是, 諸軍圍花園數百重, 大呼請出瑩. 每征討, 諸將不用螺皆吹角, 獨□我太祖於馬前吹螺, 故都人聞螺聲, 皆喜, □我太

83) 이는 『양촌집』 권38, 安宗源墓碑銘에 의거하였다.

84) 이는 『목은집』연보에 의거하였다.

85) 이때 禹洪壽와 鄭承可는 각각 密直副使兼司憲府大司憲, 密直副使兼鷹揚軍上護軍에 임명되었을 것이다.

86) 己巳는 乙巳(3일)의 오자인데, 『고려사절요』 권33에는 옳게 되어 있다.

87) 이 구절은 『태조실록』에도 수록되어 있으나 事實의 정리에 오류가 있었다는데, 添字가 추가되어야 옳게 될 것이다.

· 『태조실록』 권1, 總書, 禑王 14년, "六月朔, 諸軍來. □□乙巳, 太祖移屯崇仁門外山臺巖, 遣柳曼殊入自崇仁門, 左軍入自宣義門, 瑩逆戰, 皆却之. 太祖之遣曼殊也, 謂左右曰, '曼殊目大無光, 膽小人也, 往必北走'. 果然".

祖之軍已至矣.[88]

○禑與寧妃及瑩, 在八角殿, 瑩不肯出. 吹螺赤宋安登墻, 吹螺一通, 諸軍一時毁垣, 闌入于庭. [前兵馬使]郭忠輔等三四人, 直入殿中, 索瑩. 禑執瑩手泣別, 瑩再拜, 隨忠輔而出.[89] □[我]太祖謂瑩曰, "若此事變, 非吾本心, 然非惟逆大義, 國家未寧, 人民勞困, 寃怨至天, 故不得已焉. 好去好去". 相對而泣. 遂流[門下左侍中]瑩于高峯縣.

○[廣平府院君]李仁任嘗言曰, "李判三司□[事], 須爲國主". 瑩聞之甚怒, 而不敢言. 至是, 嘆曰, "仁任之言, 誠是矣". [門下贊成事宋]光美·[門下評理安]沼·[密直副使趙]珪·[密直副使鄭]承可等逃匿.

○兩都統[使]及三十六元帥, 詣闕拜謝. ~~韓山府院君李穡與留都耆老宰樞謁來~~, 問始末, ~~我太祖與穡語良久~~, 還軍門外. 先是, ~~潛邸里~~童謠曰, "西京城外火色, 安州城外烟光, 往來其閒李元帥[李成桂], 願言救濟黔蒼". ~~未幾有回軍之擧~~.[90]

丙午[4日], 復行洪武年號, 襲大明衣冠, 禁胡服.

○罷[右侍中]禹玄寶, 以曹敏修爲左侍中, 我太祖[李成桂]△[爲]右侍中, 趙浚△[爲]簽書密直司事兼大司憲, 諸將皆復職.[91]

[→我太祖[李成桂]回軍, 禑削諸將職, 以[禹]玄寶爲右侍中, 纔數日而罷, 封丹陽府院君:列傳28禹玄寶轉載].

[是時, 以[前西北面漕運使]崔有慶爲密直副使:追加].[92]

○時大明聞禑擧兵, 將征之, 帝欲親卜于宗廟, 方致齋, 及聞還軍, 卽罷齋.

[→時朝廷聞本國之變, 上疏請征, 帝欲親卜于宗廟, 方致齋, 適本國使者至, 卽

---

88) ~~添字~~는 『태조실록』 권1, 總書, 우왕 14년 6월에 의거하였는데, 이렇게 고쳐야 實相이 더욱 분명하게 드러나게 될 것이다.

89) 이날은 율리우스曆으로 1388년 7월 6일(그레고리曆 7월 14일)에 해당한다.

90) ~~添字~~는 『태조실록』 권1, 總書, 우왕 14년 6월에 의거하였는데, 筆者가 적절히 整理하였다.

91) 이와 관련된 기사로 다음이 있다.

- 열전31, 趙浚, "浚, 嘗憤王氏絶嗣, 與尹紹宗·許錦·趙仁沃·柳爰廷·鄭地·白君寧, 結爲友, 密誓有興復之志. 我太祖[李成桂]見浚器宇不凡, 與論事大悅, 待之如舊識. 及回軍, 擧爲知密直司事兼大司憲, 事無大小, 悉咨之. 浚亦以經濟爲己任, 知無不言".

92) 이때 崔有慶과 관련된 기록으로 다음이 있다.

- 『태종실록』 권25, 13년 6월 辛未[24日], 崔有慶의 卒記, "… [戊辰]夏, … 太祖[李成桂]旣執退崔瑩, 擢有慶爲密直副使".

罷齋:節要轉載].

○諸將入城, 會議□[於]興國寺, 罷諸道築城及徵兵.

○執[門下評理]安沼·[密直副使]鄭承可, 囚巡軍, 並流之.

[○典校副令尹紹宗, 詣軍前, 因[安州道都元帥]鄭地, 求見我太祖[李成桂], 懷霍光傳以獻, 令[判典儀寺事]趙仁沃讀而聽之. 仁沃, 極陳復立王氏之議:節要轉載].[93]

[丁未[5日], 諸將入城, 會議地藏寺, 移配崔瑩于合浦, 流宋光美于原州, 安沼于安邊, 鄭承可于寧海, 判密直□□[司事]印原寶于咸昌, 同知密直□□[司事]安柱于鳳州, 知密直□□[司事]鄭熙啓于陰竹:節要轉載], [皆瑩所親信者也:列傳26崔瑩轉載].

[戊申[6日]:節要轉載], 司憲府論宦者曹恂·曹福善·尹祥·前知申事金若采之罪, 皆流遠州.

○是夜[戊申夜],[94] 禑與宦豎八十餘人擐甲, 馳至我太祖[右侍中李成桂]及[左侍中]曹敏修·邊安烈之第, 以皆屯軍門外, 不在家. 故不得害而還.

己酉[7日], 諸將會議□[於]崇仁門, 使李和·趙仁璧·沈德符·王安德, 詣闕, 請悉出宮中兵仗·鞍馬.

庚戌[8日], 諸將請出寧妃. 禑曰, "若出此妃, 我當偕出". 於是, 諸元帥領兵守闕, 請禑如江華, 禑不得已乃出. 執鞭據鞍曰, "今日已暮矣". 左右俯伏泣下, 無應之者, 遂與寧妃及[明順翁主]燕雙飛, 出會賓門, 向江華.

○百官奉傳國寶, 置定妃殿.

[→禑遜, [徙]于江華, 百官奉傳國璽, 獻于妃:列傳2恭愍王妃定妃安氏轉載].[95]

[史臣曰, "秦政[秦始皇]·晋睿[晋元帝], 事涉疑似, 至於呂氏, 立他人子爲惠帝後, 朱文

---

93) 이와 관련된 기사로 다음이 있다.
- 열전24, 趙暾, "仁沃, 累遷判典儀寺事. 我太祖回軍, 尹紹宗懷霍光傳以獻, 太祖令仁沃讀而聽之. 仁沃因極陳復立王氏之議".
- 열전33, 尹紹宗, "… 紹宗, 不顧產業, 家甚貧, 知申事李存性白禑, 賜米十碩. 移典校副令. 我太祖[李成桂]回軍, 紹宗詣軍前, 因鄭地求見, 懷霍光傳以獻, 其意欲復立王氏也".
- 『태조실록』 권4, 2년 9월 己未[17日], 尹紹宗의 卒記, "戊辰夏, 上[李成桂]回自威化島, 駐軍東門外, 紹宗懷霍光傳進見".

94) 是夜는 『고려사절요』 권33에는 '戊申, 禑, 夜與宦豎八十餘人'으로 되어 있다.

95) 添字가 추가되어야 옳게 될 것이다.

公[朱熹], 直筆特書, 略無假借, 其所以爲天下後世, 戒嚴矣. 恭愍王, 嘗以無子爲憂, 宜求宗室之賢者嗣之, 乃取吨子, 陰養宮中, 以爲身後之計, 卒不能保其身. 禑亦荒淫[荒淫]暴虐, 身亡家敗, 嗚呼, 禑固不足論, 恭愍亦獨, 何心哉":節要轉載].

□[我]太祖[右侍中李成桂]欲擇立王氏後, [左侍中]曹敏修念[廣平府院君]李仁任薦拔之恩, 欲立昌. 恐諸將違己, 以[韓山府院君]李穡爲時名儒, 欲籍其言, 密問之. 穡曰, "當立前王之子".

[→[禑王]十四年, 我太祖[李成桂]回軍, 欲擇立宗室. [左侍中]曹敏修謀立昌, 以穡爲時名儒, 欲藉其言, 密問於穡. 穡亦欲立昌, 乃曰, "當立前王之子". 遂立昌:列傳28李穡轉載].[96]

[禑王在位年間].

[○鄭氏, 亐達赤臣祐女也. 父以罪謫海州疾篤, 寄書其家, 母得書痛哭. 鄭時年十七在室, 謂母曰, "父死在朝夕, 我欲往見." 母曰, "汝父得罪於國, 豈許汝往見耶?" 曰, "我且請諸朝." 卽馳至京, 具狀告, 都堂不受. 鄭立門外, 候諸相出, 前執侍中馬巒曰, "妾父臣祐, 罪非反逆[叛逆], 遠竄異鄕, 今又疾革. 請許妾往見." 諸相感泣, 卽白辛禑, 放臣祐歸田里:列傳34鄭臣祐轉載].

[仁同人 張東翼 校注, 增補].

96) 이 시기 이후 李穡의 行蹟에 대한 서술은 歪曲이 있을 가능성이 있다.

新編高麗史全文

세가11책 우왕

초판 1쇄 인쇄 | 2023년 05월 23일
초판 1쇄 발행 | 2023년 05월 30일

지은이 | 張東翼
발행인 | 한정희
발행처 | 경인문화사
편집부 | 김지선 유지혜 한주연 이다빈 김윤진
마케팅 | 전병관 하재일 유인순
출판번호 | 제406-1973-000003호
주소 | 경기도 파주시 회동길 445-1 경인빌딩 B동 4층
전화 | 031-955-9300 팩스 | 031-955-9310
홈페이지 | http://www.kyunginp.co.kr
이메일 | kyungin@kyunginp.co.kr

ISBN 978-89-499-6716-5 94910
978-89-499-6754-7 (세트)
값 31,000원